KB090439

茶

차에 대한 궁금증을 시원하게 풀어주는 책

# 차의 모든 것

(사)한국약선요리협회

양  승 · 문광철 · 김소영 · 김미정 · 김인애
나근영 · 문원식 · 변미자 · 유수림 · 유자연
이성자 · 장영숙 · 정명희 · 최명자

ⓑ (주)백산출판사

건강에 대한 관심이 높아지면서 약선에 대한 관심 또한 깊어지고 있다.

학문적인 이해나 실생활에 활용하기 어려워하는 이들과 고민을 나누다가 약선이 좀 더 쉽게 여러 사람들에게 응용되기를 바라는 마음에서 약차에 관한 책을 만들기로 하였다.

약차에 관한 내용을 서술하기 전에 차의 전반적인 상식을 아는 것이 좋겠다는 의견을 모아 우리가 차라고 하는 모든 것을 적다 보니 차에 대한 심오함과 다양함을 알게 되었고 세계 각 지방의 역사와 전통에 따라 독특한 차문화가 존재하고 차로 인해 발생했던 다양한 역사적인 사건들이 있었음을 알게 되었다.

찻잎으로 만든 것만을 차라고 할 수 있다는 의견과 우리나라를 비롯한 여러 나라의 전통적인 대용차들의 명칭을 두고 나눈 많은 의견과 생각들은 이 책을 만드는 시간 동안 적잖은 고민을 안겨주기도 하였다.

이 책은 차의 명칭을 나름대로 정리해서 차를 알아가는 재미있는 내용과 함께 일상생활에서 간편하게 만들어 마실 수 있는 여러 약차를 이해하기 쉽게 소개하였다.

우리나라 차문화는 오랜 전통을 가지고 있으나 기후, 토양, 강수량 등 차의 재배조건이 일부 지역으로 한정되어 있어 대중화되지 못하였다.

건강을 중요하게 생각하는 현대인들에게 차는 일상이 되고 있고 차에 대한 이해 또한 많이 깊어지는 추세이다.

약선의 한 부분인 약차를 보면서 많은 사람들이 차에 대해 흥미를 갖고 그 의미를 즐기기를 바라는 마음이다.

이 책이 건강한 삶에 도움이 된다면 이 책을 위해 함께 힘써주신 (사)한국약선요리협회 이사들과 회원들의 노고에 위로가 되리라 생각한다.

2019년 가을
(사)한국약선요리협회 이사장
양 승

 **제 7 장  각종 질병에 좋은 차**
• 541

제 1 장

# 서론

차 의 　 모 든 　 것

제 1 장

# 서 론

차는 맛, 향, 멋, 효능(건강식품)으로 마시는 기호식품으로 그 정의는 사람에 따라 차이가 있다. 차의 역사는 중국에서 시작되었다고 하지만 세계 구석구석에서 초기에는 약용 또는 기호품으로 그 지역에서 자라는 허브나 식물을 이용한 차 형태의 음료가 있었다.

차나무에서 채집한 찻잎이 전해지면서 그 지역의 문화를 흡수하여 새롭고 독특한 차 문화가 만들어지고 다양한 형태의 차 음료도 개발되었다.

예를 들면 중국에서는 "다법(茶法)"이라는 차문화가 있고 그것이 한국에서는 "다예 (茶禮)"가 되었으며 일본에서는 "다도(茶道)"라 하여 새로운 차문화가 형성되고 서양에서는 손님을 접대하는 교류수단으로 발전하면서 나름대로의 예절이 생겨났다. 그 밖에 다른 나라에서도 그 나라의 특성에 알맞은 독특한 차 예절이 있다.

시대가 흐르면서 차 만드는 방식이나 마시는 방법이 달라지면서 차의 종류도 다양해지고 각 나라의 특성에 맞는 차가 개발되어 계속 발전하고 있으며 지금도 새로운 차가 계속 개발되고 있다.

차가 시작된 중국이나 그 주변국인 한국, 일본에서는 불교 스님들이 정신수련을 목적으로 차를 마셨고 일부 선비들은 멋을 부리며 풍류를 즐기기 위해 차를 마셨으며 상류층 사람은 자기들만의 특권의식을 과시하며 특권층만의 교류수단으로 이용하여 왔다. 그 후 일반서민에게까지 퍼지면서 교류를 위한 수단뿐만 아니라 노동자들은 피로를 풀고 활력을 얻기 위해 마시고 몸이 좋지 않은 사람은 건강을 지키는 수단으로 차를 마셔왔다. 또한 양이나 야크를 키우면서 산악지역을 이동하며 생활하는 유목민족들에게는 채소에서 얻어야만 하는 영양소를 공급하는 역할을 하면서 발전하여 왔다.

차의 범위는 크게 두 가지로 분류한다. 차나무에서 채취한 잎을 이용한 차와 찻잎이 아닌 여러 가지 식물들을 이용하여 차와 같은 용도나 특수한 기능을 위해 즉 약용이나 미용 또는 기호음료로 마시는 차다. 즉 서양허브차, 화차, 약차, 쿠딩차, 전통차 등이 후자에 속하며 대용차라고도 한다.

중국의 당나라 때 『다경(茶經)』을 쓴 육우는 그 당시에 찻잎이 아닌 양파, 생강, 귤껍질, 정향, 민트 등으로 차를 끓이는 것은 차라고 할 수 없고 오직 찻잎으로 끓일 것을 강조하였다. 우리나라의 차문화에서 큰 족적을 남겼던 다산 정약용 선생은 차나무로 만든 차만 차라고 불러야 하고 나머지는 탕이라고 주장하였다.

그러나 중국뿐만 아니라 우리나라의 여러 가지 문헌이나 민간생활에서는 자연에 있는 작은 풀잎부터 계절에 따라 꽃, 열매, 줄기, 나뭇가지, 나무껍질, 뿌리까지 모든 재료를 이용하여 기호음료나 건강음료를 만들어 차라고 불렀다.

우리나라에서는 여름에 더위를 이기기 위해 매실차나 오미자차를 만들어 마셨고 소화를 돕고 속을 편하게 하기 위해 보리차를 마셨으며 속이 차면 생강차, 몸이 차면 계피차, 배탈이 나면 쑥차, 몸이 부으면 오피차, 해수천식에 모과차, 몸에 열이 나면 녹두차, 토사곽란에 방아잎차 등 우리 선조들의 생활 속에 녹아 있는 차는 헤아릴 수 없을 만큼 많다.

또한 고종 황제가 즐겨 마셨다는 커피도 『고종실록』에는 가배차(咖啡茶)라고 불렀다.

중국에서도 찻잎이 아닌 여러 가지 식물에서 채취한 것들을 차라고 불러왔다. 예를 들면 중국 화베이 사람은 "국화차"를 많이 마셨고 계림에서는 튀긴 쌀 알갱이를 뜨거운 물에 우려 "미차"라고 했으며, 쿠딩차, 모리화차 모두 찻잎이 아닌 다른 식물로 만들어 차로 마셔왔다. 대만에도 우리나라 미숫가루처럼 곡식을 갈아 만든 "뢰차"라는 것이 있다.

또한 유럽, 남미, 아프리카 등지에서도 허브차라 하여 그곳에서 자라는 식물을 이용하여 정신을 맑게 하는 기호식품이나 질병을 치료하고 피부미용 등 다양한 용도로 이용하여 왔다.

그 밖에 다른 나라 민족들도 살아가는 환경과 기후 등에 적응하며 살기 위해 알맞은 음료들을 개발하여 마셔왔으며 차라고 불렀다. 예를 들면 서양에서 차를 "tea"라고 부르는데 찻잎을 이용한 차 외에도 각종 허브도 티의 범주에 넣는다.

또한 각 지역의 특성에 따라 차를 마시는 방법도 다양하다. 중국에서는 차를 작은 잔에 따라 마시고, 영국에서는 홍차에 밀크와 설탕을 넣어 마시고, 미국에서는 얼음을 넣어 마시는 것을 즐기고, 러시아인은 레몬을 넣어 마시는 것을 좋아하고, 북아프리카에서는 민트를 넣어 마시며, 이란에서는 계핏가루를 넣어 마시는 것을 좋아하고, 히말라야 산악지대에서는 보이차에 야크버터를 넣어 "수유차(酥油茶)"라고 부르며, 인도에서는 우유와 홍차, 각종 향신료, 설탕을 넣어 "차이"라고 부르며 길거리나 조그만 상점에서도 팔고 서민들도 즐겨 마신다.

이 책에서는 차의 정의를 두 가지로 나누어 설명하고자 한다.

좁은 의미의 차(협의의 차)는 다산 정약용 선생의 주장처럼 찻잎을 이용하여 여러 가지 제다법으로 생산한 차를 말한다.

넓은 의미의 차(광의의 차)는 식물의 꽃, 잎, 줄기, 껍질, 뿌리, 열매까지 이용하여 만든 차로 재료의 특징에 따라 여러 가지 방법으로 만들고 여러 가지 용도로 이용하는 음료를 차의 범주에 넣는다.

찻잎으로 만든 차(협의의 차)는 생산지역, 제다방법, 채취시기, 건조방법, 차의 형태, 등에 따라 그 종류는 헤아릴 수 없을 만큼 많지만 중국에서는 발효방법에 따라 크게 6가지로 분류하는데 백차, 녹차, 청차, 황차, 홍차, 흑차의 6가지로 크게 구분한다.

찻잎이 아닌 다른 재료를 이용

하여 만든 차(광의의 차)는 대용차로 식물의 꽃을 이용하여 만든 화차, 잎을 이용한 엽차, 풀을 이용한 초차, 향을 이용한 허브차, 곡물을 이용한 뢰차, 더위를 이기기 위해 만든 쿠딩차, 광둥량차 등이 있다.

그 밖에 우리가 약차라고 부르는 차는 한국 전통차 중에 민간요법으로 전해내려 오는데 약의 효능을 이용하여 가볍게 마실 수 있으며 건강을 지킬 수 있는 차가 많다. 예를 들면 배가 아플 때 생강차, 숙취해소에 갈근차, 손발이 찰 땐 계피차, 허리가 아플 땐 두충차, 무릎이 시리고 약하면 우슬차, 기운이 없을 땐 인삼차, 체력이 떨어지고 몸이 허약할 때는 십전대보차, 감기몸살기운이 있을 때 쌍화차 등등 식물을 단독 또는 몇 가지를 배합하여 음료형태로 만든 약차가 있다.

약차는 동양의학이론을 기본바탕으로 탕제와 같이 여러 가지 약재를 배합하여 식물의 효능과 성미를 활용하여 계절의 특징, 인체의 건강상태, 체질, 질병에 따라 가볍게 음료로 마실 수 있도록 만들어 질병을 예방하고 건강을 지킬 수 있도록 만든 것이다.

그 밖에 차선이 있는데 차선은 찻잎을 이용하여 음식을 만들어 먹는 것으로 전통적으로 대표적인 것은 미얀마에서 찻잎을 발효시켜 만든 라펫과 중국의 차단이 있으며 현대에 와서는 잎이나 가루를 이용한 녹차라테, 녹차나물, 샐러드, 녹차밥, 녹차빵, 국수, 수프, 비스킷, 초콜릿, 스무디, 아이스크림 등등 여러 가지 음식으로 개발되고 있다.

차는 현대에 와서는 뜨거운 물에 우려 마시지만 송나라 이전까지만 해도 물에 끓여 마셨다. 차를 우려 마시는 것은 수용성 영양소를 섭취하는 것이고 통째로 먹는 것은 수용성을 포함해 지용성 영양소까지 흡수할 수 있어 영양적인 면만 따진다면 전체를 먹는 것이 좋다. 차에 들어 있는 영양소를 보면 수용성은 카테킨, 비타민 C, 카페인, 아미노산, 당질 등이 있으며 지용성은 비타민 E, 베타카로틴, 식물섬유, 미네랄, 엽록소, 카테킨 일부 등이 있다.

제 2 장

# 차나무
# 잎으로
# 만든 차

차의 모든 것

# 차나무 잎으로 만든 차

차는 기호식품으로 인류문명과 함께 발전해 왔다. 차를 마시기 시작한 것은 정확한 기록이 없어 추정할 수밖에 없으나 문명이 발달하기 전부터 시작되었을 것으로 추정한다.

일반적인 학설로는 중국에서 가장 먼저 차를 마시기 시작했으며 전설에 의하면 고대 신농씨가 처음 발견했다는 내용만이 전해져 올 뿐이다. 문헌에 의하면 "신농씨가 백초를 맛보다 72독에 감염되었는데 차로 해독하였다."라는 기록이 있다.

다만 처음에는 야생에서 채집하여 약용으로 사용하였을 것으로 추측하며 기원전 1세기경에 사천사람들이 뜨거운 물에 찻잎을 우려 마셨다는 설도 있다.

차의 최초이름도 가(檟), 고다(苦茶)로 불렀으며 『신농본초경』에도 차는 고채(苦菜)로 기록되어 있다. 또한 다른 문헌에는 호북(湖北), 사천(四川) 지방에서 찻잎을 따서 눌러 납작하게 만들어서 불그스름해질 때까지 구운 후 두드려서 작은 조각을 내고 자기 그릇에 담아 끓는 물을 붓는다. 여기에 생강, 파, 귤껍질을 넣어 우려 마신다는 기록이 있으며 소금을 넣어 먹기도 하는데 이는 무기력증상이나 위장병, 시력감소 등을 치료하는 약으로 마셨다는 기록도 있다.

또 다른 문헌에 의하면 서한(西漢)시대에 차를 마시는 행위에 대한 기록이 있으며 차 문화는 중국 서남지역의 파촉(巴蜀)에서 형성된 것으로 오늘날의 사천지방에 해당되는데 당시 주무왕(周武王)에게 야생차나무가 아닌 재배한 찻잎을 공물로 바쳤다는 기록으로 보아 3000년 전에 이미 차나무를 재배하고 차문화가 형성되었음을 짐작할 수 있다. 또한 한나라와 삼국시기에 문인들과 내시들이 차를 마셨다는 기록으로 보아 이 시기에는 이미 차문화가 많이 발전했다고 할 수 있다. 따라서 중국 사천지방을 차의 발생지로 여기며 이곳에서부터 다른 여러 곳으로 차문화가 전파되었을 것으로 추정한다.

그 후 점차 귀족들이나 승려들 사이에서 음료로 마시게 되었다. 기원전 59년 왕포의 『동약(僮約)』에 차를 음료로 마신다는 기록이 처음 나온다. 한나라로 오면서 점차 전국으로 전파되었으며 삼국시대에 궁궐에서는 차 마시는 것이 보편화되었다. 현대에 와서는 술, 커피, 차가 세계 3대 음료로 인류의 사랑을 받고 있다.

또한 차는 수천 년의 유구한 역사를 갖고 있는데 차나무를 신농씨가 발견한 이후 처음에는 찻잎을 그냥 입으로 씹어 먹다가 말려서 물에 우려먹고, 다시 찻잎을 덖어 물에 우려 마시게 되었다. 찻잎의 효능은 청열해독, 소화, 감비, 강심, 이뇨, 명목, 강하혈지방, 강하혈압, 항균, 소염, 진정작용 등 다양하다.

차나무는 인도 동북부지역인 아삼과 중국의 운남 그리고 미얀마, 라오스, 베트남, 태국 북쪽지역 등지의 산악지대에서 야생으로 자랐을 것으로 추정된다.

세계의 차 생산량을 살펴보면 중국과 인도가 가장 많고 다음으로 스리랑카와 케냐가 뒤를 잇는다. 그 밖에 스리랑카, 아르헨티나, 인도네시아, 태국, 일본, 방글라데시, 네

팔, 등이 생산하고 있으며 우리나라는 세계 차의 0.07% 정도가 생산된다. 차의 종류나 분류하는 방법도 국가, 시기, 제다법에 따라 각기 다르며 마시는 방식도 조금씩 차이가 있다.

# I 차에 관한 상식

## I-1. 세계의 차 이야기

### 1. 한국

우리나라의 차는 천여 년의 역사를 가지고 있다. 가락국의 김수로왕이 인도 아유타국 출신의 공주 허황옥을 아내로 맞이하는데 중국에 정착해 살던 허씨가 시집오면서 차씨를 가져왔던 것이 최초라고 한다. 『삼국유사 · 가락국기』에 제사음식 중 차가 들어 있다. 『삼국사기 · 신라본기』에 의하면 신라 흥덕왕 때 김대렴이 당나라에서 돌아오면서 차나무의 종자를 가지고 와 지리산에 심게 했다는 공식적인 기록이 있다. 차는 선덕왕 때도 있었지만 이때부터 중국에서 좋은 차나무를 들여와 본격적으로 심기 시작했다고 한다. 우리나라 차문화는 불교와 함께 점차 퍼져 나가는데 궁궐, 귀족 등으로 확산되다 고려시기에는 일반대중들도 마시게 되어 "일상다반사"와 "차례"라는 말도 생겨났다.

그 후 조선시대에 와서는 숭유억불정책에 따라 차문화가 쇠퇴했으나 스님들을 중심으로 명맥을 유지해 오다 초의선사, 다산 정약용, 추사 김정희 등에 의해 다시 살아나기 시작하였다. 특히 초의선사는 귀양생활 중인 정약용, 김정희 선생과 차에 대한 교류를 많이 하였으며 다도를 생활화하고 이론을 정립 · 실천하여 한국차의 성인으로 불린다. 초의선사는 "다신전", "동다송"을 통해 우리 풍토에 맞는 좋은 차를 마시기 위해 찻잎 채취방법, 제다법, 좋은 물, 차 마시는 법 등을 기록하였으며 우리의 차문화 가치를 공유하고 생활화하였다. 우리나라가 다른 나라에 비해 차문화가 대중화되지 않는 또 다른 이유는 물이 좋아 굳이 차를 끓여 마시지 않아도 되는 좋은 자연 덕분이다. 또한 차나무가 자라기에 적합한 지역이 별로 많지 않다.

차나무는 햇빛과 강수량이 많은 열대, 아열대 지방에서 주로 자라는데 한국에서는 경상남도, 전라남도, 제주도 등 일부 지방에서만 재배한다. 물론 지금은 기후의 변화로 강원도에서도 재배가 가능하다고 한다.

수확시기에 따라 곡우를 전후해서 채취한 차를 우전(雨前)이라 하고 최상품으로 여기는데 봄에 나는 찻잎이 카테킨보다 아미노산이 많아 감칠맛과 단맛이 많기 때문이다. 4월 말에서 5월 상순에 채취한 차를 첫물차라 하고 5월 하순에서 6월 상순에 채취한 찻잎을 두물차, 6월 하순에서 7월에 채취한 차를 여름차(입하차), 8월 하순에서 9월 상순에 채취한 차를 끝물차라고 부른다. 또한 잎의 크기에 따라 세작, 중작, 대작이라고 한다. 우리나라에서 생산되는 차의 종류는 수없이 많지만 대표적인 차가 설록차, 옥로차, 쌍계우전, 승주작설, 화개죽로, 광주춘설, 보성옥로 등이 있다.

### (1) 하동

하동은 우리나라 최초의 차 시배지로 추정한다. 신라 흥덕왕 때 김대렴이 차 종자를 가져와 지리산에 심게 했다는 말은 하동의 화개 지방을 뜻하는 것으로 이곳은 일교차가 심하고 안개가 많으며 뒤로는 산악지역이고 앞에 섬진강이 흘러 배수가 잘되며 바위와 자갈이 많아 골짜기의 바위틈으로 좋은 차나무가 자랄 수 있는 천혜의 조건을 갖추고 있다. 초의선사도 이곳의 차를 상품으로 여겼다. 따라서 이곳은 야생차가 많이 나며 지금은 2천여 가구가 차를 생산하고 전국 차 재배면적 중 25%를 차지하고 있다.

야생차는 약간 길쭉하게 자라며 좋은 차는 말린 잎이 가늘고 광택이 있으며 바짝 건조된 것으로 묵은 잎이 적고 손으로 쥐었을 때 단단하고 묵직한 느낌이 든다.

### (2) 보성

보성은 현재 국내 최대의 차 재배지이자 차 산업의 발상지이며 우리나라 차 생산의 40% 정도를 차지하고 있다. 보성에는 크고 작은 차밭이 200여 군데나 있으며 대규모 다원이 여러 곳에 있어 녹차의 생산량 또한 제일 많은 곳이기도 하다.

『동국여지승람』과 『세종실록지리지』 등의 기록에 의하면 보성은 예부터 차나무가 자생하여 녹차를 만들어 왔으며 지금도 문덕면 대원사나 벌교 징광사지 주변에는 야생차나무가 자라고 있다. 그리고 득량면 송곡리는 다전(茶田)이라 불리는 마을이 있는데 이렇게 불리는 이유도 예로부터 이곳에서 차나무가 많이 자랐음을 유추해 볼 수 있다. 이 지역은 바다와 산으로 이루어져 있으며 습도가 높고 일교차가 심하고 사질토양 등 차나무가 자라기에 기후조건이 아주 적합하다.

보성에서 차 재배가 본격적으로 이루어진 것은 일제강점기 시절이었다. 1939년 일본 차 전문가들이 보성을 최적의 차 재배지로 선정하여 인도산 차 종자를 들여와 대규모 재배를 시작하여 다원이 만들어지기 시작하였다.

### (3) 제주

제주 차 재배의 역사는 40~50년 정도가 되며 자연조건이나 기후조건이 좋아 차 재배하기에 적당하다. 따라서 한라산 기슭에 황무지를 개발하여 다원을 많이 만들어 지금은 재배면적이 전국의 25% 정도 된다. 차 재배로 유명한 다원은 제주다원, 설록다원, 백록다원, 제주서광다원, 서귀다원 등이 있다.

### (4) 장흥

장흥 "청태전"은 우리 고유의 전통차로 발효차에 속한다. 삼국시대부터 남해안을 중심으로 전해내려 온 차다. 전차, 돈차라고도 부르는데 발효과정에서 파란색 이끼가 낀 동전처럼 변한다고 하여 "청태전"이라 했다고 한다. 지금도 장흥에 있는 다원에 가면 맛볼 수 있다.

우리나라 역사에서 차를 가장 중시했던 고려시대에 왕가에서 관리하던 다원을 "다소"라고 부르는데 전국에 19개가 있었으며 그중 장흥에 13개가 있었다고 한다. 제다법이 약간 다른데 재배한 찻잎을 위조과정을 거쳐 가마솥에 찌고 절구에 찧어서 엽전모양으로 만들어 차반에 말리다 꼬치에 꿰어 줄로 연결하여 처마 밑이나 집안에 걸어두고 햇볕과 바람에 발효시키는데 푸른색을 띠면 발효가 된 것으로 여기며 차로 우려내면 구수한 맛이 난다.

### (5) 기타

그 밖에 남해안의 모든 지방에도 차나무가 있으며 초의선사가 수도에 정진하며 차를 즐겼던 해남 대흥사의 일지암이나 다산 정약용이 유배생활을 하며 차를 마셨다는 강진, 순천, 경남지방의 경주, 울산에서도 차를 재배하고 즐긴다.

### 2. 중국

중국은 차가 시작되었으며 생산량이나 소비량도 세계에서 가장 많은 국가로 어느 곳을 가나 차를 마시고 즐기는 모습을 볼 수 있다. 차는 중국의 서주(西周)시기에서 출발하여 마시기 시작하였으며 서한(西漢)시대에 재배하기 시작했고 당나라 때 상업적으로 발달하였으며 명나라 때 대중화되었고 청나라 때는 전성기를 맞이하였다고 한다. 차를 6가지로 분류하여 마시는 것도 중국이다. 지금도 몇 백년 된 찻집이 있으며 결혼식이나

특별한 행사에 차를 올리며 존경을 표시하는 문화도 남아 있다. 또한 길거리나 여행길에 차병을 가지고 다니며 차 마시는 모습도 흔하게 볼 수 있을 정도로 실용화되어 있지만 다양한 민족의 다양한 차문화 역시 존재한다. 현

대에 와서 가장 보편화되어 있는 "쿵푸차"는 예절을 지키며 전통적인 방법으로 차를 즐기는 방법이다.

종합해서 중국의 차문화를 "다법"이라고 하는 것은 제다의 기술성과 실용성을 중시하는 차문화를 말한다.

### (1) 사천

사천에는 최초의 차 재배지 몽정산의 "황차원"이 있다. 황차원에는 중국 전한(前漢)시대에 감로사의 승려로 차나무를 최초로 재배한 보혜선사 오리진과 차를 가공하고 끓이고 마시는 법을 적은 『다경』이라는 책을 쓴 육우(陸羽)가 모셔져 있다. 오리진은 베틀을 짜던 홀어머니가 갑자기 눈이 멀어 오리진이 야생차나뭇잎을 따서 끓여드리자 어머니 눈이 다시 좋아졌다고 한다. 그래서 마을사람에게 좋은 차를 나눠주기 위해 차나무를 재배하기 시작했다고 한다.

몽정산에서 나오는 차는 모두 몽정차라고 하는데 "황아"와 "감로"가 제일 유명하다. 이 차는 모두 황궁에 진상품으로 사용했기 때문에 당시 일반인이 먹기 힘들었다고 한다. 감로는 녹차에 해당되고 황아는 황차(黃茶)로 분류한다. 이 차는 12사람이 하루 종일 작업을 하면 1근 정도 얻을 수 있으며 4번의 살청작업과 3번의 유념과정을 거치고 2번의 홍건작업을 해야 완성된다고 한다.

### (2) 운남

중국 운남성은 남서부 쪽에 위치하며 산이 많고 기후가 온난하여 차나무가 자생하기 적합한 기후를 갖고 있다. 이곳의 차나무는 대엽종이 대부분이며 보이차의 고향이다. 이곳에는 천 년, 이천 년 된 차나무가 현재도 곳곳에서 자라고 있으며 일부 학자들은 이곳을 차의 시작점으로 여긴다. 차마고도가 있는 곳으로 많은 소수민족이 살고 있으며 "죽통차"로 유명한 포랑족은 해발 1,000m에서 살고 있다.

죽통차는 청죽대나무를 이용해 만든다. 산차를 2분간 쪄서 죽통에 넣고 죽통을 숯불에 10분간 넣어 타지 않게 구운 후 죽통을 깨면 죽통차가 완성되는데 죽향과 단맛이 많이 우러난다.

또한 운남성에는 카오차가 유명하다. 카오차는 구운 차로 이곳에서는 주전자에 숯불을 하나 담고 차를 넣어 타지 않게 계속 흔들어주면서 찻잎을 노랗게 구워낸다. 숯불 위에 솥을 걸고 노랗게 볶기도 한다. 카오차는 차 속의 한기를 없애고 구수한 향을 만들어준다고 한다.

보이차는 현재 세계적으로 큰 인기를 끌고 있으며 우리도 익히 잘 아는 차이다.

### (3) 복건

복건성의 서북쪽으로 무이산이 있는데 그곳이 차로 유명하다. 무이산은 기암절벽 사이로 강이 흐르는 곳으로 대나무뗏목이 다니고 구곡계, 36봉우리, 72개 동굴 99개의 봉우리가 있다. 암벽 사이에서 자라는 "무이암차"가 유명하다. 무이암차는 암차, 주차, 반암차로 구분하는데 암차를 가장 상급으로 친다. 또한 이곳에 "영락사"라는 절이 있는데 이곳에서 만든 차를 무이암차 중에서 최고로 치는 "대홍포"가 있다. 대홍포는 당, 송대의 진상품으로 일반인이 먹기 힘들었다고 한다. 대홍포는 옛날 선비가 과거시험을 보러 이 사찰 옆을 지나가다 쓰러져 있는 것을 스님이 발견하여 이곳에서 나는 차를 먹였는데 기운을 회복해 다시 길을 나서 시험을 무사히 볼 수 있었다고 한다. 그 선비가 과거에 급제하여 그 고마움을 잊지 않고 귀향길에 이곳에 들러 입고 있던 홍포를 차나무에 걸쳐줬는데 그때부터 이곳을 대홍포라 불렀으며 이곳에서 생산되고 영락사 스님들이 제다한 차를 "대홍포"라고 한다. 이 대홍포를 이곳 사람들이 대만으로 건너가 만든 것이 유명한 대만의 오룡차라고 한다. 대홍포는 찻잎을 채취하여 1시간 정도 햇빛에 시들게 한 후 실내로 이동하여 8시간 정도 건조한 후에 살청, 유념, 홍건을 하여 만든다. 홍건을 할 때는 숯불을 이용한다.

또한 이곳 복건성 무이산 부근 "통무촌"에서 400여 년 전 세계 최초로 만든 홍차가 "정산소종"이다. 정산소종은 방치해 놨던 차의 나쁜 냄새를 없애기 위해 소나무로 불을 지펴 차를 말리면서 시작되었다고 한다. 정산소종은 그래서 소나무의 향이 나는 홍차로 유명하다. 영국의 차 도둑으로 유명한 로버트 포춘이 1849년 이곳에 들어와 차나무와 제다법을 훔쳐 만든 차가 유명한 "다르질링 홍차"라고 한다. 이후 영국이 식민지 국가에 차나무를 심어 홍차를 만들면서 홍차로 유명해지게 된다.

### 3. 인도

인도 북동부의 차 소비는 오래전부터 있어왔다. 음료는 아니지만 미얀마, 태국 등 일부 지방의 부족들은 찻잎을 "미앙" 또는 "러펫"이라고 하여 발효시키거나 절여서 음식으로 먹었다. 지금도 미얀마에서는 만들어 먹고 있으며 히말라야 지역에서는 버터티를 오래전부터 먹어왔다.

그러나 본격적으로 재배하고 마신 것은 17세기 네덜란드 상인들이 처음 중국차를 인도로 가져와 시작되었으며 19세기 전에 일부 지방을 제외하고는 약용으로만 차를 사용하였다. 영국의 식민지가 되면서 여러 군데 다원이 생기기 시작하면서 본격적인 차 산업이 시작되었다.

인도에서는 중국종 차나무와 아삼종 차나무를 모두 재배했는데 아삼종이 잘 자라 지금은 아삼종이 대부분이다. 인도인들은 영국인들처럼 차 마실 때 우유와 설탕을 넣고 향신료를 넣어 마신다. 동인도에서는 향신료를 넣지 않기도 하지만 인도는 물이 좋지 않아 차 마시는 사람들이 많은 나라로 자체 소비량도 많다. 지금은 기차역, 버스정류장, 고속도로 휴게소, 항구 등에서도 차통을 메고 차이를 외치며 파는 이들을 쉽게 볼 수 있다.

현재 인도는 홍차 생산량이 세계 1위로 다양한 종류의 홍차를 생산한다. 당시에는 대부분 유럽에서 소비되는 수요를 맞추기 위해 생산되었지만 시간이 흐르면서 인도인들이 즐겨 마시는 차가 개발되었다. 대표적인 것이 이라니카페에서 파는 "파니쿰차이"로 우유를 넣고 진하게 끓인 차다. 이라니는 이란에서 뭄바이로 옮겨간 이민자들이 노동자들을 상대로 길모퉁이 가판대에서 차를 만들어 팔면서 시작되었다고 한다. (나중에 카페로 발전하였다.) 이라니카페도 처음에는 연한 차를 팔았으나 인도인들이 진하고 달콤한 차를 좋아하여 물을 적게 넣어 진하게 되었다고 한다. 또 다른 유명한 차는 향신료를 가미하여 만든 "마살라차이"다. 마살라차이는 인도에서 흔하게 볼 수 있는 또 하나의 인도 차문화를 만들어낸 차다.

가장 유명한 홍차는 다르질링, 아삼, 닐기리, 히미찰프라데시, 시킴, 케랄라 등 지역에서 생산한 홍차다. 인도 히말라야산에 기원을 두고 있는 아사미카품종의 차나무는 영국의 식민지시절 차산업으로 발달되어 지금에 이르고 있다. 영국은 유럽티의 수요를 중국에서 수입하여 인도에 차 재배와 생산 산업을 일으켜 충당하였다.


## 4. 스리랑카

스리랑카는 나라는 크지 않지만 차 생산량이 세계 4위에 이를 만큼 차를 많이 생산한다. 대부분 수출하며 국내소비는 미미한 편이다. 실론티로 알려진 스리랑카의 차는 대부분 홍차이다. 다원은 스리랑카 중북부지역에 분포하여 고지대, 중지대, 저지대로 분류하며 따뜻한 기후로 1년 내내 생산한다. 고지대에서 재배한 차는 선명하고 황금색의 찻물이 우러나오며 중간지대는 맛과 향이 풍부하고 부드러우며 저지대는 차색이 진하고 맛과 향이 강하다.

19세기 인도처럼 영국의 식민지가 되면서 영국인들에 의해 재배되기 시작하였다. 영국은 홍차를 만들기 위해 아삼종 차나무를 스리랑카에서 재배하는 데 성공하였다. 홍차가 가장 많이 만들어지고 있지만 녹차, 백차도 일부 생산되어 세계로 수출되고 있다. 지역에 따라 차의 맛과 품질이 다른데 유명한 차 생산지는 고지대의 우바, 캔디, 누와라엘리야, 딤불라가 있고 중지대로는 우다푸셀라가, 저지대로는 루후나 등이 있다.

## 5. 인도네시아

인도네시아는 차 생산량이 세계 8위쯤 되는 나라로 자바섬과 수마트라섬에서 많이 생산된다. 1600년대 네델란드의 동인도회사가 중국 품종을 들여와 재배했지만 잘 자라지 않아 인도에서 아사미키품종의 차나무를 들여와 심은 것이 최초다. 그 후 홍차를 많이 생산해 왔지만 제2차 세계대전 후로 다원과 차밭이 파괴되어 야생으로 돌아가 발전하지 못했다. 지금은 녹차와 홍차가 생산되며 오룡차도 조금 생산된다.

인도네시아 차는 맛이 깔끔하고 선명한 색의 찻물이 우러난다.

주로 블렌드용으로 포장된 블렌드 티로 된 잎차나 티백을 만드는데 아프리카산, 스리랑카산, 인도산과 함께 블렌딩한다. 유명한 차로는 바부퉁, 탈룬, 구눙로사 등이 인도네시아 고유의 상표를 가진 차로 밀크 없이 레몬과 함께 마신다.

인도네시아어로 차를 "테이"라고 부르는데 마시는 풍습은 지역마다 차이가 있다. 일부 지역에서는 설탕을 넣지 않고 마시고, 설탕농장이 있는 자와 지방에서는 설탕을 넣어 마신다.


## 6. 타이완

대만은 복건성의 사람들이 건너가 차나무를 재배하고 마시면서 차문화가 형성되었다. 다양한 차가 많이 생산되고 있으며 오룡차의 생산량은 20%를 차지한다. 그중 핑린향에서 생산되는 문산 포종차가 유명하며 홍차, 녹차, 백차, 뢰차도 생산한다. 북부지방에서는 포종차, 용정차를 생산하고, 북동부에서는 녹차, 동방미인차를 생산하고, 중앙부에서는 녹차, 동정오룡차를, 남부에서는 아리산오룡차를 생산한다.

최근 대만에서 버블티가 개발되어 세계적인 인기를 끌고 있다. 홍차에 우유를 섞고 타피오카 펄을 넣어 흔들면 거품이 일어나서 버블티라고 한다.

## 7. 일본

일본은 700년대에 중국 당나라에서 유학하던 유학생들과 홍법대사가 차 종자를 가져와 차나무를 심었다고 전해진다. 일본도 당시에는 승려들 사이에서 퍼져 나가 귀족계급으로 다음은 무사계급으로 전해져 내려오다 에도시대에 와서 일반서민들도 마시기 시작하였다. 차를 마시는 것과 그 의식은 일본인들의 생활방식에서 대단히 중요하다. 차의 쓴맛을 없애기 위해 단맛이 나는 다과를 만들어 차와 함께 마신다. 또한 일본인들은 차를 의식을 위한 음료로 생각했기 때문에 육우가 쓴『다경』에서 제시한 예절을 갖추어 마셨으며 시를 읽으면서 마시고 예법을 갖춰 대접하다 이후에는 복잡하고 화려한 일본의 "다도"로 발전하게 되었다. 다도는 일본의 차문화를 상징하는 것으로 철학적 의미를 심오하게 발달시킨 문화다.

일본에서도 처음에는 중국처럼 차는 정신을 맑게 하는 건강음료 혹은 약용으로 여겼다.

15세기경부터 다도가 유행하면서 차를 음료로 마시기 시작하였다고 한다. 다도는 차를 통해서 손님을 접대하는 예절로 사무라이들이 처음 시작하였으며 상류층으로 퍼져나가며 유행하기 시작하였다고 한다. 다도의식은 매우 엄격하고 복잡하며 정신활동에 중점을 두고 행해졌으며 불교 선종승려들이 더욱 발전시켰다.

일본의 시즈오카 지방에서 차 생산량의 45%를 차지하고 있다. 시즈오카 차는 1241년 쇼이치고쿠시가 송나라에서 종자를 가져다 심은 것인데 시즈오카는 후지산이 있고 산이 깊고 경사져 있으며 큰 강이 흐르고 배수가 잘되며 일교차가 커서 차 재배지로 적합한 환경을 갖고 있다. 일본에서는 녹차에 '오'라는 존칭을 붙여 예절과 다기를 중시한다.

일본은 살청과정을 증청법으로 하며 옥로차가 가장 고급이고 덴차, 센차, 반차, 호지차, 현미녹차 등이 있다.

옥로차는 이슬방울이라는 뜻으로 어린싹을 따서 만드는데 잎을 따기 3주 전에 짚으로 만든 덮개를 가려 햇빛을 차단한다. 이는 타닌을 줄이고 아미노산과 엽록소의 양을 늘리기 위함이다.

덴차(碾茶)는 옥로차와 같은 방식으로 만들지만 유념과정을 하지 않고 건조시켜 가루로 빻으면 맛차(말차, matcha)가 된다. 이 차를 "우지차"라 하고 고급 차에 속하며 일반적인 찻잎으로 만든 다른 녹차가루는 "고나차"라고 부른다.

센차(煎茶)는 녹차의 한 종류로 덖기보다는 쪄서 다양한 품질로 만들어진 가장 대중적인 차로 손님을 대접하거나 차맛을 음미하기 위한 차다.

반차(番茶)는 센차의 한 종류로 등급이 가장 낮은 차로 일반생활에서 가장 많이 마신다. 반차는 찻잎이 크고 거칠어 덖어서 만들기도 하는데 덖은 차를 "호지차"라고 한다. 호지차는 붉은 차라는 뜻으로 숯불에 덖기 때문에 목재향과 견과류향이 난다. "현미녹차"도 반차의 일종인데 현미를 갈라질 때까지 볶다 반차와 섞어 만드는데 견과류를 넣기도 한다.


## 8. 베트남

베트남은 중국을 통해서 일부 사람은 일찍이 차를 마셨다. 지금은 커피가 흔하지만 일부 차문화는 존재해 온 나라다. 손님을 접대할 때나 결혼식, 장례식에서 차를 대접하는 것이 관행이며 베트남 북부에는 오랫동안 야생차나무가 자라고 있고 현지사람은 거기서 찻잎을 딴다.

본격적으로 재배를 시작한 것은 1800년대로 프랑스인들에 의해서였다고 한다. 베트남에서는 홍차, 녹차, 백차, 오룡차 등 다양한 차를 생산하고 있으며 생산량도 세계 5~6위권으로 적지 않다. 베트남 사람은 꽃향 등으로 가향한 녹차를 많이 마신다. 유명한 차는 산뚜엣, 남란, 재스민녹차 등이 있다. 또한 로투스티는 녹차에 연꽃을 가향하여 만드는데 베트남에서 인기가 있으며 드래곤플라워나 블루밍티도 인기가 있다.


## 9. 케냐

전 세계에서 생산량의 3위를 차지한다. 열대우림기후로 산이 높고 강우량이 많으며 비옥한 화산지대로 차나무가 잘 자란다. 1900년대에 영국의 케인스형제가 인도에서 가져온 차나무를 케냐의 고산지대에 심기 시작하면서부터 시작되었다. 영국의 식민지로 있을 때 영국에 의해 재배되었지만 독립한 후에도 국가 차원에서 차산업을 육성하여 지금은 주요 수출품으로 외화수입원이 되고 있다. 케냐의 뭄바사에서는 매주 티 경매가 이루어진다. 케냐에서 생산된 차로는 CTC홍차, 실버백화이트티, 밀리마블랙티 등이 있으며 유명한 CTC홍차는 우유에 넣어 마신다. 케냐에서 생산된 차는 주로 블렌딩용으로 높은 가격에 수출되며 단일 다원의 차 명칭은 거의 없다.

## 10. 터키

터키는 일인당 차 소비량이 세계에서 가장 높은 나라로 1600년경에 카라반들에 의해 차문화가 만들어졌으며 1800년 후반기에 일본품종의 차나무를 들여와 처음으로 재배하였다고 한다.

지금은 차 생산량이 세계 5~6위권에 들 정도로 많으며 대부분 국내에서 소비된다. 19세기 터키인들의 일상생활 속에 차문화는 깊숙이 자리 잡았다. 개인집과 공공장소에서 차를 대접했고 찻집이 생겨 차 마시는 문화가 자리 잡았다. 또한 중국으로부터 차문화를 받은 러시아의 영향도 있는데 러시아의 사모바르와 차가 터키로 전해졌다고 한다.

다기도 독특하게 만들어 동으로 만든 "차이단르크"라고 부르는 주전자 두 개를 올려놓은 형태로 위의 주전자에 차를 넣고 아래 주전자에는 물을 가득 넣고 끓인다. 아래 주전자 물이 끓으면 그 물을 위의 주전자에 절반 정도 따르고 다시 20분간 끓여 진한 차를 만든다. 주전자에서 끓인 차는 튤립모양의 유리잔에 따라 마시며 티를 진하고 달게 마신다. 먼저 진하게 농축된 홍차를 유리잔에 따르고 취향에 따라 뜨거운 물을 희석시켜 마신다. 기후상 터키에서 차나무가 자라는 곳은 흑해연안을 따라 위치한 "리제" 지방뿐이다. 거의 홍차를 만들고 아주 적은 양의 녹차를 생산하기도 하며 사과차, 린든차, 라임꽃차, 로즈힙차, 세이지차 등 각종 허브차를 즐기는 사람도 많다.

## 11. 이란

이란은 일찍이 커피가 들어와 국민음료로 자리를 잡았으나 중국에서 유럽으로 연결된 무역경로를 따라 교역이 이뤄지면서 차를 마시기 시작했다. 차 생산은 1890년 주인도대사를 지낸 모하마드 미르다왕다에 의해 시작되었다고 한다. 인도에서 티 종자를 가져와 고향인 라히잔 지역에 심고 다원을 열면서 시작되었다. 이란은 기후와 지형이 차나무가 자라기 적합한 곳이 많아 차산업이 발전하고 있다. 현재는 대부분 라히잔, 길란 지역에서 재배되고 있으며 특별한 브랜드명은 없다. 이란에서는 접대할 때 차에 시나몬 가루나 으깬 장미꽃을 얹어 내기도 한다.

## 12. 지중해연안

19세기 크림전쟁으로 동아시아의 무역상들이 판로가 막혀 새로운 시장을 개척하면서 모로코로 차를 들여오면서 차문화가 형성되었다. 모로코인들은 차에 신선한 민트와 설탕을 넣어 자신들만의 음료를 개발하여 마시면서 지중해연안의 주변국가로 점차 퍼져 나갔다. 모로코인들은 차 준비하는 일을 기술로 여겼고 일정한 절차에 의해 차를 만들었다. 화려한 장식이 달린 모로코 전통 은주전자로 차를 만들었는데 주전자에 먼저 찻잎을 넣고 설탕과 민트를 함께 넣은 후 끓는 물을 부어 몇 분간 우려낸다. 차에 거품을 내기 위해 주전자를 높이 들고 찻잔에 차를 따른다. 상큼한 민트향과 함께 단맛이 강한 이 차는 인기가 대단해서 주변국가인 알제리, 튀니지, 리비아, 이집트로 퍼져 나갔고 사하라사막에서 유목생활하는 민족에게도 전파되어 애용되었다. 15세기부터 차를 마셔온 이집트에서는 인도나 스리랑카에서 가져온 홍차를 진하고 달게 마셨다. 민트를 넣은 차는 기후가 더운 이라크, 아랍, 페르시아만 연안국들에서도 점차 마시기 시작하였으며 지역에 따라 세이지, 사프란, 시나몬, 말린 라임 등 여러 가지 허브와 접목한 차도 생겨났다.

## 13. 영국

영국은 전 세계에서 홍차를 가장 많이 마시는 나라로 1인당 차 소비량이 세계 4위에 해당할 만큼 차를 많이 마시는 국가 중 하나다. 영국의 차문화는 1600년경에 시작되었다. 당시에는 차가 귀해 극소수의 귀족들만 차를 마실 수 있었다. 그 후 커피하우스에서 중국에서 들여온 차를 팔기 시작하면서부터 대중들에게 알려지기 시작했다. 지금 영국 사람에게 차는 없어서는 안 될 기호식품으로 국민들의 삶에 밀착되어 있다. 영국 사람은 가향홍차인 얼그레이를 마시거나 홍차에 각설탕을 넣어 마시는 것이 보편화되어 있으며 녹차, 오룡차, 보이차, 맛차 등도 흔히 볼 수 있다. 또한 각종 허브티와 프루츠티, 아이스티, 차이라테 등도 점점 인기를 끌고 있다.

## 14. 아일랜드

연간 차 소비량이 터키 다음으로 높을 만큼 차를 사랑한다. 아일랜드인이 좋아하는 차는 차와 우유의 비율을 2:1로 하여 마시는데 찻잔에 우유를 먼저 넣고 차와 설탕을 넣어 만든다. 진하게 마시는 것을 좋아하여 찻잎이 큰 것을 많이 사용하며 향미가 진하다.

## 15. 러시아

러시아는 17세기경에 처음 차가 들어왔는데 당시는 유럽에서 귀족들만 차를 향유하던 시절이었다. 그러나 유럽과 달리 러시아는 중국 장자코우(張家口)에서부터 시작되어 모스코바까지 연결된 티로드(tea road)를 통해 카라반들이 낙타로 중국에서 차를 실어 왔다. 당시 몽골에 파견되었던 사람들이 최초로 전했다고 하며 몽골에서 러시아 궁청에 차 꾸러미 200개를 보내면서 점점 알려지기 시작하였으며 나중에는 독특한 러시아의 차문화가 발달되었다.

1880년대에는 시베리아 철도가 연결되면서 1년 이상 걸리던 수송기간이 2개월로 단축되면서 많은 지역에 알려지기 시작했고 가격도 내려가 일반 대중들도 마실 수 있게 되었다. 러시아에서는 차를 끓일 때 "사모바르" 즉 러시아어로 자체보일러라는 뜻의 기구로 차를 끓여 마셨다. 구리, 니켈, 은 등으로 제작된 것으로 중국이나 우리나라에 있는 신선로 기구와 비슷한 원리로 숯불을 넣고 가운데 물을 부어 끓으면 옆에 있는 꼭지를 통해 차가 들어 있는 주전자에 따르는 형식이다. 러시아인들은 금속으로 만든 컵홀더에 유리잔을 넣고 차를 따라 마셨는데 우유는 넣지 않고 레몬을 곁들여 마신다. 그래서 유럽에서는 레몬이 들어 있는 티를 러시안 티라고도 부른다. 주로 홍차를 마시며 달면서 짠맛을 가진 과자와 케이크와 함께 먹거나 밤에는 보드카와 함께 마시기도 한다. 홍차는 중국에서 나오는 기문홍차가 많고 오룡차도 마신다.

## 16. 카자흐스탄

카자흐스탄은 아시아와 러시아를 잇는 경로로 무역이 시작되면서 차문화가 자연스럽게 발달되었다. 온 국민이 티를 마시는데 티만 마시기도 하고 음식과 함께 마시기도 한다. 손님에게도 차가 제공되며 항상 따뜻한 차를 마신다. 큰 주전자에 담긴 차를 작은 잔에 따라 마시는데 항상 반 정도만 따라 자주 마신다.

## 17. 우즈베키스탄

동서 교통로인 실크로드의 무역통로로 이곳을 지나던 카라반들에게 차를 접대해 왔다. 차를 접대할 때는 구운 전통스낵과 둥그런 빵을 함께 먹었다. 이 나라 차의 특징은 찻주전자에서 우려낸 차를 찻잔에 따른 뒤 그 차를 다시 주전자에 붓기를 세 번 반복한다. 처음 되돌려 담는 것을 "로이"라 하고 두 번째 따라 다시 담는 것을 "모이"라고 하며 세 번째 이후를 "초이" 즉 차라 부르고 손님 잔에 반 정도만 따르고 왼손은 가슴에 대고 오른손으로 차를 건네는 것이 예의이다.

## 18. 태국

태국에서는 비닐봉지에 차와 얼음조각을 넣어 아이스티를 만들어 길거리에서 팔고 있다. 습하고 더운 날씨에 마시기에는 안성맞춤이다. 또한 진한 홍차에 가당연유나 무가당연유 또는 여러 가지 향신료를 넣고 얼음을 넣어 마시는데 향신료는 스타아니스, 카르다몬, 오렌지블로섬, 타마린드, 클로브, 시나몬 등이 있다.

## 19. 미얀마

미얀마는 찻잎으로 요리를 해서 먹는 나라다. "라펫"이라고 부르는데 미얀마어로 발효 또는 절인 차를 뜻한다. 라펫은 부드러운 찻잎을 5분 정도 찐 후에 약간 말려 흙으로 만든 항아리나 대나무통에 꼭꼭 눌러 넣은 후 일정한 온도를 유지하기 위해 강바닥 같은 데 묻어 보관한다. 발효가 되면 우리나라 구절판과 같은 그릇에 라펫을 중앙에 놓고 주위에 말린 새우, 볶은 깨, 튀긴 누에콩, 튀긴 마늘편, 땅콩, 볶은 콩, 소금 등 주전부리를 한 칸씩 채워 손님이 오면 차와 함께 낸다. 러펫은 각성제 또는 식사 후 입가심용으로 먹는 미얀마의 독특한 양식이다.

그리고 피클티를 만드는데 피클티는 달면서 새콤하고 찻잎향이 난다. 다른 향신료를 첨가해서 만들기도 한다.

# I-2. 세계의 차문화와 역사적 사건들

## 1. 한국

윌리엄 그리피스(1843~1928)는 『은자의 나라 조선』에서 "조선은 세계 양대 차 생산국인 중국과 일본 사이에 위치하며 차 생산권에 살고 있는데 조선 농민들은 이상스럽게 차 맛을 모르고 즐기지 않는다. 조선에서의 차는 일본인들이 커피를 별로 좋아하지 않는 것과 같다. 조선인들은 차보다는 숭늉을 좋아한다. 말린 인삼이나 귤껍질, 생강 등을 섞어 끓여낸 것을 차라 하고 잔치 때 마시며 이것을 만들 수 없을 땐 꿀물을 쓴다. 전형적인 아일랜드인과 마찬가지로 조선인들이 말하는 차는 무엇을 섞어 달인 것을 말한다."라고 썼다.

한국을 방문한 적이 없는 외국인이 19세기 조선의 상황을 어느 정도는 알고 있었지만 완전하게 알지는 못한 것 같다. 당시 우리나라는 차나무가 자랄 수 있는 지역이 경남과 전라 지역, 제주도가 전부로 그리 넓지 않다. 또한 우리나라는 물이 좋아 굳이 차를 마시지 않아도 별 문제가 되지 않았으며 건강에 좋다는 민간요법을 활용한 약용음료가 생활화되었으며 식후에는 보리차나 숭늉을 마셨다.

이처럼 한국에서는 불교가 성행했던 고려시대를 제외하고는 별로 차를 마시지 않았으며 좋아하지 않았다. 조선시대에도 왕실에서는 차를 즐겨 마시지 않았지만 차를 공납하도록 했는데 성종 2년 함양군수로 부임한 김종직은 공납품목에 차가 들어 있어 의아했다고 한다. 그때 이미 함양에서는 차를 생산하지 않았는데 차를 공납하기 위해 쌀을 메고 전라도까지 가서 차로 교환하여 공납하고 있었다. 그 후 김종직은 원래 함양이 차를 생산했던 지역임을 알고 지리산에 야생차나무를 재배해 공납하였다고 한다.

조선왕실에서는 연회에 차보다는 술을 마셨으며 왕비에게는 차를 올리는 일이 지속되었다. 초의선사도 지리산 "칠불선원"에 갔다가 그곳 승려들이 탕국을 끓이듯 차를 끓여 마시는 것을 보고 놀랐다고 한다.

　한국의 차문화에 큰 족적을 남긴 초의선사는 1809년 다산 정약용(1762~1836) 선생을 만나면서 차에 관심을 가졌다고 한다. 당시 정약용 선생은 유배생활을 하면서 중국의 『다경』에 나온 떡차(병차)를 만들고 있었으며 초의선사에게 전수했다. 초의선사는 정약용 선생으로부터 배운 떡차를 응용하여 "초의차"를 만들었으며 지인들에게 선물했다고 한다.

　초의차는 지금의 장흥에 있는 보림사 근처에서 야생으로 자라던 찻잎을 채취해 만들었으며 중국 문헌을 통해 제다법을 익히고 연구하였다. 당시 떡차는 보관하기 편리했으며 정약용 선생은 차를 여가를 위한 음료가 아니라 정신을 맑게 하고 체증을 내리는 약으로 여겼다. 당시 초의선사와 교류를 가졌던 추사 김정희 선생은 중국을 다녀왔기 때문에 중국인들처럼 차를 생활음료로 받아들였다.

　1876년 일본과 강화도조약을 비롯해 여러 나라와 외교관계를 맺은 후 조선에서도 차를 상품으로 인식하여 공식적으로 관리를 시작했다. 한국의 차 생산은 미미했지만 세계적으로 차가 유행하던 시절이라 외국인들은 조선에도 차가 많을 거라 생각했다. 따라서 차를 찾아 배로 들어오는 외국인들을 상대하는 담당관리를 정하고 인삼과 같이 차를 관리하기 시작했다. 당시에는 강진차(康津茶), 백산차(白山茶), 보의차(保宜茶), 죽로차(竹露茶) 등이 여기에 해당한다.

　조선인들이 차를 근대적으로 인식한 때가 1881년 청나라에 파견된 영선사일행을 통해서다. 당시 영선사로 청에 갔던 김윤식은 리훙장에게 차 수출에 관한 정보를 얻게 된다. 하지만 당시 조선의 행정력이나 정치가들의 사상으로 보았을 때 수출하기 위한 준비를 추진하기는 어려웠을 것으로 짐작된다.

　일본어로 발행된 경성일보 1926년 3월 28일자에 보면 "조선인은 옛날에는 차를 즐기지 않았다. 단지 상류사회에서 부분적으로 보일 뿐이다. 그것도 대부분 중국차였지 조선에서 생산된 것은 거의 없었다. 일본사람들이 한국으로 이주하면서 수요가 점차 증가하기에 이르러 차의 수요는 많아져 수입하기를 바라면서 차 재배를 시도했지만 어떤 일인지 모두 실패로 돌아갔다. 그런데 1909~1910년에 고이부카 와이치로라는 사람이

전라북도 정읍군 산원면에 시즈오카현의 종자를 가져와 시험재배했는데 다행히 성공을 거둔 이래 그곳의 특산물로 자리 잡아 지금에 이르고 있다. 일이년 전부터 조선인 재배자도 생겨나 점차 보급량이 많아질 것으로 보인다.”라는 기사가 있다.

재조선 일본인도 한반도에 자생하는 차나무를 이용해 일본식 녹차를 만든 사례도 있다. 1909년 사금사업을 하기 위해 전남 보성군 문덕면으로 이주해 온 오자키 이치조는 조선인 여성이 가져온 차를 맛본 후에 차나무 재배가 가능하다고 믿고 광주 중심사의 무등원에 무성한 차밭을 빌려 일본식 차를 생산했다. 1937년 7월 광주다원에서 오자키를 만나 차 생산법에 관해 취재한 내용을 빌리면 그는 처음에는 일본 시즈오카 지방에서 하는 방식대로 차를 생산했으나 일본 시즈오카 지방이 기계화로 바꾼 후 조선에서도 기계를 사용하는 방식으로 생산하고 있다고 한다. 이 무렵에 생산된 차는 거의 일본인들이 소비했다고 한다.

조선이 식민지시절 다방이 생기면서 커피를 팔기 시작했고 커피와 차가 혼용되어 커피도 차로 인식되었다. 다방에서는 커피와 함께 일본식 녹차도 팔았으나 조선인들은 차를 좋아하지 않았다. 당시에 조선사람은 음식점에서 나오는 뜨거운 물을 오차라고 부르며 마셨으며 보리차를 오차라 부르고 더 좋아했다. 오차는 일본인들이 차를 존칭해서 부르는 말이다.

해방 이후 지속적으로 차를 알리는 활동을 했던 사람은 화가 허백련(1891~1977) 선생이었다. 그는 강연은 물론 1971년에 서울다도회를 만들고 1976년에는 한국다도인 동호회를 만들었다. 그리고 반야차(般若茶)를 전국에 보급한 최범술(1904~1970) 역시 차 보급에 힘써온 인물이다. 최근에는 전 쌍용그룹 회장부인 김미희(1920~1981)도 차 보급국민운동을 하였으며 1980년대 이후 차의 대중화가 시작되었다. 1965년 한일수교 이후 보성다원의 차가 일본에 수출되었지만 대중화는 안 되고 녹차산업화는 ㈜태평양화학이 시작했다. 일본에서 티백기술을 도입하여 대중화에 힘쓰면서 행사개최도 많이 하고 있다.

1992년 중국과 수교한 후 한국에 중국차가 들어오고 한국 사람들도 관광 등 중국을 방문하면서 차에 대한 인식이 바뀌고 있으며 많은 사람들이 다예를 하며 차 보급에 힘

쓰고 있다. 또한 1988년 올림픽 이후 다양한 음료에 대한 수요 증가로 차에 대한 소비도 새로운 국면을 맞이하면서 한국 차산업을 담당하는 보성, 하동, 제주 등의 다원에서도 다양한 차를 생산하면서 차 보급에 애쓰고 있다. 하지만 아직도 커피의 소비량에 비하면 차의 소비는 미미한 편이다. 한국인 1인당 차 소비량은 104g이며 커피 소비량은 3.38kg이다.

## (1) 한국의 대용차

18~19세기 한국의 상류층 일부에서는 차를 마셨는데 차를 구하기가 쉽지 않았다. 따라서 대용할 만한 차를 개발하여 다양한 대용차가 만들어졌다.

19세기에 쓴 『규합총서 · 다품』에는 여러 가지 차가 등장하지만 찻잎을 이용한 차는 하나도 없다. 대용차로 도자기병에 꿀과 계핏가루를 넣고 얼음물을 부은 후 일곱 장의 기름종이로 병 입구를 단단히 막고 보관한 다음 하루에 한 장씩 벗겨서 이레째 마시는 계장(桂漿), 당귀를 달인 물에 녹각교, 생강가루, 계심, 꿀을 넣고 차례로 섞은 후 두었다가 마시는 귀계장(歸桂漿), 그리고 매화차, 포도차, 매실차, 국화차 등 대용차가 많

이 나온다.

또한 정조의 어머니 혜경궁 홍씨는 감기를 예방하고 겨울을 잘나기 위해 53세가 되던 해 "가감삼귤차"를 마셨는데 개성에서 올린 인삼과 제주도에서 올라온 감귤을 말려 달인 것이다. 이처럼 조선시대에는 약차를 많이 마셨다.

## (2) 서긍이 본 고려시대의 차문화

한반도에서 나는 차는 생산량도 적었고 품질도 좋지 않았다. 우리나라는 차를 많이 마시지 않아 차에 대한 기술이 별로 없었다. 따라서 야생차나무 잎을 채집하여 덖어서 건조하여 차를 만들었을 것으로 추정된다. 한반도에서 나는 차는 소엽종으로 화살촉처럼 좁고 끝이 날카로웠다고 한다.

고려 인종 때(1123년) 개경에 도착하여 한 달 정도 머물다 간 서긍은 『고려도경』에서 말하기를 "고려에서 나는 차는 맛이 쓰고 떫어 입에 넣을 수가 없다. 오직 중국 납차(臘茶)와 '용봉사단'만을 좋은 차로 여긴다. 황제가 하사해 준 것 외에도 상인들 역시 중국에서 가져다 팔기 때문에 최근에는 차 마시기가 편해졌다."라고 적었다. 고려시대 사람들의 차 마시는 모습도 기록했는데 "연회가 열리면 마당 한가운데서 차를 끓인다. 끓인 차는 은으로 만든 연잎모양의 작은 쟁반인 은하(銀荷)로 덮어서 천천히 걸어가며 손님에게 차를 따른다. 그런데 진행자가 차를 다 돌렸다는 말을 한 후에 마시게 되니 식어버린 차는 써서 마실 수가 없다. 또한 붉은색 상 위에다 다구를 모두 차려놓고 붉은색 비단보자기로 덮어두었다가 매일 세 차례씩 모여서 차를 마신다. 그런데 차를 마신 다음 이어서 또 탕을 낸다. 고려인들은 탕을 가리켜 약이라 부르며 매번 우리 사신들이 탕을 마시는지 안 마시는지 확인한다. 다 마시면 기분 좋아하고 다 마시지 않으면 우리를 깔본다고 생각하며 가버려 억지로 다 마시려고 노력했다. 고려에는 도자기가 발달하여 개경관청에는 다구가 잘 갖춰져 있었고 공식적으로는 하루 세 차례씩 차를 마신다. 그런데 이상한 것은 차를 마신 후 탕을 마신다는 것이다."라고 적었다.

고려시대에 우리나라에서 나는 차는 소엽종으로 차가 어느 정도 자란 후 채취했을 것으로 추측된다. 소엽종은 대엽종에 비해 단맛이 덜하고 잎이 작아 크게 놔두면 일조량이 많아져 떫은맛이 강해지므로 입안에 남은 떫고 쓴맛을 탕을 마셔 씻어내지 않았을까 추측해 본다.

차는 불교와 연관이 깊다. 특히 선종에서는 차 마시는 것이 유행하였는데 차에는 각성작용이 있으며 스님들이 수도할 때 졸음을 없애주어 많이 마셨다.

불교를 중시한 고려시대에는 왕이 주관하는 행사로 팔관재와 공덕재가 열렸는데 이 행사에는 반드시 차를 갖추어야 하는 의례음료였다. 의례가 끝나면 신하가 왕에게 차를 올리는 "헌다식"이 있고 왕이 신하에게 내리는 "사다식"이 있었다.

조선시대에도 왕실에는 다음(茶飮)이라고 부르는 탕약이 있었다. 다음은 탕제약에 비해 마시기 편했으며 감귤차, 계귤차 등이 대표적인 다음이었다.

## 2. 중국

중국에서의 차는 시대마다 명칭이 달랐고 제다법이나 마시는 방법도 달랐으며 계속 해서 새로운 문화를 만들고 발전해 왔다.

차에 대한 최초의 전문서적은 육우가 쓴 『다경』이다. 『다경』은 우리나라와 일본의 차 문화에 지대한 영향을 끼쳤다. 육우는 733~804년에 살았던 중국인으로 다경에 언급한 최초의 차는 "다죽"이다. 이 책에 "다죽법"이 나오는데 다죽의 형태는 지금으로서는 알기 어려우나 옛 문헌에 길에서 다죽을 만들어 팔았다는 기록이 있는 것으로 보아 가난하던 시절 찻잎을 이용하여 다른 곡물과 함께 죽의 형태로 만들었을 개연성이 크다.

그 후 지금처럼 뜨거운 물에 우려 첨가물을 넣어 먹는 방법이나 중국의 차단처럼 달걀을 삶을 때 넣거나 요리할 때 넣어서 먹게 되었을 것으로 추측해 본다.

또한 중국 호북이나 사천 지방에서는 찻잎을 따서 납작하게 눌러 색이 붉게 될 때까지 볶아서 두드리고 잘게 부숴 조각을 낸 다음 도자기그릇에 담고 끓는 물을 붓는다. 여기에 파, 생강, 귤껍질 등을 넣어 함께 우려먹는데 숙취해소에 좋고 잠이 잘 오지 않는다는 기록이 있다.

육우가 살았던 8세기경에 만들었던 차는 크게 4가지로 분류한다.

① 추차(觕茶) : 잎과 줄기를 같이 자르거나 쪼개서 거칠게 만든 차

② 산차(散茶) : 잎을 덖거나 쪄서 말려 잎상태로 보관했다 마시는 차

③ 말차(抹茶) : 찻잎을 불에 구워 가루를 내어 뜨거운 물에 타서 마시는 차

④ 병차(餠茶) : 절구에 넣고 찧어서 찻잎을 떡 형태로 만들어 보관하다 조금씩 부숴서 차를 끓여 먹는 차

육우는 『다경』에 나오는 4가지 차 중에 병차를 가장 많이 마셨으며 우리나라 초의선사도 이 병차를 만들어 "초의차"라고 이름 붙여 지인들에게 선물했다고 한다. 병차는 주전자에 넣고 끓이기 때문에 "전다법(煎茶法)"이라고 부르며 당나라에서 송나라 때까지 유행하였다.

송나라 때부터 차 마시는 법이 조금씩 변하기 시작하는데 차나무를 재배하는 방식이 변하면서 찻잎이 작아졌다. 작은 잎은 병차로도 만들지만 말차 형태로 마시기 적당하였다. 이 말차는 육우시대에도 있었지만 송나라 때 유행한 뒤 중국에서는 사라지고 일본에서 유행하게 되었다. 육우시대에 나오는 전다법은 명나라 때까지 유행하였으나 그 후에는 "포다법"이 유행하게 되어 지금까지 내려오고 있다.

이렇게 차 마시는 방법이 바뀐 것은 찻잎이 어리고 연하며 작아지면서 제다법의 발달로 덖거나 찌고 유념을 하고 건조하여 그대로 보관할 수 있게 만드는 기술이 나오고 찻물이 잘 우러나오게 만들게 됨으로 인해 "포다법"으로 바뀌게 되었다.

## (1) 중국의 공부차(工夫茶)

공부차(工夫茶)란 차 종류의 이름이 아니고 차를 우려내는 방법의 하나로 다른 여러 차에 비해 오룡차(烏龍茶)를 우릴 때 공부차(工夫茶)라는 표현을 자주 사용한다.

옹휘동이 쓴 『조주다경(潮州茶經)』에서는 "공부차의 본질은 차 자체에 있는 것이 아니라 다구와 찻자리 배열에 정성을 다하여 평온한 마음가짐으로 차를 우려내는 법에 있다."라고 하였다. 따라서 많은 시간, 노력, 그 정성을 들여 마시는 중국식 차법이라고 할 수 있다. 당나라 때부터 오늘까지 이어져 오는 공부차는 봉황단총(鳳凰單叢)의 고향으로 유명한 광둥성(廣東省) 조주(潮州) 지역의 전통적이고 특수한 차풍속으로 조주에서는 귀빈(貴賓)을 맞이하는 예의로 정착되어 있다. 공부차는 육우(陸羽)의 전다법(煎茶法)에서 시작되어 점다법(點茶法)으로 발전하여 왔는데 조주 지역의 공부차는 농도(濃度)가 높은 것으로도 유명하며 찻물이 쓴맛이 강하다. 공부차는 먼저 향(香)을 맡고 한 모금 마시면 처음에는 쓴맛이 나지만 뒷맛이 달아 고진감래(苦盡甘來)의 의미를 깨닫게 한다고 한다. 그리고 공부차에 사용되는 차는 반발효차(半醱酵茶)인 오룡차(烏龍茶)를

많이 사용한다. 조주 지역의 차 달인이 주창하는 공부차 21식은 다음과 같다.

1식 – 다구를 소개한다.

2식 – 손을 씻는다.

3식 – 탄에 불을 넣는다.

4식 – 물 끓이는 토관에 물을 붓는다.

5식 – 토관을 탄불에 올려 물을 끓인다.

6식 – 물이 끓으면 다호에 물을 붓는다.

7식 – 찻잔에 뜨거운 물을 부어 찻잔에 데운다.

8식 – 종이 위에 찻잎을 펼친다.

9식 – 찻잎을 다호에 넣는다.

10식 – 찻잎에 뜨거운 물을 부어 세차하면서 고삽미를 제거한다.

11식 – 뜨거운 물을 높은 곳에서 다호에 붓는다.

12식 – 차 거품이 다호 위로 올라오면 제거한다.

13식 – 다호 뚜껑을 덮고 다호 위에 뜨거운 물을 붓는다.

14식 – 찻잔에 부었던 물을 흔들어 헹구어 버린다.

15식 – 차호를 조금 기울여 찻잔에 찻물을 따른다.

16식 – 찻잔에 차를 따를 때 맛과 향을 공평하게 담아낸다.

17식 – 남은 한 방울까지 따라 낸다.

18식 – 손님에게 차를 권한다.

19식 – 먼저 차향을 맡는다.

20식 – 천천히 찻물을 씹듯이 음미하며 마신다.

21식 – 찻잔에 남은 여운의 향기를 세 번 맡는다.


현대에서 하는 "공부차(쿵푸차)"는 조금 간략해졌으며 순서는 다음과 같다.

① 도자기로 만든 "다호" 즉 주전자에 끓는 물을 담아 다호를 데운다.

② 찻잎을 대나무로 만든 "차시"로 다호에 넣는다.

차의 모든 것

③ 뜨거운 물을 다호에 부어 찻잎을 헹군 후 찻물을 버린다. 이 물로 작은 찻잔을 데워 반원으로 배열해 놓기도 한다.

④ 다시 찻잎에 알맞은 온도의 뜨거운 물을 다호에 붓는데 이때는 주전자에 물이 넘치도록 따라 위에 뜨는 이물질이나 거품을 걷어내고 뚜껑을 덮는다.

⑤ 끓는 물을 뚜껑이 덮어진 차후에 부어 골고루 데워지도록 한다.

⑥ 앞에 놓여 있는 찻잔에 처음에는 반 정도만 차도록 따라 차를 권한다. 나머지 빈 곳은 차를 마시는 사람과의 우정과 사랑으로 채워야 한다는 의미라고 한다. 두 번째부터는 8부 정도로 따라 담소를 나누며 마신다.

## (2) 중국차의 고대무역

중국은 당나라시기에 아시아무역이 활발하게 진행되었는데 이때 차 교역도 큰 사업이었다. 무역을 하기 위해서는 길이 있어야 하는데 이때 만들어진 길이 차마고도와 실크로드이다. 후에는 티로드도 생겨나 러시아와의 차교역도 일어났다.

### 1) 차마고도

차마고도는 차와 말을 교역하던 중국의 높고 험준한 산악길로 산과 밀림을 오가며 필요에 따라 조각조각 이어진 길로 중국 서남부 운남성에서 시작되어 사천성을 거쳐 티베트, 미얀마, 인도로 이어진 길과 티베트 수도 라싸에서 네팔을 거쳐 인도로 가는 길, 라오스나 베트남으로 연결된 길도 있으며 북경으로도 연결되었다.

차마고도는 기원전 200년에 시작되었으나 본격적인 교역은 당나라 시절에 이루어지고 송나라 때 가장 활발하였다.

차가 티베트에 소개된 것은 641년으로 당나라 원청(文成) 공주가 티베트 쑹짠간부와 결혼하면서부터인데 티베트인들은 험한 지형과 추운 기후 때문에 식물이 잘 자라지 않아 주식이 주로 기름진 고기와 유제품이므로 식물에서 얻을 수 있는 영양소가 부족하여 차가 필요했고, 중국은 북부와 서부의 공격적인 이웃과 전쟁을 하기 위해 전쟁용 말이 필요했다. 따라서 서로 이해관계가 맞아떨어져 차와 말의 교역이 활발하게 진행되었다.

티베트인들은 전차(벽돌모양의 덩어리차)를 구입하여 우릴 때는 차를 칼이나 송곳으로 부수어 차 속의 곰팡이나 곤충들을 죽이기 위해 볶았다. 볶은 차를 주전자에 넣고 5~10분 동안 끓인 후 야크젖이나 버터, 소금을 넣고 막대기로 저어 개인 사발에 담아 마셨으며 손님이 오면 접대용으로 활용하였다.

이 차를 "수유차"라 부르며 히말라야 부근이나 그 인근의 유목민들은 혹독한 자연환경을 견디기 위해 높은 칼로리의 음식과 식물성 영양소가 필요했는데 "수유차"는 그들에게 식물성 영양소를 제공하였다.

2) 실크로드

실크로드는 차마고도 북쪽으로 연결된 도로로 주요 교역품은 실크였지만 옥이나 청금석 등 귀한 물품들도 많이 거래되었다. 또한 천마, 꽃, 채소, 과일, 향신료, 중국의 귀한 약재, 차, 향신료 등도 거래되었다.

이 길은 당나라 수도 장안에서부터 시작되어 많은 무역상들이 이곳에서 짐을 꾸려 출발하였으며 운송수단은 사막을 잘 다니는 쌍봉낙타가 주였고 사막 이외의 지역은 당나귀, 말 등을 이용하였다.

이 길은 서쪽으로 카슈가르→타클라마칸→사막→카슈미르→인도→아프가니스탄→이란→사마르칸트→바그다드→콘스탄티노플(이스탄불) →지중해로 연결되어 있다.

당시 이 길에는 하루 갈 만한 정도의 거리에 숙식을 하고 휴식을 취할 수 있는 쉼터가 있었다. 쉼터에는 "차이하나"라고 부르는 찻집이 있었고 여기서 차를 마시며 험한 여행길의 피로를 풀었다.

13세기 칭기즈칸이 유럽을 침략하기 전까지 번성했던 차 무역은 북쪽으로는 아프가니스탄 북부 고대도시 발흐(Balkh)가 종착점이었다.

실크로드 주변국들은 차 마시는 방법을 서로 공유하며 접대용으로도 많이 이용하였다.

파키스탄 북부지방에서 사업을 하기 위해서는 세 잔의 차를 마시는데 첫 번째 잔은 당신은 손님이라는 의미이고, 두 번째 잔은 친구를 의미하며, 세 번째 잔은 가족이 된다는 의미라고 한다. 가족을 위해서는 무슨 일이든 할 수 있으며 그만큼 가까워졌다는 것을 뜻한다.

아프가니스탄에서 "첫 번째 잔은 갈증을 달래는 것이고, 두 번째 잔은 우정을 다지는 것이고, 세 번째 잔은 단순히 과시하기 위한 잔이다."라고 한다.

또한 많은 곳에서 차를 마실 때 각설탕을 주는데 각설탕을 혀 위에 올려놓고 설탕이 다 녹을 때까지 차를 마신다.

더 서쪽에 위치한 이란과 서아시아 사람은 그 당시 커피를 좋아했고 차는 훗날 다른 경로를 통해 전해진다. 14~15세기 인도와 동아시아로 연결되는 뱃길이 열리면서 실크로드는 쇠퇴하기 시작한다.

## 실크로드를 거친 도시들의 차문화

### ① 카슈가르

위구르의 중심부에 위치하며 위구르족은 오래전부터 중앙아시아 실크로드 주변에서 유목생활을 해왔으며 일부는 현재 중국 신장 지역에 정착했다. 그들은 혹독한 자연환경에 적응하기 위해 열량이 높은 음식을 많이 먹는다. 아침식사로 큰 사발에 차를 끓여 양젖, 버터, 크림, 소금 등을 넣고 마신다. 이것을 그들은 "아트칸차이"라고 부른다. 추위를 견디기 위해 풍성한 식사 후에는 달달한 과자와 함께 홍차에 계피를 넣어 마시기도 한다. 페르가나 계곡에 사는 위구르족은 녹차를 마시기도 한다.

### ② 카슈미르

카슈미르 지역에서는 카와(kahwa)라는 달콤한 음료를 좋아하며 자주 마시고 축제나 결혼식 등 행사 때는 빠지지 않았는데 지금의 커피로 추측된다.

차는 커피와 효능이 비슷해 음료로 마셨으며 녹차에 카르다몬, 시나몬, 아몬드, 사프란 등으로 향을 더하고 설탕이나 꿀로 단맛을 가미해 마셨다.

"다발차이"는 녹차에 설탕, 카르다몬, 아몬드, 우유를 넣은 것이고 그 밖에 "굴라비차이", "눈차이", "시어차이" 등으로 불리는 분홍색 차는 오룡차에 소금, 베이킹소다를 넣고 끓여 우유, 크림을 넣은 독특한 거품을 올린 차다.

### ③ 아프가니스탄

아프가니스탄에도 시어차이와 비슷한 차가 있는데 "퀴마크차이"라고 부른다. 차에 카르다몬을 넣고 끓이다 베이킹소다를 넣고 여러 번 높은 곳에서 낮은 곳으로 번갈아 따르면 차가 검붉은색으로 변한다. 여기에 우유와 설탕을 넣고 저으면 색이 엷어지면서 분홍색으로 바뀌고 향미가 좋아진다. 이 차는 결혼식이나 축제에서 많이 마시며 일반적으로는 녹차나 홍차에 카르다몬을 넣고 끓여 마신다.

### 3) 티로드

1689년 러시아와 청나라 사이에 체결된 네르친스크조약으로 이 길이 열렸다. 중국 북부 장지아코우(張家口)에서 시작하는 길은 고비사막을 거쳐 시베리아 타이가(taiga) 서쪽을 가로질러 모스코바로 연결된 무역로이다.

러시아에서는 주로 모피를 보내고 중국에서는 비단, 약재, 차 등을 거래했다. 이 길을 통해 차가 거래된 것은 몽골에서 모스크바 궁청에 차 꾸러미를 선물로 보내면서부터이다. 그 후 러시아에서 차를 마시기 시작하였으며 러시아인들은 자신들만의 특별한 방법으로 차를 마셨다. "사모바르"라고 부르는 솥 (우리나라 신선로 그릇의 원리) 밑에 숯을 넣고 가운데 물을 부어 끓어오르면 아래에 있는 꼭지를 통해 물을 따라 찻잎이 담긴 주전자에 붓고 우려내서 도자기잔이나 유리잔에 차를 따르는 원리이다.

러시아에서는 차를 뜨겁게 끓여내 우유를 넣지 않고 레몬을 곁들여 마시며 찻잔은 손잡이가 달린 홀더 안에 유리잔을 넣은 것으로 사모바르와 함께 터키로 전해졌다.

## | 중국 소수민족의 전통차 |

### 🌱 곤명의 구도차(九道茶)

구도차란 중국 운남성의 성도인 곤명을 위주로 하여 유행하는 차를 손님에게 접대하는 방식으로 영객차(迎客茶)라고도 하며 9단계로 나누어서 구도차라고 한다. 구도차의 기본형식은 온문인아(溫文儿雅)인데 따뜻하고 격식 있으며 어질고 우아하게 접

대한다는 뜻이다. 주로 운남에서 나오는 보이차를 사용한다.

제1도 : 상차(賞茶)다. 차를 감상하는 것으로 주인이 다반에 차를 내와서 손님께 보여드리고 차를 감상하게 한다. 이때 손님은 차색, 차향, 차상태 등을 보고 주인은 차에 대해 간단하게 설명한다.

제2도 : 결구(潔具)다. 손님이 이용할 다기를 깨끗이 씻어내는 과정을 말한다. 일반적으로 자사호나 숙우, 다완 등을 끓는 물로 헹궈낸다. 다기를 깨끗하게 하기도 하지만 다기를 따뜻하게 데워 차가 잘 우러나오도록 하는 역할도 한다.

제3도 : 치차(置茶)다. 차를 넣는 단계로 차호의 크기나 손님의 수에 따라 정해지는데 일반적으로 보이차 1g에 물 50~60ml 정도로 계산해서 넣는다.

제4도 : 포차(泡茶)다. 끓는 물을 차호에 붓는데 이때는 차호의 3~4부 정도만 채운다.

제5도 : 침차(浸茶)다. 차를 우리는 단계로 뚜껑을 덮고 몇 번 정도 천천히 흔들어주고 차반에 올려 가만히 5분 정도 둔다.

제6도 : 균차(勻茶)다. 차호 속 차의 농도를 고르게 하는 단계로 뚜껑을 열고 차의 농도를 살핀 후 끓여 놓았던 물을 부어 농도를 맞춘다.

제7도 : 짐차(斟茶)다. 차호 속의 찻물을 골고루 따르는 것으로 좌측에서 오른쪽으로 따르고 오른쪽에서 왼쪽으로 따른다. 이때 잔의 8부 정도만 채운다.

제8도 : 경차(敬茶)다. 주인이 먼저 잔을 손으로 받쳐 들고 연장자부터 차를 권한다.

제9도 : 품차(品茶)다. 먼저 차향을 맡고 마음을 맑게 하고 천천히 차를 입안에 넣어 맛을 음미하고 차를 즐긴다.

## 🌸 포랑족(부랑족)의 산차(酸茶), 청죽차(靑竹茶)

포랑족은 운남성의 서상판납(시상반나)자치주에 주로 거주하며 임창, 란창, 쌍강, 경동, 진강 등의 산악지역에 거주하는 소수민족으로 인구가 10만이 채 안 되며 미얀마와 태국에도 포랑족 일부가 살고 있다고 한다. 그러나 대부분은 포랑산과 서정, 색달 등지에 살고 있다.

포랑족은 운남에서 제일 먼저 차나무를 심은 민족으로 알려져 있으며 그들은 산차(酸

茶)와 청죽차(靑竹茶)를 주로 마신다.

산차를 제작하는 방법은 5, 6월경 산에서 찻잎을 채엽하여 물을 넣고 삶아 뜨거울 때 항아리에 담아 그늘에 10~15일 정도 두어 발효시킨다.(곰팡이가 피기도 한다) 발효가 되면 찻잎을 죽통에 담아 땅에 묻어둔다. 몇 개월이 지나면 꺼내서 먹는데 미얀마의 라펫과 비슷하며 산차를 입에 넣고 천천히 씹으면 신맛이 나는데 소화를 도와주고 갈증을 해소해 준다.

청죽차는 산에서 막 잘라 온 푸른 대나무를 다기로 사용한다. 대나무 마디가 30cm 정도 되는 대나무는 차를 끓일 때 사용하고 짧은 청죽은 잔으로 사용하였으며 가늘고 뾰족한 부분을 땅바닥에 꽂아 놓고 찻잔으로 사용한다. 먼저 맑은 물을 긴 죽통 속에 넣고 주변의 낙엽이나 잔가지 등을 모아 불을 피워 대나무에 부은 물을 끓여 찻잎을 넣는다. 3~5분 후 죽통 속의 차를 짧은 죽통에 따라 마신다.

이 방법은 포랑족(布郎族)이 살고 있는 지역에 청죽이 많이 나기 때문에 어디서든 쉽게 청죽을 잘라 차를 끓여 마실 수 있었다. 땅은 광활한 데 비하여 인구가 매우 적고 산악지역이다 보니 매일 산을 넘어 밭에 가서 일을 하거나 사냥을 하다가 해가 져야 집으로 돌아오는 생활을 하게 되어 차를 마시기가 쉽지 않았다. 따라서 이때 차를 가지고 다니면서 주변에 있는 청죽을 이용하여 쉽게 끓여 먹을 수 있는 방법으로 개발되었다. 차가 완성되면 더 작은 대나무로 만든 죽통밥과 고기를 구워 먹으면서 청죽향과 단향이 진한 청죽차를 마셨다고 한다.

현대에는 찻잎을 집안에서 널어 말린 후 2분 정도 쪄서 30cm 길이의 죽통에 방망이로 눌러 가면서 넣고 불 위에 올려 타지 않게 굽는다. 차가 구워지면 죽통을 깨서 그 안의 차를 꺼내 토기로 만든 차호에 우려 마신다.

### 🌸 합니족(하니족)의 토과차(土鍋茶)

합니족은 운남성의 홍하, 서상판납 지역과 강성, 란창, 묵강, 원강 등지에 거주하는 중국 소수민족으로 화니(和尼), 포도(布都), 애니(愛尼), 카다(伟多) 등의 또 다른 이름을 가지고 있으며 가장 흔하게 부르는 이름은 하니족 또는 애니족, 아카족이라고 한다.

고대의 상주시기 6대 차산에서 차나무를 재배하고 이용한 대표적인 민족은 하니족, 애니인, 기낙족 등이었다. 『보이부지』에서 소개한 6대 차산에서 차를 전통적으로 만드는 민족은 '흑와니(黑窩泥)'와 '삼촬모(三撮毛)'라고 기재되어 있는데 "흑와니"는 지금의 하니족(哈伲族)이며 하니족에서 파생한 애니족이라고 할 수 있다. 지금의 서상판납주 6대 차산에 속하는 맹랍현 상명향에 "신발채"라는 곳이 있는데 옛 이름이 "아카채"라고 한다. 애니족들이 이 지역에서 대대로 살아와 애니족을 '아카'라고도 하며 6대 차산에 살면서 차를 따고 판매하며 살아온 민족이다. "삼촬모"는 기낙족의 선조로 머리를 왼쪽, 오른쪽, 중간으로 나누어 세 곳에 묶고 다녔기 때문에 삼촬모라는 이름을 얻게 되었다고 한다. 그들 또한 오래전부터 6대 차산에서 이미 차를 심고 채집하여 파는 것을 업으로 삼았던 민족이다.

서상판납의 애니족들이 찻잎을 이용해 가장 먼저 보이차를 생산한 것으로 알려져 있다. 아직도 이곳의 소수민족들은 손으로 직접 채엽하고 있으며 기낙족과 함께 많은 보이차를 생산하고 있는 지역이다.

이들의 토과차는 아주 오래전부터 전해 내려온 음다방식으로 만드는 방법은 간단하다. 토기로 만든 솥이나 주전자를 화로에 올려놓고 물이 끓으면 그 끓는 물에 찻잎을 넣고 3분 정도 더 끓인 후 대나무로 만든 작은 잔에 따라 마신다.

집에서 차를 마실 때는 연장자부터 나이 순서대로 차를 드린다. 손님이 오셨을 경우에는 최연장자에게 먼저 드린 다음에 손님에게 드린다. 손님을 접대할 때는 세 잔을 드리는 것이 예의로 손님 입장에서도 하나족의 집에 초대를 받았을 때는 세 잔의 차를 마시는 것이 예의이다.

## 🌸 기낙족(지누어족)의 량반차(凉拌茶)와 자차(煮茶)

기낙족은 중국 운남성 서상판납 지역에 거주하는 소수민족으로 경홍에 가장 많다. 그들의 음다 풍속은 비교적 보기 드물다. 일반적으로 두 가지가 있는데 그것이 량반차와 자차다.

서상판납 지역의 차는 동한(東漢, BC 202~AD 220)시대부터 본격적으로 야생차나무를 재배하고 이용하였다는 기록이 있는데 제갈공명이 이곳에서 차 만드는 법을 가르쳤다고 한다. 따라서 지금도 서상판납 지역의 사람은 공명을 차의 조상으로 숭배하며 매년 그의 생일날 '차조회(茶祖會)'라는 집회를 한다고 한다. 또한 이곳은 보이차를 처음 만든 곳으로 알려져 있으며 차마고도의 발원지다. 그러므로 이곳에서 생활하는 기낙족은 일찍이 차를 재배하고 이용해 온 민족이라는 것을 알 수 있다.

기낙족의 량반차(涼拌茶)는 비교적 오래된 식차방식으로 차를 마신다는 것보다는 찻잎을 무쳐 먹는 방법이다. 그들의 역사를 거슬러 올라가면 수천 년 전부터 내려온 풍속이다. 이 방법은 차나무에서 나온 지 얼마 되지 않는 부드러운 차싹잎을 주재료로 사용하며 노란 황과잎(黃果葉)을 찢어서 넣고 고춧가루, 다진 마늘, 소금 등의 양념을 넣고 무쳐서 먹는 방법이다. 부드러운 찻잎을 채엽하여 찻잎을 양손으로 비비고 문질러서 부드럽게 한 후 황과잎을 찢어서 넣고 고춧가루와 다진 마늘을 넣고 소금으로 간을 맞춘다. 물을 약간 넣고 젓가락으로 잘 비벼서 15분 정도 두었다가 반찬으로 먹는다. 짜고 매워 입안을 개운하게 하며 정신을 맑게 한다.

기낙족의 또 하나의 음다방식은 차를 끓여 먹는 자차방법이다. 자차법(煮茶法)은 기낙족에게서 흔하게 볼 수 있는 방법이다.

만드는 방법은 먼저 주전자에 물을 끓이고 물이 끓으면 가공해 놓은 찻잎을 차통에서 꺼내 찻주전자에 넣는다. 3분 정도 지나면 찻물이 우러나오는데 이 찻물을 죽통에 부어 마신다.

죽통은 기낙족이 가장 많이 사용하는 생활용기로 밭에 일하러 갈 때도 죽통에 차를 담아 가서 마신다. 대나무는 한쪽은 편평하고 한쪽은 약간 뾰족하여 빨아서 차를 마시기에 편리하다. 따라서 죽통은 기낙족이 자차를 마시는 데 아주 중요한 다기가 된다.

### 🌿 동족(侗族), 요족(瑤族, 야오족)의 타유차(打油茶)

주로 운남성, 귀주성, 호남성, 광서성의 인근에 살고 있는 동족, 요족과 그 지역에 살고 있는 형제 민족들 즉 묘족이나 보미족(普米族) 등은 모두 손님맞이를 좋아하며 풍습이나 습관은 조금씩 다르지만 유차(油茶) 마시는 것을 모두 좋아한다. 그러므로 그들은 명절이나 귀한 손님들이 찾아오면 그들이 만든 방법으로 좋은 재료를 골라 유차를 정성껏 대접하는 풍습이 있다.

유차 만드는 것을 "타유차"라고 하며 크게 나누어보면 4단계로 구분할 수 있는데 각 가정이나 소수민족, 지역에 따라 조금씩 차이는 있으나 형식은 비슷하다.

첫 번째는 차를 선택하는 단계로 전문적으로 만든 말차와 바로 차나무에서 따온 여린 찻잎 중에서 취향에 따라 선택한다.

두 번째는 첨가할 다른 재료를 선택하는 것으로 일반 가정에서는 여러 가지 재료 중에서 선택할 재료를 미리 고른다. 주로 찹쌀, 콩, 옥수수, 땅콩, 깨, 고구마, 잣, 고사리, 삶아 말린 죽순 등 그 지방의 특산물 중에 적당한 것으로 선택한다.

세 번째는 차를 끓이는 단계로 먼저 솥이 달궈지면 돼지기름을 넣고 찹쌀이나 땅콩, 깨 등 선택한 재료를 볶는다. 볶으면서 나무방망이로 잘게 부순다. 재료들이 익으면 찻잎을 넣고 짓이기면서 다시 볶아 노랗게 되면 물을 부어 5분 정도 끓이는데 이때 지역에 따라 마늘, 생강, 산초, 후추, 소금, 설탕을 첨가하여 끓인다. 끓인 타유차를 잘 저어 차완에 따라 마신다.

일반적으로 가정에서 차를 마실 때는 이런 방식으로 마시지만 경축일이나 명절 등 큰 행사에서는 약간 다른 방식으로 고급스럽게 만든다.

네 번째 과정에 속하는데 배차라고 한다. 배차는 미리 좋은 재료를 선택하여 돼지기름에 볶아 종류별로 다른 그릇에 담아 놓고 차완에 준비해 놓은 재료들을 미리 담아 놓는 것을 말한다. 예를 들면 일반적으로는 찹쌀을 볶아 사용하지만 특별한 날에는 가루내어 반죽한 뒤 차유에 튀겨 우리나라 유과처럼 만들어 차완에 넣는다.

그리고 나서 솥에 돼지기름을 넣고 찻잎을 넣고 노랗게 볶은 후에 물을 붓고 마늘, 생강, 후추, 산초, 소금, 설탕 등을 넣고 물을 부어 끓여서 대나무거름망으로 걸러 뜨거운 찻물을 차완에 부어 먹는다. 타유차는 여러 가지 재료와 함께 먹는 것으로 마신다는 개념이 아닌 먹는 것으로 아침식사 대용으로 많이 먹기도 한다. 찻잎이 돼지기름의 느끼함을 잡아주고 속을 든든하게 해주며 허약한 체질을 강하게 하고 정신을 맑게 하는 등의 효능이 있다.

## 🌸 백족(바이족)의 삼도차(三道茶)

백족은 중국 서남부지방에 거주하는 소수민족으로 풍광이 수려한 운남성 대리시에 가장 많이 분포하고 있다. 백족은 자신들만의 언어를 가지고 있으며 한문도 옛날부터 통용되어 왔고 불교를 숭상하며 백족 자체의 다채로운 문화를 계승 발전시켜 왔다.

백족은 명절을 지내거나 회갑연, 생신, 혼례, 학예술 등 서로 경축하는 잔치를 할 때 또는 손님이나 친구나 친척들의 방문 때 접대하는 예절로 "일고(一苦), 이첨(二甛), 삼회미(三回味)." 방식의 삼도차로 대접하여 왔다.

삼도차는 남조국시기(서기 742)부터 전래된 것으로 알려지고 있으며 큰 행사가 있을 때 가무와 함께 삼도차를 시연한다. 서남 절도사 정회가 남조국에 사신으로 갔을 때 남조국의 왕이 코끼리를 타고 30리를 마중나와 정회를 직접 영접하고 삼도차 시연과 함께 가무를 열었다고 하며 남조국의 왕은 매일 아침 삼도차를 즐겨 마셨기 때문에 매우 건강하고 오래 살았다고 한다.

남조 중기에 들어와서 궁중에서만 행하던 삼도차가 민간으로 전래되면서 처음에는 장수와 건강을 바라는 마음으로 회갑연에서만 마셨는데 점차 혼례나 명절 등의 잔치에서도 행하게 되었다고 한다. 또한 송, 원시기에 백족들의 생활 깊숙이 스며들어 손님들에게도 대접하는 것이 유행처럼 되었다고 한다.

삼도차를 만들 때는 제작방법과 그 재료를 매번 달리한다.

제1도차는 "청고지차(淸苦之茶)"로 맑고 쓴맛의 차를 말하는데 차를 만드는 사람의 철학이 들어 있다. 사람이 출세하려면 먼저 고생을 해야 한다는 의미이다. 만드는 방법은 먼저 물을 끓여 놓고 토기로 만든 주전자를 숯불에 올려 뜨겁게 달궈 찻잎을 적당하게 넣으면서 계속해서 주전자를 돌려준다. 찻잎이 균등하게 가열되면 토기 내에서 "파파" 하는 소리가 나면서 찻잎이 노랗게 변하고 구수한 향이 날 때 끓는 물을 붓는다. 차가 우러나면 주인이 약간 기울여서 찻잔에 차를 따라 두 손으로 찻잔을 들어 손님께 차를 권한다. 차를 구워서 끓는 물에 우려낸 것으로 호박색 찻물이 나오고 향기는 약간 탄 냄새가 나면서 맛은 쓰고 떫다. 따라서 첫 번째 마시는 차를 고차(苦茶)라고 한다.

제2도차는 첨차(甛茶)라고 하는데 손님이 고차를 마시고 나면 두 번째에는 새로운 주전자에 볶은 차나 끓인 차를 8부 정도 넣고 꿀이나 설탕을 첨가하여 단맛에 차향이 나서 마시기 편하게 만들어 손님께 권한다. 이때 우유에서 추출해 실처럼 만든 것이나 호두를 얇게 썬 것, 깨 볶은 것 등을 첨가하여 마시기도 한다. 두 번째 달콤한 맛의 차는 인생의 즐거움은 고생 끝에 오는 것을 의미한다고 한다.

제3도차는 회미차(回味茶)라고 하는데 생강과 계피, 산초, 벌꿀을 넣고 끓인 물에 찻잎을 넣고 끓여 낸다. 찻잔에는 미리 볶은 쌀이나 호두 등을 넣어두고 차를 그 위에 따라준다. 차를 마실 때는 빠르게 흔들어 혼합한 뒤 후루루 소리를 내며 뜨겁게 마신다. 이 차의 맛은 달고, 시고, 쓰고, 매운맛이 모두 들어 있으며 모든 맛이 결국 돌아온다는 의미로 "고진감래"의 철학이 들어 있다고 한다.

백족은 새벽과 정오에 차를 마시는데 새벽에 마시는 차는 "조차(早茶)" 또는 "청성차(淸醒茶 : 정신을 맑게 해주는 차)"라 하여 일어나면 마시고 정오에는 "휴식차" 또는 "해갈차(解渴茶 : 갈증을 풀어주는 차)"라 하여 차에 우유를 섞어 마시기도 한다. 백족은 일반 소수민족이 그렇듯이 손님을 좋아하고 차 마시는 것을 좋아하여 모든 집에 쇠로 만든 화로와 다기가 준비되어 있어 손님이 찾아오면 차를 마시면서 담소를 나눈다.

### 🌱 와족의 소차(燒茶)

와족은 운남성 창원, 서맹 등지에서 생활하는 소수민족으로 란창, 맹연, 경마, 진강 등지에서도 일부 거주하고 있다. 그들은 스스로를 아와(阿佤), 포요(布饒)라고 부르며 지금까지 그들의 오래된 풍속을 유지하며 생활하고 있다. 그들이 소차(燒茶)를 마시는 것은 그들의 오래된 전통 음다법이다. 소차는 와족어로 '왕랍(枉腊)'이라고 부른다.

와족은 소차 끓일 때의 충포(沖泡)방식이 아주 독특하다. 소차를 만들기 위해서는 먼저 바닥을 살짝 파서 세워 놓은 화당(火塘)이라는 화로에 토기로 만든 주전자를 올려 물을 끓인다. 동시에 다른 얇은 철판을 화로 옆에 올려 달궈서 적당량의 찻잎을 올려놓고 굽는다. 찻잎이 갈색으로 변하고 진한 초향이 올라오면 찻잎을 찻주전자에 넣는다. 2~3분 정도 지나면 다완에 차를 따라 마신다. 일반적으로 와족의 소녀들이 손님께 차를 접대하며 손님에게 먼저 차를 대접한 뒤 차를 마시기 시작한다. 이 찻물의 탕색은 진한 황색으로 대개는 첫 맛이 쓴데 곧이어 단맛이 따라오며 구수한 향이 나온다.

또한 와족들은 죽통차나 소차와는 달리 차 안에 생강, 육계, 소금을 넣고 함께 끓여 마시는 색다른 방식의 뢰차(擂茶)도 즐겨 마시는 차 중의 하나이다.

와족들이 소차나 뢰차를 끓일 때 꼭 사용하는 것은 토기로 만든 주전자이다. 그 모양이 독특하고 차 맛을 좋게 한다고 한다.

## 🌼 태족(다이족)의 죽통향차(竹筒香茶)

태족은 운남성의 남부와 서남부 지역의 서상판납 지역에 집중되어 있으며 가무를 즐기고 열정적이며 손님이 오는 것을 좋아하는 소수민족이다. 또한 보이차가 처음 나온 지역에 거주하여 왔기 때문에 합니족, 애니족, 기낙족과 함께 오래된 차의 역사를 가지고 있는 민족이다.

죽통향차는 태족들의 남다른 풍격을 지닌 일종의 차이다.

죽통향차는 태족들의 독특한 제작방법으로 보통 다음과 같은 과정을 거친다.

첫째는 대나무통을 잘라서 약한 숯불에 세워놓고 5분 정도 굽는데 이것은 대나무에 혹시 있을 수 있는 벌레나 균들을 소독하는 단계다.

두 번째는 건조된 보이 모차(생차 혹은 숙차)에 습기를 주어 부드럽게 한 후 대나무통에 담는다. 이때 나무방망이를 이용하여 찻잎을 압축시켜 가면서 단단하게 집어넣고 입구는 대나무잎으로 막아놓는다.

세 번째는 대나무를 통째로 불에 굽는 과정으로 4~5분 간격으로 대나무를 돌려가면서 타지 않게 굽는다. 대나무껍질의 녹색이 노란색으로 변하면 안에 있는 습기가 다 마른 것이므로 꺼내서 서늘한 곳에서 식힌다.

네 번째는 대나무통이 식으면 겉껍질을 벗겨내고 속껍질째로 창고에 몇 년씩 보관한다.

다섯 번째는 3년 정도 묵으면 그을린 냄새도 제거되고 쓴맛과 떫은맛이 없어지고 좋은 향과 단맛을 내는데 이때 대나무껍질을 쪼개서 안의 보이차를 꺼낸다.

여섯 번째는 찻잎을 적당하게 덜어 차호에 넣고 끓는 물을 부어 한 번 세차한 후 차를 우려 마신다. 대나무의 청향이 살아 있고 진한 향이 나온다.

일곱 번째는 차를 조금씩 마시는 과정으로 황금색의 탕색과 죽향이 은은하게 나오는 단 향을 음미한다.

## 🌱 납호족의 고차(烤茶)-라후족의 카오차

납호족은 운남성 란창, 맹연, 창원, 경마, 맹해 지역 일대에 거주하는 소수민족이다. 원래는 서한시대 곤명 근처 지역에서 유목생활을 하던 민족이었는데 18세기 이전에 납호족의 대부분이 현재의 운남성 일대에 정착하여 살고 있으며 일부분은 미얀마, 태국, 베트남, 라오스 등지에서 살고 있다.

납호족 언어에서 호랑이를 "납(拉)"이라 하고 고기 굽는 것을 "호(祜)"라고 하는데 따라서 납호족은 호랑이를 사냥한다고 하여 "렵호(獵虎)"민족이라고도 한다.

납호족은 대나무통에 쌀을 넣고 삶아서 먹는데 대나무의 청량한 향기로움이 쌀 속에 스며들어 청량한 대나무밥을 먹는다.

또한 태족의 죽통향차와는 약간 다른 방법으로 대나무를 이용하여 차를 만드는데 대나무통에 새로 딴 차를 부드럽게 볶아 찻잎을 대나무통 속에 넣고 화로에 넣어 구워서 마르면 대나무통을 잘라 통 안의 찻잎을 꺼내 토기로 만든 주전자에 넣고 뜨거운 물을 부어 차로 즐기는 방법이 있다.

또한 납호족의 독특한 방법으로 찻잎을 구워 우려내는 방법이 있는데 이것을 "카오차"라고 한다. 카오차 만드는 방법은 다음과 같다.

먼저 화로에 작은 토관을 올려 달군 후 찻잎을 넣고 천천히 돌리면서 굽는다. 다른 방법으로는 토관 속에 불이 붙어 있는 숯을 골라 넣고 흔들어 굽기도 한다.

찻잎에 열이 고루 전달되어 노랗게 변하고 초향이 올라오면 멈추고 끓는 물을 토관에 넘치도록 붓는다. 위에 뜨는 거품과 찌꺼기를 버리고 다시 물을 채워 3분 정도 끓인 후 찻잔에 따라 마신다. 항상 주인이 먼저 차의 맛을 보는데 만약 차가 너무 진하면 물을 조금 더 넣어 연하게 한다. 찻잔에 차를 따르면 구수한 향이 가득하고 약간 단맛이 나고 쓴맛이나 떫은맛은 아주 약하다.

## 🌱 경파족(징포족)의 엄차(腌茶)

경파족은 운남성 덕홍 지역 일대에 경파족, 태족(傣族)자치주의 산악지역에 거주하는 태족에서 분파된 소수민족을 말하는데 미얀마의 카친족과 같은 민족이며 덕앙족과 형제민족이고 지금까지 찻잎을 음식으로 이용하는 전통을 보존하고 있다.

엄차는 일반적으로 우기에 만들기에 찻잎은 가공하지 않는 신선한 잎을 사용한다. 엄차를 만들 때는 여자들이 산에 올라가 차나무에서 신선한 찻잎을 채엽하여 맑은 물에 깨끗이 씻어 찻잎 표면의 물기를 제거한다.

그리고 넓은 대광주리에 찻잎을 펼쳐 널어 약간의 수분을 제거한 후 약간 비비고 문질러 고춧가루와 소금을 적당히 넣고 무친다. 무친 찻잎을 대나무통에 넣고 방망이로 눌러서 압축시키며 담아 입구는 대나무잎으로 막아 창고에 보관한다. 2~3개월이 지나면 찻잎이 노랗게 변하는데 이것을 엄차라고 한다.

엄차가 완성되면 꺼내서 약간 말려 촉촉한 상태로 토기로 만든 항아리에 보관해 놓고 조금씩 꺼내 반찬으로 먹는다. 먹을 때는 마늘이나 참기름 등으로 양념한다.

기낙족의 량반차는 바로 무쳐 먹지만 경파족의 엄차는 발효숙성시켜 먹는 것이 다르다.

## 🌱 율속족(리수족)의 유염차(油鹽茶)

율속족은 중국 운남성 북서쪽 노강(怒江) 율속족자치주의 네 개 현에 거주하며 려강, 대리, 적경, 초웅, 덕홍 등 그 지역 남북부 일대의 여러 현에 분포한다. 또한 사천성의 서창 등지에도 일부 율속족들이 거주하고 있다. 사천 서남부 고원으로부터 운남 서남부 산구까지 분포되어 있지만 노강율속족자치주에 비교적 많이 모여 살고 있으며 그 외의 율속족은 대부분 백족, 이족, 장족, 납서족, 합니족 등 형제 민족과 뒤섞여 있거나 분산되어 작은 집단주거형태로 살고 있다.

선조는 당대의 오만족 계열이며 16세기 이후 진사강(金沙江) 연안에서 남쪽으로 이주하여 현재의 거주지에 정착했다.

율속이라는 족명은 스스로 만든 칭호라고 한다. 노인들의 해석에 따르면 '율(傈)'은 4라는 뜻이고 '속(僳)'은 사람이라는 뜻으로 율속은 '넷째'라는 뜻이다. 전설에 의하면 옛적에 칠형제가 있었는데 맏이는 한족이고, 둘째는 이족이며, 셋째는 장족이고, 율속족은 넷째이다.

율속족이 즐겨 마시는 차는 유염차로 제작방법이 특이하다.

먼저 화로에 작은 토관을 올려서 달군 후 그 안에 적당량의 찻잎을 넣고 계속 돌리면서 흔들어주며 찻잎을 골고루 굽는다. 찻잎이 노랗게 변하고 구운 향이 올라오면 소량의 식용유와 소금을 넣고 잠시 후에 물을 넣어 2~3분 후 찻물을 잔에 따라 마신다.

유염차는 차를 제작하는 과정에서 기름과 소금을 넣기 때문에 마실 때 기름향이 우러나고 소금 맛이 나오며 회감(回甘)을 느낄 수 있다. 율속족은 집에서 항상 유염차를 마시며 손님에게도 이를 대접한다.

## 🌷 납서족(나시족)의 용호두(龍虎斗)와 염차(鹽茶)

납서족은 현재는 풍경이 수려한 운남성 려강 지역의 나시족자치구에 많이 거주하고 있다. 주로 진사강, 야룽강, 란창강 유역에 살고 있으며 티베트 미얀마어족에 속하며 원래 2종류 문자가 있었으나 소실되었다고 한다. 신앙은 동파교로 산·물·바람·불 등의 자연현상을 숭배한다. 사천 지방에도 일부가 거주하고 있다. 예전에는 닝랑과 융닝[永寧]의 봉건농노제 지역에는 모계가정이 존재했다. 여성이 가장이 되고 어머니는 알지만 아버지는 모르며 재산은 모계에 따라 계승되었다. 남자는 어머니 쪽 가정에서 일을 하며 자녀에 대해 부양의 책임을 지지 않는다. 중년 이후 배우자관계가 점차 고정되어 가정을 세운 이후에야 자녀들이 비로소 부모를 확인하게 된다. 그러나 남자는 만년에 어머니집으로 돌아가 조카딸들을 부양한다. 남녀는 똑같이 양가죽으로 만든 조끼를 입고 아이들은 어깨 양쪽에 해 · 달 · 칠성을 정교하게 수놓은 조끼를 입는다. 북쪽으로 가면 지금도 이런 풍습이 남아 있는 지역이 있다.

나시족 역시 차 마시기를 즐기는데 주로 마시는 차는 특색 있는 용호두나 염차이다.

용호두는 먼저 큰 주전자에 물을 끓여 놓고 다른 작은 토관을 달궈 적당량의 찻잎을 넣고 쉬지 않고 흔들어 찻잎을 굽는다. 찻잎이 골고루 구워지면서 노랗게 변하고 초향이 진하게 올라오면 끓는 물을 붓고 3~5분 정도 더 끓인다. 이때 찻잔에 백주를 반 정도 부어 준비해 놓고 찻물이 다 되면 백주가 들어 있는 잔에 따라 채운다. 이때 찻잔에서 파파 하는 소리가 들리는데 나시족은 이 소리를 아주 좋은 길조로 여긴다.

용호차는 일 년 내내 습하고 무더운 산간지대에서 사는 납서족들의 보건음료로 감기를 치료하고 열을 내리며 해독작용이 있어 발열, 두통이 있을 때 마시면 효과가 있다고 한다.

염차(鹽茶)의 제작방법은 용호두와 똑같은 방법으로 차를 끓여 찻잔에 백주 대신 소금을 넣어 마시는 것을 말한다.

그 외에 기름이나 설탕을 넣어 마시기도 하는데 기름을 사용하면 "유차", 설탕을 사용하면 "탕차"라고 불러 구별한다.

## 🌱 장족의 수유차(酥油茶)

중국의 서장(티베트), 운남, 사천, 청해, 감숙 등지에서 거주하는 민족으로 춥고 건조한 산악지역에서 소, 양, 야크 등을 키우면서 생활한다. 이러한 척박한 기후에서 생활하기 위해 고열량식의 식사가 필요하기도 하지만 생활환경에 따라 소, 양, 야크 등의 육류와 유제품 위주로 식사를 할 수밖에 없다. 그러므로 인체에 필요한 채소에서 얻을 수밖에 없는 각종 비타민과 무기질의 영양소가 결핍되기 쉽다. 이를 만회하기 위해 세계에서 차 소비량이 가장 많을 정도의 차를 마신다. 대표적인 차가 수유차라고 하는데 수유라는 말은 버터를 뜻하는 것으로 동물의 젖을 끓여 식히면 위에 노란 지방이 뜨는데 이것을 수유라고 하며 티베트인들은 주로 야크를 키웠기 때문에 야크젖을 이용해 만들었고 몽골족은 양을 키워 양젖을 이용해 버터를 만들었으며 차를 만들 때도 그들이 만든 버터를 이용해 수유차를 만든다. 그중 야크와 황소의 잡종인 "티베트 편우"의 젖으로 만든 수유가 가장 좋고 그다음으로 야크젖을 치며 양젖으로 만든 수유차가 제일 등급이 낮다. 좋은 수유로 만들면 황금빛이 돌고 향기로우며 맛이 좋다.

수유차를 만드는 방법은 흑차를 쪼개서 찻잎이 노랗게 될 때까지 볶다가 물을 부어 끓인다. 찻물이 진하게 우러나면 찻잎을 걷어내고 홍화목이나 대나무로 만든 약 1m 길이의 길쭉한 원형의 통에 붓고 버터와 소금을 넣은 후 아래쪽을 나무로 둥그렇게 만든 막대기를 넣고 계속해서 상하로 젓는다. 버터와 찻물이 잘 섞이면 찻주전자나 보온병에 담아 찻잔에 따라 마신다.

또한 여기에 호두, 땅콩, 깨, 잣 등의 견과류를 갈아 달걀과 함께 넣어 마시기도 한다.

수유차는 장족 사람들이 매일 마시는 필수 음료이며 "밥은 3일을 굶어도 되지만 수유차는 하루만 안 마셔도 안 된다."라는 말이 있다. 또한 손님이 왔을 때 대접할 수 있는 대표적인 음료로 사용한다. 수유차는 칼로리가 높아 추위를 잘 견디게 해주고 기름진 음식의 느끼함을 제거하고 소화를 돕는다. 또한 갈증을 없애고 채소에서 얻을 수 있는 영양소를 제공한다.

그리고 차를 마실 때 주의사항은 마시면서 소리를 내거나 급하게 마시는 것은 실례가 되며 여러 번으로 나눠 천천히 마시면서 다 마시지 않고 항상 조금씩 남겨야 한다. 차를 모두 마셔버리면 더 마시고 싶지 않다는 의미라고 한다. 또 최소한 3잔은 마셔야 하는데 한 잔만 마시는 것은 원수를 만든다고 하며 여러 잔을 마시기 힘들면 처음부터 차완을 들거나 움직이지 않는 것이 좋다.

### 🌸 회족(후이족)의 괄완자차(刮碗子茶)

일명 "팔보차"라고도 부른다. 중국의 회족들이 주로 마셨던 차로 회족은 중국의 서북부 즉 녕하(寧夏), 청해(靑海), 감숙(甘肅) 지역에 분포되어 있다. 이 지역에서도 회족은 대부분 고원과 사막지역의 한랭하고 건조한 지역에서 생활한다. 따라서 티베트, 우루무치 등과 같이 채소가 잘 자라지 않기 때문에 채소가 귀하고 소, 양고기와 그 유제품을 주식으로 하기 때문에 채소에 있는 영양소가 부족하여 그것을 보충하기 위해 차 문화가 발달되었다. 회족이 사용하는 다구는 개완과 비슷한 모양으로 다완과 뚜껑 그리고 차 받침대로 구성된 삼건투(三件套)다. 다완에 차를 담고 뚜껑은 수분과 향기의 증발을 막아주고 받침대는 뜨거운 것을 방지해 준다. '괄완자차'는 한 손에 받침대를 쥐고 다른 한 손으로 뚜껑을 잡고 찻물 위에 뜨는 거품을 밖으로 밀어낸다는 것으로 다완을 긁는다는 뜻이다.

차는 주로 초청녹차를 사용하며 차와 함께 얼음설탕을 기본으로 넣고 말린 과일 즉 건포도, 건사과편, 건복숭아편, 곶감, 대추 등과 함께 용안육, 구기자, 흰 국화 등을 넣고 우린다. 따라서 펄펄 끓는 물을 부어 바로 세차하고 다시 부어 5분 정도 우린 후 마시는데 그 후로도 5~6번 더 우려 마신다. 재료마다 우러나오는 속도가 달라 처음에는 차향이 강하고 두 번째는 얼음설탕으로 인해 단맛이 가해지고 세 번째부터는 과일향이 우러나오는 등 넣는 재료에 따라 맛과 향이 다르다. 마실 때마다 또 다른 맛과 향을 느낄 수 있다. 몸에 좋은 약재와 과일이 다양하게 들어가기 때문에 팔보차라고도 한다.

## 🌷 위구르족의 향차(香茶)

위구르족은 밀을 주식으로 하며 쌀과 옥수수 외에 양고기, 소고기를 즐긴다. 주식인 낭은 밀가루나 옥수수가루로 만든 병으로 특수하게 제작된 가마에서 익힌 빵이다. 그 외에 라면, 비빔면, 볶음면, 탕면 등이 있고 유명한 요리로는 통양구이, 양꼬치 등이 있다. 또한 이들은 이슬람교를 믿는다. 위구르족은 차를 좋아하는데 북쪽 위구르족은 흑차에 우유나 양유를 넣어 만든 밀크티를 많이 마시며 조식으로 낭과 함께 밀크차를 마시고 점심에는 각종 주식과 볶음요리를 먹고 저녁에는 또 낭과 밀크티를 마신다.

신강의 천산 이남에 거주하는 위구르족은 주로 농사를 짓고 주식은 밀이며 밀가루로 만든 낭과 함께 향차를 즐겨 마신다.

향차를 달일 때는 동으로 만든 목이 긴 주전자 즉 장경차호(長頸茶壺)를 사용한다. 먼저 장경차호에 물을 7~8부 정도 채운 뒤 끓인다. 물이 끓으면 흑차를 잘게 부숴 넣고 5분 정도 끓이다 미리 갈아 놓은 생강, 계피, 후추 등의 향료를 넣고 저어주면서 3분 정도 더 끓인 후 찻잔에 따라 마신다. 기본적으로 하루에 세 번씩 낭과 함께 마신다.

### 🌸 토가족(투쟈족)의 뢰차(擂茶, 레이차)

토가족은 호남성, 호북성, 사천성, 귀주성에 걸쳐 있는 무릉산 일대의 산속에서 생활하는 소수민족이다. 우리가 잘 알고 있는 장가계도 이들이 생활하던 땅이지만 지금은 한족이 이주해 한족 수가 더 많다. 토가족은 이 일대에서 수천 년 전부터 터전을 잡아 온 민족으로 그들의 생활방식이나 습관 등이 그대로 전해져 내려오고 있다. 그들이 즐겨 마시는 차는 "뢰차"라고 하며 다른 이름으로는 삼생탕(三生湯)이라고 한다. 삼생탕이란 신선한 생찻잎과 생강, 생율무 등 세 가지의 생원료를 혼합하여 곱게 갈아서 물을 넣고 끓이는 탕이란 뜻이다.

삼국시대에 장비가 병사를 데리고 무릉호두산에 도착했을 때 무더위가 심한 때였는데 그 지역에 전염병이 창궐하여 장비 부하들이 전염병에 걸리는 수가 많아지고 장비도 위험하게 되었다. 그러나 장비의 군사들은 규율이 엄격하여 그곳 백성들에게 전혀 피해를 주지 않은 것을 고맙게 생각해 그곳 민간의사들이 병사들에게 뢰차를 만들어 먹게 했다. 그 결과 전염병이 모두 나았다. 생찻잎은 정신을 들게 하고 사기를 제거하며 화를 내리고 눈을 밝게 하는 효능이 있으며 생강은 비위의 기능을 좋게 하고 겉에 있는 병사를 물리치며 습을 제거하고 땀을 나게 하며 생율무는 비장을 튼튼하게 하고 폐를 윤택하게 하며 위를 편하게 하고 화를 내리는 효과가 있어 그곳의 전염병을 치료하는 명약이었다.

많은 시간이 흘러 현대의 뢰차는 많이 변화되었는데 찻잎 외에 통상적으로 땅콩, 깨, 쌀 등의 곡물을 볶아서 넣고 생강, 소금, 후춧가루를 첨가한다. 뢰차라는 이름은 이런 재료들을 맷돌에 갈아 우리나라의 미숫가루와 같이 차완에 담아 물을 부어 마신다고 해서 붙여진 이름이다.

주로 산속에서 생활하는 민족들이 즐겨 마시고 손님이 오면 접대용으로 많이 마신다. 중국의 남쪽이나 대만 등지의 객가족에게도 이런 풍습이 있다.

## 🌸 카자흐족의 내차(奶茶, 나이차)

카자흐족은 신강의 천산 북쪽에 거주하는 소수민족으로 위구르족과 회족의 형제민족이다. 차는 카자흐족의 생활에서 가장 중요한 위치를 차지하고 있다. 어떻게 보면 식사와 같은 것이다. 그들의 말에 의하면 "하루에 세 번은 식사와 함께 차를 마셔야 하며 그들에게 차는 정신을 들게 하고 노동력을 만들어준다. 만일 차를 3일 동안 마시지 않으면 배탈이 나고 기력이 없으며 누워서 일어나지 못한다."라고 한다.

카자흐족은 내차(奶茶)를 끓이기 위해 알루미늄솥이나 동으로 만든 주전자를 사용하고 마시는 찻잔은 큰 대접 같은 것을 사용한다.

내차를 끓일 때는 먼저 전차(磚茶)를 작은 덩어리로 잘게 쪼개 낸다. 주전자나 솥에 물을 반 정도 넣고 끓여 찻잎을 넣고 5분 정도 더 끓인다. 거기에 우유나 양젖을 물의 1/5정도 넣고 가볍게 잘 저어준다. 우유 또는 양젖과 찻물이 잘 섞이면 소금을 넣어주고 다시 5분 정도 더 끓여 완성한다. 취향에 따라 소금을 넣지 않고 설탕이나 호두를 넣기도 한다. 내차를 주전자에 담아 찻잔에 따라 후후 불어가면서 뜨겁게 마신다. 이들은 항상 내차를 불 위에 올려놓고 음료처럼 마신다. 신강 북쪽에 사는 민족은 아침, 점심, 저녁으로 세 차례 내차를 마시고 중노년들은 때때로 마시며 손님이 찾아오면 주인은 즉시 휘장 안으로 손님을 들여 앉게 하고 여주인은 바닥에 흰 천을 깔고 양고기구이, 낭(밀가루반죽으로 만든 빵), 버터, 꿀, 사과 등을 내오고 따뜻한 내차를 내온다. 서로 담소를 나누며 식사를 하면서 차를 마시는 것이 이들의 풍습이다.

내차를 처음 마시면 쓰고 떫은맛에 느끼하여 마시기 어려워하는 사람들도 있지만 춥고 채소가 거의 없는 척박한 땅에서 생활하는 사람은 내차가 추위를 견디게 하고 채소에서 얻을 수밖에 없는 영양소를 공급받는 중요한 식재료이다.

## 🌷 묘족(미아오족)의 팔보유차탕(八寶油茶湯)

호북성 서쪽, 호남성 서쪽, 귀주성 동쪽 일대에서 거주하는 묘족이나 일부분의 토가족은 유차탕을 습관적으로 마신다. 그들은 "하루라도 유차탕을 마시지 않으면 아무리 좋은 음식이 식탁에 가득해도 향기가 나지 않는다."라고 한다. 손님이 찾아오면 그들은 더욱더 향기롭고 바삭하며 맛있는 차를 만들어 대접한다.

팔보유차탕을 만드는 데는 손이 많이 간다. 옥수수를 쪄서 말린 것, 노란콩, 땅콩, 쌀로 만든 과자, 두부 말린 것, 당면 등을 튀겨서 찻잔에 넣는다. 동시에 솥에 기름을 두르고 솥에서 푸른 연기가 올라오면 찻잎과 화초를 넣고 볶는데 찻잎이 노랗게 변하고 구수한 향이 올라오면 솥을 기울여 물을 붓고 생강채를 넣는다. 찻물이 끓어오르면 찬물을 조금씩 부어주며 다시 끓이다 소금과 마늘, 후추 등을 넣고 잘 저어준 후 튀긴 재료를 넣어둔 찻잔에 부어주면 팔보유차탕이 완성된다. 이 과정은 많은 경험과 숙련된 기술이 필요하다.

손님에게 차를 드릴 때는 쟁반에 찻잔을 담아 두 손으로 들고 각각의 찻잔에 차 수저를 하나씩 올려 손님 앞에 놓는다.

팔보유차탕을 만들 때 기술뿐만 아니라 정성이 많이 들어가며 향과 맛이 좋고 갈증을 해소하면서 배고픔을 가시게 해준다.

### 🌼 회족과 묘족의 관관차(罐罐茶)

관관차는 중국 서북지역의 감숙성 일대에 거주하는 회족과 묘족 그리고 이족들이 즐겨 마시는 차이다. 그들의 집에 들어가면 응접실 바닥에 큰 구덩이가 있는 것을 볼 수 있으며 나무를 때거나 숯불을 피워놓고 그 위에 주전자를 올려놓고 있다. 아침에 일어나면 주부들이 관관차를 편하게 끓이기 위함이다. 이런 모습은 육반산(六盤山) 일대에서 생활하는 소수민족에게서 흔하게 볼 수 있다. 관관차는 청차를 위주로 하지만 소수 사람은 차를 기름에 볶거나 차에 화초, 호두, 소금을 넣어 마시기도 한다.

관관차의 제조방법은 포다법이 아닌 자다법에 가깝다. 일반적으로 각 가정에는 한 개의 구리주전자와 크지 않는 토기단지 그리고 손잡이가 달린 흰색 찻잔이 있다.

차를 끓일 때는 큰 주전자에 물을 끓이고 화로 옆에 토기단지를 올려놓고 주전자의 끓는 물을 토지단지에 반 정도 붓는다. 토기단지의 물이 끓기 시작하면 찻잎을 넣고 끓인다. 찻물이 충분히 우러나면 주전자의 뜨거운 물을 다시 토기단지에 8부 정도가 되게 더 부어준 후 끓으면 완성된 것으로 찻잔에 따라 마신다. 일부 지방에서는 먼저 차를 볶거나 차유에 볶아 끓이기도 하는데 이는 구수하고 약간 탄 냄새를 즐기는 것이다.

또 다른 일부 지방에서는 차를 끓이는 과정에서 호두, 화초, 소금 등을 넣어 마시기도 한다.

관관차는 어떻게 끓이든 차의 용량이 많고 끓이는 시간이 길기 때문에 찻물이 진하고 향과 맛이 강하다. 일반적으로 3~4회 정도 재탕으로 끓여 마신다.

관관차는 맛이 너무 강해 처음 마시는 사람은 회감이 너무 쓰고 떫어 많이 마실 수 없기 때문에 조금씩 마신다. 다만 일부 소수민족들은 진한 차를 어려서부터 마셔서 습관이 되어 있다.

그들은 손님이 방문하면 화로 옆에 둘러앉아 관관차를 끓이면서 숯불 속에 고구마나 감자, 밀병 등을 구워 먹으면서 농차를 조금씩 마시며 자연의 운치를 느낀다.

또한 이들은 관관차를 마시면 정신을 깨우고 소화를 도우며 병을 없애고 건강을 보장하는 4가지 좋은 점이 있다고 여긴다.

## 🌱 요족, 장족의 함유차(咸油茶)

요족이나 장족은 주로 광서성에 거주하는 소수민족으로 근처의 호남, 광둥, 귀주, 운남 등의 산악지역에도 일부분이 거주하고 있다. 요족의 음다풍속은 독특하다. 그들은 일종의 요리와 같은 함유차를 즐겨 마신다. 함유차는 배고픔을 해결해 주고 몸을 튼튼하게 하며 사기와 습을 제거한다. 또한 소화를 돕고 진액을 만들어주며 감기를 예방해 준다고 여기고 있다. 주로 산악지역에서 생활하는 대부분의 사람들은 함유차가 몸을 건강하게 하는 음료라고 말한다.

함유차를 만들 때는 무엇보다도 재료의 선택에 집중해야 한다. 그중 가장 중요한 재료인 찻잎은 차나무에서 자라는 신선하고 부드러운 어린순과 함께 채엽하여 끓는 물에 한 번 데쳐서 물기를 빼놓고 여기에 배합하는 재료로는 대두, 땅콩, 볶은 찹쌀, 쌀튀김 등과 닭고기튀김, 새우튀김, 볶은 돼지간 등으로 이것을 중하게 여긴다. 그 외에 준비해야 할 재료로는 식용유, 소금, 생강, 대파, 부추 등이 있다. 함유차를 만들 때는 먼저 배합재료를 튀기거나 볶고 삶아 찻잔에 담아 미리 준비해 놓는다. 그리고 나서 솥에 기름을 붓고 달궈지면 찻잎을 넣고 볶는다. 찻잎이 노랗게 변하고 구수한 향이 올라오면 생강편과 소금을 넣고 저어주면서 볶는다. 찻잎이 다 볶아지면 물을 붓고 3~4분 정도 끓여 찻물이 우러나면 찻잎을 걸러내고 다시 대파와 부추를 잘게 썰어 넣고 한소끔 더 끓인다. 그다음 배합재료를 넣어둔 찻잔에 찻물을 붓고 작은 수저로 몇 번 저어준다. 그러면 먹음직스러운 향이 올라오고 상큼한 함유차가 된다.

함유차를 만들 때 여러 가지 재료가 들어가므로 한 잔의 차 또는 한 그릇의 요리라고 부른다. 요리솜씨가 좋지 않는 사람은 손님이 오면 이웃집에서 만들어놓은 재료를 얻어와서 접대하기도 한다. 또한 함유차에는 나름대로의 예절이 있는데 마시는 손님은 기본으로 3잔 이상을 마셔야 한다. 세 잔을 먹어야 친구가 된다고 여기기 때문이다.

## 🌱 몽골족의 함내차(咸奶茶)

몽골족은 대부분 내몽골 지역이나 그 주변에서 생활하고 있다. 함내차는 몽골족들의 전통차다. 목축업을 위주로 생활하는 그들은 습관적으로 하루에 3번 차를 마시고 도리어 밥은 한번만 먹기도 한다. 매일 아침 일어나면 주부가 맨 먼저 하는 일은 온가족이 하루 종일 먹을 수 있는 함내차를 한 솥 끓이는 것이다. 아침에 그들은 볶은 쌀과 함께 함내차를 마신다. 또한 마시고 남은 차는 언제든지 다시 마실 수 있도록 약한 불 위에 올려놓는다.

몽골족은 정식 식사로는 저녁 한 끼만 먹지만 차는 하루에 꼭 세 번 이상을 마신다.

몽골족이 차를 끓이는 기구는 쇠솥을 주로 사용하며 차는 청전차(靑磚茶)나 흑전차(黑磚茶)를 많이 이용한다.

만드는 방법은 먼저 끓일 정도의 찻잎을 떼어내어 준비해 놓고 솥에 물을 부어 끓인다. 물이 끓기 시작하면 찻잎을 넣고 다시 끓기 시작하여 5분 정도 지나면 양젖을 찻물의 1/5 정도로 넣는다. 조금씩 저으면서 소금을 넣어주고 조금 지나면 차가 다시 끓기 시작하는데 이때가 완성된 것이므로 잔에 따라 마신다.

만들기 쉬워 보이지만 많은 경험과 기술이 요구되는 과정이다. 그릇이나 차, 양젖,

소금, 끓이는 온도, 시간, 순서 등에 따라 맛과 향 그리고 영양성분까지 달라진다. 몽골족 여성은 어머니로부터 기술을 전수받으며 시집가서도 함내차를 잘 끓여야 무시당하지 않는다고 한다.

### 3. 영국

1662년 포르투갈 캐서린 공주가 영국 국왕 찰스 2세와 결혼하면서 7척의 배에 혼수를 싣고 갔는데 혼수품에 설탕, 은, 녹차, 중국 도자기가 대부분이었다고 한다.

당시 퍼스트레이디가 애호하는 중국차와 자기로 된 찻잔은 부의 상징이 되었다. 그러면서 귀족들에게 급속도로 퍼져 나갔다. 귀족들은 당시 고가품인 중국차를 거북이 등 딱지가 달린 은으로 된 상자에 보관하고 그것을 "캐디박스"라고 불렀다.

당시에는 중국 도자기에 손잡이가 없었기 때문에 찻잔 받침대에 올려놓고 스푼은 찻잔 안에 두었으며 조금씩 홀짝거리며 마셨는데 이것이 티 에티켓이 되었다.

궁중에서나 마시던 차가 귀족들에게 전파된 것은 17세기 중반(1650년)으로 영국에서는 유대인들에 의해 커피하우스가 옥스퍼드에 문을 열면서 18세기 중반까지 유행하게 된다. 하지만 당시 커피하우스는 남성 전유물이었고 여성은 출입할 수가 없어 귀족의 부인들은 집에서 티를 마시기 시작하였다. 특히 1717년 유명한 홍차 기업인 트와이닝스를 설립한 토마스 트와이닝이 찻집이 아니라 집에서 끓여 먹을 수 있는 차를 판매하는 골든라이온이라는 가게를 열었다. 그리고 포목점이나 부인용품을 파는 가게에서도 차를 팔기 시작하면서 귀족들에게 퍼지기 시작하였다.

당시에는 차 끓이는 법 등의 팸플릿을 넣어 팔면서 더욱 빨리 보급되었으며 또한 녹차보다 저렴하면서 진한 향과 색을 내는 정산소종의 등장으로 홍차의 소비가 늘어나면서 랍상소우총이라는 향기가 강한 홍차까지 등장한다. 랍상소우총은 건조시킨 차에 습기를 가하고 다시 연기에 그을리는 작업을 하여 생산한다. 그러면 정로환 같은 냄새가 난다. 그러나 영국인들은 이 향을 동양의 향으로 인식하였다. 영국의 수질은 경수여서 차를 끓이면 맛과 향이 연해지고 탕색은 진해지므로 영국에서는 향이 강한 차를 선호하게 된다. 중국인들은 녹차나 오룡차를 마시고 홍차는 주로 수출하였다.

귀족들의 티타임은 하루에 6~7회나 되었는데 그 순서를 보면 다음과 같다.

① 얼리모닝 티 : 이른 아침에 일어나면 티 트레이에 올린 따뜻한 홍차를 하인이 가져다준다.

② 브렉퍼스트 티 : 주스, 달걀, 햄, 소시지, 말린 생선, 빵, 과일 등과 함께 우유를 넣은 홍차를 마셨다.

③ 일레븐시즈 티 : 아침식사가 끝나면 화장하고 옷 갈아입고 하루 일과준비를 하면서 마시는 차다.

④ 런치 티 : 당시에는 아침을 배불리 먹고 점심식사는 거의 하지 않았는데 대신 비스킷이나 과일, 홍차를 가지고 피크닉을 나갔다. 이때가 하인들이 쉬는 시간이라고 한다.

⑤ 애프터눈 티 : 19세기 중반 공작부인 안나에 의해 퍼진 습관이라고 하는데 점심식사를 먹지 않기 때문에 오후가 되면 배가 고파지는데 이 시간에 친구들을 불러 간단한 음식에 홍차를 마셨는데 그것이 애프터눈 티가 되었다.

⑥ 하이 티 : 하이 티는 고기요리를 곁들인 티라는 의미로 가볍게 먹는 저녁식사를 말하는데 서민들이 고기나 감자와 함께 홍차를 즐기면서 시작되었다고 한다. 낮은 티테이블이 아닌 저녁식사 테이블에서 가벼운 식사를 하면서 먹는 홍차를 의미하기도 하며 귀족들은 음악회나 연극을 관람하면서 잠시 쉴 때 먹는 티를 하이 티라고 한다.

⑦ 나이트캡 티 : 밤늦은 시간 침대에 들어가기 전에 몸을 따뜻하게 하기 위해 마시는 홍차를 말한다.

영국에서 18세기 중반부터 산업혁명이 일어나면서 사람들이 도시로 모이기 시작한다. 도시에 온 농민공들이 차를 마시기 시작하면서 차의 수요가 폭발하게 된다. 따라서 중국으로부터 많은 차를 수입하게 되고 급기야는 아편전쟁까지 일어나게 되었다. 또한 당시에는 가짜 차가 많아졌다. 나뭇잎, 톱밥 등을 착색하여 섞어 팔거나 전혀 다른 나뭇잎만을 차라고 속여 팔면서 중국의 차에 대한 신뢰도가 떨어지면서 영국의 식민지였던 인도에서 차를 재배하게 된다. 19세기 중반 인도의 아삼티가 동인도회사를 통해 들어오면서 홍차는 더욱 진해지게 되었으며 산업 붐이 일던 시절의 노동자들에게는 피로를 풀어주는 필수품이 되었다.

서민들도 귀족들처럼 차를 마셨는데 형식은 같으나 내용물이 다르다.

① **얼리모닝 티** : 산업혁명이 일어나고 사람들이 도시로 몰리면서 아침 일찍 일어나 일터로 나가야 했다. 일터로 나가기 전 난로 옆에서 뜨거운 홍차를 마시고 출근했다.

② **브렉퍼스트 티** : 일터에 도착하여 빵이나 비스킷과 함께 홍차를 마시면서 아침을 때웠다.

③ **일레븐시즈 티** : 오전에 일을 잠시 쉬고 마시는 차다. 당시에는 산업화로 영국에 물이 오염되어 끓여 마셨기 때문에 홍차를 먹었다.

④ **런치 티** : 점심식사도 빵이나 소시지 같은 간단한 식사를 했는데 이때 홍차를 마셨다.

⑤ **애프터눈 티** : 쉬는 날 오후 가족들과 함께 머핀이나 샌드위치 등과 함께 차를 마셨다.

⑥ **하이 티** : 서민들은 저녁식사로 빵과 치즈, 고기요리 등을 주로 먹었는데 고기와 함께 마신다고 하여 "미트티"라고도 불렀다.

⑦ **나이트캡 티** : 자기 전에 몸을 따뜻하게 하기 위해 마신 차로 피로를 풀고 마음을 편하게 하기 위해 민트를 곁들여 마시기도 했다.

## 4. 일본

다도는 일본의 생활방식과 연관성이 깊다. 본래는 불교의식에서 유래한 것으로 차를 중시하는 선종승려들이 정립했다고 한다. 하지만 일본 상류층을 거쳐 사무라이들이 조직력을 강화하고 그들의 세력을 과시하기 위해 더욱 엄격한 예절을 적용하여 행사를 하므로 현대에 와서도 예절을 중시한 다도가 되었을 것으로 추정한다.

### (1) 차노유

차를 대접하는 일본의 다도를 일본에서 "차노유"라고 부르는데 따뜻한 차라는 뜻이다. 선종스님들이 달마그림 앞에서 공용사발에 말차를 타서 마시곤 하였는데 이런 풍습에서 유래되었다고 한다.

현대까지 내려오고 있는 차노유는 아름다운 다기를 사용하며 예절을 갖춘 간단한 다과회 개념과 오랜 시간 동안 정성을 다해 손님을 접대하는 두 가지 형식이 있다.

"차회(茶會)"라고 부르는 다과회는 한 시간 이내로 말차를 연하게 탄 "우스차"와 함께 모양이 아름답고 단맛이 나는 다식을 함께 먹으며 담소를 나누는 것을 말한다. 우스차는 말차가루에 기포가 생기도록 뜨거운 물을 부어 만든 차를 말한다.

"차기(茶機)"라는 다과회는 매우 복잡하므로 다과회라기보다는 정찬파티라고 해야 마땅하다. 대략 4시간 정도가 소요되고 주인이 정성을 다해 여러 가지 코스요리와 함께 먼저 진하게 탄 말차인 "고이차"를 먼저 제공하며 정해진 요리코스와 함께 먹으며 마지막에는 우스차로 마무리한다.

## 5. 서양의 차문화

17세기 중국 녹차가 처음 전해졌을 때 녹차의 쌉쌀한 맛이 건강에 도움을 준다는 생각으로 건강음료 또는 약용음료로 여겼다. 16세기에 포르투갈이 동아시아지역의 무역을 독점했지만 그들은 차에는 관심이 없었다.

네덜란드 무역상들이 일본차와 중국차를 암스테르담으로 가져갔는데 당시에는 운반비 등으로 차 값이 비싸 서민들은 접하기 힘들었고 상류층에서 화려하고 비싼 다기를 이용하여 특별히 마시는 음료였다. 이때 차와 사프란을 함께 냈으며 달콤하게 설탕을 넣고 찻잔에 뚜껑을 만들어 향이 날아가지 않게 했다. 그 후 네덜란드인들이 독일, 프랑스, 영국 등으로 차를 전파했으며 당시 상류층에서 커피를 위주로 마시던 시절이지만 점차 차문화가 확산되었다.

영국에서는 차의 쓴맛을 완화시키기 위해 우유와 설탕을 함께 넣어 마시기 시작했다.

당시 서양에서는 커피하우스 즉 지금의 커피숍 같은 데서 커피를 마시면서 정치나 사업이야기를 많이 하였는데 많은 사람들이 이용하다 보니 커피하우스는 시끄럽고 담배연기가 자욱하여 여성이 들어가기를 꺼렸고 나중에는 상류층 신사들도 다니지 않게 되었다. 그 대신 집이나 조용한 곳에서 차를 마시면서 이야기하는 차문화가 유행하기 시작하였다.

18세기 중반에 와서는 차 수입이 많아지고 차 값이 내려가면서 차문화가 중산층으로 확산되었으며 커피 소비량이 줄고 차 소비량이 늘어났다. 1850년대에는 영국 가정에서 애프터눈 티를 대접하며 손님을 접대하는 모임이 성행하였다. 당시 서양에서는 점심식사를 정식으로 하지 않았는데 저녁식사까지의 공복을 달래며 사교목적으로 샌드위치, 비스킷, 케이크, 빵 등을 곁들여 차를 마셨다.

그 후 식민지국가 즉 인도, 스리랑카 등에서 차가 재배되기 시작하였고 차 값이 싸지면서 일반서민들도 차를 즐기게 되었다. 당시 노동자계층은 저녁 6시 공장에서 퇴근하여 저녁식사로 훈제청어, 고기, 파이 등을 먹으면서 진한 홍차를 곁들여 마셨다.

1689년 동인도회사가 중국에서 차를 직접 들여오기 시작했으며 나중에는 차 무역을 독점하였다. 동인도회사는 원래 향신료 위주로 무역을 하였는데 차의 수익성이 좋아 이때부터 본격적으로 차 무역을 하였다. 무역량이 많아지자 독점권을 잃게 되고 차 무역은 무한 경쟁시대로 접어든다. 수익성을 위해 좀 더 빠르게 운송하기 위한 범선들이 개발되고 해상무역이 발달하게 된다.


## 6. 아편전쟁

18세기 중반 영국에서 홍차 소비가 급격하게 증가하자 홍차는 동인도회사의 주요 무역품이 되었다. 영국 상인들은 중국에서 실크, 자기, 차 등을 수입했는데 팔 수 있는 물건은 은, 유리제품 외에는 별로 없었다. 또한 은의 대량 유출로 인해 유럽경제에 문제가 생기자 영국은 인도 벵골 지역에서 재배한 아편을 가져와 거래하게 되었다. 아편이 중국 사회에 많은 폐단을 가져오자 중국정부는 아편거래를 불법으로 규정하고 1838년 임칙서를 광둥으로 파견해 거래를 중지시켰다. 결국 1840년에 아편전쟁이 일어나게 되며 2년에 걸친 전쟁에서 막대한 신무기를 가진 영국에 중국이 결국 패하게 된다. 그 결과 난징조약이 체결되어 홍콩을 영국에 넘기게 되고 상해 등 남부 항구 5곳을 개방하게 된다.

전쟁까지 일어나게 되면서 차 무역은 지하로 들어가 밀무역이 성행하게 된다. 밀무역이 되니 차에 불순물을 넣은 불량차나 딱총나뭇잎, 물푸레나뭇잎, 야생자두나무잎을 따서 차를 만들어 팔기도 했다. 영국은 중국에서 차 수입을 못할 경우에 대비하여 인도와 스리랑카에서 차나무 재배를 시도하여 성공하였고 전쟁 또한 승리하여 중국차 또한 많은 양을 수입하여 차의 전성기를 맞는다.


## 7. 보스턴사건

보스턴사건은 1775년 차에 부과된 세금에 반발하여 미국이 영국으로부터 독립을 하려는 발단이 된 사건으로 유명하다. 영국 식민지 주민들이 미국 정착에 성공하면서 동인도회사는 이들에게 차를 공급했다. 독립전쟁이 일어나기 전까지 미국에서는 커피를 많이 마셨지만 중산층을 위주로 차의 소비도 적지는 않았다.

동인도회사는 차를 중국에서 가져다 런던을 거쳐 뉴욕으로 판매했는데 당시 영국정

79

제2장 차나무 잎으로 만든 차

부는 프랑스의 전쟁, 인디언들의 반란에 대비하여 군사비용이 많이 필요하자 모든 물품에 인지세를 부과했다. 그러자 미국에서는 영국물품 불매운동이 벌어졌고 폭동이 일어나 인지세를 폐지했다. 그러나 1767년 미국으로 가는 물품 중 4가지 즉 종이, 납, 유리, 차에 세금을 새로 부과했으며 이에 다시 식민지 주민들의 시위가 일어나 영국정부는 다시 세금을 포기했으나 차에만 1파운드당 3페니의 세금을 물렸다. 그러자 주민들은 차를 사지 않고 네덜란드 등에서 밀수를 했다. 그 결과로 동인도회사는 차 재고가 쌓여 파산 직전에 이르렀으며 영국의회는 1773년 다시 차 조례를 제정해 세금을 포기했다.

이 시기는 사회가 혼란했으며 주민들은 야생화잎, 캐모마일, 세이지 등으로 만든 허브차를 마시기 시작했으며 커피를 많이 마시게 되어 차 값은 폭락했다.

그 당시 보스턴은 영국 통치에 저항하는 미국인들의 중심지로 자리 잡았고 1773년 11월 말 영국배 세 척이 차를 싣고 들어왔으나 하선을 허용하지 않았다. 배에 물건이 있으므로 출항도 허용하지 않고 배를 항구에 묶어두었다. 주민들이 밤에 인디언으로 가장해 배에 올라가 배에 있던 차 342상자를 바다에 버리는 사건이 일어났다. 이것이 보스턴의 차 사건으로 미국이 독립운동을 하게 된 발단이 되었다.


## 8. 로버트 포춘이야기

유럽과 미국에서는 많은 차를 소비했지만 차에 대해서는 잘 알지 못했다. 차에 대해 공부하기 위해 식물학자인 로버트 포춘이 1842년 중국으로 건너가 공부하고 돌아왔다.

그 당시 중국정부는 유럽인들의 여행을 제한하고 차나무 구입을 금지했다.

1848년 로버트 포춘은 동인도회사의 위탁을 받아 재배용 최상급 차나무를 구하러 중국으로 다시 갔다. 중국에서 유학을 한 그는 중국 차재배지로 위장하고 들어갔으며 많은 양의 차나무종자와 묘목을 동인도회사 소유의 히말라야 농장으로 빼돌렸다.

이것은 세계 최초의 산업스파이 활동으로 로버트 포춘은 차 도둑으로 유명세를 탔으며 1852년에 펴낸 그의 저서 『차의 나라 중국여행기』에는 그의 활동이 자세히 기록되어 있다.

## 9. 립턴이야기

토머스 립턴은 스코틀랜드 글래스고 출신으로 빈민가에서 자랐다. 10살 때 미국으로 건너가 뉴욕의 성공한 식품점에서 점원으로 일하며 무역과 광고, 판매기술을 배웠다. 그는 나중에 다시 글래스고로 돌아와 21살에 가게를 내고 차를 비롯한 식료잡화를 팔았다.

그는 당시 식민지로 영국 사람들에 의해 차를 재배하고 있었던 스리랑카로 건너가 차를 직접 들여와 중간마진을 뺀 싼 가격에 팔았다. 당시 노동자계층에는 아직도 차 값이 부담이 될 정도로 비쌌다. 그는 "다원에서 바로 찻주전자 속으로"라는 구호가 적힌 포장지를 만들어 독점판매하였으며 차를 세 등급으로 분류해 가장 비싼 차는 노란색 바탕에 빨간 테두리가 들어가 있는 모양으로 지금도 그대로 사용하고 있다.

이후 립턴은 세계적인 차 브랜드회사로 발돋움하며 백만장자가 되었다. 티백은 토머스가 발명했다는 설, 영국병사가 실수로 발명했다는 설 등등 여러 가지가 있다. 처음에는 면포를 사용했으나 지금은 종이로 만든 티백을 사용한다.


# I-3. 차의 성분

생찻잎의 구성성분은 75%가 물이고 나머지가 고형물이다. 차의 성분은 차나무의 품종, 차나무수령, 재배환경, 재배방법, 채엽시기, 채엽부위, 토양조건, 제조방법 등에 따라 달라진다.

찻잎은 향과 맛뿐만 아니라 각종 비타민과 미량원소 등 자연의 여러 가지 영양소를 함유하고 있으며 그중에서도 폴리페놀(카테킨), 카페인, 아미노산, 탄수화물 등을 함유하고 있어 인체의 건강에 미치는 영향이 아주 크다고 할 수 있다.

녹차는 쓴맛과 떫은맛이 있으며 여기에 아미노산의 감칠맛과 단맛이 가해져 차의 맛을 낸다. 폴리페놀성분이 쓴맛과 떫은맛을 내고 카페인과 사포닌도 쓴맛을 내며 아미

노산, 당류 등이 감칠맛과 단맛을 낸다. 녹차는 이런 성분들이 적당히 조화를 이루고 산뜻하고 깔끔해야 좋은 차라고 한다.

또한 찻잎에는 여러 가지 광물질이 풍부하게 함유되어 있는데 특히 인, 칼륨이 많이 들어 있고 마그네슘, 칼슘, 철분, 아연, 망간, 불소, 셀레늄 등 인체에 유익한 원소를 함유하고 있으며 특히 치아건강에 좋은 역할을 한다.

그리고 차는 여러 가지 방향성 물질을 함유하고 있다. 차는 이 향이 차의 품질을 평가하는 중요한 요소가 되기도 하며 향의 종류가 무려 600가지가 넘을 만큼 다양하다고 한다. 생잎에는 향기가 불휘발성 형태로 존재하여 향이 별로 나지 않으나 세포가 파괴되면서 효소가 작용하여 지질성분이 분해되어 향기가 생성된다.

현대과학의 분석결과에 의하면 찻잎에는 300여 종의 화학성분이 있으며 인체에 유익한 영양성분이 많음을 알 수 있다. 찻잎의 크기나 채엽시기, 토양, 재배방법, 기후환경, 제다법, 산화 정도에 따라 함유하고 있는 성분이 달라진다. 그리고 찻잎의 산화발효 정도에 따라 영양성분이나 함유량에 차이가 있다. 우리가 차를 마시면서 느끼는 향이나 맛에도 차이가 있지만 인체에 반응하는 효능 역시 조금씩 차이가 난다. 또한 이런 여러 가지 성분의 작용이나 효능은 아직 다 밝혀진 것도 아니다. 과학의 발전에 따라 현재 알지 못하는 성분이 발견될 수도 있으며 작용이 달라질 수도 있다. 따라서 기본적인 것을 참고로 하여 모든 여건을 고려하여 효능의 차이를 판단하고 이용하는 것이 좋다.

## 1. 폴리페놀(카테킨, 타닌)

찻잎에 들어 있는 중요한 성분 중 하나가 폴리페놀이다. 이 폴리페놀은 카테킨의 혼합물이다. 이 물질은 찻잎이 스스로를 해충과 질병으로부터 보호하기 위해 자외선을 통해 만들어낸 성분으로 환경에 약한 어린싹에 더욱 유용하다. 폴리페놀에는 플라보노이드 성분이 들어 있는데 산화과정에서 분해되어 다른 분자와 결합하여 테아플라빈(홍차의 붉은색 성분)과 테아루비딘(타닌)을 생성한다. 그 결과 찻잎의 색이 진해지고 향도 강해진다. 카테킨이 비교적 단순한 플라보노이드 성분이라면 테아플라빈이나 테아루비딘은 복잡한 플라보노이드라고 생각하면 된다. 이런 성분들이 차의 색과 맛, 향에 영향을 주고 항산화물질을 함유하고 있다.

타닌성분은 폴리페놀의 화합물로 색, 맛, 향에 관여하며 여러 가지 생리작용을 한다. 타닌은 −OH(수산기)를 많이 가지고 있으며 이 수산기가 다당류, 단백질, 무기질, 알칼로이드 등의 여러 물질과 쉽게 결합한다. 이러한 특성으로 항산화작용, 항균작용, 소염작용, 다이어트, 성인병 예방, 혈전예방, 뇌기능 향상, 피부미용, 노화예방, 중금속 제거, 충치 및 구취 예방 등의 약리작용을 한다.

타닌은 광합성작용에 의해 형성되므로 일조량이 많으면 늘어난다. 찻잎에 들어 있는 타닌은 밤껍질이나 감에 들어 있는 타닌보다는 맛이 약하고 부드럽다. 차에서 나는 타닌의 떫은맛은 부드러운 떫은맛으로 다른 맛과 어우러져 풍미를 좋게 한다.

타닌이라는 단어는 가죽을 가공할 때 사용하는 물질이고 식품에서는 과일이나 와인에서 흔히 쓰는 용어이며 차에서는 카테킨이라고 표현한다. 그러나 타닌과 카테킨이 똑같은 물질은 아니며 타닌은 수렴작용을 뜻하는 용어로 혀나 구강 속에 있는 단백질과 결합하여 수렴작용을 해 떫은맛을 느끼는 것이라고 한다.

카테킨은 플라보노이드 그룹에 속하며 폴리페놀 일종으로 녹차의 떫은맛을 내는 성분이다. 홍차나 오룡차의 경우 발효과정에서 반 이상의 카테킨이 줄어든다.

폴리페놀과 타닌, 카테킨은 화학구조로 보면 같은 성분은 아니지만 비슷한 성질을 가지고 있으므로 차의 성분을 이야기할 때는 혼용해서 쓰기도 한다.

## 2. 아미노산

찻잎에는 다양한 형태의 아미노산이 들어 있으며 그중에서도 중요한 성분은 테아닌으로 감칠맛을 내며 인체에 흡수되면서 심리적으로 진정효과를 준다.

테아닌은 차나무와 버섯 일부에서 발견되는 천연유리아미노산으로 차나무뿌리에서 글루타민과 에틸아민으로부터 효소작용에 의해 합성되어 줄기를 타고 올라와 잎에 저장된다. 저장된 테아닌은 햇볕을 받으면 분해되어 카테킨으로 전환된다. 따라서 일조량이 많으면 아미노산은 줄고 카테킨이 많아진다. 아미노산은 일조량이 적은 첫물 차에 많이 함유되어 있고 말차를 만들 때는 햇빛을 가리기 때문에 아미노산 함량이 더욱 높아진다. 일본에서 말차를 만들 때 3주 전에 태양가리개를 설치하는데 이 역시 아미노산의 함량을 높여 차의 단맛을 보존하기 위한 방법이다.

테아닌 중에 L-테아닌성분은 실험 결과 체내에 흡수되면서 신경전달물질 대사에 영향을 끼쳐 진정효과가 있어 불안한 정서를 안정시키고 스트레스를 완화하며 집중력을  향상시키고 정신을 맑게 하는 것으로 나타났으며 불면증에 도움이 되고 혈압을 안정시키는 효과도 있다.

카페인과의 관계에서 동시에 섭취하면 좋지 않다는 말이 있지만 사실이 아니다. 테아닌과 카페인의 섭취비율을 2:1로 하면 서로의 단점을 보완하고 시너지 효과를 낼 수 있다.

## 3. 카페인(알칼로이드: 카페인, 모르핀, 니코틴 등 성분)

찻잎의 카페인은 천연각성제로 차나무 스스로를 보호하기 위해 존재한다. 주로 커피, 차, 마테차, 콜라, 카카오 등에 들어 있으며 순수한 카페인은 물에 잘 녹아 나오고 냄새는 없고 쓴맛을 낸다. 차에 들어 있는 카페인은 위조와 발효과정에서 많이 생성되며 가공과정을 오래할수록 함량이 높아진다. 백차의 함량이 가장 적은 이유이다. 또한 덖음차가 증제차보다 함량이 많고 일찍 딴 찻잎과 해가림을 한 찻잎에 많다.

카페인은 중추신경계, 심장, 신장, 혈관을 자극하여 심방박동을 활발하게 하고 사고력을 높이며 신체적 기능을 활성화하여 운동능력을 향상시키고 피로를 감소시키며 감각기능과 민첩성을 증가시키는 효과가 있으며 약물 과용으로 인한 호흡곤란을 진정시키는 해독작용과 이뇨작용도 있다. 반면에 자극에 과민한 반응을 보이며 가슴이 두근거리고 불안하며 두통이나 불면증을 일으키기도 한다.

이 모든 반응은 사람의 체질에 따라 부정적인 영향과 긍정적인 영향이 각자 다르다.

찻잎 속의 카페인은 커피의 절반 정도 들어 있으며 폴리페놀과 쉽게 결합하여 크림을 형성하므로 낮은 온도에서 불용성으로 유지되고 냉수나 산성에 녹지 않으므로 체내에서 동화되는 속도가 느려 커피나 다른 카페인보다 흡수율이 낮아 부작용이 적다.

찻잎의 카페인은 잎에 따라 그 함량이 어느 정도 결정되는데 새싹에 많이 함유되어 있고 아래로 내려갈수록 적어진다. 따라서 어린싹으로 만든 차가 카페인의 함유량이 상대적으로 높다.

또한 우려내는 물의 온도가 높으면 카페인이 많이 나오고 폴리페놀이나 테아닌은 천천히 우러나오는 반면 카페인은 초기에 많이 나온다.


## 4. 탄수화물

식물의 광합성작용은 햇빛의 에너지를 받아 뿌리에서 올라오는 물과 이산화탄소를 결합시켜 탄수화물을 생성하여 에너지로 활용한다. 차나무 상태에서는 찻잎에서 일어나는 반응에 필요한 에너지원으로 이용한다. 탄수화물은 산화과정에서 아미노산 성분인 폴리페놀성분으로 변화한다.

찻잎에는 셀룰로오스를 포함한 여러 가지 다당류가 함유되어 있으나 대부분이 불용성이기 때문에 차를 우려 마시면 섭취가 거의 불가능하다. 단 찻잎으로 요리를 하여 먹는 차선이나 말려서 가루로 만들어 마시는 말차는 섭취가 가능하다. 최근에는 찻잎에 함유된 다당류가 혈당치를 낮추어주는 작용이 있어 당뇨병 환자에 유익하다는 연구 결과가 발표되어 당뇨병 약으로도 개발되고 있다고 한다.

## 5. 비타민

차에는 여러 가지 비타민이 들어 있는데 비타민 A 역할을 하는 카로틴, 비타민 B, 비타민 C, 비타민 E, K, P, U가 있다. 비타민은 발효되지 않는 녹차에 많이 들어 있으며 발효를 많이 한 차일수록 그 함량은 적어진다. 또한 비타민은 수용성과 지용성으로 나누는데 카로틴이나 비타민 E는 지용성이므로 찻물에 녹아 나오지 않으며 말차나 녹차라테, 녹차아이스크림, 녹차밥 등 주로 녹차로 만든 차선에서 섭취할 수 있다. 따라서 차선을 만들 때는 발효차가 아닌 녹차를 이용해 만드는 것이 지용성 비타민까지 섭취할 수 있어 유익하다.

수용성 비타민은 비타민 B와 비타민 C가 대표적이다. 비타민 C는 차의 종류에 따라 함량 차이가 많은데 녹차나 백차에 비교적 많이 들어 있고 특히 증제차에 많이 들어 있으며 홍차나 흑차에는 적게 들어 있다.

비타민 A가 결핍되면 습진이 생기고 피부가 건조하게 되고 결막건조증, 호흡기감염, 인후염, 야맹증 등이 발생하며 상처가 잘 아물지 않는다. 비타민 E는 토코페롤로 동물의 성장을 촉진시키고 생식기능에 관여하는데 결핍되면 생식기능 저하, 불임증, 근육위축증 등에 걸린다. 비타민 K는 혈액을 응고시키는 효소에 작용하여 '항출혈성 비타민'으로 부르며 출혈증상에 도움이 된다.

## 6. 산화효소

찻잎은 뿌리로부터의 영양공급이 끊기면 산화효소가 활동을 시작하여 차의 맛과 향을 만들며 갈색으로 변하게 만드는 역할을 한다. 결국 발효차는 이 효소의 활동에 의해 생성되는 것이며 화학촉매작용으로 소화를 돕는다.

## 7. 엽록소

찻잎에는 엽록소가 있어 녹색을 띠며 광합성작용을 하여 여러 가지 영양물질을 만들어 낸다. 찻잎이 효소의 활동으로 산화되면 검은색으로 변한다.

## 8. 미네랄

찻잎에는 셀레늄, 알루미늄, 플루오린, 인, 칼륨, 아연, 마그네슘, 불소, 망간, 동, 아이오딘 등 최대 28종의 미네랄성분이 들어 있으며 이 미네랄이 면역력을 증강시키고 소염작용이 있으며 치아손상을 막아주고 신진대사를 돕는다.

## 9. 향

휘발성분인 향은 차의 향미를 결정한다. 찻잎에 기본적으로 함유되어 있는 향과 가공 공정 중에 생기는 향의 종류는 수천 종에 이른다. 차의 풍미를 느끼게 하는 가장 중요한 물질이지만 휘발성이 강해 쉽게 날아가므로 증발되지 않도록 보관에 주의해야 한다.

○ 찻잎에 함유된 영양성분의 보건작용

| 플라보노이드류<br>(폴리페놀·카테킨) | 모세혈관저항성 증가, 항산화작용, 혈전예방, 해독소염작용, 혈압강하, 냄새 제거, 항균작용, 소염작용, 다이어트, 성인병 예방, 뇌기능 향상, 피부미용, 노화예방·중금속 제거 |
|---|---|
| 카페인 | 중추신경 흥분, 사고력 증강, 집중력 향상, 신진대사 증진, 강심작용, 이뇨작용, 항천식작용 |
| 테아닌 | 진정효과, 정서안정, 스트레스 해소, 혈압안정, 불면증 해소 |
| 다당류 | 혈당상승 억제, 당뇨예방 |
| 비타민 C | 괴혈병 예방, 항산화작용, 항암작용 |
| 비타민 E | 항산화작용, 생식기능 향상, 불임증 예방, 근육위축증 예방, 항암작용 |
| 비타민 K | 항출혈작용 |
| 카로틴 | 항산화작용, 항암작용, 면역력 증강, 시력증진, 호흡기질환 개선, 피부미용, 안구건조증 개선, 상처회복 |
| 사포닌 | 항암작용, 소염작용 |
| 불소 | 충치예방 |
| 아연 | 미각이상 방지, 피부염 예방, 면역력 증진 |
| 셀레늄 | 항산화작용, 항암작용, 심근장애 예방 |

# I-4. 차의 효능

## 1. 현대적인 효능

### (1) 체력, 면역력 증강

현대생활에서 정신적인 스트레스를 피할 수는 없다. 또한 운동량은 적고 규칙적인 생활을 하지 못하며 기름지고 느끼한 음식 섭취를 많이 하여 질병에 걸리기 쉽다. 따라서 자기 체질이나 생활환경에 알맞은 차를 선택하여 매일 마시면 면역력과 항병능력이 증강되고 신진대사가 촉진되며 신체기능이 스스로 조절되어 질병을 예방할 수 있다.

### (2) 흥분작용(뇌건강, 집중력 향상, 기억력 증진), 피로회복

찻잎에 들어 있는 카페인은 중추신경계를 흥분시켜 정신을 맑게 하고 사유활동을 원활하게 하며 집중력을 향상시키고 기억력을 증진시키며 테아닌은 마음을 안정시키는 효능이 있다.

찻잎에 들어 있는 여러 가지 물질들은 근육을 수축시키고 폐기량을 높이며 혈액순환을 활발하게 하고 위액분비를 향상시켜 신진대사를 활발하게 하므로 피로를 풀어주고 일의 능력을 증대시키는 효과가 있다.

### (3) 이뇨작용과 신장의 배설기능 증강

찻잎 속에 들어 있는 카테킨이나 카페인은 이뇨작용을 촉진시키는 효능이 있다. 신장 신소관의 여과율을 높이고 재흡수를 막는다. 또한 혈액운동중추를 흥분시켜 신장의 혈관이 확장되어 혈류량을 많게 하여 수액대사를 활발하게 한다. 따라서 손발이나 얼굴이 붓는 증상을 개선시키고 소변이 축적되는 증상, 수종, 급성황달성간염 등에 효과가 있다.

### (4) 충치예방과 구취 제거

차나무는 토양에 있는 무기질 중 하나인 불소를 흡수하여 함유하고 있다. 찻잎 중의 사포닌은 치아표면을 활성화하고 불소와 카테킨은 항균작용을 하여 충치를 예방하고 치아를 튼튼하게 한다. 또한 구강 내에 남아 있는 단백질을 제거하여 입냄새를 막아준다.

### (5) 소화흡수를 도움

찻잎 속에 들어 있는 카페인과 플라보노이드화합물은 신진대사를 활발하게 하고 소화기의 유동운동을 활발하게 하여 소화를 돕고 소화기질환을 예방하는 효과가 있다.

## (6) 변비에 좋음

차의 타닌성분에는 수렴작용이 있어 장의 유동운동을 증강시켜 변비를 해소하고 차에 들어 있는 사포닌성분은 소장의 유동운동을 촉진하는 작용이 있어 변비에 도움이 된다. 또한 찻잎을 모두 먹는 말차나 차선은 섬유질까지 함유하고 있어 변비에 더욱 효과가 좋다.

## (7) 눈을 밝게 하고 안과질환에 도움이 됨

찻잎 속에는 카로틴이 함유되어 있으며 특히 베타카로틴이 비교적 많다. 카로틴은 상피조직의 각질화 증가와 각질화 변형을 막아 눈물샘의 각질화로 인한 안구건조증을 예방하고 눈이 침침하고 어두워지는 현상을 예방한다.

## (8) 강심작용과 해경(解痙)작용

카페인에는 강심작용과 평활근을 부드럽게 하는 효능이 있다. 따라서 기관지경련을 완화시키며 혈액순환을 촉진시키는 효과가 있어 기관지천식에 도움이 되고 심근경색이나 기침, 가래에도 일정한 도움이 된다.

## (9) 괴혈병 예방 및 비타민결핍증 치료

비타민 C(아스코르브산)가 결핍되면 혈관벽의 투과성이 나빠져 출혈이 나타나는데 잇몸출혈, 근육출혈, 관절낭출혈 등이며 전염병에 대한 저항력이 약해지고 상처가 잘 아물지 않으며 잇몸질환이 생기고 조직이 약해지며 골막이 분열되는 등의 증상이 나타난다. 녹차 100g에는 180mg 정도의 비타민 C가 함유되어 있는데 이는 딸기와 비슷하다.

### (10) 갈증 해소 및 열을 내리고 더위를 이기게 함

찻물은 수분을 공급할 뿐만 아니라 청량감, 해열, 생진작용이 있다. 카페인은 대뇌피층을 흥분시키는 작용과 뇌하수체의 체온조절중추를 조절하는 작용이 있다. 카테킨은 구강점막의 느끼함을 없애고 타액분비를 촉진시켜 입안에 진액을 만들어 갈증을 멈추게 한다. 또한 차에는 방향물질과 유기산 등의 휘발성 성질을 가진 물질들이 있다. 이 물질들은 휘발되면서 열을 흡착하여 휘발됨으로써 청량감을 느끼게 한다.

### (11) 항노(抗老), 익수(益壽)작용

인체에 활성산소가 많아지면 세포를 공격하고 재생을 방해하며 여러 가지 염증과 질병을 일으키는 작용을 하는데 이는 노화를 촉진시키는 원인 중 하나다. 차에는 항산화작용이 강해 활성산소를 제거하는 효능이 있어 노화예방에 효과가 있다. 또한 아미노산, 비타민 등은 중추신경계를 조절하여 인체의 유해물질에 대한 저항력을 높이고 독소를 체외로 배출시키며 심혈관계를 원활하게 하여 신진대사를 촉진시켜 노화를 예방하고 수명을 연장시킨다.

### (12) 소염항균작용

찻잎에 들어 있는 카테킨은 살모넬라균, 황색용해성포도상구균, 금황색연쇄상구균 등의 병원균 억제작용이 있으며 플라보노이드성분은 소염작용이 있다.

차의 폴리페놀은 세균의 단백질을 응고시키는 작용이 있어 세균증식을 억제하여 장염이나 장 질환에 효과가 있고 피부 부스럼이나 종기, 피부궤양에 도움이 된다. 또한 외상에 의한 상처에도 진한 농차로 씻어주면 소염살균작용을 한다. 그리고 구강염이나 입안이 허는 증상, 인후종통에도 일정한 효과가 있다.

### (13) 숙취해소

에틸알코올은 간에서 알코올분해효소라고 부르는 알코올탈수소효소에 의해 분해되어 아세트알데히드란 물질로 바뀐다. 아세트알데히드는 다시 아세트알데히드분해효소에 의해 아세트산과 물로 분해되어 소변으로 빠져나가게 된다. 차에 들어 있는 비타민 C는 분해효소작용을 촉진시키는 작용을 하고 카페인성분은 이뇨작용을 도와 체외로 빠져나가게 한다. 또한 대뇌중추신경을 자극하고 대사를 촉진시켜 숙취에서 빨리 벗어날 수 있도록 돕는다.

### (14) 중금속 제거 및 해독작용

현대공업발전에 따른 부작용으로 환경오염, 공해물질배출 등으로 인해 호흡을 통해서나 식품이나 물을 통해서도 중금속이 인체 내로 들어온다. 폴리페놀성분은 이런 중금속을 흡착시켜 밖으로 배출시키는 작용이 있다.

### (15) 항암작용

암은 다양한 원인에 의해 발병하는 치료하기 가장 어려운 질병이기 때문에 정확한 기전을 알아내기가 쉽지 않지만 차에 들어 있는 플라본성분은 항산화작용이 있어 일부분의 항암효과를 가지고 있으며 특히 카테킨은 그 효능이 비교적 강하다고 한다. 또한 차에 함유된 비타민, 미량원소도 어느 정도의 직간접적인 항암작용을 하는 것으로 알려지고 있다. 동물실험에 의하면 피부암, 폐암 등에 일정한 효과가 있는 것으로 나타났다고 한다.

### (16) 고혈압, 고지혈증, 동맥경화, 심장병 억제작용

임상실험에 의하면 차를 마시는 사람의 심장병 발병률이 현저하게 낮았으며 고혈압에도 효과가 있는 것으로 나타났다. 고혈압에는 녹차가 홍차에 비해 효과가 더 있는 것으로 나타났다.

찻잎의 성분 중에 폴리페놀과 비타민 C, 아미노산 등은 지방대사에서 중요한 작용을 한다. 지방대사 문란은 간장질환자의 동맥경화의 원인이 되기도 한다. 카테킨은 혈액이나 간장에 있는 콜레스테롤 및 중성지방이 쌓이는 것을 억제하는 효과가 있다. 따라서 차를 자주 마시는 사람은 고혈압이나 관상동맥성심장질환의 발병률이 낮다.

### (17) 당뇨환자에게 도움이 됨

당뇨는 내분비의 대사성질환으로 인슐린 부족이나 혈당이 높아 당, 지방, 단백질 대사의 문란으로 일어나는 질병이다. 임상실험을 통해서 보면 경증 만성당뇨병환자 가운데 차를 마시면 소변으로 나오는 당이 현저하게 적어지거나 소실되고 상대적으로 중증환자의 경우도 소변으로 나오는 당이 낮아지고 각종 증상들이 완화되는 것을 알 수 있다. 일반적으로 차를 마시면 갈증이 감소되고 야간배뇨횟수가 감소하며 소변에서 나오는 당이 감소한다. 또한 차에 들어 있는 폴리페놀성분은 미세혈관의 탄성을 강화시켜 혈관의 침투성을 조절하는 기능이 있으므로 취약해진 당뇨환자의 미세혈관의 탄성을 회복시키는 효능이 있다.

### (18) 방사성물질과 전자파를 막아줌

찻잎의 카테킨 등 폴리페놀성분은 방사성물질을 막아주는 효능이 있다. 임상실험 결과 내부방사선으로 인한 손상에 치료효과가 있었다. 카테킨은 방사성물질을 흡수하고 지방다당체 등의 물질은 방사성물질의 피해를 막아준다고 한다.

### (19) 피부미용효과

각종 공해로 인한 피부트러블이나 주름, 여드름 등은 차에 함유된 풍부한 비타민, 광물질, 항산화작용물질 등을 통해 피부를 윤택하게 하고 개선시키는 효과가 있다. 또한 비만이나 지성피부로 트러블이 많은 사람은 차를 자주

마셔야 한다. 예를 들면 오룡차는 소염해독작용이 강하고 지방을 분해하며 혈액의 지방이나 콜레스테롤을 낮추는 효능이 강하다. 그리고 차를 외용으로 사용할 수도 있다. 찻물로 세수하거나 목욕을 하면 피부속의 노폐물을 제거하고 피부모공을 수축시키는 효과가 있어 피부를 탄력 있게 한다.

### (20) 다이어트효과

차 중의 카페인, 이노시톨, 엽산, 판토텐산과 방향성분 등 각종 화합물은 지방대사를 조절하는 효능이 있다. 특히 오룡차는 단백질과 지방의 분해작용이 강하다. 그리고 차의 폴리페놀과 비타민 C도 혈액의 지방을 낮추는 효과가 있다.

또한 카페인은 지방대사에 영향을 끼치며 차 속의 유기산, 엽산, 메티오닌, 시스테인, 레시틴, 콜린 등은 모두 지질대사와 관련이 있는 물질들이다.

## 2. 전통의학적인 효능

찻잎은 처음에는 약용으로 사용하였으나 시간이 흐르면서 건강을 지키는 기호식품으로 발전하였다. 수천 년을 거쳐 오면서 차와 건강에 대한 기록은 수없이 많다.

차를 처음 발견했다는 전설 속의 신농씨는『신농본초경』에서 차를 쓴맛이 나는 채소라고 하여 고채라고 하였으며 "고채는 맛은 쓰고 우려 마시면 정신활동에 유익하며 잠을 깨게 하고 몸을 가볍게 하며 눈을 밝게 한다."라고 하였다. 명나라 이시진은『본초강목』에서 "차는 맛이 쓰고 달며 성질은 약간 차고 독이 없다. 피부병을 치료하고 소변을 잘 통하게 하며 열을 내리고 갈증을 멈추게 한다. 정신을 맑게 하고 기분을 좋게 하며 소화를 돕는다."라고 하였다. 따라서 차를 마시면 소화를 돕고 피로를 풀어주고 인내력을 증강시키며 정신을 맑게 하고 화를 가라앉게 하며 이뇨, 해갈, 해독, 명목(明目)작용이 있음을 알 수 있다.

또한『본초강목』에서 "차는 음중지양으로 가라앉게 하고 내리는 성질이 있어 화를 가라앉게 하는데 화는 백병의 근원이며 화를 내리는 것은 위를 맑게 하는 것이다. 그러나

화에는 다섯 가지가 있고 허와 실이 있다. 만약
건강한 사람이라도 심폐비위에 화가 많다면 차를
마시는 것이 가장 좋다. 따뜻하게 마시면 찬 성질
과 내리는 성질에 의해 화를 없애고 뜨겁게 마시
면 화기를 빌려 화를 위로 올려 퍼지게 하여 없앤
다. 또한 주독을 풀어주고 사고력을 높이며 정신
을 맑게 하는 것이 차의 효능이다."라고 하였다. 이처럼 차는 일상생활에서 건강을 위
한 만병통치약처럼 인식되고 맛, 향이 좋고 부작용이 적어 약용에서 기호음료로 변화
되었을 것이다.

문헌상으로 전해 내려오는 차의 효능은 24가지로 요약할 수 있다.

① 수면을 줄이는 작용 ② 정신안정 ③ 명목작용 ④ 머리와 눈을 맑게 함 ⑤ 생진작
용 ⑥ 해갈작용 ⑦ 청열작용 ⑧ 해서작용 ⑨ 해독작용 ⑩ 소화작용 ⑪ 숙취해소 ⑫ 감
비작용 ⑬ 기를 아래로 내리는 작용 ⑭ 이뇨작용 ⑮ 통변작용 ⑯ 이질을 치료하는 작용
⑰ 가래를 삭이는 작용 ⑱ 거풍해표작용 ⑲ 이를 튼튼하게 하는 작용 ⑳ 가슴통증을 완
화시키는 작용 ㉑ 종기를 치료하는 작용 ㉒ 배고픔을 견디게 하는 작용 ㉓ 기력을 보하
는 작용 ㉔ 노화예방과 장수작용


## I-5. 차나무의 특징


### 1. 차나무의 구분

차나무는 공식적으로 시넨시스라는 한 종류의 식물에서 나온다. 하지만 시넨시스종
안에서도 대엽종과 소엽종으로 크게 나누며 대엽종은 소엽종에 비해 찻물의 맛이 더 쓰
고 떫으며 진한 맛을 낸다. 인도, 인도네시아, 스리랑카, 케냐 등 서양열강들의 식민지
시절에 다원을 만들었던 국가들의 차나무는 대부분 대엽종이다. 유명한 인도의 아삼홍

차도 대엽종으로 만든 것이다.

중국의 복건성에서는 소엽종을 이용하여 홍차를 만드는데 대엽종으로 만든 홍차와 비교하면 그 맛과 향이 다른 것을 알 수 있다. 호불호가 있기 때문에 어느 것이 좋다고 할 수는 없으며 다만 지금은 개량종 차나무가 수없이 개발되어 생산자나 생산지환경, 제다법, 그해 기후 등 여러 가지 환경에 따라 다양한 차가 생산되고 있다.

우리나라에서는 기후조건상 주로 소엽종만 자라는데 지금은 기후가 변하여 중엽종도 자란다고 한다.

중국 운남성에는 오래된 차나무가 많다. 고목과 같은 나무들로 제일 오래된 나무는 임창에 있는 향죽청(香竹靑)고차수가 있는데 1982년 해발 2,245m 지점에서 발견된 것으로 동위원소로 검사한 결과 3200년이 되었다고 한다. 또한 놀라운 것은 이 나무가 야생형이 아니라 재배형 나무라는 것이다. 그 외에 쓰마오(思茅) 지역의 첸지아짜이(千家寨)에서 발견된 2700년 된 고차수가 있으며 대설산에도 2700년이 넘은 고차수가 있고 빠다산(八達山)에도 1700년 된 차왕수가 있다. 둘레만 3m가 넘는 큰 나무로 야생으로 자란 나무들이다.

우리나라에도 고차수가 있는데 보성군 득량면 다전마을 양동조씨 집 헛간 뒤에 가면 크지는 않지만 바위틈에서 자라는 나무가 있는데 학자들에 따라 수령을 200년에서 450년까지로 추정한다.

오래된 고차수의 잎은 현재 채엽이 금지되어 있으며 엄격한 관리를 하고 있다.

다만 이렇게 야생에서 자란 고차수 나뭇잎들을 따서 만든 차는 대부분 보이차며 다양한 제품들이 나오고 있다. 고차수잎은 크고 떫은맛과 쓴맛이 많아 발효시켜 만드는 흑차에 알맞다.


## 2. 품질

사람의 손길이 닿지 않는 차나무는 동백나무처럼 자란다. 야생품종의 차나무라도 좋은 품질의 찻잎을 얻기 위해서는 인위적으로 가지치기를 하고, 솎아내고, 옮겨심기 등을 해야 최고 품질의 찻잎이 나온다.

찻잎은 햇볕의 강약과 차나무의 물질대사와 관계가 깊다. 햇볕이 강하고 받는 시간이 길면 탄소대사와 탄수화물 합성에 유리하며 폴리페놀성분이 증가하여 떫은맛이 강하고 향도 진하게 된다. 반대로 햇볕이 약하고 운무가 끼어 있으면 질소대사가 활발하게 이루어져 단맛이 있는 아미노산과 쓴맛의 카페인함량이 증가한다.

일반적으로 녹차는 오래된 잎을 쓰는 것은 아니고 봄에 막 싹이 나와 일정한 일조량만 받은 찻잎을 사용한다. 많이 자란 잎들은 단맛을 내는 아미노산이 적고 폴리페놀성분이 많아 너무 떫고 쓴맛이 강하기 때문이다.

따라서 지역의 기후에 따라 약간씩 다르지만 24절기가 있는 지역을 기준으로 하면 봄철 청명 전에 따는 찻잎을 "명전차"라 하고 곡우 전에 따는 찻잎을 "우전차"라고 해서 최고급으로 여기며 여름으로 진행할수록 품질이 낮아져 발효차를 만든다.

## I-6. 차의 제다법

차나무에서 차를 수확하여 가공을 거쳐 우리가 마시는 차가 완성된다. 가공과정에 따라 향미나 효능이 다른 여러 가지 차가 탄생되기 때문에 가공과정도 중요하다.

## 1. 위조(萎凋)

채집한 찻잎을 햇빛에 널거나 그늘로 가져와 대나무 바구니나 바닥에 널어 말리는 방법으로 수분을 자연스럽게 증발시키는 과정을 말한다. 대량생산을 하는 공장에서는 팬을 돌려 말리기도 한다. 찻잎은 바람이 잘 통하는 실내에서 8~14시간 정도 말리면 수분이 35% 정도 빠져나가면서 시든다. 위조과정은 찻잎의 영양공급을 받지 못하고 수분이 빠지면서 효소에 의해 산화작용이 일어나 생화학변화가 일어나면서 찻잎에 저장된 탄수화물, 아미노산이 분해되기 시작한다. 즉 엽록소성분은 줄고 카페인성분과 타닌성분은 늘어나며 방향성화합물이 생성되고 차향이 변한다.

녹차는 위조과정을 거치지 않고 백차는 햇볕에 천천히 말리는 위조과정을 거치며 홍차는 위조과정을 16시간 이상 거친다.


## 2. 살청(殺靑)

위조과정을 거친 찻잎이나 바로 채취한 신선한 찻잎을 250~350℃로 달궈진 무쇠솥에서 덖거나 150℃의 증기에 찌는 과정을 말한다. 살청은 산화효소의 활동을 멈추게 하여 찻잎의 발효를 막는 과정이다. 녹차에서 많이 사용하며 살청에는 초청, 증청, 홍청, 쇄청의 4가지 방법이 있다.

① **초청** : 무쇠솥에서 덖는 방법으로 녹차를 만들 때 많이 사용하는 방법이다. 고급차를 만들 때는 거의 이 방법으로 한다. 중국의 고급녹차는 모두 이 방법으로 숙련공이 직접 덖는다.

② **증청** : 증기를 이용하여 찌는 방법으로 중국에서 시작하였으나 현재는 일본에서 많이 사용한다. 찻잎의 색이 선명하고 풀향이 배어든다. 일본의 교쿠로와 센차가 유명하다.

③ **홍청** : 찻잎을 열풍기에 넣어 일정한 온도를 맞춰 오븐에서 빵 굽는 식으로 살청을 하는데 대량생산을 하기 위한 방법으로 대중보급용 녹차를 만들 때 많이 사용한다.

④ **쇄청** : 넓은 대나무 바구니에 찻잎을 담
아 햇볕에 쪼여 말리는 방법으로 운남 보
이차를 만들 때 필수적이며 수분함량이
60% 아래로 내려가면 한번 덖은 뒤 불
순물을 제거한다. 이 방법은 재래식 살청
법으로 현재는 흑차를 만들 때 많이 사
용한다.


## 3. 유념(揉捻)

유념은 위조과정이나 살청과정이 끝난 찻잎을 비비는 과정으로 압착을 통해 찻잎 큐
티클층의 세포벽을 파괴함으로 인해 세포액이 잘 흘러나오도록 하는 과정을 말한다.
또한 산화효소가 쉽게 방출되면서 산소를 흡수하고 맛과 향을 내는 화합물인 타닌성분
이 밖으로 나온다.

고급 차에서는 사람이 직접 손으로 하나 대량생산을 하는 곳에서는 기계로 한다. 약
하게 유념을 하면 차는 더 감미롭고 부드러우며 강하게 유념을 하면 맛과 향이 진하다.

녹차에서의 유념은 산화를 돕기 위함이 아니고 차를 우릴 때 찻물이 잘 우러나오도
록 하는 과정이다. 녹차는 최종 유념과정에서 납작하게 눌러 모양을 만들면 "편초청",
찻잎을 말아 진주모양으로 만들면 "원초청", 찻잎을 길게 만들면 "장초청"이라 하며 다
양한 모양을 만든다.

홍차는 대부분 대량생산하기 때문에 기계로 유념하여 완성된 차의 모양이 비슷하다.


## 4. 산화발효(酸化醱酵)

유념이 완료된 찻잎을 적당한 온도와 습도가 있는 공간의 바닥이나 넓은 대나무 바
구니에 펼쳐 놓으면 산화가 된다. 효소들이 활동하며 차의 맛과 향을 만들며 시간에 따

라 향이나 색상이 진해진다. 원하는 수준의 산화가 진행되면 중단하고 건조하여 산화를 막는다.

오룡차는 산화과정을 약간만 거친 것으로 차에 따라 정도의 차이가 있으며 효소반응에 의해 찻잎의 화학적인 구조와 맛, 향, 모양이 다르다.

홍차는 85% 이상 완전 산화시킨다. 산화 정도에 따라 차 맛과 향이 달라지며 녹차와 백차는 산화과정을 거치지 않는다.


## 5. 민황(悶黃)

황차를 만들 때 사용하는 방법으로 찻잎을 수북하게 쌓아놓고 물에 적신 천이나 종이로 덮어놓으면 열과 습기가 만나 찻잎이 노랗게 변한다. 이 과정을 민황이라고 한다.


## 6. 악퇴(渥堆)

보이숙차를 만드는 한 과정으로 위조, 살청, 유념, 쇄건을 거친 찻잎을 퇴비처럼 쌓아두고 미생물을 인위적으로 주입하여 미생물이 잘 활동할 수 있는 최적의 온도와 습도를 맞춰 발효가 빨리 진행되도록 만드는 과정을 말한다. 일반적으로 긴압하기 전까지 90일 정도 따뜻하고 습한 곳에 쌓아두면서 숙성시키며 흑곡균을 주입시켜 빠르게 발효시킨다.

악퇴 중에 온도가 너무 올라가면 뇌차두가 많이 발생하고 품질이 좋지 않게 된다. 따라서 65℃ 이상으로 올라가면 번퇴(飜堆)과정으로 들어가는데 쌓아놓은 찻잎을 뒤집어주는 과정이다. 또한 찻잎의 내부와 외부는 온도, 습도, 혐기성 · 호기성 세균에 의해 발효 정도가 달라지는데 번퇴를 함으로써 발효를 일정하게 유지할 수 있다.

## 7. 건조(乾燥)

건조는 산화과정을 중단한 후 찻잎에 남아 있는 수분을 증발시켜 3% 이하로 하여 모든 생화학적 효소활동을 중단시켜 장기간 보관할 수 있도록 하는 것이다. 건조를 위한 과정으로 홍건기나 오븐을 사용하거나 햇빛에 말리기도 하고 따뜻한 온돌 위에 널어두기도 하며 옛날에는 숯불을 이용하여 말리기도 하였다.

① 초건 : 따로 말리는 과정 없이 살청과정 중에 솥에서 여러 번 반복하여 수분을 말리는 방법으로 녹차에서 많이 사용하는데 재살청이라고 하여 살청과 유념과정을 반복하며 말린다.

② 홍건 : 건조기의 온도를 보통 70℃ 정도에 맞추고 건조하는데 재료에 따라 달리 하며 고소한 향이 생성된다. 일반적으로 홍건은 화차의 모태로 대부분 향이 나는 화차나 허브차를 섞어서 만든다. 예를 들면 재스민꽃과 함께 섞어서 음제(窨制)를 통해 재스민향이 스며들어가 있는 모리화차를 만들 때 홍건기를 사용하여 만든다.

③ 쇄건 : 햇볕에 의해 화학적인 변화가 약간 생기며 건조시간이 길고 고소한 맛보다 담백한 맛이 난다. 쇄건은 모든 차에 할 수 있는 것은 아니고 대엽종만 가능하며 흑차류의 대표적인 특징 중 하나로 보이차는 쇄건한다.

## 8. 선별(選別)

건조를 마친 찻잎은 기계 혹은 수작업으로 이물질이나 줄기, 나뭇가지 등을 골라내는 작업을 말한다. 이 작업을 거쳐야 좋은 차를 만들 수 있기 때문에 중요한 과정이다.

## 9. 긴압(緊壓)

보이차를 만들 때 사용하는 방법으로 산차상태의 차를 증기를 쏘여가면서 일정한 틀에 넣고 압력을 가하여 일정한 형태로 압축시키는 과정을 말한다.

## 10. 후발효(後醱酵)

건조 후에 보이차는 떡이나 벽돌 모양으로 압축시키는데 이것을 긴압(緊壓)이라고 한다. 긴압한 후 차갑고 습한 곳에 보관하여 발효시키는데 이것을 후발효라고 하며 이렇게 만들어진 것을 보이생차라고 한다. 보이생차는 10년 혹은 20~30년 후에 먹어야 제맛을 느낄 수 있다고 한다. 오늘날에는 기다리기 힘들어 바로 먹을 수 있도록 하기 위해 인위적으로 발효시켜 긴압하여 만드는데 이렇게 만든 차를 보이숙차라 부른다. 보이숙차는 발효균을 인위적으로 접종시켜 발효되기 좋은 조건으로 차를 쌓아놓는데 이과정을 악퇴(渥堆)라고 한다. 발효가 끝나면 풍건이나 홍건하여 증기를 쏘여 긴압한다. 긴압한 후에는 시원하고 어두운 곳에 두어 바람을 쏘여주어야 한다.

## I-7. 차 보관법

차의 보관기간은 생각보다 짧다. 보통 녹차나 백차의 경우 3~4개월 정도가 가장 좋지만 요즘은 포장기술 발달로 진공포장하여 더 오래 보관해 놓고 먹기도 한다. 오룡차나 홍차의 경우 잘 보관하면 3년 정도는 괜찮으며 보이차의 경우는 온도나 습도가 지나치게 높지 않게 보관하면 오랫동안 먹을 수 있으며 생차의 경우는 몇십 년에서 백 년이 넘어가는 것도 있으며 오래 보관할수록 그 가치가 높아진다.

차의 맛과 향미를 오랫동안 유지하기 위해서는 직사광선, 열, 습도, 다른 냄새, 나쁜 공기 등을 피해야 한다. 따라서 유해성분이 없는 곳에 보관하여야 한다. 밀폐용기에 넣어 건조하고 서늘하며 어두운 곳에 보관하는 것이 좋다. 요즘은 진공포장기술이 발달하여 찻잎을 조금씩 진공포장하여 마실 때 뜯어 먹는 방법이 가장 좋다. 가정에서는 실온보다는 이중지퍼백에 공기를 충분하게 뺀 후 10℃ 전후에서 보관하는 것이 좋다. 단 보이생차의 경우 공기에 노출시켜야 숙성되기 때문에 얇은 종이에 싸서 보관해야 한다. 햇볕이 들지 않고 주위에 냄새나는 물건이 없고 덥지도 습하지도 않는 곳에 보관한다.

# I-8. 차 우리기

차를 잘 우리기 위해서는 차의 종류나 특징을 잘 파악하고 거기에 따라 물의 온도, 양, 우리는 시간을 조절해야 하는데 특히 중요한 것은 개인의 취향이다. 진한 차를 좋아하는 사람도 있고 연한 차를 좋아하는 사람도 있으므로 꼭 정해진 대로 할 필요는 없다.

다만 어리고 연한 싹으로 만든 차는 낮은 온도와 짧은 시간에 우려내고 잎이 크고 두꺼우면 높은 온도에서 오래 우려낸다.

보편적으로 우리가 먹는 차의 찻잎은 중량의 3배에 해당되는 물을 흡수하는데 처음에는 찻잎 1g이 약 3.2ml의 물을 흡수한다. 두 번째부터는 거의 흡수하지 않는다. 차의 맛과 향은 물의 온도, 우리는 시간에 영향을 많이 받는다. 고급 녹차일 경우 아미노산함량이 높은데 물 온도가 너무 높으면 쓴맛을 나타내는 카페인과 떫은맛의 카테킨 용출량이 많아져 아미노산의 감칠맛을 즐길 수 없다. 다시 말해서 카페인과 카테킨은 온도가 높을수록 많이 우러나고 온도가 낮을 경우에는 적은 양이 우러나오기 때문에 고소하고 감칠맛을 즐기려면 물 온도를 낮게 해야 한다. 또한 보통 끓인 물이 마시기 적정한 온도가 될 때까지는 시간이 걸리는데 알맞은 다기를 사용하고 따뜻한 물로 미리 데워서 사용

하면 차가 식지 않고 향미를 더 좋게 한다. 반대로 우려내는 시간이 너무 길면 차의 떫은맛이 강해지므로 떫은맛이 나지 않도록 시간을 조절한다.

여기서는 일반적이고 보편적인 기준을 제시하며 기준을 참고하여 개인이 적절히 조절하여 우려내는 것이 좋다. 어머니의 손맛처럼 차의 종류뿐 아니라 생산지, 생산연도, 차상태, 보관 정도, 마시는 방법 등에 따라 알맞은 방법을 찾아 조절하여야 향과 맛이 적절한 차를 즐길 수 있다.

또한 살고 있는 곳의 기후조건이나 사회환경, 각자의 취향에 따라 우리는 방법을 다르게 하기도 한다. 예를 들면 인도의 마살라차이, 장족의 수유차, 카자흐족의 우유차, 위구르족의 향차, 몽골족의 함유차 등은 각종 향신료를 넣기도 하고 동물의 젖이나 버터를 찻잎과 함께 넣고 끓여 마신다. 이렇게 우유를 넣을 때는 설탕이 들어가므로 조금 더 긴 시간 동안 우린다.

## 1. 다구 명칭

차를 마시면서 이용하는 기구는 다양하고 또한 명칭도 여러 가지이다. 주로 한문을 사용하며 일반적으로 이용되는 단어를 나열하였다. 규칙이 꼭 정해진 것은 아니다.

① **다판** : 다탁이라고도 하며 차를 우릴 때 차 기구를 모두 놓는 판으로 퇴수기 없이 물을 그대로 버릴 수 있도록 물 받침대가 있는 것도 있다.

② **다관** : 차호라고도 하며 차를 넣고 끓인 물을 넣어 차를 우려내는 다구로 주전자처럼 생긴 것을 말한다.

③ **차합** : 차를 담는 합으로 차에 습기나 냄새가 스미지 않도록 보관하는 통이다.

④ **차호** : 차를 조금씩 덜어 담아놓고 사용할 때 쓰는 뚜껑 있는 그릇을 말한다.

⑤ **숙우** : 끓는 물을 다관에 넣기 전에 적당한 온도로 식힐 때 사용하거나 차를 우려 내 나누기 전에 담아놓는 그릇을 말한다.

⑥ **퇴수기** : 찻잔과 다관을 데운 물을 버리는 그릇이다. 마시고 남은 찻물과 차 찌꺼기를 이곳에 버리기도 한다.

⑦ **다완** : 찻잔을 말한다. 차를 마실 때 쓰는 잔으로 주로 자기나 유리제품을 사용한다.

⑧ **잔탁** : 찻잔 받침대를 말한다.

⑨ **개완** : 뚜껑이 달린 찻잔으로 간편하게 차를 우려 마실 때 사용한다.

⑩ **차시(차칙)** : 찻잎을 뜰 때 사용하는 숟가락으로 차합에서 차를 꺼내 다관에 넣을 때 사용한다.

⑪ **차도** : 긴압차를 쪼개서 떠낼 때 사용하는 칼을 말한다.

⑫ **차건** : 물을 닦을 때 사용하는 수건을 말한다.

⑬ **차선** : 말차를 거품이 나게 저을 때 사용하는 대나무로 만든 솔 모양의 기구를 말한다.

⑭ **차표** : 찻물 뜨는 표주박을 말한다.


## 2. 찻물의 종류

차를 우릴 때 쓰는 물은 신선한 물을 사용하는 것이 가장 좋다고 한다. 육우는 『다경』에서 가장 좋은 물은 산에서 흐르는 물이고 그다음은 강물이라고 했으며 그다음이 우물물이라 했다. 요즘은 수도꼭지에서 나오는 신선한 정수를 사용하는 것이 가장 좋다. 물에 산소가 많이 함유되어 있어야 차의 향미가 좋다.

## 3. 찻물의 온도

고급에 속한 차일수록 저온에서 우려내며 낮은 온도에서는 테아닌이 많이 우러나와 감칠맛이 많이 나고 고온에서는 카테킨성분이 많이 우러나와 떫은맛이 강해진다.

일반적으로 비발효차인 녹차는 다른 차에 비해 60~70℃의 낮은 온도로 우려서 떫은맛의 성분이 적게 우러나도록 하는 것이 좋고 아주 고급녹차는 50~60℃에서 우리기도 하며 백차, 오룡차, 황차는 80℃ 전후가 좋으며 발효된 홍차나 오래 숙성시킨 후발효차인 보이차나 흑차는 가장 높은 온도 90~100℃의 끓는 물로 우려내는 것이 좋다. 봄철에 채엽한 첫물차는 일조량이 적고 온도가 낮아서 떫은맛을 내는 폴리페놀의 함량이 낮고 단맛을 내는 아미노산 함량이 높아 맛과 향이 좋으므로 높은 온도에서 우리고, 여름철에 채엽한 것은 많은 일조량 때문에 떫은맛의 폴리페놀 함량이 증가하므로 두물차나 세물차를 우릴 때는 첫물차에 비해 낮은 온도에서 우려내야 떫은맛이 적다.

## 4. 차와 물의 양

일반적으로는 찻잎은 3g에 물 150ml 정도가 적당하며 1g에 50ml 정도로 계산하면 된다. 차의 종류나 품질, 또는 개인의 취향에 따라 달리한다. 보이차를 우릴 때는 녹차나 홍차에 비해 차의 양을 두 배 정도 넣고 우린다. 다시 말하면 찻주전자에 보이차 5~8g 정도를 넣고 찻물 150ml 정도를 부어 첫물은 버리고 두 번째 우린 물부터 마신다. 5~7번 정도 우려내어 마신다. 가장 많이 넣는 차는 오룡차로 차호의 1/3까지 채우고 물을 부어 작은 찻잔을 이용하여 조금씩 맛과 향을 음미하며 마시고 3~4회 정도까지 계속 우려 마신다.

## 5. 우리는 시간

차를 우리는 시간은 평균 3분이 가장 좋으며 차에 따라 달리하는 것이 좋다. 일반적으로 발효를 적게 한 차는 우리는 시간을 짧게 하고 발효를 많이 한 차는 우리는 시간을 길게 한다. 증제차는 덖음차보다 우리는 시간을 짧게 하는 것이 좋다. 덖음차가 증제차보다 용출되는 시간이 더 걸린다.

그리고 고급 녹차는 1분 정도로 짧게 우려내는데 초청녹차 즉 덖음차는 물을 흡수하고 용출되는 시간이 더 걸리므로 1분 30초 정도로 한다. 또한 첫 번째 우릴 때보다 두 번째 우릴 때는 30초 정도 더 우리고 세 번째는 1분 정도 더 우린다. 이렇게 횟수에 따라 우리는 시간을 30초씩 더 늘리는 게 좋다.

## 6. 우리는 다기

차를 우릴 때 다기도 중요한 역할을 한다. 같은 차를 같은 조건에서 우릴 때 다기에 따라 차의 색상과 맛과 향 등에서 차이가 난다. 보통 발효 정도가 낮은 녹차나 백차는 보온력이 약한 도자기류가 적당하고 반발효차인 오룡차는 보온력이 강한 도자기류  를 사용한다. 완전발효차인 홍차나 모양이 아름다운 화차는 유리로 된 잔을 사용한다. 찻물의 색깔이 곱게 나타나고 꽃차는 아름다운 꽃모양을 그대로 볼 수 있기 때문이다.

녹차는 발효가 되지 않아 찻잎 성분이 그대로 유지되어 있기 때문에 보온력이 강하면 떫은맛이나 쓴맛을 내는 성분들이 많이 용출되므로 뜨거운 물을 부었을 때 조금 빨리 식는 도자기류를 사용하는 것이 좋다.

보이차를 마실 때는 토기로 만든 주전자를 사용하는 것이 좋다. 잘 식지 않으면서 성분이 잘 우러나오게 하며 전다법으로 우릴 때는 숯불이나 불 위에 올려 은근한 열로 끓일 수 있다.

중국에서는 전통적으로 자사호를 많이 사용하였는데 오룡차를 마시기에 적당하다. 자사호는 차의 강한 맛을 은은하고 부드럽게 하며 더욱 숙성된 느낌을 주며 보온력도 좋다.

서양에서는 홍차를 많이 마시기 때문에 찻주전자를 사기그릇, 유리, 주철, 은, 스테인리스 등 다양하게 사용하는데 상류층에서 파티를 열며 호사스러움을 강조하기 위해 다양한 모양에 고급스러운 다기를 만들어 사용하기도 한다.

일반적으로 가정에서 사용하는 찻주전자는 게르마늄주전자가 가장 무난하다. 스테인리스 주전자를 사용하면 향이 약간 빠져나가고 맛이 단순하게 변한다. 유리주전자는 맛을 그대로 나타내며 향이 가미되지도 없어지지도 않는 특징을 가지고 있어 차 본연의 맛을 즐기기에 적당하지만 온도변화가 심해 꼭 예열을 해야 하며 깨지기 쉬워 취급하기가 어렵다.


## 7. 차 우려내는 방법

차는 당나라 때부터 기호음료로 성행하기 시작하였는데 이때는 주로 조차(粗茶), 산차(散茶), 말차(末茶), 병차(餠茶)로 구분한다. 조차는 거친 엽차의 일종으로 찻잎을 말린 그대로를 말하고 산차는 찻잎이 나는 지역의 소수민족들이 먹는 방법으로 찻잎을 숯불에 굽거나 쪄서 말려 놓은 차를 말하며 말차는 유통과정이나 제조과정에서 부숴진 가루나 작은 잎을 가루로 만든 것이고 병차는 많은 양을 멀리 운반하게 편리하게 찻잎을 눌러서 떡처럼 만든 것을 말한다.

당시에는 병차를 많이 이용했으며 끓이거나 달여서 음용하였다. 송나라시기에 와서 말차가 유행하기 시작하였다. 이때는 투차(鬪茶)가 유행하였는데 투차는 말차를 가장 좋게 만든 사람이 이기는 것으로 차의 빛깔이 하얗고 차가 잘 섞여 잔에 물이 없어야 하는데 건안에서는 잔에 물이 먼저 생기면 지게 되어 물이 안 생기고 오래 견디게 만드는 사람이 이겼다고 한다.

그 후 명나라에 오면서 주원장이 차 농사 짓는 사람들을 위해 병차 헌상하는 법을 금지시켰다. 그럼으로 인하여 초청산차가 유행하기 시작하였으며 산차를 뜨거운 물에 우려 마시는 포다법으로 바뀌었다. 청나라에 오면서 차를 마시는 풍습이 더욱 성행하였으며 여러 가지 다구들이 개발되고 발전하여 새로운 공부차가 생겨났다. 공부차는 끓인 뜨거운 물로 먼저 다호를 데운 후 다호에 찻잎을 넣고 뜨거운 물을 부어 세차를 하고 그 물을 이용해 다완을 데운다. 차호의 차에 다시 따

뜻한 물을 부어 뚜껑을 덮고 뚜껑 위로 뜨거운 물을 골고루 부어 열을 가하며 찻물을 우린 후 작은 다완에 차를 따라 마시는 방법으로 귀족들이나 풍류를 즐기는 사람들이 여유롭게 차를 즐기는 방법이다.

### (1) 전다법(煎茶法)

차를 그냥 끓여 마시던 자다법(煮茶法)에서 발전하여 나온 방법이다. 차를 탕관에 넣고 달여먹는 방법으로 춘주전국시대의 진(晉)나라에서 시작되어 당나라시기에 성행하였으며 송나라 때 점다법(點茶法)이 나오면서 점차 사라졌다. 당나라시기에는 차를 달일 때 생강이나 파를 넣기도 하였으며 육우는 소금을 넣어 달였다. 송나라에 와서 소금이나 생강 등을 넣지 않게 되었다.

육우의 『다경』에 기재되어 있는 방법은 다음과 같다.

"찻잎을 먼저 숯불에 구워 수분을 날리고 맷돌에 거칠게 갈아 차호에 넣어두고 주전자에 물을 넣고 숯불에 올려 일비(一沸 : 물방울이 바닥에 맺혀 있는 정도)일 때 소금을 넣는다. (차 맛이 좋아진다고 한다.) 주전자의 물이 이비(二沸 : 밑에 있는 물방울이 위로 올라오는 정도)가 되면 물을 한 표주박 떠내고 대나무 젖가락으로 한 방향으로 저어

가운데에 갈아놓은 차를 차칙으로 넣는다. 삼비(三沸 : 물이 팔팔 끓는 정도)가 되면 이비에서 떠놓은 물을 주전자에 부어 차의 성분이 잘 우러나게 한다. 차를 달일 때는 삼비로 끓이면 안 되고 이비 정도로 해서 달여야 한다.”라고 되어 있다.

전다법은 보이차나 주로 차 생산지에 있는 사람들이 많이 애용했던 방법으로 싹, 잎, 줄기까지 있는 거친 차를 이용해 끓여서 먹었다. 보이차를 전다법으로 달이는 방법은 물 3L를 주전자에 넣고 불에 올려 끓으면 가장 낮은 온도(물방울이 조금씩 올라오는 정도)에서 보이차 5g을 넣고 한지로 덮어 한 시간 반에서 두 시간 정도 천천히 달여 걸러서 마신다.

### (2) 점다법(點茶法)

송나라 때부터 시작되었던 방법으로 복건 사람인 채양의 『茶錄(다록)』에 의하면 송나라 초기에 복건에서 시작되었음을 알 수 있다. 그러나 대나무로 만든 차선에 관한 기록은 없다. 북송의 조길이 쓴 『대관다론』에 나오는 것으로 보아 거품을 일으키며 저어서 즐겼던 것을 알 수 있다. 지금의 일본 말차도(末茶道)는 송나라 후반기 북송에서 시작된 것으로 여겨진다.

점다법은 당나라 후반기에 나왔으며 5대10국에 시작되어 송나라에서 성행하였으며 원대에 쇠퇴하여 명나라 때 소실되었다.

점다법은 편(片)이나 산(散)으로 만들어진 차를 굽고 찧고 갈아 체질을 하여 분말로 만든다. 물은 1~2번 끓은 물로 수온이 너무 높거나 낮지 않아야 한다.

먼저 차시를 이용해 찻잔에 차 분말을 넣고 물을 조금 붓고 저어서 죽상태로 만들고 다시 물을 부어 차선으로 저어 거품이 일어나도록 저어 완성한다. 큰 그릇에서 만들어 차표로 떠서 작은 잔으로 마시기도 하고 처음부터 작은 잔을 이용해 만들어 마시기도 하였다.

지금 중국에서는 거의 사라지고 일본으로 건너가 일본에서 말차라 하여 즐기는 사람이 많다.

### (3) 포다법(泡茶法)

명나라 주원장이 원나라를 멸망시키고 말을 구입하기 위해 필요했던 차를 효과적으로 통제하기 위해 차법을 개정하면서 만들기 힘든 단차(團茶) 제조를 금지하고 잎차를 만들어 마시게 하고 개인의 차 거래를 금지시켰다. 따라서 그 후에는 초청산차가 나오기 시작하였으며 이때부터 뜨거운 물에 우려 마시는 포다법이 유행하였다. 『다고』에서는 "항주에서는 차를 끓이는 풍속으로 산차를 찻잔에 넣고 끓는 물을 부어 우려먹는데 이를 촬포법이라고 한다."라고 하였다. 당시에는 뚜껑이 없는 찻잔을 이용하였는데 점차 발전하여 지금은 뚜껑이 있는 찻잔을 사용한다. 이 방법이 개완을 사용하여 간단하게 우려먹는 방법이다. 다른 방법은 차완에 찻잎을 넣고 뜨거운 물을 부어 우린 뒤 찻잔에 따라 마시는 방법으로 호포법이라고 한다.

○ 차 우리는 시간과 온도

| 차 종류 | 물의 온도 | 우리는 시간 |
| --- | --- | --- |
| 녹차 | 60~80 | 2~3분 |
| 백차 | 70~90 | 3~4분 |
| 황차 | 70~90 | 4~6분 |

| 차 종류 | 물의 온도 | 우리는 시간 |
|---|---|---|
| 청차 | 80~90 | 1분 전후 |
| 홍차 | 90~95 | 3~5분 |
| 흑차 | 90~100 | 1~2분 |
| 화차 | 70~80 | 3~5분 |
| 잎차 | 90~100 | 10분 |
| 껍질 | 100 | 15분 |
| 과실 | 100 | 15분 |
| 나뭇가지, 줄기 | 100 | 20분 |
| 뿌리, 동물, 광석 | 100 | 30분 |

## 8. 차 마실 때 주의사항

① 공복에는 마시지 마라. 공복에 차를 마시면 위산분비를 촉진시킨다.

② 찻물을 너무 뜨겁게 하여 마시지 마라. 인후나 식도, 위를 자극한다.

③ 차를 차갑게 마시지 마라. 몸을 너무 차갑게 하고 가래를 만든다.

④ 너무 진하게 하여 마시지 마라. 두통이나 불면증이 올 수 있다.

⑤ 차를 너무 오래 우리지 마라. 차의 향미가 사라진다.

⑥ 식전에 마시지 마라. 식욕이 떨어지고 단백질 흡수가 일시적으로 저하될 수 있다.

⑦ 식후에 바로 마시지 마라. 소화흡수에 영향을 준다.

⑧ 찻물로 약을 먹지 마라. 약효가 떨어질 수 있다.

⑨ 변질된 오래된 차는 먹지 마라. 세균과 곰팡이가 생겼을 수 있다.

⑩ 찻주전자와 찻잔은 예열한다. 찻물의 온도가 급격하게 떨어질 수 있다.

# Ⅱ  차의 종류

찻잎으로 만드는 차는 서로 다른 제조방법과 품질상의 차이에 따라 크게는 6가지로 구분한다. 녹차, 황차, 홍차, 청차(오룽차), 백차, 흑차(보이차)를 말한다.

① **녹차** : 산화발효시키지 않는 차로 맛과 향이 신선하고 단순하다. 폴리페놀과 비타민의 함량이 높아 항암작용과 심혈관질환에 효과가 좋으며 미용에도 좋은 효과를 낸다.

② **황차** : 약간 산화발효된 차로 녹차와 흑차의 중간쯤 되나 녹차에 가깝다. 그러나 제다과정 중 살청과 유념 후에 종이로 싸서 습포로 덮어서 보관하면 찻잎이 황색으로 변하는데 이것을 황차라 한다. 찻물도 황색을 띠고 향은 맑으면서 예리하고 성질은 차고 정신을 맑게 하고 소화를 도우며 진해거담작용과 청열해독작용이 있다.

③ **홍차** : 완전산화발효차로 맛이 중후하고 진하며 깔끔하다. 향은 진하고 찻물은 홍색을 띠며 맑고 윤기가 있으며 성질이 온화하여 위를 편하게 하고 근골을 튼튼하게 하는 효능이 있다.

④ **청차** : 반산화발효차로 녹차와 홍차의 중간 정도로 종류가 다양하다. 풍미가 독특하고 향이 진하며 생진작용과 느끼한 것을 제거하는 효능이 강하다.

⑤ **백차** : 약간 산화발효시킨 차로 표면이 전체적으로 흰색을 띠며 하얀 털이 나 있으나 은근한 녹색이 나며 찻물은 맑고 담백하다. 맛은 순수하고 고상하며 차 중에서 청열작용이 제일 강하다.

⑥ **흑차** : 후발효차로 외형은 크고 두꺼우며 색은 광택이 나는 검은색이며 맛은 농후하고 감칠맛이 돌며 오래된 느낌의 향이 난다. 혈액의 지방을 낮추고 갈증을 해소하며 소화를 돕고 비위를 튼튼하게 하며 생진작용이 있어 갈증해소에 효과가 좋다.

## 1. 녹차

녹차는 산화발효를 하지 않는 차를 말한다. 녹차는 위조를 하지 않고 살청과정으로 들어가 효소가 정지되어 향기성분을 생성하지 않고 가열에 의해 생잎에 있는 향기성분이 휘발되어 감소하나 제조공정 중 가열에 질소화합물이 생성되어 아미노산과 당류에 반응하여 피라진, 피롤류의 고소하고 향긋한 향을 만들어낸다. 향은 인체에서 정신을 맑게 하고 조절하며 항균, 소염작용 등을 한다.

차의 종류가 다양하며 차의 채엽시기, 품종, 재배환경, 제다법에 따라 맛, 향, 모양에 차이가 있다. 가장 대표적인 차는 전통적인 제다법으로 만든 용정(龍井)차로 봄에 일찍 채취한 찻잎이 고급이며 모양은 납작하게 눌러 만든다. 청명 전에 채엽하여 어린 싹 잎으로 만든 벽라춘, 우화차 등이 있으며 침처럼 뾰족한 것은 모첨차(毛尖茶), 둥글게 만든 것은 주차(珠茶), 뭉쳐 공처럼 만든 것은 모봉차(毛峰茶), 눈썹처럼 만든 것은 진미(珍眉)차라고 부른다. 역사적으로 가장 먼저 개발된 가공방법으로 중국, 한국, 일본 등 아시아에서 가장 많이 생산하여 소비하고 있다.

### (1) 녹차의 제조방법

차나무의 잎을 따서 탄방을 거쳐 고온에서 덖어 수분을 없애고 산화효소를 없앤 후 녹색을 유지하면서 차를 비비고 말아 건조시켜 만드는 차를 말한다.

탄방은 찻잎을 약간 시들리는 과정으로 3~5시간 정도 찻잎을 말리는 과정이다. 우리나라에서는 잘 하지 않는 경우도 있으나 탄방과정에서 찻잎이 자기보호를 위해 가지고 있는 강한 성질을 죽이고 부드러운 맛과 향으로 변한다. 이때는 영양공급이 없는 상태이기 때문에 약간의 산화는 일어날 수 있다.

살청은 탄방을 거친 찻잎을 덖는 것으로 고온에서 가열하여 찻잎이 녹색을 유지하면서 산화효소를 제거하여 산화가 일어나지 않도록 하는 것이며 약간의 수분을 날려 유넘을 쉽게 할 수 있도록 하는 과정이다. 보통은 솥에서 살짝 덖어주거나 찌는 두 가지 방법이 있다.

유념은 살청과정을 거친 찻잎을 반복적으로 비벼주는 과정으로 찻잎의 표면과 내부의 수분함량이 일정하고 찻잎의 조직을 파괴하여 찻물이 잘 우러나오도록 한다. 녹차는 살청과 유념과정을 여러 번 하는데 일반적으로 3번 이상 하거나 길게 하면 9번까지 하기도 한다.

녹차 중에서 황산모봉, 사천성의 고엽차 중 죽엽청, ~아, ~침, ~첨으로 끝나는 차들은 유념과정을 따로 하지 않는데 이는 찻잎이 연하고 가늘어 살청과 유념과정을 동시에 한다.

건조는 유념이 끝난 후 말리는 과정으로 여러 가지 방법이 있다. 솥에서 덖어 말리면 초건녹차, 홍건기나 흙으로 만든 방에 불을 때서 건조한 녹차를 홍건녹차, 햇볕에서 건조한 녹차를 쇄건녹차라고 부른다.

## (2) 녹차의 제다순서

채엽-탄방(攤放)-살청(殺靑)-유념(揉捻)-건조(乾燥)

## (3) 녹차의 분류

녹차는 덖는 방식이나 건조방식에 따라 몇 가지로 구분한다.

① 증청(蒸靑)녹차 : 찻잎을 살청과정에서 쪄서 비비고 말리는 방식으로 만든다. 증청녹차는 중국 고대 최초의 녹차 제다법으로 당, 송 시기에 성행하였으며 명나라 때부터 초제법이 유행하면서 쇠퇴하기 시작하였다. 지금은 일본에서 가장 많이 애용되는 제다법이다. 150℃ 증기의 열로 살짝 쪄낸다. 녹색이 살아 있으며 신선도와 식물성 성질이 살아 있어 풀냄새가 난다. 증청녹차의 특징은 "삼녹"이라고 하는데 말린 찻잎은 비취색이고 우린 차는 진한 청록색이며 우려낸 잎도 선명한 녹색을 띤다고 하여 붙은 이름이다. 향은 청향이고 맛은 진하며 유명한 증청녹차로는 전차(煎茶), 옥로(玉露) 등이 있는데 은시옥로(恩施玉露)가 유일하게 전통

적인 제다법을 사용하고 있다.

② 초청(炒靑)녹차 : 탄방을 거친 찻잎을 솥에서 덖는 방식으로 살청하고 유념을 거친 찻잎도 솥에서 덖어 건조한다. 중국 남송시대에 시작되어 명나라시기에는 일반에 널리 퍼져 사용되었으며 향이 강하고 맛이 좋아 지금은 대부분 이 방법으로 제조한다.

솥의 온도를 250~350℃까지 달군 후 덖어내는 방법으로 잎은 약간 황색으로 변하면서 고소한 향이 난다. 찻잎이 뜨거운 금속과 만나면서 마이야르반응이 일어나 단백질과 당분이 아미노산과 결합하여 독특한 향을 내는 분자가 생성된다. 따라서 구운 견과류의 구수한 향과 맛이 난다.

초청녹차는 덖은 후에 여러 가지 모양으로 만들어내는데 그 형태에 따라 장초청형차, 원초청형차, 편초청형차로 구분한다. 장초청형차는 미차(眉茶)라고 하며 눈썹모양으로 만든 것이고, 원초청형차는 주차(珠茶)라고 부르며 과립형태로 말아서 만든 것을 말하며, 편초청형차는 편형차(扁形茶)라 부르며 편평한 모양으로 만든 것을 말한다. 그 외에도 형태에 따라 침형, 나사형 등도 있다. 대표적인 차로는 항주의 용정차와 강소성의 벽라춘이 있다.

③ 홍청(烘靑)녹차 : 옛날방식으로 숯불 위에서 두 사람이 양쪽으로 서서 채반을 서로

흔들며 살청을 하였으며 현대에 와서는 열풍기나 오븐과 같은 설비에 넣고 살청하는 방법으로 생산된 녹차를 홍청녹차라고 한다. 홍건기는 일반적으로 대량생산하기 위한 방법이지만 과학의 발달에 따라 고급설비로 소수의 고급 녹차를 생산하는 경우도 있다. 177℃의 고온에서 효소가 파괴될 정도로 재빨리 굽고 산화반응이 멈추면 성형, 가열, 냉각 등의 과정을 거쳐 만든다. 이 공정에 따라 만든 녹차가 육안과편(六安瓜片)과 태평후괴(太平猴魁)다. 지금도 옛날 방식으로 생산하는 다원도 있다.

홍청녹차는 초청녹차에 비해 향기가 강하지는 않고

모양은 약간 구부러져 있고 찻잎 끝부분이 선명하게 보이고 색은 검은 녹색이다. 또한 홍청녹차는 재료의 딱딱함과 부드러움에 따라 보통홍청과 세눈(細嫩)홍청으로 구분한다.

세눈홍청은 가늘고 어린싹만을 선별하여 가늘고 정교하게 만들어진 차를 말하는데 아주 가늘고 구불구불하며 차의 솜털이 드러나 있으며 푸른빛에 향이 진하고 맛이 깨끗하며 싹과 잎이 완전해야 하므로 홍건을 한다.

홍청녹차는 형태에 따라 조형(條形)차, 첨형(尖形)차, 편형(扁形)차, 침형(針形)차 등으로 나눈다.

④ **쇄청(晒青)녹차** : 찻잎을 살청과 유념과정을 거친 후 햇볕에 말려서 만든 녹차를 말한다. 찻잎은 황갈색을 띠고 향과 맛이 약한 편이며 산차(散茶)형식으로 응용한다. 대부분의 쇄청녹차는 긴압차(緊壓茶)의 원료로 이용된다. 유명한 제품으로는 운남의 강청, 섬서의 섬청(陝青), 사천의 천청(川青), 귀주의 검청(黔青) 등이 있으며 운남 대엽종의 품질이 가장 좋은 것으로 알려져 있다. 그 밖에 반초반홍(半炒半烘)의 제다법도 있는데 초청인 덖기와 불을 쬐어 말리는 홍청제다법을 결합한 방식이다. 이 방법은 초청녹차의 진한 향과 순한맛을 유지하며 차싹과 잎이 덖음으로 손상되지 않도록 솜털까지 완전하게 보이는 홍청녹차의 장점을 살리는 방법으로 명차를 만드는 제다법으로 애용되고 있다.

## (4) 녹차의 효능

정신을 맑게 하고 숙취해소작용이 있으며 혈지방을 낮추고 대소변을 잘 통하게 하며 소화를 돕고 갈증을 풀어준다. 그리고 피로회복에 도움이 되고 해독소염작용, 이뇨작용, 항암작용, 강심작용, 항균작용 등이 있으며 피부미용이나 노화예방에도 효과가 있다.

따라서 몸에 열이 많고 가슴이 답답한 증상이나 중풍전조증, 동맥경화, 고혈압, 고지혈증, 고혈당이 있는 사람에게 효과가 있고 피부트러블이 있거나 여드름, 종기, 부스럼 등이 자주 나거나 피부에 탄력이 부족한 사람에게도 도움이 된다.

공복에 녹차를 마시면 복부에 약간의 통증이 나타나는 사람도 있는데 이는 녹차의 폴리페놀성분 중에 수렴하는 작용이 있어 나타나는 현상이다. 이런 사람은 발효차를 마시는 것이 좋다.

### (5) 녹차 우리는 법

① 녹차를 찻주전자에 2~3g정도 넣고 65~80℃ 정도의 끓는 물을 부어 우려낸다.
② 우려진 찻물을 찻잔에 마시면서 찻주전자에 끓는 물을 보충하여 여러 번 우려 마신다.

### (6) 녹차 음용 시 주의사항

① 임신부, 몸이 허약하며 몸이 찬 사람, 차에 알레르기가 있는 사람은 주의해야 한다.
② 공복 시에는 마시지 않는 것이 좋은데 불면증, 신경쇠약, 심장이나 신장기능이 저하될 수 있다.
③ 수유기 산모나 고혈압환자는 너무 진하게 마시지 말아야 한다.
④ 여성은 장기적으로 많은 양의 차를 마시는 것은 좋지 않다.
⑤ 궤양이 있는 사람이나 저혈당환자, 신체가 마른 사람은 많이 마시지 않는 것이 좋다.
⑥ 너무 진한 차나 하룻밤이 지나 식은 차는 안 마시는 것이 좋다.

### (7) 대표적인 녹차

 항주 서호 용정차

 용정차는 중국 녹차의 대명사로 오랜 역사를 가지고 있으며 전통적인 제다법을 사용하여 만드는 최고급으로 잘 알려져 있다. 저장성에 있는 용정사에서 재배해서 만든 차를 용정차라 한다. 신선한 향과 깨끗한 맛이 일품이며 순하고 부드럽다. 차를 우려내면 푸릇푸릇한 연한 녹

색의 찻잎과 맑고 아름다운 비취색의 찻물, 그리고 은은한 향이 올라온다. 용정차는 납작하게 만드는데 찻잎을 솥에 밀착하여 성형한다. 그러므로 솥의 온도가 중요하고 솥이 매끄러워야 하기 때문에 덖기 전에 차유를 발라 솥바닥을 매끄럽게 한다. 이 작업을 요즘은 기계로 하는 경우도 많아지고 있지만 그래도 숙련된 기술을 가진 사람이 처음부터 끝까지 손으로 마무리한 차가 진정한 서호 용정차다. 서호 용정차 중 최고로 치는 것이 용정촌에 위치한 사봉산의 사봉용정차다. 용정차는 다른 차에 비해 비타민 C의 함량이 높다.

### 천목 청천차

천목산은 저장성 임안현에 있는데 천목산중에서도 삼림이 무성한 지역에서 청천차가 생산된다. 토양은 검은색으로 약산성토양이며 기름지고 기후는 안개가 많고 기온은 상대적으로 낮으며 습도는 높다. 찻잎은 흰색에 은빛의 솜털이 있는 두껍고 짙은 녹색 잎이다. 잎이 두꺼워 가볍게 비비기 때문에 우려내어 맛을 보면 첫 맛은 담담하지만 마실수록 진해지면서 짙은 향기가 오래 지속된다. 차의 품질은 찻잎을 따는 시기에 따라 정곡, 우전, 맹첨, 매백, 소춘으로 나누는데 정곡은 일아일엽로 만들고 소춘은 일아이엽으로 만든다.

차를 우려내면 찻물은 맑고 연한 비취색이 띠고 우려낸 찻잎은 황록색으로 변한다.

### 소주 벽라춘

강소성 소주 오흥현 동정호의 동산과 서산에서 재배된다. 짙은 향기와 신선한 맛을 지니고 있고, 차의 싹과 잎은 옅은 비취색이며 잎은 소라고둥처럼 구부러져 있다. 비취색이 벽색이고 소라처럼 구부러져 있고 봄에 일찍 채엽한다고 하여 "벽라춘"이라고 한다.

벽라춘이나 우화차는 우리나라 우전차보다 더 작고 여리다.

오전에 채엽하여 탄방하고 오후에 선별하며 저녁에 덖어 하루 안에 완성해야 향이 살아 있다고 한다. 또한 살청과 유념을 동시에 한다. 장갑을 끼지 않고 손으로 감각을 느끼며 덖으면서 비비고 비비면서 덖으며 솜털이 드러나도록 한다. 한 번에 500g 정도의 적은 양을 만들기 때문에 덖는 과정에서 건조작업까지 끝난다. 대량생산을 하는 차창에서는 홍건작업으로 완성한다. 벽라춘은 매년 춘분, 청명을 전후해서 채집하며 곡우 전에 끝낸다.

완성된 차는 소라모양으로 굽어 있고 솜털이 나 있어 은백색을 띠며 그 속에 청록색의 찻잎이 보인다. 차를 우려내면 진하고 신선한 향과 푸르고 맑은 찻물색에 깨끗하고 감미로운 맛이 난다.

## 🌸 남경 우화차(雨花茶)

벽라춘과 함께 강소성을 대표하는 차 중의 하나로 역사가 50년여 정도 되는 신품종 녹차류에 속한다. 차 재배지는 남경 주변의 여러 현에 걸쳐 있으며 낮은 구릉지에서 생산한다. 이름은 남경의 상징적 기념탑인 우화대에서 착안하였으며 찻잎이 비처럼 가늘고 꽃처럼 신선하다고 하여 붙여졌다고 한다. 우화차의 찻잎은 청명 전에 따는 명전차에 속하고 우전차보다 더 여리고 작으며 용정차, 벽라춘과 같은 초청녹차에 해당한다. 잎이 여리기 때문에 벽라춘처럼 따로 유념을 하지 않고 솥에서 살청과 유념을 함께 반복하며 빠른 시간 내에 완성한다. 지금은 기계화되어 수작업하는 데는 얼마 남지 않았으며 수작업으로 하는 데는 적은 양으로 살청과 유념을 동시에 하여 빠른 시간 내에 완성한다.

찻잎은 일창이기만을 사용하며 크기도 일정하고 가지런하게 만들어야 높은 등급을 받을 수 있다.

완성된 우화차의 특징은 녹색에 솜털이 나와 있으며 곧고 가지런하며 솔잎처럼 양쪽 끝이 뾰족 나와 있다. 우려내면 향은 은은하며 찻물의 색은 녹색이다. 처음 차를 넣으면 잎이 수직으로 서서 천천히 가라앉기 때문에 유리잔이나 유리주전자를 이용해 마시면 시각적으로 즐길 수 있다.

## 🌸 황산 모봉차

안후이성 황산 일대의 해발 700m 정도에서 재배한 차로 안후이성에서는 황산모봉차와 태평후괴차가 유명하다. 황산모봉은 다른 차에 비해 솜털이 많이 붙어 있다. 따라서 모봉과 모첨으로 구분하는데 청명 이전에 딴 찻잎을 모첨이라 하고 청명 이후 입하 이전에 딴 차를 모봉이라 한다. 모봉은 찻잎에 백색의 솜털이 촘촘이 박혀 있어 모봉이라 하고 그보다 어린잎에는 가늘고 작은 솜털이 박혀 있어 모첨이라 부른다.

작고 하얀빛의 털이 찻잎을 감싸고 있으며 모양은 작설과 같고 색은 약간 황록색이고 윤택이 돌며 찻물은 맑고 투명하며 은은한 향이 있다. 송나라 때 생산되기 시작했으며 처음에는 황산운무차라 했다고 한다.

황산모봉차는 살청, 유념, 홍건작업을 거쳐 완성되므로 녹차에 속하며 잎의 연함에 따라 보통홍청과 세눈홍청으로 구분한다. 보통홍청으로 만드는 차는 직접 우려먹기보다는 착향시켜 만드는 화차의 모차로 많이 쓴다.

특등급과 1등급만 명차라 하고 입하 이후에 따서 만든 것은 모봉차로 분류하지 않는다.

특등급은 싹 하나에 잎 하나만 따서 만들고 1급은 싹 하나에 잎 두 개를 사용하며 제다할 때 특급과 일급은 비비지 않는다.

우려내면 향은 짙으면서 은은하고 찻물은 맑은 녹색으로 우러난다.

## 🌸 죽엽청차

아미산 지역의 차밭으로 흑포산(黑包山)에서 생산하는 차로 모양이 대나무잎처럼 생긴 데서 유래되었다. 찻잎에 뜨거운 물을 부으면 군산은침처럼 수직으로 서서 떠 있다 가라앉는다. 따라서 유리잔에 4g 정도의 찻잎을 넣고 뜨거운 물을 채워 마신다.

죽엽청차는 고산차라 아미노산이 많이 함유되어 있고 싹만을 따서 만들기 때문에 살청과 유념과정을 동시에 하는데 옆으로 흔들면서 적당히 비벼 유념을 한다.

효능은 청열, 해갈, 이뇨, 해서, 해독, 거담, 변비해소 등이다.

죽엽청차는 아미산의 승려가 장기간 재배하여 얻어진 것이며 수요가 많아져 60년대부터 대량생산을 하고 있으며 1985년 포르투갈 리스본에서 열린 세계우량식품평가에서 금상을 차지했고 1986년 중국 광주, 1990년 중국 신양에서 중국명차로 선정되어 지금은 미국, 일본 등지로 수출하고 있다.

## 2. 백차

백차라는 이름은 중국에서 오랜 전통을 가지고 있지만 오늘날 우리가 마시는 백호은침은 19세기 복건성에서 시작되었다. 백호은침을 생산하는 차나무는 일반 차나무와 약간 다르며 기후조건이 최적인 복건성의 복정(福鼎) 지역과 정화(政和) 지역에서 오랜 시간을 거쳐 여러 품종 중에서 선택된 복정대백종과 정화대백종으로 만들어진다. 이곳 나무에서 자라는 차싹은 하얀 솜털로 덮여 있으며 크고 살이 도톰한 싹을 가진 차나무 품종이다.

겨울에도 습하고 온도가 많이 낮지 않으며 해발이 높은 산속의 기후 덕분에 차나무가 겨울 동안 뿌리에 많은 영양분을 저장해 놓아 이른 봄에 나는 새싹은 풍부한 맛과 은은한 향을 풍긴다. 특별한 가공을 하지 않는 만큼 가장 자연친화적인 차로 가공과정은 위조와 건조 과정만을 거치지만 좋은 품질을 유지하기 위해서는 최소한의 손길로 자연의 산뜻한 맛과 향을 유지할 수 있도록 만들어진다.

제다할 때는 찻잎에 손상이 일어나지 않게 조심하며 산화가 많이 되지 않도록 햇볕에 말려 건조시키며 백호은침은 첫 수확기에 최상급의 싹만을 따서 만든다. 백차의 품

차의 모든 것

종은 일반적으로 대백종(大白種)인데 일설에 의하면 녹차의 변종이라고 한다. 송나라 휘종 황제가 쓴『대관다론』에 의하면 "백차는 벼랑과 숲 사이에 자생하는 차로 찻잎이 밝고 얇다. 4~5집에서 키워보아도 살아남는 것은 한두 그루뿐이다. 따라서 가장 귀하게 여긴다."라고 기재되어 있다.

잎 뒷면에 많은 솜털이 붙어 있어 말리면 흰 솜이 붙어 있는 모양이다. 따라서 찻잎은 색이 밝고 부드러우며 자연모양에 가깝고 싹에 붙어 있는 하얀 솜털이 은백색을 띠고 있어 백차라고 부른다. 중국 외에 타이완, 스리랑카, 인도, 케냐, 하와이 등에서도 생산된다.

맛은 담백하고 신선하며 단맛이 돌고 성질이 차서 청열작용이 있다. 대표적인 백차는 복건성의 백아차라고 하는 백호은침(白毫銀針)과 백엽차라고 하는 백모단(白牧丹)차, 수미(壽眉)차, 공미(貢眉)차가 있다.

### (1) 백차의 제조방법

백차는 제조과정이 가장 간단하여 살청과 유념의 과정을 거치지 않고 위조에서 건조하여 완성한다. 채집한 찻잎을 약하게 건조하여 시들면서 산화되는데 5~15% 정도 산화되면 건조하여 완성한다. 건조할 때는 숯불과 같은 약한 불에서 한다.

### (2) 백차의 제다순서

채엽−위조−건조

### (3) 백차의 효능

백차는 풍부한 아미노산을 함유하고 있으며 그 성질은 차서 열병에 효과가 좋다. 복건성에서는 여름철에 백목단차를 마시면 더위를 먹지 않는다는 말이 있다. 미국 연구진에 의하면 백차가 녹차에 비해 항균작용이 더 강한 것으로 밝혀졌다. 마진(痲疹, 홍역) 예방에도 효과가 있다. 또한 인체활성효소가 많아 장기음용하면 지방분해효소가 많아져 지방분해대사가 촉진되고 혈액 속 여분의 당분을 분해하여 혈당을 조절하므로 당뇨에 특히 좋다고 한다. 그 밖의 효능으로 노화예방, 피부미용, 항암, 혈압 강하, 다이어트, 해독작용이 있다. 그러므로 여름철 날씨가 더울 때 계절차로 좋으며 홍콩이나 복건성 등 날씨가 더운 지방에서 더위를 이기기 위해 많이 마시고 있으며 4400년 전 요 황제 시절에 홍역이 크게 유행하였는데 람(藍)이라는 처녀가 꿈에 신선의 계시를 받아 백차나무를 발견해 아이들을 살려냈다는 전설이 있다. 복건성 태무산에 녹설아(綠雪芽)라는 백차나무 시조가 있다. 따라서 홍역을 앓는 어린이에게도 효과가 있다고 하며 치통이나 염증이 있는 사람에게 효과가 좋다.

### (4) 백차 우려 마시는 법

① 백차 2g을 찻주전자에 넣고 70~90℃의 물 100ml를 부어 2~3분 정도 우린다. 유념을 하지 않아 잘 우러나오지 않기 때문에 녹차에 비해 물의 온도가 높고 우리는 시간도 길게 한다.

② 찻잔에 조금씩 부어 마시고 주전자에 뜨거운 물을 다시 부어 몇 번 우려 마신다. 찻물의 색은 별로 변하지 않으나 향이나 맛은 3번째 우려냈을 때가 가장 강하다.

### (5) 백차의 특징

백차는 별다른 가공 없이 위조단계를 거쳐 건조해서 만들어 먹는 차로 보관에 주의해야 한다. 또한 성질과 효능, 그리고 주의사항은 녹차와 비슷하다. 다만 오래되면 산화가 15% 정도 진행되어 신선한 향과 맛은 느낄 수 없으므로 오래 보관하지 않는 신선한 것을 마시는 것이 좋으며 변질우려가 있다. 다만 보관을 잘하면 자연적으로 발효작용을 하는 미생물에 의해 오래되면 백차의 장점은 사라지지만 자연발효가 이뤄져 1년이면 차고 3년이면 약이며 7년 이상이면 백차를 "노백차"라고 하여 보약이라고 한다.

백차는 최소한 3년 이상 된 모차로 압병한다고 한다. 그리고 6년모차압병, 9년모차압병이 있다. 운남백차가 병차로 많이 나오는데 복건성에서는 소엽종으로 만드는 데 반해 운남성에서는 대엽종으로 만든다. 발효된 백차는 전다법으로 마시는 것이 좋다.

카페인으로 보면 백호은침이 싹으로 가장 많고 백모단이나 수미에는 많이 들어 있지 않다.

## (6) 대표적인 백차

 **백호은침**

백차에 속하며 솜털이 가득한 모습이 은색침과 같다고 하여 백호은침이라고 한다. 백호은침은 복건성 복정현과 정화현에서 생산한다. 복정현에서는 1857년 복정대백차 품종을 개발하여 1885년에 생산하였고 정화현에서는 1880년 정화대백차를 개발하여 1889년부터 생산하였다고 한다. 백호은침은 바늘처럼 뾰족하고 길며 하얀색 솜털이 전체를 덮고 있는 통통한 싹으로 하얀색을 많이 띤다. 매년 가을과 겨울 사이에 비료를 많이 주어야  이듬해 좋은 차를 딸 수 있다. 첫 번째 딴 차싹은 상등품이고 두 번째는 차등품이며 세 번째는 저등품으로 분류한다. 그리고 여름에 채취한 차는 싹이 작아 백호은침을 만들지 않는다. 가장 좋은 상등급차는 일창일기로 차싹을 따서 손으로 창과 기를 떼어내고 대나무광주리에 포개지 않고 가지런히 놓고 통풍이 잘되는 곳에서 약한 햇볕을 쪼여 수분이 80~90% 날아가도록 말린다. 그다음 30~40℃의 온도로 천천히 쪄서 유념하지 않고 그대로 말려 건조한다.

백호은침은 100% 차싹만 따서 만들어 향기는 은은하고 맛은 깔끔하며 신선하다. 찻물은 청명한 살구색으로 물과 별로 차이가 없지만 성질이 차기 때문에 청열해독작용이 강하다.

 **바이무단(백모단)**

봄에 일창이기(一槍二簾)로 채엽한 찻잎으로 푸른 잎 속에 쌓인 싹의 흰솜털이 모란꽃 같다고 하여 붙여진 이름으로 복건성의 건양시가 발상지다. 위조를 반복하여 유념하지 않고 건조한다.

찻잎은 무게감이 있고 녹색과 붉은색이 섞여 있는 것 같으며 찻물은 맑은 오렌지색이다. 수미에 비해 부드럽고 온화하며 향은 신선하고 맛은 약간 단맛이 난다.

### 🌷 수미(壽眉)

공차(貢茶) 또는 미차(眉茶)라고도 하며 외형상 잔털이 많고 사람의 눈썹을 닮았다고 해서 붙여진 이름이다. 어린잎과 거친 잎이 모두 있으며 가을의 낙엽과도 같으며 회색빛과 잎의 녹색으로 색과 윤기가 조화를 이룬다. 향은 순수하고 찻물은 엷은 등황색을 띠며 맛은 달고 깨끗하며 상쾌한 느낌이 든다.

### 3. 황차

황차는 약후발효차로 중국 송나라시기에 녹차를 만들다 잘못되어 건조가 덜 되어 찻잎이 황색으로 변해서 탄생되었다. 실수로 만들어진 황차가 처음에는 하급품으로 취급되었으나 후에 인기가 올라 공차(貢茶)로 쓰일 정도로 유명하게 되었다. 찻잎, 찻물, 엽저 모두 황색을 띠어 "삼황"이라 표현한다. 황차는 외형상으로는 녹차와 비슷하며 아주 가벼운 황금색 기운이 서려 있으며 녹차에 비해 떫은 맛이 약하고 부드럽다. 녹차와 같이 이른 봄의 어린싹을 채엽하여 민황과정을 거치므로 달콤하고 순하며 은은한 느낌의 맛이 나온다.

비효소성 변화이므로 약후발효차라고도 한다. 녹차와 흑차의 중간쯤으로 녹차에 가까우며 향은 홍차와 비슷하고 맛은 녹차 및 백차와 비슷하다. 마른 아엽(芽葉)은 가늘고 부드러우며 금황색을 띠고 찻물이 노랗고 향은 은은하며 맛은 풍부하다.

황차는 찻잎의 부드러운 정도나 잎의 크기에 따라 황아차, 황소차, 황대차로 구분한다.

황차는 야생 찻잎으로 만드는 것이 좋으며 중국 호남성 동정호 부근에서 많이 생산되고 절강성, 사천성에서도 일부 생산된다. 대표적인 황차로는 허난성의 군산은침이 있으며 사천성의 몽정황아, 안후이성의 곽산황아, 호남성의 북항모첨 등이 있다.

### (1) 황차의 제조방법

황차의 제다법은 녹차와 비슷하며 민황이라는 과정만 하나 더 들어간다. 황차도 녹차와 같이 이른 봄에 어린 차싹이나 잎을 채엽하여 만든다. 민황은 찻잎을 채엽하여 살청과 간단한 유념을 하고 물을 묻힌 종이나 천에 쌓아놓고 몇 시간에서 길게는 며칠까지 쌓아두는 과정이다. 온도와 습도를 알맞게 맞춰주면 찻잎더미에서 열이 발생하며 효소에 의해 산화가 조금씩 일어나고 종이나 천을 통해 외부의 공기가 공급되어 공기 중의 미생물도 들어가 발효를 시작하여 화학적 변화가 일어난다. 이로 인해 차의 향과 맛이 좀 더 부드러워지고 순해지며 황차 특유의 향과 맛을 낸다. 온도와 습도 등에 따라 품질에 차이가 난다.

이 민황과정을 통해 천천히 약하게 산화가 진행되고 발효 또한 조금씩 진행되기 때문에 민황을 산화발효과정이라고 할 수 있다.

대량으로 민황을 할 때는 살청과 유념을 마친 찻잎을 뚜껑이 있는 나무상자나 철상자에 쌓고 이틀 정도 정치(靜置)를 해둔다. 이때 찻잎을 쌓아둔 상자의 외부온도를 60℃ 정도로 유지해 주는데 살청에 의해 산화가 중단된 찻잎은 다시 엽록소에 의한 색의 변화(비효소성 변화)가 생겨 등황색으로 변하며 카테킨류의 변화로 청향은 감소하고 부드럽고 순한 황차의 맛을 내게 된다. 그 후 건조시켜 완성한다.

한국에서는 유념을 마친 찻잎을 항아리에 뭉치지 않게 넣고 12시간에서 16시간 정도 발효시킨 후에 건조하기도 한다.

### (2) 황차의 제다순서

채엽–탄방(攤放)–살청–유념– 민황(悶黃)–건조

### (3) 황차의 분류

① 황아차(黃芽茶) : 황아차는 이른 봄에 올라온 싹만 채취해서 만든 차로 호남성의 군산은침, 사천성의 몽정황아, 안후이성의 곽산황아 등이 있다.

② 황소차(黃小茶) : 황소차는 일아일엽 혹은 일창이기를 기본으로 채엽하며 호남성의 북항모첨과 절강성의 온주황탕 등이 있다

③ 황대차(黃大茶) : 황대차는 잘 알려지지 않았지만 일창이기 이상을 기본으로 채엽한다. 안후이성의 곽산황대차, 광둥성의 광둥대엽차, 귀주성의 해마공차 등이 있다.

### (4) 황차의 효능

황차의 효능은 녹차의 효능을 기본으로 한다. 약간 산화발효되어 성질은 차지만 녹차보다는 따뜻하고 황색이어서 비위로 들어가기 때문에 비위를 편하게 하여 녹차의 단점을 완화시키는 효능이 있다. 황차는 녹차와 오룡차의 중간쯤으로 산화발효과정 중에 떫은맛을 내는 카테킨성분이 줄어들어 차의 맛이 순하고 부드럽다. 따라서 인체에도 녹차에 비해 순하게 작용한다. 따라서 위염이 있거나 배가 더부룩하고 소화가 잘 되지 않으며 비만인 사람에게 좋으며 녹차를 마시면 속이 불편한 사람들이 마시면 좋다.

### (5) 황차 우려 마시는 법

① 황차를 다관이나 유리컵에 3~4g 정도를 넣고 80~90℃ 정도의 끓는 물을 부어 우려낸다.

② 1분 정도 우려 찻잔에 따라 마시거나 유리컵에 넣은 것은 그냥 그대로 향과 맛을 음미하며 천천히 마시고 계속해서 뜨거운 물을 부어 여러 번 우려내어 마신다.

### (6) 황차 음용 시 주의사항

황차는 반발효차로 녹차나 백차보다는 성질이 차지 않아 큰 부작용은 없지만 그래도 약간 찬 성질이므로 녹차의 주의사항을 참고하여 가감해야 한다. 따라서 신경쇠약이나

궤양환자, 저혈압환자, 채식주의자, 약을 먹는 기간에는 약의 종류에 따라 주의해야 하며 몸이 마른 사람들도 너무 많이 마시면 좋지 않다.

## (7) 대표적인 황차

### 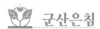 군산은침

호남성의 동정호 가운데 있는 군산섬에서 나는 대표적인 차로 황차에 속한다. 원래는 녹차를 만들다가 실수로 황차가 되었는데 도리어 황차가 유명해져 명나라 때부터는 황차를 만들었으며 청나라 때는 공납품으로 선정되었고 마오쩌둥이 가장 좋아하는 차가  되었다. 군산은침은 바늘처럼 가늘고 끝이 뾰쪽하여 은침이라고 한다. 청명 전후에 어린싹과 잎을 따서 탄방하고 탄방된 차를 살청하는데 현대에 와서는 200℃ 오븐에 3분 정도 넣었다 뺀다. 싹만 있어서 덖지 않아도 살청이 된다. 찻잎의 수분 50% 정도의 상태에서 종이에 싸서 나무상자에 넣고 이틀 정도 민황한 후 건조시켜 만든다. 가늘고 도톰한 싹의 무게가 일반 찻잎보다 많이 나가 완성된 차는 유리컵에 넣고 뜨거운 물을 부으면 꼿꼿하게 서 있다가 물을 많이 머금게 되면 아래로 가라앉는다. 죽엽청과 같다.

군산은침 마시는 법은 찻잎 4g을 유리잔에 넣고 뜨거운 물을 부으면 차가 꼿꼿이 서면서 가라앉는다. 찻물이 노랗게 우러나면 마신다.

###  몽정황아

사천성의 몽정산에서 생산되는 차로 몽정차라고도 불리며 당나라 때부터 황궁에 진상품으로 널리 알려진 중국에서 오래된 차 중의 하나다. 몽정차는 중국 10대 명차에 속하며 해발 1,500m의 고산차로 청명 전에 채엽하는 명전차에 속한다.

전통방법으로 제다한 차는 솜털을 그대로 유지하고 있으며 구수하고 향긋한 꽃향이 나고 맛은 신선한 단맛이 나고 찻물은 황금색으로 투명하다. 끓는 물을 부으면 찻잎이 꼿꼿이 서서 천천히 아래로 내려오므로 유리다기를 이용해 우리는 것이 좋다.

분류상 황차로 되어 있으나 현재는 녹차와 비슷한 제다방법으로 생산하고 있다.

### 🌼 북항모첨

호남성 악양시 북항에서 생산되는 차로 형태가 두텁고 튼실하며 긴밀하고 단단하다. 또한 잘 말려 구불구불하고 흰 털이 많이 나 있으며 잎이 금황색이다.

북항지역은 차나무가 자라기 좋은 조건으로 연중 강수량이 높고 더우며 습한 계절풍이 불어오는 아열대 기후다.

북항모첨은 황차에 속하며 청나라 때 인기를 얻어 지금까지 많은 사람들이 즐겨 마신다. 생엽은 청명 후 5~6일부터 채엽하며 차싹을 포함하여 일아이엽, 일아삼엽, 일아사엽까지 사용한다.

## 4. 청차(오룡차)

반발효차라고도 하며 중국 사람들이 가장 즐겨 마시고 그 종류도 셀 수 없을 정도로 많으며 품종에 따라 이름도 다르고 산화 정도에 따라 향미 또한 다양하다. 오룡차는 녹차와 홍차의 중간으로 맛과 향은 녹차보다 진하고 홍차보다 약하다. 다시 말해서 홍차의 장점인 진한 향과 탕색을 살리고 단점인 떫은맛은 줄이고 녹차의 장점인 산뜻한 맛을 살리고 단점인 자극적인 맛은 보완하는 중간형태의 차다.

오룡차는 중국 복건성 우이산 사람들이 처음 만들었다고 하나 여러 설이 있으며 복건 지방에서 송나라, 명나라로 넘어가면서 단차형태에서 산차형식으로 넘어가면서 자연스럽게 시작되었을 것으로 추정한다. 오룡차는 우이산에서 나오는 우이암차가 유명하며 안계철관음, 백호오룡 등 수없이 많다.

복건성 사람들이 전란을 피해 대만으로 건너가면서 대만에 전해지고 대만의 산악지대에서 재배하여 생산하면서 시작된 대만 오룡차는 150여 년의 역사가 되었으며 세계적으로 유명한 차가 많이 생산되고 있다.

지금은 중국과 대만에서 생산되는 녹차와 비슷한 포종차, 홍차와 비슷한 동방미인의 상표를 쓰고 있는 백호오룡, 여러 가지 철관음, 이산오룡, 아리산오룡, 동정오룡차 등이 유명하며 복건성에서도 많이 생산된다.

## (1) 청차의 제조방법

청차는 종류가 다양하여 종류마다 산화 정도가 다르다. 적게는 20% 정도만 산화시킨 대만의 포종차와 거의 70% 정도 산화시킨 동방미인 등이 있다.

여기서는 보편적인 방법을 소개한다. 오룡차는 채엽하여 위조과정을 거친다. 위조는 쇄청과 양청으로 나뉘는데 먼저 30분에서 1시간 정도 햇볕에 짧게 말리는데 이를 쇄청이라 하고 그 후 25℃ 정도의 바람이 잘 통하는 실내로 옮겨 말리는데 이것을 양청이라고 한다. 이 과정에서 산화는 약하게 이루어진다.

그 후에는 주청 또는 요청이라고 하는데 30분 정도 흔들어 찻잎끼리 부딪치면서 상처를 내고 발생되는 열에 의해 산화가 이루어지게 하는 과정이다. 청차에서 이 과정이 가장 중요하며 숙달된 사람이 어느 정도 산화시키느냐가 관건이며 차의 향과 맛도 이 과정에서 결정된다.

이 과정이 끝나면 바로 살청과정으로 들어가는데 살청은 더 이상 산화가 진행되지 않도록 하는 방법이다. 살청이 끝나면 유념작업으로 들어가는데 두 가지 형태가 있다.

첫째는 민북지방의 암차 종류처럼 유념하여 건조시켜 바로 완성하는데 조형(條形)으로 길쭉하게 말려 있다.

둘째는 민남의 철관음이나 대만 오룡차처럼 원형 또는 반원형으로 말아 건조한 것으로 유념한 후 말았다 풀었다를 반복하면서 건조과정을 동시에 진행하고 마지막으로 둥글게 말아 완성하는 방식이다.

지금 중국에서는 산화도를 점점 약하게 하는 추세로 가고 대만에서는 점점 진하게 만들어 향과 맛을 깊게 하는 추세이다.

현재의 제다법은 조금씩 기계화하는 추세로 중국에서 생산되는 오룡차는 연한 녹색을 띠는데 먼저 잎을 시들게 한 다음 커다란 천으로 감싸 특수한 기계로 굴리고 감싼 천을 풀어 잎을 펼쳐놓고 잠시 산화시킨다. 이 과정은 산화가 15~30% 정도 될 때까지 반복하며 완성된 찻잎의 수분함량은 2~3% 정도로 한다.

대만에서는 채엽하여 잎을 시들게 한 후 대나무바구니에 담아서 흔들거나 기계에 넣고 회전시켜 찻잎에 상처를 내어 60% 정도의 산화가 이루어지게 한다.

청차는 소엽종보다는 중엽종을 선호한다.

### 1) 긴막대기형 청차 제다법

채엽(採葉)-위조(萎凋)-정치(靜置)-요청(搖靑)-살청(殺靑)-유념(揉捻)-건조(乾燥)

### 2) 원형이나 반원형청차 제다법

채엽(採葉)-위조(萎凋)-정치(靜置)-요청(搖靑)-살청(殺靑)-유념(揉捻)-포유(包揉)-단유(團揉)-해괴(解塊)-건조(乾燥)

## (2) 청차의 분류

청차는 오룡품종으로 만들어진 것을 오룡차, 철관음품종으로 만들어진 것을 철관음차, 황금계(黃金桂)품종으로 만들어진 것을 황금계차, 수선품종으로 만들어진 것을 수선차라고 한다.

그 밖에 녹차의 산뜻함이 있는 포종차, 홍차와 비슷한 향의 동방미인이라는 백호오룡, 고산차의 오룡차인 이산오룡, 아리산오룡, 동정오룡, 묵직한 무게를 가진 우이암차 등 청차의 종류는 다양하다.

복건성의 오룡차는 민북과 민남으로 구분하는데 외형상으로 보면 민남에서 나오는 차는 비벼 말아 곱슬곱슬하고 민북의 차는 비벼 말지 않아 구불구불하다.

1) 생산지역에 따른 분류

① **민북청차** : 대홍포, 철나한, 백계관, 수금귀, 수선, 육계, 백서향, 과금자, 정태
   양, 구룡주 등

② **민남청차** : 철관음, 본산, 황금계, 모계, 연지오룡, 기란, 모후

③ **대만청차** : 청심오룡, 이산오룡, 아리산오룡, 동정오룡, 백호오룡, 문산포종차

④ **광동청차** : 봉황수선, 조안대오엽, 영두단총

2) 품종에 따른 분류

철관음, 황금계, 대홍포, 수선, 육계, 오룡 등

3) 제다방법에 따른 분류

포종차, 단총(單叢) 등(한차나무에서 채엽한 찻잎만 사용한다. 봉황단총)

### (3) 청차의 효능

오룡차는 식후에 소화를 돕기 위해 마셔왔다. 중국과 한국의 연구소에서 실험을 통
해 밝히고 있는 효능을 보면 오룡차는 혈지방을 분해하고 콜레스테롤수치를 낮추는 작
용이 비교적 강하고 고혈압에도 효과가 있어 심혈관질환에 효과가 좋다고 하며 충치예
방에 효과가 있고 돌연변이물질의 체내활성화 대사과정을 억제하는 효과가 있어 각종
성인병과 항암효과가 있으며 여러 가지 차 중에서 오룡차가 폴리페놀의 항산화효과가
가장 강하다는 연구결과도 있어 노화예방에 좋다. 또한 에너지대사를 촉진하여 지방을
연소해 다이어트에 효과가 있으며 혈당을 낮춰주는 효과가 있어 당뇨에도 효과가 있다.
카페인은 집중력을 향상시키고 정신을 맑게 하며 치매를 유발하는 아세틸콜린 에스테
라제라는 성분이 활성화하는 것을 억제하는 작용이 있어 치매예방에 효과가 있으며 콜
라겐을 분해하는 물질을 파괴시키는 기능이 있어 피부미용에도 도움이 된다.

## (4) 청차 마시는 법

① 오룡차는 찻주전자의 1/3 정도 비교적 많은 차를 넣고 80℃ 정도로 끓인 물을 넘
  치도록 부어 일부 물을 버린다.

② 뜨거운 물을 채우고 1분 정도 우려 잔에 따라 마신다.

③ 오룡차는 8번까지 뜨거운 물을 부어 우려 마신다.

## (5) 청자의 음용 시 주의사항

황차와 같다.

## (6) 대표적인 청차

### 🌷 안계 철관음

오래된 중국 차 중 하나로 복건성의 안계 지방에서
생산되는 차를 "안계철관음"이라 한다. 철관음은 어
린싹이 아닌 다 자란 잎으로 만들며 찻잎의 가운데는
푸르고 가장자리는 붉은색을 띤다. 찻물은 등황색이
고 향기가 오래가며 여러 번 우려내도 맛과 향이 그대
로이며 단맛이 강하고 입안에 퍼지는 과일 풍미가 오래도록 남는 특성이 있다. 다 자란
잎으로 만들어 찻잎이 두껍다.

찻잎은 4번 채취하는데 봄에 따면 춘차, 여름에는 하차, 더울 때 따면 서차, 가을에 따
면 추차로 분류한다. 춘차를 최상품으로 여기고 추차는 향이 강해서 "추향차"라고도 한다.

철관음은 다 자란 잎으로 제다법은 햇빛에 시들려서 비비고 하룻밤 발효과정을 거
쳐 덖고 비벼 홍건한다.

### 🌷 동정 오룡차

타이완에서 처음 생산한 차 종류가 바로 오룡, 즉 오룡차다. 대만에서 차를 처음 생

산한 것은 청나라 시절로 1800년경으로 추정한다. 처음 제다법과 재배기술은 중국 복건성에서 이주한 사람들에 의해서다. 오룡차로 유명한 복건성에서 이주한 사람들이 만들어 품질이 매우 우수하다. 차통만 열어도 진한 꽃향기가 풍겨 나올 정도로 향이 강렬하고 우려낸 차는 계수나무 꽃내음이 난다고 하며 맛은 달고 부드러우며 입안 곳곳에 진하고 그윽한 향이 오래 남는다.

차를 우려내면 찻물은 밝은 황금색을 띠며 우려내고 남은 잎은 가운데가 진한 녹색이고 가장자리는 붉은 오룡차의 특색을 보인다.

가장 좋은 동정오룡차는 일창이기로 만들며 대만은 기후가 온화하여 12~2월을 제외하면 일 년 내내 찻잎 생산이 가능하다. 일반적으로 춘차는 3월 하순에서 5월 하순까지 채취하며 하차는 5~8월 하순까지, 추차는 8~9월 하순까지고 동차는 10~11월 하순까지 나는 것을 말한다. 제다방법은 찻잎을 따서 널어 시들면 흔들어주며 발효시키고 살청하여 비비고 건조하여 완성한다.

## 🌸 우이 암차(대홍포)

우이산은 중국에서 가장 잘 알려진 명산이자 유네스코 세계자연유산으로도 지정된 이름난 관광지다. 아름다운 이 산기슭에서 나는 모든 차를 우이 암차라 부른다. 대표적인 우이암차는 대홍포, 철라한, 백계관, 수금귀는 4대 암차라고 한다. 그중에서도 대홍포가 가장 비싸고 최상품이다. 대홍포는 무이산 협곡 바위틈에서 흘러나오는 샘물이 차나무에 흡수되어 깨끗하고 향이 깊다. 지금은 4그루밖에 남아 있지 않다고 한다. 따라서 지금은 대홍포 차나무의 종자를 주변에 뿌려 나온 차나무에서 찻잎을 따는데 이름을 소홍포라고 부른다. 또한 이곳의 차나무는 같은 품종의 차나무가 아니고 섞여 있다고 하며 학자들의 대홍포에 대한 정의도 서로 다르다. 대홍포라고 부르는 품종은 대개 육계, 수선, 매점 등을 말했는데 지금은 이곳 대부분의 차를 우이산 대홍포라고 부른다.

녹색이 반짝이는 자줏빛의 붉은 잎을 간직하는 차나무로 봄마다 붉게 물든 나무로 변한다. 이 모습이 붉은 도포를 쓴 것 같다 해서 대홍포라는 명칭이 붙었다는 설이 있다.

그 밖에 우이 암차로는 차나무의 품종만 수백 가지가 넘는다고 한다.

## 🌸 동방미인

동방미인은 타이완의 대표적인 오룡차로 원래는 복건성 우이산에서 재배했던 백호오룡차였는데 대만의 신죽현으로 건너가 재배에 성공하여 세계적으로 유명하게 되었다. 동방미인은 대만 신죽현의 아미(峨眉)와 북포 지역에서 주로 생산되며 대부분의 차가 봄에 난 싹으로 만드는 것을 으뜸으로 치는 것과 달리 동방미인은 여름 찻잎을 이용한다. 소만(小滿)부터 생산하나 망종을 전후로 채엽한 것을 최고로 여긴다. 찻잎은 붉은색, 녹색, 황색, 흰색, 갈색을 골고루 띠며 맛은 홍차 같고 향은 오룡차 같다. 차에서 숙성된 과일이나 꿀 향이 나며 부드럽고 진한 맛이 특징이다. 동방미인의 특징은 부진자 또는 소녹엽선이라는 벌레의 피해를 입은 찻잎을 사용한다는 것이다. 이 벌레가 즙을 빨아 먹은 찻잎은 끝이 누렇게 변하며 오그라드는데 동방미인은 이 같은 충해를 입은 차나무의 잎을 따서 제다한다. 찻잎의 색상이 짙고 육질이 두터운 것이 좋다고 한다.

동방미인이라는 이름은 영국 차상이 빅토리아 여왕에게 이 차를 바쳤는데 형형색색의 아름다운 색과 진한 향 그리고 달콤한 맛에 감탄하여 동방의 아름다운 섬에서 온 차라고 하여 동방미인이라는 이름을 하사했다고 한다. 그전에는 대만에서 "허풍을 떨다"라는 의미로 팽풍차 또는 병풍차라고 불렀는데 중국에서는 가는 흰 털이 달린 찻잎을 백호라고 부르기 때문에 백호오룡차라고 부른다. 동방미인은 발효도가 비교적 높은 차로 오룡차 중에서는 홍차에 가장 가깝다. 따라서 우릴 때 비교적 높은 온도의 물로 우린다. (자사호를 이용해 90℃에서 1분 정도)

## 5. 홍차

홍차는 여러 가지 설이 있으나 중국 복건성 우이산 통무촌에서 처음 만든 정산소종에서 유래된 것이 가장 유력하다. 유럽의 무역선들은 복건성 지방에 정박해 차를 실어 갔으며 차도둑으로 유명한 로버트 포춘도 우이산에 와서 차와 차나무, 차기술을 가진 농민들을 데려갔다.  또한 당시 우이산에서는 반산화발효차가 생산되고 있었으며 반산화발효차를 만드는 과정에서 청나라 병사들이 명나라 병사들을 소탕하기 위해 우이산에 들어와 주둔하는 바람에 창고에 쌓아두었던 차를 건조하지 못해 너무 많이 산화되어 차농들은 빨리 건조하려고 소나무로 불을 때서 정산소종이 탄생되었다고 하는 것이 신빙성이 있다. 당시 싼값에 팔던 것을 영국인들의 입맛에 맞아 인기를 얻어 영국으로 수출하게 되었다. 그 후 영국에서 서민들까지 차를 마시자 많은 수요를 충당하기 위해 당시 식민지였던 인도, 스리랑카 등지에서 차나무를 재배해서 홍차를 만들었으며 그 문화가 유럽, 아프리카, 중동, 인도 등지로 퍼져 나갔다.

홍차는 산화발효가 85% 이상인 완전발효차를 말하며 찻잎 폴리페놀의 산화 정도가 가장 높아 떫은맛이 강하고 색은 등홍색에 가깝다. 소엽종 홍차는 비교적 맛이 순하고 부드럽지만 대엽종으로 만든 홍차는 차 맛이 진하고 향이 농후하여 우유나 설탕을 넣어 마시기에 적합하다. 인도의 마살라차이나 영국의 밀크티가 여기에 해당된다.

서양에서 좋아하는 차로 완성된 찻잎의 색이 검다고 하여 "블랙티"라 하고 중국에서는 찻물이 붉다고 하여 "홍차"라고 부른다. 이유는 영국의 물은 경수로 영국물로 끓이면 더 검은색에 가깝다고 한다. 세계적으로 가장 많이 소비되고 있으며 발효과정을 거쳐 완성되므로 녹차에 비해 오래 보관이 가능하다. 세계 30여 개국에서 생산되고 있으며 그중에서도 인도, 스리랑카, 아프리카, 남미 등 열대, 아열대 지역을 중심으로 생산한다. 홍차를 만드는 찻잎은 주로 아삼종 차나무에서 채취한 잎을 사용하는데 아삼종은 찻잎이 크고 산화효소를 많이 함유하고 있어 홍삼을 만들기에 적합한 품종으로 생산량 또한 많아 대량생산하기에도 적합한 품종이다.

## (1) 홍차의 제다법

홍차는 녹차에 비해 살청과정이 없고 산화발효과정이 있다. 찻잎을 채취하여 그늘에서 위조과정을 거쳐 수분의 50%를 제거한다. 그리고 유념작업을 하고 찻잎을 잘라서 찢어 다진 상태로 만들어 흔들어서 풀어 산화과정으로 넘어간다. 산화는 온도 25℃에, 습도 90% 정도로 맞추고 빨갛게 산화 발효시킨다. 발효가 끝나면 건조시켜 완성한다. 가공방식에는 두 가지가 있는데 오서독스방식과 CTC방식이다. 오서독스방식은 수작업으로 하는 방식이고 CTC방식은 CTC기계로 하는 방식을 말한다.

채엽-위조-유념-산화-건조

1) 홍차 제다의 특징

① 홍차의 위조는 기본이 16시간이다. 옛날에는 햇볕 아래서 했지만 지금은 대량생산을 위해 습도, 온도, 공기순환을 조절할 수 있는 시설이 되어 있는 실내에서 한다. 바닥이 망으로 되어 있는 위조대를 만들어 바람이 위아래로 통하게 하여 뒤집을 필요 없이 16~18시간 시들게 한다.

② 위조과정에서 생화학적 변화를 촉발시켜 풀냄새가 날아가고 꽃향과 과일향이 나기 시작한다. 즉 세포조직의 호흡작용에 의해 풋냄새는 날아가고 다당류가 감소하고 엽록소가 분해되며 아미노산, 카페인, 유기산 등이 증가한다.

③ 유념을 통해 효소의 산화와 화학변화를 가속시킨다.

④ 유념을 마친 차를 쌓아두면 카테킨을 비롯한 여러 성분들이 화학변화를 일으키며 산화 발효된다.

⑤ 건조에는 정산소종을 건조하는 훈배(熏焙), 무이암차의 탄배(炭焙), 홍건(烘乾) 등의 방식이 있다.

## (2) 홍차의 분류

① **공부홍차** : 복건성의 정화공부, 백림공부, 강서성의 령홍, 호북성의 의홍, 절강성 의 절홍, 사천성의 천홍, 호남성의 상홍, 귀주성의 검홍, 강소성의 소홍, 광동성의 영홍, 운남성의 전홍, 안휘성의 기홍 등이 있다.

② **소종홍차** : 우이산의 통목관에서 나오는 홍차로 소나무로 훈배하여 만든 차로 "금준미"가 고급 차에 해당된다.

③ **홍쇄차** : CTC방식과 비슷하지만 향미가 다르다. 위조과정을 거쳐 만든다.

④ **CTC홍차** : 위조과정을 하지 않고 만든다. 카테킨 함량이 많아 떫은맛이 강하다. 티백용으로 많이 만든다.

⑤ **스트레이트 티** : 다른 것을 섞지 않고 마시는 순수한 홍차를 말한다.

⑥ **블렌드 티** : 여러 가지 차를 섞어 다양한 맛과 향을 즐기는 홍차다.

⑦ **플레이버리 티** : 홍차를 만드는 과정에서 여러 가지 과일향이나 꽃향을 첨가한 차다.

그 외에 산지에 따라 분류하는 방식으로는 중국의 안후이성에서 생산되는 기문(祁門), 인도 다르질링, 스리랑카의 우바홍차가 세계 3대 홍차로 유명세를 타고 있다.

① **인도** : 다르질링, 아삼, 닐기리

② **스리랑카** : 누와라엘리야, 우다푸셀라와, 딤불라, 우바, 캔디, 후루나, 사바라가 무와

③ **중국** : 기문홍차, 사천 임페리얼홍차

④ **그 외 지역** : 자바, 케냐 등이 있다.

## (3) 좋은 홍차 감별법

홍차 감별법에는 두 가지가 있는데 하나는 금권(金圈 · 금테)으로 찻잔 벽에 금테가 둘러진 모양이 나타나는 것이고, 다른 하나는 차가 식었을 때 혼탁해지는 현상으로 가열하면 없어진다. 이런 현상이 나타나는 차가 고급홍차다.

## (4) 홍차 응용

① **따뜻한 홍차** : 뜨거운 물로 주전자를 데워놓는다. 데워진 찻주전자에 홍차를 분량만큼 넣는다. 끓는 물을 주전자에 붓고 홍차가 물 위로 뜨면 뚜껑을 덮는다. 3분 정도 지나면 스트레이너를 올리고 찻잔에 차를 따른다.

② **아이스티** : 홍차를 10~15분 동안 우려낸다. 스트레이너로 거른다. 큰 유리그릇에 얼음을 8부 정도로 담고 홍차를 붓는다. 단시간에 식힌 홍차를 다른 그릇에 담는다. 컵에 얼음을 넣고 홍차를 따른다. 레몬즙을 짜서 약간 넣어 먹으면 레몬향이 있어 더 맛있다.

　* **크림다운현상** : 아이스티를 만들 때 색이 탁해지는 현상을 말한다. 이 현상은 홍차의 카테킨성분이 결정화되면서 나타나며 뜨거운 물을 부으면 없어지는 것을 볼 수 있다. 이런 현상을 피하려면 단시간에 식혀야 하는데 홍차를 다른 용기에 옮겨 얼음 속에 넣어서 식히는 방법이 있다. 이 방법을 두 번 담기방법이라고 하며 또 다른 방법으로는 다소 적은 양의 홍차를 넣고 서서히 우려야 한다. 또한 카테킨 함량이 적은 스리랑카 캔디, 인도네시아, 케냐산 홍차를 쓰는 것도 한 방법이다.

## (5) 홍차의 효능

　홍차는 녹차에 비해 카페인이 많이 들어 있어 정신을 맑게 하는 작용과 이뇨작용이 녹차에 비해 강하고 성질도 녹차에 비해 따뜻하다. 따라서 소화기가 차고 약한 사람은 녹차보다는 홍차가 더 적합하다.

　홍차는 산화발효과정에서 폴리페놀(엽록소, 카테킨)이 파괴되어 테아플라빈과 테아루비딘(타닌)성분으로 바뀌게 되고 비타민 함량은 줄어든다. 산화를 많이 할수록 테아루비딘성분이 많아지는데 이 성분이 혈액 중의 콜레스테롤함량을 줄여 동맥경화, 중풍 등을 예방하고 노화예방에 좋으며 설사를 멈추게 하고 유행성 감기예방에도 효과가 있다. 살균작용이 있고 입안 냄새를 제거하며 충치를 막고 신진대사를 촉진시킨다. 따라서 비만인 사람이나 스트레스를 많이 받는 사람들이 마시면 좋고 과민성비염, 기관지천식 등에도 도움이 된다.

### (6) 홍차 음용 시 주의사항

① 공복 시나 임신부, 몸이 허약하고 찬 사람, 알레르기 체질인 사람은 주의해야 한다.

② 불면증, 신경쇠약, 심, 신장기능 저하, 고혈압이 있는 사람은 너무 진하게 타서 먹으면 좋지 않다.

③ 우린 지 하루가 지났거나 차게 식은 차는 마시지 않는 것이 좋다.

### (7) 대표적인 홍차

#### 🌷 정산소종

중국 복건성 우이산에서 만든 것으로 소나무의 그을음 향이 가미된 차다. 우연히 만들어졌다고 하는데 그 유래는 신선한 찻잎을 보관해 놓은 창고에 군인들이 들어와 야영하는 바람에 제때에 가공하지 못해 찻잎에서 냄새가 나 그전 방식대로 가공해서는 시장에 내다팔 수 없게 되었다. 따라서 건조시간을 줄이기 위해 소나무로 불을 지펴 건조했는데 찻잎에 소나무향이 착향되어 독특한 차가 되어 유명해졌다고 한다.

떫은맛이 적고 단맛이 있어 마시기 순한 홍차지만 소나무향이 강하게 나서 정로환이라는 별명도 있다. 영국에서는 우유와 블렌딩하여 먹기도 하고 훈제연어나 체더치즈와 함께 먹기도 한다.

#### 🌷 기문 홍차

기문 홍차는 중국인들이 기문이라고 줄여서 부르는데 안후이성의 기문에서 나는 독특한 홍차다. 기문 홍차는 향기가 오래 지속되고 장미향이 나며 신선한 단맛이 난다. 외관은 끝이 뾰족하고 가는 모양으로 우린 찻물은 매우 붉으면서 맑다.

제다과정은 차를 4월에서 9월까지 따는데 일창일기와 일창이기의 찻잎으로 만든다. 일창일기로 만든 차가 20% 정도 되고 일창이기로 만든 차가 50% 이상이다. 어린잎으로 만들며 시들게 해서 비벼 발효시켜 건조한다.

## 아삼티, 다르질링티, 실론티

영국의 해군 브루스형제에 의해 1825년 인도 아삼 지역에서 최초로 재배에 성공하게 된다. 중국에서 차나무를 가져다 심었지만 실패하고 아삼 지역의 아삼종 야생차나무를 심어 성공하자 중국의 홍차 제다법을 이용하여 홍차를 만들어 1839년 영국에서 판매하기 시작했다. 아삼티 성공으로 대량생산이 가능해져 유럽에서 중국에 의존하지 않고 홍차를 얻게 된다. 당시 식민지였던 인도 총독으로 갔던 윌리엄은 다업위원회를 설립하고 차 재배기술, 제다법 등을 연구하게 하고 중국차 도입을 시도하였지만 번번이 실패하여 로버트 포춘을 스파이로 파견한다. 그는 중국의 차종자, 묘목, 차재배 농민 등을 데리고 인도로 가서 인도의 여러 다원에 심었는데 오직 다르질링에서만 성공한다. 그래서 인도에서 중국종 홍차 다르질링이 탄생하게 된다. 또 영국은 당시 식민지였던 스리랑카의 커피농장에 커피녹병이 유행하자 아삼종 차나무를 심고 홍차를 제다하여 실론티라고 불렀다.

### 🌿 다르질링홍차

다르질링홍차는 인도의 다르질링 지방에서 생산되는 홍차로 영국의 캠벨 박사가 재배에 성공했는데 중국의 차종을 가져다 재배했다. 다르질링차는 아삼차에 비해 찻물의 색이 엷고 밝아 오렌지색을 띠며 포도향이 난다. 히말라야산의 고산지대에서 재배되는 차로 수확시기에 따라 향미가 다르며 생산량이 많지 않아 가격이 비싼 편이지만 홍차를 좋아하지 않는 사람들도 무난히 마실 수 있는 부드러운 차다.

### 🌸 아삼홍차

아삼종 차나무는 인도 아삼 지역에서 나는 차를 말하며 영국군에 의해 우연히 발견되었다고 한다. 인도 차 생산의 절반을 차지할 정도로 많은 차를 생산하고 있으며 향미가 강하고 대량생산할 수 있어 가격이 저렴하여 유럽인들이 가장 흔하게 마시는 차이기도 하다.

아삼홍차는 찻물이 진한 붉은색을 띠며 향이 강하게 나는 특징이 있어 우유나 설탕을 넣고 마시기에 적합하다.

### 🌸 실론홍차

실론은 스리랑카의 옛이름으로 지금도 실론티라는 이름으로 불린다. 스리랑카에서는 산지 산의 높이에 따라 차를 구분하고 있다. 차종도 처음에는 아삼종으로 재배에 성공하였지만 지금은 중국종도 함께 재배하고 있으며 각 다원과 산지별로 블렌딩하여 각자 독특한 향미를 가진 차를 생산한다.

## 6. 흑차

흑차는 일반적으로 후발효차라고 분류하는데 찻물이 진한 등황색으로 검게 보이기 때문에 흑차라고 한다. 지금은 과학문명의 발달로 인해 여러 가지 제다법이 개발되어 다양한 형태의 차가 생산되고 있지만 문헌에 보면 초기에 차를 마시기 시작할 때는 떡차 형태로 만들어 마셨음을 알 수 있다. 차의 초기형태가 떡차 형태로 만들어졌기 때문에 알게 모르게 나중에 산화 발효되어 흑차가 되었을 것으로 추측한다. 그러면 옛날에는 중국의 여러 지역에서 흑차를 만들었을 것으로 추측할 수 있으며 지금까지 알려진 흑차도 여러 종류가 있다.

지금은 중국 운남성에서 나는 보이차가 유명해져 흑차의 대명사가 되었다.

보이숙차의 경우 빨리 마셔야 하는 현대생활의 필요성에 의해 만들어진 차로 현대에 와서는 보이차의 대명사로 불리지만 후발효차라 부르기는 애매한 면이 있다.

## (1) 흑차의 분류

### 🌸 사천의 변차(邊茶)

사천의 야안(雅安) 지방에서 많이 생산되며 강전차(康磚茶), 금첨차(金尖茶), 방포차(方包茶), 원포차(園包茶)가 있으며 옛날에는 차마고도를 통해 무역이 활발할 때 변방에서 소비되는 차라고 해서 변소차라고도 불렸다.

### 🌸 호남 긴압차

천냥차가 유명하며 차의 무게가 천냥 즉 37.6kg에 달해 옛날 측정방식으로 천 냥이 나간다고 해서 천냥차라 했다. 그 외에 상첨차(湘尖茶), 복전차(茯磚茶), 화전차(花磚茶), 흑전차(黑磚茶) 등이 있다.

* **천냥차** : 지금의 장가계 부근에 있는 호남성 안화현에서 만든 차로 일명 화권차(花卷茶)라고도 불렸으며 1,000냥(36.25kg)의 무게가 나간다고 해서 천냥차라 부른다. 원주형으로 차를 만들어 대나무잎이나 종려나무잎으로 싸고 다시 겉에 대나무 자리로 싸서 튼튼하게 두루마기처럼 엮어 포장한다. 천냥차는 옛날부터 생산되어 왔지만 중국정부 수립 이후에는 1952년부터 호남성 안화현 백사계(白沙溪) 차창에서 1958년까지 주로 생산하였다고 하며 만들기가 너무 힘들고 운반하기도 어려우며 생산량이 적어 점차 변형되어 전차 모양으로 바뀌게 된다. 이때부터 천냥차를 대신하여 화전차(花磚茶)가 만들어진다.

청나라시대에는 내몽골 지역이나 티베트, 신장 등 황토고원지방의 유목민들에게 인기가 있었다고 하며 그들은 천냥차에 우유와 소금을 넣은 수유차를 만들어 먹었다.

청나라 말기에 와서 40년간 생산이 중단된 후로 떡처럼 전차형태로 만들고 크기를 줄여 운반하기 편리하게 만들었다.

주로 호남성, 광서성 묘족들이 만들었으며 모차를 쪄낸 다음 크게 압축하여 만든다.

천냥차는 보이차와 다르게 단오 전에 딴 소엽종의 아주 어린잎으로 만들어 밀도가 높고 향기는 맑으며 맛은 진하고 달다. 오래된 차일수록 향미가 부드럽고 좋으며 옛말에 의하면 천냥차는 입속으로 들어가면 체내에 축적되어 서서히 전신으로 확산되고 오장육부를 적시며 나중에 뇌로 전달되어 긴장이 풀어지고 머리를 맑게 한다. 피로할 때나 잠자기 전에 마셔도 잠이 잘 온다고 한다.

안화현은 교통이 불편하고 오지이기 때문에 인건비가 저렴하여 천냥차의 가격이 높지 않았으나 지금은 도로가 포장되고 이양에서 2시간 거리로 내방객이 많아지고 국가 장려정책으로 옛날 방식으로 생산하여 그 명성이 더욱 높아지고 있다고 한다.

### 🌱 호북의 노청차(老靑茶)

노청차는 초루차(炒簍茶)라고 부르며 살청을 마친 차를 유념하지 않고 파쇄하여 2.5kg씩 소쿠리에 담아 유통한다. 그 외에 청전차(靑磚茶)가 있다.

### 🌱 광서의 흑차

광서의 창우씨엔(蒼梧縣) 류바오샹(六堡鄉)에서 생산하는 육보차(六堡茶)는 긴압하지 않고 산차형태로 유통한다.

### 🌱 운남의 흑차

보이차, 타차(沱茶), 칠자병차(七子餠茶), 고타차(菇沱茶) 등이 있다.

### (2) 보이차

보이차란 오래전부터 운남의 소수민족이 마시기 시작했던 후발효차를 말한다. 오래될수록 발효가 많이 되어 맛이 부드러워지고 향이 진하고 깊어지는 장점이 있다. 차사호보다는 전다법으로 끓여 마시면 약효를 더 볼 수 있다. 찻물색이 검다고 하여 흑차로

분류한다. 보이차라는 이름은 명, 청 시기 운남성에서 생산되는 차를 보이현에 모아 운송하면서 그 지역 이름을 붙여 부른 것이다.

보이차는 유구한 역사를 가지고 있다. 서주시대에 처음 만들었으며 서한시대에 본격적으로 생산하기 시작하였고 당, 송대에 무역이 시작되었다. 명나라 때부터 유명해지기 시작하여 청대에 와서는 황실에 진상품으로 선정될 만큼 전성기를 누렸다.

운남 지역은 린창강을 중심으로 고차수 군락이 형성되어 있는데 해발이 높고 강수량이 많아 기후가 습하며 산이 경사져 있어 배수가 잘되고 겨울에는 온난하고 여름에는 서늘하여 1년 내내 봄가을과 같은 날씨로 차나무가 자라기 좋은 조건을 가지고 있다.

보이차가 잘 발효되면 찻잎의 쓴맛과 떫은맛이 약해지고 단맛이 늘어나며 향은 진하고 부드럽다. 과거에는 보이생차만을 만들었는데 소수민족들은 여자아이가 태어나면 보이차를 만들어 땅속 깊은 곳에 넣어두었다 시집갈 때 혼수품으로 보내는 풍습이 있다고 한다. 보이생차는 20~30년씩 발효된 후에 먹는 것이 좋다고 한다.

보이차가 완전 산화된 홍차와 다른 점은 홍차는 찻잎이 가지고 있는 산화효소에 의해 산화된 것이고 보이차는 살청과정을 거쳐 산화효소를 파괴시켜 산화를 막고 보이 지방의 공기 중에 있는 미생물들이 들어와 자연발효가 일어나게 한다. 그러므로 많은 시간이 지나면서 천천히 발효가 진행되므로 오래 보관이 가능하고 향과 맛이 더욱 부드러워지며 몸에 유익한 물질들이 생겨난다.

그러나 모든 생활이 빨라진 현대에 와서는 그렇게 오래 기다릴 수 없어서 나온 것이 보이숙차다. 숙차는 습도가 높은 광둥 지방에서 홍콩으로 내다팔기 위해 창고에 보관해 놓은 차가 빨리 발효되어 버린 것을 보고 착안하여 1970년대에 추병량 선생의 주도하에 모차에 미생물을 넣어 인공적으로 발효시킨 후 긴압하여 만들면서 시작되었다.

생차는 발효되지 않아 처음에는 화향, 풀향, 쓴맛, 고삽맛이 강하며 특히 식으면 맛이 없다. 숙차는 인공적으로 미생물을 주입하여 발효시켜 생산되므로 단시간에 먹어도 처음부터 생차의 맛은 없으며 탕색이 진하고 단맛이 많아져 부드러워지면서 맛이 편해진다. 고유의 맛을 느끼기에는 생차가 좋고 편하게 먹기에는 숙차가 좋아 섞어 마시기도 한다.

보이차의 무역은 차마고도에서부터 시작되는데 중국은 말이 필요하였고 채소를 재배할 수 없는 환경의 티베트 등 여러 유목민들은 비타민과 식물에서 섭취할 수밖에 없는 여러 가지 무기질을 보충할 수 있는 가장 좋은 것이 차로 꼭 필요했다. 따라서 자연스럽게 무역이 형성되었으며 말과 차를 거래하기 위해 만들어진 도로를 차마고도라고 하며 거래를 위해 상인들이 모이던 곳을 마방이라고 한다.

### 1) 보이차 제다법

보이차의 세다는 보이생차와 보이숙차로 구분한다. 일반적으로 찻잎을 따서 위조하고 살청과 유념과정을 거쳐 햇빛에 말려 건조시킨다. 찻잎이 마르면 나무나 철로 만든 통에 담아 증기를 쏘이면 부드러워지면서 찻잎이 밀착되어 부피가 줄어든다. 그것을 자루에 담아 넓게 펴서 돌로 눌러 긴압한다. 긴압한 차는 일정한 기간 동안 통풍이 잘되는 서늘한 곳에 두었다가 미생물이 들어와 발효하기 시작하면 어둡고 건조한 곳에 보관하는데 이렇게 만든 것을 보이생차라고 한다.

보이숙차는 쇄건하고 난 후에 악퇴과정을 통해 미생물을 주입하고 습도와 온도를 맞춰 퇴적하여 보관함으로 인해 발효가 빨리 진행되게 만든 것을 말한다.

보이차는 운남에서 나는 대엽종을 사용하며 사천에서는 중엽종을 사용한다.

### 2) 보이차의 제다 특징

① 유념 후 건조한 차를 모차라고 한다.

② 건조할 때 햇볕에 하여 쇄청모차라 하는데 지금은 건조기를 사용한다.

③ 살청은 녹차처럼 완벽하게 하는 것이 아니라 적당히 한다. 일부는 산화된다.

④ 생차는 긴압한 후 보관하는 동안 발효가 일어나기 때문에 후발효차라 한다.

⑤ 숙차는 미생물발효차다. 모차를 쌓아놓고 물을 뿌려 모차의 수분율을 맞추고 잘 섞은 다음 내부의 온도와 습도를 맞추기 위해 짚이나 천으로 덮어둔다. 일주일쯤 지나면 뒤집어 공기가 잘 통하게 하여 호기성 발효가 진행되게 한다. 발효 진

행상태에 따라 4~6회 정도 뒤집기를 더 진행하면서 발효상태가 목표치에 도달하면 완성한다.

현재는 중간쯤 발효시켜 반생반숙상태의 보이차도 생산한다.

## 3) 보이차 분류

### ① 발효에 따른 분류

생차 : 위조-살청-유념-쇄청건조-긴압-재건조-포장

숙차 : 위조-살청-유념-쇄청건조-접종-조수-악퇴-풍간-긴압-재건조-포장

### ② 가공상태에 따른 분류

산차 : 모차형태로 긴압하기 전 상태의 차를 말한다.

긴압차 : 산차를 일정한 모양으로 증기를 쏘여 압력을 가해 만든 차

### ③ 모양에 따른 분류

타차 : 사발을 엎어놓은 듯한 모양 즉 새둥지모양, 버섯모양으로 만든다.

전차 : 사각모양으로 긴압하여 만든다.

병차 : 떡모양으로 둥글게 긴압한 형태로 가장 보편적인 모양이다.

인두차 : 사람 머리모양으로 만든 차로 인두공차라 부르기도 한다.

긴차 : 멀리 보내도 서로 밀착되어 상하지 않도록 초코송이모양으로 단단하게 만든다.

방차 : 운반하기 편하게 정사각형으로 만든다.

단차 : 공모양으로 만든다.

### ④ 재료 혼합에 따른 분류

단주 : 차나무 한 그루에서 채엽한 찻잎으로 만든 차

단총 : 주변 한두 그루에서 채엽한 찻잎으로 만든 차

순료 : 한 지역, 한 시기에 채엽한 찻잎으로 만든 차

병배 : 여러 지역, 다른 시기에 채엽한 찻잎을 블렌딩하여 민든 차

⑤ 환경에 따른 분류

**대지차** : 사람이 차나무를 인공으로 재배하여 채집한 찻잎

**대수차** : 자연에서 자라나는 차나무에서 채집한 찻잎

**고수차** : 대수차 나무가 오래되어 고목이 된 차나무에서 채집한 찻잎

**황산차** : 산에서 아무렇게나 자란 나무에서 채집한 찻잎

## 4) 보이차의 효능

프랑스 파리의 의학원 임상실험 결과에 의하면 보이차는 지방화합물과 콜레스테롤을 낮추는 작용이 있어 비만인 사람에게 효과가 있고 혈관을 확장시키는 작용이 있어 혈압을 낮추며 심률을 낮추고 뇌혈류량을 감소시키는 반응이 있어 고혈압환자나 뇌동맥경화환자에게 유리하다는 결론을 얻었다고 한다.

보이차는 숙성과정에서 타닌이 가수분해하여 갈산을 많이 만들어내는데 녹차의 10배가 된다고 한다. 갈산은 지방분해효소인 리파아제를 감소시키는 작용을 하여 지방이 분해되어 흡수되는 것을 방해하고 또 담즙과 결합하여 지방의 소화작용을 돕고 간으로 재흡수되는 담즙을 배출하는 작용이 있어 콜레스테롤을 낮추어 식후에 마시면 다이어트에 좋은 효과를 낸다.

단 철분흡수도 방해하므로 사람에 따라 용량을 달리해야 한다. 일반적으로 하루 1L 이하로 마시는 것이 좋다고 한다.

보이차는 다른 차에 비해 카페인함량이 적고 멜라토닌 생성으로 불면증이 있는 사람에게도 작용을 덜하며 위를 자극하는 물질이 다른 차에 비해 적고 위를 보호하는 효능이 있으며 카테킨 성분은 심혈관질환에 효과가 있고 항산화작용이 있어 노화를 늦추고 암세포를 억제한다.

그 밖에 보이차에는 유일하게 유산균이 많이 있어 장 활동을 원활하게 하여 변비나 장 건강에 좋고 숙취해소작용도 있다. 따라서 고혈압, 소화불량이 있는 사람, 심혈관질환이 있는 사람, 술을 자주 마시는 사람, 변비가 있는 사람, 고지혈증이 있고 비만인 사람에게 효과가 좋다.

## 5) 보이차 음용 시 주의사항

철분 흡수를 방해하는 작용이 있어 철분 부족으로 빈혈이 있거나 저혈압환자 등은 주의해야 한다.

## 6) 보이차 우리는 법

보이차는 다른 차보다 뜨거운 95℃의 물을 사용한다. 또한 초벌 물은 30초 이하로 우려 버리고 두 번째부터 마시는데 5~7회까지 우려먹을 수 있다. 우리는 시간은 처음은 2분 정도로 하고 우리는 순서에 따라 시간을 늘려나간다.

## 7) 보이차 응용

### 🌸 수유차(酥油茶)

포차, 야크버터티로 서양에 알려진 차로 몽골, 티베트, 히말라야 고산지대 등지에서 유목생활을 하는 사람들이 주로 마시는 차다. 수유차는 수테차이라고도 부르며 유목생활을 하면서 다량의 지방과 소금을 섭취해 체온을 보호하고 에너지원을 얻기 위한 차다. 지금도 라싸 지방에서는 손님이 방문하면 따뜻한 수유차로 접대한다. 수유차는 맛과 향이 매우 진하고 기름지며 버터향과 흙냄새가 나며 톡 쏘는 맛이 난다. 수유차에는 주로 흑차인 보이차를 사용하며 찻잎을 넣고 반나절 정도 끓여 검은색으로 진하게 우러난 농축액을 만들어 소, 낙타, 야크, 양, 당나귀 등의 젖이나 버터, 소금을 넣고 가열하여 마신다.

### 🌸 보이꿀차

당나라시기에 티베트나 서장 사람은 보이차에 양젖이나 야크젖, 소금, 꿀을 타서 먹었다. 보이차에 꿀을 배합하면 영양성분이 더욱 풍부해지고 장의 배독기능이 더욱 강화되며 위장을 보호하는 기능이 더 좋아진다. 단 꿀을 타서 먹을 때는 물이 너무 뜨거우면 꿀의 영양성분이 파괴되므로 차의 온도가 50~60℃ 정도일 때 꿀을 넣어 저어주는 것이 좋다.

### 🌷 보이우유차

보이차에 우유를 섞어 마시는 것으로 차향과 우유향이 결합되어 부드럽고 진한 향을 느낄 수 있으며 시장기가 있는 오후에 마시는 것이 좋다.

### 🌷 국화보이차

보이차와 국화를 3:1의 비율로 섞어 우려 마시는 차로 맛이 깨끗해지며 국화의 청열해독작용과 보이차의 온화함이 조화를 이루며 효능 또한 증가하며 열이 있는 체질의 사람들이 마시면 더욱 좋다.

### 🌷 구기보이차

보이차에 구기자 몇 개를 띄워 마시는 차로 구기자의 효능과 보이차의 효능을 모두 섭취할 수 있으며 서로 상생작용을 하므로 공부하는 학생이나 사무실 근무자, 컴퓨터를 자주 하는 사람에게 적합하다.

### 🌷 레몬보이차

보이차를 우려내어 레몬즙을 첨가하고 설탕을 넣어 달고 신맛을 좋아하는 사람에게 적합한 차로 차게 마실 때 유용하며 건위소식(健胃消食)작용과 생진거서(生津祛暑) 효능이 있다. 더운 여름철 식사 후 소화가 잘 안 될 때 마시면 좋다.

### 🌷 보이화차

보이차에 장미화, 모리화, 계화 등을 넣어 마시는

차로 보이차의 묵은 향과 꽃의 향기가 어우러져 편안한 휴식을 취할 수 있도록 돕고 피부미용에 효과가 있어 여성에게 좋은 차다.

## 7. 기타 차

### 🌸 말차(맛차)

말차는 녹차를 갈아 가루형태로 만드는 차로 선명한 녹색과 차의 성분이 그대로 들어 있으며 케이크나 과자, 음료, 아이스크림, 국수 등 여러 가지 음식에 응용할 수 있는 장점이 있다. 말차의 역사는 천 년이 넘으며 중국 당나라시대로 올라간다. 중국에 유학했던 일본 스님들이 가져가 일본에 전했고 지금은 중국보다 일본사람에게 인기가 높다. 또한 차노유라는 독특한 일본 차문화를 만들었다. 일본다도에서 말차는 연한 우스차와 진한 코이차로 나누고 이보다 낮은 등급은 음식을 만들 때 사용한다. 일본 우지 지역에서 생산되는 말차를 최상품으로 여기며 격식있는 차노유를 할 때 주로 사용한다.

### (1) 만드는 법

찻잎을 수확하기 3주 전쯤 짚으로 만든 덮개를 씌워 태양빛을 가린다. 태양빛이 가려지면 엽록소를 더 많이 만들며 잎이 부드럽다. 잎을 채취하여 증기로 쪄내서 건조시킨다. 건조시킬 때 줄기와 딱딱한 이물질을 제거하고 맷돌에 간다.

### (2) 효능

일반차보다 모든 영양성분이 높다. 차를 마실 때 우리고 난 잎은 대부분 버리지만 말차는 버리지 않고 갈아 만든 것으로 일반차에 비해 녹차가 가진 영양성분을 모두 섭취하므로 그 효능 또한 높다고 봐야 한다. 따라서 스님들이 명상할 때나 학생들이 시험 공부할 때 마시면 집중력 향상에 효과가 좋고 강력한 항산화작용이 있어 노화를 억제하고 기억력을 높여주는 효과가 있다. 또한 피부손상을 억제하여 피부미용에도 도움이 된다.

## (3) 말차 응용

### 1) 말차점다법

① 말차를 찻잔이나 위가 넓은 잔에 1작은술 넣는다.

② 75℃ 정도의 뜨거운 물을 소량 붓고 차선으로 재빨리 저어준다.

③ 액체상태가 되면 나머지 물을 붓고 고운 거품이 나도록 젓는다.

### 2) 말차라테

말차라테는 차의 떫고 쓴맛을 느끼지 못하며 초코우유의 달콤하고 부드러운 맛과 녹차향을 느낄 수 있다.

① 먼저 우유에 초콜릿을 넣고 약한 불에 천천히 끓인다.

② 끓기 시작하면 불을 끈다.

③ 그릇에 말차가루를 넣고 뜨거운 물을 소량 부어 저어준다.

④ ③에 끓인 우유를 붓고 저어 거품이 나면 컵에 따른다.

## 블렌딩차

차를 블렌딩하는 것은 와인처럼 생산지, 생산연도, 채집시기, 채집연도 기후변화, 생산과정 등에 따라 풍미와 품질이 다르기 때문에 고도의 기술이 필요한 작업이다. 숙련된 사람이 여러 가지 차와 꽃, 과일, 향신료들을 블렌드하여 최고의 풍미를 만들어내는 것이며 생산회사를 대표하는 상품이 된다. 또 최근에는 우유나 버터, 술, 레몬, 허브 등을 이용하여 향이 좋은 음료로 개발되어 나온 상품들도 많다.

## 얼그레이

영국 찰스 그레이 백작이 중국 사절단이 보내온 정산소종을 선물받아 마셨는데 무척 좋아하게 되었다. 당시 정산소종은 운송과정에서 향이 많이 없어지고 영국물이 경

수라 홍차를 우려내니 그 향이 순해져서 맛있는 과일 냄새가 났다고 한다. 그 후 홍차에 베르가모 에센스를 착향하여 나온 것을 백작이름을 따서 얼그레이라고 부른다.

### 🌼 모리화차(재스민차)

중국이나 서양에서 가장 인기가 있으며 재스민향이 강한 차다. 아침에 이슬이 없어지기 전에 꽃봉오리를 따서 서늘한 곳에 두면 봉우리가 벌어진다. 꽃이 피고 향기를 풍기기 시작할 때 그 위에 천을 깔고 찻잎을 펼쳐 놓으면 찻잎이 재스민향을 흡수한다. 찻잎을 펼쳐놓았다 다시 포개기를 여러 번 반복하는데 상급홍차인 경우 일곱 번까지 하는데 이를 칠음일제(七窨一提)라 한다. 습기를 없애기 위해 덖기를 한다. 나무상자 안에 꽃과 찻잎을 층층이 쌓아놓고 착향시키는 방법도 있다.

### 🌼 현미녹차

현미차는 현미를 갈라질 때까지 볶아서 녹차와 섞어 먹는 차를 말한다. 일본에서 개발되었는데 가난한 사람들이 비싼 차를 마음대로 마실 수 없어 비교적 가격이 싼 현미를 볶아 섞어서 먹은 것이 그 유래라고 한다. 단맛이 많고 볶은 현미의 구수한 향이 곁들여져 녹차를 싫어하는 사람들도 쉽게 마실 수 있으며 현재는 여러 가지 견과류를 함께 넣어 만들기도 한다.

### 🌼 계화차

복건성 안서의 계화오룡차와 계림의 계화녹차가 유명하다. 녹차, 백차, 청차, 황차 등에 계화의 향을 모리화차처럼 착향하여 만든 차다. 요즘은 가을이면 황금색으로 노랗게 핀 계화꽃을 따서 말려놓고 말린 계화꽃을 찻잎으로 아래쪽을 감싸 말아서 나온 것도 있다. 이렇게 만든 계화차는 찻잎을 유리잔에 넣고 뜨거운 물을 부으면 생화처럼 살아나는 아름다운 모습을 감상하며 풍미를 느낄 수 있다. 떫은맛이 있어 꿀을 타서 마시면 떫은맛이 덜하다.

## 🌱 밀크티

찻잎을 분량보다 많이 넣고 차를 우려낸다. 데운 찻잔에 우유를 20~30ml 정도 넣는다. 스트레이너로 거르면서 차를 찻잔의 9부 정도가 되도록 따른다.

## 🌱 마살라차이

인도생활에서 빼놓을 수 없는 차문화가 마살라차이를 마시는 것이다. 길거리 행상에서부터 포장마차, 식당에 이르기까지 어디를 가나 차이 마시는 사람들을 볼 수 있다.

마살라차이는 만드는 사람의 솜씨에 따라 들어가는 향신료에 따라 다양한 맛을 낸다. 일반적으로 만드는 방법은 절구에 향신료(시나몬, 정향, 팔각, 소두구, 생강 등)를 넣고 빻아서 냄비에 넣고 찻잎을 넣은 후 중불에서 저어가면서 2~3분 정도 볶는다. 향이 올라오면 차이의 40% 정도의 양으로 물을 넣고 불을 세게 한 후 끓으면 불을 줄이고 우유와 설탕을 넣고 2분 정도 약하게 끓인다. 스트레이너를 통해 차이를 주전자에 담는다. 차 컵에 따를 때는 약간 높은 위치에서 따라 거품이 나게 따르면 단맛을 더 느낄 수 있다.

## 🌱 차이라테

차이라테는 차이티블렌드나 티백을 200ml의 끓는 물에 넣고 6분 정도 더 끓인다. 끓이는 동안 우유 200ml에 설탕이나 꿀 2스푼을 넣고 거품기로 거품을 낸다. 거품이 일어난 우유를 차이에 넣고 거품을 올린다. 넛멕가루나 시나몬가루를 위에 뿌려 낸다.

## 🌱 맛차라테

맛차 100ml를 준비하고 우유에 설탕이나 꿀을 2스푼 정도 넣고 차선이나 우유거품기로 우유 200ml를 거품을 내어 맛차에 붓고 맨 위에 거품을 올린 다음 맛차가루를 넣어 완성한다.

## 🌷 버블티

    대만 타이중 지방에서 개발되어 전 세계로 퍼져 나가는 차로 홍차에 우유를 넣고 쫀득한 타피오카펄을 넣거나 과일을 잘라 넣고 흔들어 마신다. 기본적으로 뜨거운 홍차에 타피오카펄과 가당분유나 연유를 넣어 흔들어 마신다. 뜨겁거나 차갑게 만들기도 하고 과일시럽, 향이 들어간 딸기우유, 바나나우유 등을 넣어 만들기도 하며 타피오카펄 대신에 과일을 잘라 넣기도 하는 등 다양하게 만들어 음료로 마신다.

차의 모든 것

제 3 장

대용차

차의 모든 것

제 3 장

# 대용차

찾잎 이외의 재료, 즉 식물의 잎, 줄기, 가지, 껍질, 뿌리, 꽃, 열매 등을 달이거나 우려내어 마시는 차를 말하며 전통적으로 내려오는 전통차를 비롯해 꽃잎을 이용한 화차(花茶), 풀잎을 이용한 초차(草茶), 향이 나는 허브를 이용한 허브차, 한약재를 이용하여 질병을 예방하고 치료하는 약차, 객가인들이 먹는 녹차와 곡물을 섞어 갈아서 만든 뢰차(擂茶), 고정차(苦丁茶), 광동량차(廣東凉茶) 등도 모두 차의 범주에 들어간다.

의학이 발달하지 못한 시대에 서양의 허브차나 동양의 약차는 여러 가지 효능을 가진 자연에서 채취온 약재를 물에 끓이거나 우려내어 약용으로 사용하였는데 질병예방이나 치료, 양생에 많은 도움이 되었다. 서양에서 허브로 만든 차를 티젠이라 부르고 중국이나 우리나라에서는 한방차, 전통차라 불렀으며 현대에 와서는 대용차라 부른다. 이런 차들은 탕의 개념이 더 강하나 재료의 이름 뒤에 차를 붙여 혼용하여 전해내려 왔다.

찾잎을 사용하지 않는 광의의 차는 몇몇을 제외하고는 효능이 있는 대신 카페인이 없는 특징이 있다.

수천 년 동안 내려온 동양의학이나 인도의 아유르베다의학에서 다양한 질병을 치료하는 약으로 사용되어 왔기 때문에 일부는 주의해서 마셔야 한다.

서양의학이 발달되기 전에는 동서양을 가리지 않고 질병을 치료할 때는 허브나 약용식물이 사용되었다. 지금은 질병을 치료할 때는 효과가 빠른 서양약이 좋지만 질병이 아닌 건강 불균형상태나 가벼운 증상에는 차처럼 마실 수 있는 티젠, 즉 한방차를 마시며 건강을 지키는 것도 좋은 방법이다. 약용차를 마실 때는 체질, 계절, 신체환경, 건강상태에 따라 달리 먹어야 효과를 극대화하고 작은 부작용이라도 줄일 수 있다. 이 책에서는 일상생활에서 흔하게 애용하는 차의 효능과 응용방법을 알아보고 질병예방, 보건, 양생에 활용할 수 있는 약차를 선정하여 동양의학이론과 현대 영양학적인 지식을 토대로 단차 또는 배합차를 만들어 건강을 지키는 데 도움이 될 수 있도록 하고자 한다.

# I 허브차

허브는 서양에서 오래전부터 일상생활에서 건강음료나 약용, 향신료, 미용제로 사용해 왔던 것을 총칭하여 말하며 어떤 것은 왕실귀족들이 애용해 오면서 유행을 타기 시작하였으며 차나 커피가 소개되기 전에는 서양에서 즐겨 마셨던 음료를 말한다. 주변에서 나는 식물들의 꽃이나 잎, 줄기, 가지, 뿌리, 씨앗 등을 이용하여 만든 차로 우려내어 마시거나 음식의 향신료로 사용하였다.

의학이 발달하기 전 교회나 수도원에서 민간요법으로 재배되기 시작하였으며 십자군전쟁 후 동양의 생약지식과 결합되어 약용으로 많이 이용되었다.

현대에 와서는 산업의 발달로 인해 생활 속에서 응용하는 여러 가지 방법들이 개발되어 오일, 화장품, 비누, 건강식품, 향수, 사탕 등의 생활용품을 만들고 일부는 허브차로 즐기며 또 식물을 키우는 취미생활로도 많은 인기를 얻고 있다. 최근에는 블렌딩하여 새로운 향미를 즐길 수 있는 여러 가지 방법들이 연구되어 인기를 얻고 있으며 생활 속에서 다양한 방법으로 응용할 수 있다.

## 허브차 끓이기

찻잎이 아닌 차를 끓일 때는 그 식물의 특성을 잘 파악하여 알맞은 방법을 선택해야 한다.

허브티나 프루트티, 루이보스, 마테차 등은 폴리페놀이 함유되어 있지 않아 보통 5분 정도 우려내지만 더 오랜 시간 우려내도 된다.

허브티를 끓일 때 말린 것과 생것은 그 성질이 달라 끓이는 방법도 다르다.

드라이 티는 1작은술을 티포트에 넣고 100℃ 물을 부어 뚜껑을 덮고 2~3분 정도 기다렸다가 티포트를 들고 한두 번 흔들어준 후 1~2분 정도 더 우려 컵에 따라 마신다.

생잎티는 10~15장 정도의 차를 준비하여 물의 온도를 70~80℃로 하여 8분 정도 우린다.

## 1. 꽃으로 만든 허브차

###  라벤더-불면증 해소에 좋고 마음을 편하게 함

라벤더는 꿀풀과에 속하며 "허브의 여왕"이라는 별칭을 갖고 있고 방향성이 강하면서 달콤한 향이 난다. 지중해 연안이 원산지이며 아프리카 북서부의 카나리아제도에서 유럽 남부 그리고 인도에 걸쳐 서식하지만 남미나 세계 곳곳에서 볼 수 있다. 약 25가지 정도가 되며 우리가 많이 알고 있는 보라색의 꽃은 그중 한 종류이고 식용 가능한 꽃은 잉글리시 라벤더다.

라벤더의 어원은 "씻다"라는 의미의 라틴어로 살균작용이 강해 목욕제나 옷장, 이불장의 방충, 방향제 등으로 많이 사용한다. 또한 향이 좋아 향수, 화장품, 입욕제로 사용하기도 하고 스페인이나 포르투갈 등에서는 결혼식에 꽃을 뿌리기도 한다. 고대 로마 사람은 목욕할 때 욕조 속에 라벤더를 넣었으며 말린 꽃을 서랍이나 벽장 등에 넣어 향기가 나도록 했다.

현대에 이르러 영국과 미국에서는 정유를 얻기 위해 라벤더를 많이 재배하고 남부 유럽에서는 꽃을 팔 목적으로 많이 재배하고 있다.

#### 제작 및 음용

말린 라벤더꽃 1작은술(3g)을 다관에 넣고 80℃ 정도의 뜨거운 물 200ml를 붓고 2~3분 정도 우려낸 후 찻물이 보랏빛이 되면 마신다. 2~3회 더 우려내 마셔도 좋다.

#### 효능

라벤더향은 마음을 안정시키고 편안하게 하여 불면증을 해소하고 신경성편두통이나 우울증, 신경쇠약, 어지럼증을 완화시키며 몸에 열이 나는 증상이나 열독으로 인한 부스럼, 종기, 등창 등에 효과가 있다. 그 밖에 해독, 소염, 진통, 살균, 이뇨작용이 있어 감기로 인한 인후염, 기관지염, 근육통, 수족마비, 중풍 등에 도움이 되며 벌레 물린 데도 효과가 있다. 특히 근육을 이완시키는 효과가 좋다.

현대에 와서 라벤더의 진정효과는 과학적인 실험을 통해 증명되고 있다.

### 주의사항

저혈압인 사람이나 임신 초기에는 먹지 않는 것이 좋으며 너무 진하게 해서 마시는 것은 좋지 않다.

## 캐모마일-진정, 불면증 해소, 소화촉진

캐모마일은 국화과에 속하는 식물로 고대 이집트시대부터 허브로 사용되어 왔다. 지중해 지역과 유럽 서남부가 원산지이며 프랑스, 헝가리 등 유럽 각지에서 재배한다. 유럽에서 허브차라고 하면 캐모마일을 가리킬 정도로 유명하며 허브차로서 광범위하게 이용하고 있다. 말린 꽃을 차로 만들어 향기를 즐기며 차로 마신다.

식용허브로는 저면캐모마일을 많이 사용하며 4~5월에 꽃이 피며 꽃이 피는 순서대로 채취하여 통풍이 잘 되는 그늘에서 말린다. 마른 꽃은 밀폐된 용기에 보관하고 차로 마실 때는 5~6송이를 200ml 정도의 끓는 물을 붓고 2~3분 정도 우려 마신다.

사과향이 나는 허브로 그리스인들은 "땅에서 나는 사과"라는 뜻으로 "카말멜론"이라 불렀다고 하며 면역체계를 강화하고 소화를 도우며 신경을 안정시키는 효능이 있다.

얼핏 보면 국화차와 비슷한 캐모마일차는 음용방법 또한 국화차와 비슷하며 캐모마일꽃을 채취하여 말려 마신다.

### 제작 및 음용

꽃을 따서 유리컵에 5~6개를 넣고 80℃ 정도의 뜨거운 물을 부어 5~6분간 우려내어 마신다. 말린 꽃도 같은 방법으로 우려내어 마시며 1~2회 더 우려내어 마신다.

### 효능

긴장을 완화시키고 정신을 안정시키며 면역력을 증강시키는 효능이 있으며 소염진통작용이 있다. 따라서 스트레스로 두통이 있는 사람이나 마음이 불안한 사람, 우울증이 있는 사람에게 효과가 있으며 방향성이 있어 배가 더부룩하고 소화가 안 되는 사람에게도 좋다. 최근에는 중추신경계를 진정시키는 아피게닌이 들어 있다고 하여 활발하게 연구되고 있다. 캐모마일의 차에는 카페인 성분이 들어 있지 않으며 살충작용, 방부작용, 진정작용이 있다.

### 주의사항

자궁을 수축시키고 혈액순환을 활발하게 하므로 임신부는 먹지 않는 것이 좋다.

## 허니부시-피부미용과 노화예방에 좋은 먹는 화장품

남아프리카공화국에서 자생하는 식물로 잎은 바늘처럼 가늘고 긴 모양을 하고 있으며 노란색 꽃을 따서 만든 음료로 단맛이 강하고 꿀과 같이 달콤하고 은은한 향이 나서 허니부시라고 한다. 산악지대의 험준한 절벽이나 산봉우리 바위들 사이에서 자라며 부시먼으로 우리에게 알려져 있는 남아프리카의 코이산족은 오래전부터 감기, 불면증, 배탈 등을 치료하기 위해 마셨다고 한다.

허니부시는 콩과에 속하고 같은 지역에서 나는 루이보스와 비슷하지만 서로 다르며 두 가지를 블렌딩하여 차로 마시기도 한다.

비타민 P, 비타민 C, 칼륨, 칼슘, 마그네슘이 풍부하게 들어 있으며 타닌 함유량은 낮고 카페인은 아예 없다.

달콤한 향기가 나면서 무리지어 피는 꽃의 화려함을 보기 위해 미국 캘리포니아 남부지역 등지에서도 많이 재배하고 있다.

### 제작 및 음용

말린 허니부시 1작은술을 다관에 넣고 뜨거운 물을 부어 1~2분 정도 우려내어 마신다. 최근에는 분말제품, 액상, 알약형태의 제품도 많이 나오고 있다.

### 효능

자외선차단제라는 별명이 붙어 있으며 비타민 P의 일종인 헤스페리딘 성분이 많이 함유되어 자외선으로 인해 손상된 피부를 회복시키고 피부노화를 예방하며 주름개선, 피부를 탄력있게 한다. 혈관을 튼튼하게 하고 혈액의 지방을 낮추고 혈액순환을 도와 현대 성인병을 예방하고 노화를 늦추며 소염작용이 있어 감기로 인한 기관지염 등 호흡기질환에 효과가 있다. 무기질 등이 많아 피로회복에 좋고 면역력을 높이며 갱년기 증상에 좋다.

### 주의사항

알레르기가 있는 사람은 주의해야 하며 하루에 너무 많이 먹으면 복통, 설사를 유발한다.

## 🌷 히비스커스–다이어트와 피부미용에 좋음

아욱목 아욱과 무궁화속에 속하는 식물의 통칭으로 그 종류는 300가지가 넘으며 따뜻한 온대지방과 아열대, 열대 지방에서 자라고 대부분 크고 화려한 꽃이 피어 관상용으로 재배하며 추출물로 화장품을 만드는 데 사용하기도 한다. 식용이나 약용으로 사용하는 종류는 그리 많지 않으며 차로 마시거나 디저트용 재료로 사용한다.

히비스커스의 히비스는 이집트 미를 상징하는 여신의 이름이고 히비스를 닮았다는 이스코와 합성된 말로 아름다운 이집트여신을 닮았다는 뜻에서 유래되었다고 한다. 우리나라에서는 국화로 삼고 있으며 하와이나 타히티에서는 여성이 머리에 장식하는 전통이 있다.

원산지는 중국, 수단, 자메이카 등이나 이집트에서 클레오파트라 등 이집트 파라오들이 즐겨 마셨다고 하는 허브로 서양에서는 "중국장미" 또는 "하와이 히비스커스"라고 부른다.

뜨겁게 또는 차게 마시는데 밝은 분홍색을 띠는 이 음료를 "카르카디"라고 부른다. 관상용은 꽃이 더 붉고 아름답지만 식용으로 하지는 않고 식용으로 사용하는 히비스커스는 채취하여 건조시키면 진한 붉은색을 띤다. 꽃잎을 말려 차로 마시거나 설탕에 졸여 디저트로 먹기도 한다. 자메이카에서는 전통적으로 크리스마스에 마시는 음료로 "하마이카"라고 부른다고 하며 동남아시아에서도 히비스커스 음료를 마신다.

무궁화의 한 종류인 히비스커스 로젤은 미얀마와 필리핀, 베트남 등지에서는 잎과 줄기는 해산물을 요리할 때나 고기와 함께 굽거나 튀겨 먹고 잎은 수프를 만들 때 넣고 꽃은 음식의 신맛을 낼 때 사용하며 음료나 잼 등의 가공식품을 만들 때 식용색소로 이용한다.

### 제작 및 음용

① 말린 꽃 2~3송이를 끓는 물 200ml 정도를 넣고 3~4분간 우려 마신다. 가루를 내어 사용하면 더욱 잘 우러난다. 설탕을 타서 먹기도 한다.

② 이집트와 수단 등지에서는 히비스커스꽃을 빻아서 물에 침전시켜 찻물을 우려내어 마시기도 한다.

③ 서아프리카에서는 히비스커스차에 박하나 생강을 넣어 마신다고 한다.

④ 태국에서는 꽃잎을 설탕에 절여놓았다 차갑게 마시기도 한다고 한다.

⑤ 유럽에서는 히비스커스차에 설탕과 레몬주스 등을 첨가해 마신다.

⑥ 중부 아메리카와 카리브해 등지에서는 히비스커스로 주스를 만들어 마시는데 히비스커스 꽃잎과 생강, 계피, 정향, 설탕, 럼 등을 넣고 끓여 건더기를 걸러내고 즙을 차갑게 식혀 주스로 만든다.

### 효능

비타민 C가 풍부하고 미네랄이 풍부하며 칼로리가 적고 항산화물질이 많으며 카페인이 없다. 혈중콜레스테롤을 낮추고 가르시아나 성분(탄수화물이 지방으로 합성되는 것을 억제)이 있어 다이어트에 좋고 피부미용에 효과가 있다. 또한 구연산이 많이 들어 있어 피로회복이나 숙취해소에 효과가 있으며 이뇨작용이 있어 부기를 뺀다. 항산화물질은 노화예방, 피로회복, 심혈관질환 예방 등에 도움이 될 수 있다.

주의사항

① 임신부나 모유 수유 중인 여성은 섭취하지 말아야 한다. 몇몇 히비스커스 추출물은 동물실험 결과 에스트로겐 등의 호르몬에 영향을 주어 피임효과를 내거나 자궁을 수축시키는 것으로 나타났다.

② 몸이 찬 사람에게는 좋지 않으며 많이 마시면 복통, 설사를 유발할 수도 있다.

③ 저혈압이나 당뇨환자에게도 좋지 않다.

## 마리골드-피부병에 좋음

고대이집트에서부터 피부병 치료제로 널리 쓰인 허브로 동양에서는 "금잔화"라고 부른다.

마리골드는 포트마리골드를 식용으로 사용하는데 노란색 꽃을 피우며 로마시대부터 약으로 사용해 왔으며 "칼렌듈라"라고도 부르는데 유럽에 기독교가 자리 잡기 시작하면서 성모마리아의 이름을 따서 마리골드라고 불렀다. 성모마리아의 금색꽃이라는 뜻이며 만병통치약처럼 사용하였다. 그리스 신화에도 등장한 이 꽃은 지금은 관상용으로 많이 쓰이며 다른 식물과 함께 심으면 병충해를 예방해 준다고 한다.

신선한 꽃잎은 진한 황색 빛깔과 향기가 있어 차로 마시기도 하고 요리에도 사용한다. 또한 말려서 황색 착색료로 이용하기도 하며 치즈, 수프, 쌀 요리 등을 착색할 때 사프란 대용으로 사용한다.

제작 및 음용

말린 마리골드 2~3송이 또는 분쇄한 가루 1큰술을 끓는 물 200ml를 넣고 4~5분간 우려 마신다.

### 효능

간화가 많아 눈이 충혈되고 붓고 아픈 증상을 완화하고 소화기 염증치료에 효과가 있으며 강심작용과 진통, 해독, 방부, 이뇨작용이 있다. 루테인과 카로티노이드는 눈 건강에 효과가 있으며 소염작용이 있어 위염, 궤양 등에 좋고 식욕부진이나 배에 가스가 찬 경우에도 효과가 있다. 또한 외용제로 발진, 수두, 찰과상, 습진 등 피부질환에도 사용하며 햇볕에 탄 피부를 진정시키는 효능이 있고 상처치료에도 쓰이며 입욕제로 사용하기도 한다. 꽃을 모기 기피제로 사용하기도 한다.

### 주의사항

알레르기가 있는 사람이나 임신부는 주의해야 하며 몸이 찬 사람도 많이 먹으면 복통, 설사를 유발할 수 있다.

## 블루멜로-애연가에게 효과가 좋음

블루멜로는 초여름에 피는 말로우꽃을 말하는 것으로 유럽이나 중동에서 재배되며 건조하면 보라색 꽃이 된다. 모나코의 그레이스 켈리 왕비가 좋아했던 허브로 유명하다고 한다.

공기 중의 산소나 레몬, 라임, 탄산 등 산성을 만나면 색이 변하는 게 특징이다. 처음 꽃잎을 우리면 찻물이 파란색으로 우러나오고 거기에 산성을 첨가하면 핑크빛으로 변하는데 이것을 블루멜로 또는 커먼멜로라고 한다. 그리고 검은색 찻물에서 빨간색으로 변하는 블랙멜로도 많이 사용된다. 멜로 속에는 안토시아닌 성분이 있어 산성과 만나면 색이 변하는 것이다.

블루멜로차는 자체의 맛과 향이 거의 없어 차로 즐기기엔 부족하지만 눈으로 보는 즐거움과 레몬의 향을 느끼고 효능을 생각하면서 마시면 그 값어치는 충분하다. 유산균 음료나 블루라테를 만들어 먹기도 한다.

### 제작 및 음용

① 먼저 레몬즙에 설탕을 넣어 레몬청을 만들어놓는다.

② 블루멜로티 2g을 유리주전자에 담고 60~80℃ 정도의 뜨거운 물을 부어 우린다.

③ 유리컵에 얼음을 채우고 우려낸 차를 따른다.

④ 레몬청을 넣어 잘 저어주고 레몬으로 장식한다.

### 효능

천식이나 기관지염 등 호흡기질환에 효과가 있으며 점막을 보호하는 효능이 있어 흡연자들에게 좋은 것으로 알려져 있다. 인후가 부어 있을 때도 효과가 있으며 화장수로 이용할 수도 있으며 여드름이나 피부트러블에 좋고 변비나 꽃가루알레르기에 효과가 있다.

### 주의사항

버터플라이피, 블루멜로는 다른 식물이지만 산성을 만나면 보라색으로 변하는 성질은 같다. 태국, 말레이시아 등지에서 생산되어 사용되고 있지만 우리나라에서는 아직 식품기준 및 규격에 등록되지 않는 제품으로 판매가 금지되어 있다.

## 🌸 엘더플라워 – 감기예방이나 봄철 꽃가루와 미세먼지로 인한 알레르기에 좋음

유럽이 원산지로 영국에 가장 많고 유럽 전역과 아시아, 북아프리카, 북미대륙의 그늘지고 습한 지역에서도 볼 수 있으며 10m까지도 자라는 큰 나무로 유럽에서 약용나무로 유명하다. 이집트시대부터 약용식물로 애용되었다고 한다. 히포크라테스는 "인간의 가장 훌륭한 의사는 자연이고 엘더나무는 자연의 약상자"라는 말을 하였다고 한다.

엘더플라워는 흰색 또는 크림색의 작은 꽃을 말린 허브로 우리나라에서 딱총나무꽃이라고도 부르며 머스캣과 같은 달콤한 향을 풍기며 다관에 우려 마신다.

꽃을 허브로 가장 많이 사용하나 열매도 여러 가지 요리나 약용으로 사용한다고 하며 지금도 유럽에서는 엘더플라워와 엘더베리(열매)를 원료로 한 식품이 사랑받고 있다.

### 제작 및 음용

① 말린 엘더플라워 3~5g을 다관에 넣고 80℃ 정도의 물을 넣고 2~3분간 우려 마신다.

② 진하게 추출해서 탄산수와 섞어 차게 마시기도 하며 블렌딩하여 마시기도 한다.

## 효능

옛날 유럽에서는 엘더플라워에 설탕을 넣어 만든 "엘더플라워코디얼"이라는 음료를 감기약 특히 인후통이나 목감기약으로 사용했다고 한다. 기온차가 심한 환절기 감기예 방과 꽃가루, 미세먼지 등에 의한 알레르기예방에 효과가 있으며 코감기, 코막힘, 기 관지염증에 좋다. 당뇨환자에게 효과가 있으며 화장품원료로 사용할 만큼 피부미용에 효과적이며 발한, 소염, 진정, 해독, 해열, 이뇨작용이 있으며 관절염이나 통풍에도 도 움이 된다.

*참고 : 서양에서 코디얼은 꽃잎에 레몬을 슬라이스하여 넣고 설탕물을 끓여 붓고 병입하 여 10일 정도 숙성하여 유자청처럼 먹는 것을 말함

## 주의사항

엘더플라워의 씨앗은 독성이 있어 사용하면 안 된다.

## 🌷 린덴-마음을 안정시켜 주고 불면증에 좋음

참피나무과에 속하며 나무높이가 20m까지도 자라며 여러 나라에서 가로수로 사용 하고 있다. 유럽이 원산지로 독일어로 "린덴플라워"라고 부르며 영어로는 "라임플라워" 라고 부른다. 유럽에서는 오랫동안 "천 가지 용도를 가진 귀한 나무"로 알려져 있다. 린 덴플라워는 꽃과 잎을 같이 사용하며 꽃 속에는 점액질과 타닌이 풍부하며 달콤하고 상 큼한 향이 나서 프랑스인들이 특히 좋아하는 허브티로 "라임티"라고 한다.

이 나무는 부위에 따라 구분하기도 하는데 꽃봉오리와 어린잎을 채취하여 말려서 허 브로 사용하고 꽃부분이 아닌 나무부분을 린덴우드 또는 라임우드라고 부르며 꽃부분 보다 이뇨작용 및 지방과 노폐물을 분해하는 효능이 강해 다이어트에는 더 좋다고 한다.

## 제작 및 음용

말린 린덴 꽃봉오리 1개를 다관에 넣고 뜨거운 물을 부어 3~4분간 우려 마신다.

### 효능

마음을 안정시키고 불면증에 도움이 되며 스트레스로 인한 두통에 효과가 있으며 심장을 진정시키는 효과가 있어 가슴이 두근거리는 사람에게 좋다. 또한 고혈압이나 동맥경화 등 순환기 질병에 효과가 좋으며 감기나 피로회복에도 좋다. 또한 발한작용과 이뇨작용이 있으며 소화를 촉진시키고 혈압을 낮추는 효능이 있다.

## 🌷 히스-통풍, 미백작용이 좋음

철쭉과 에리카속의 식물로 대부분 남아프리카가 원산지다. 작은 관목이 어우러진 황야를 히스라고 하는데 그중에 철쭉과 에리카속의 꽃들이 많아 거기에 있는 꽃을 히스혹은 히스꽃이라 부르는데 7~10월에 핑크빛 작은 꽃을 피운다. 칼루나 또는 종꽃나무속 등 다른 진달래꽃들과 함께 통칭하여 "헤더"라고 부르기도 하며 종류는 800종이 넘고 지중해 연안과 유럽 북부에 자라는 것도 있으며 북아메리카에 도입된 종도 있다. 오래전부터 유럽에서는 연료, 사료, 염료로 사용해 왔다.

### 제작 및 음용

말린 꽃봉오리 1큰술을 유리컵에 넣고 뜨거운 물을 부어 3~4분간 우려내어 마신다.

### 효능

요산을 배출시키는 작용이 있어 통풍환자나 관절염을 앓는 사람에게 효과가 있고 신부전증, 방광염, 요도염에도 도움이 된다. 또한 피부미용에도 좋은데 미백효과가 있어 기미나 검버섯이 있는 사람에게도 좋다.

## 🌷 에키네시아-감기치료제

우리나라 구절초와 비슷하며 국화과에 속하는 식물로 미국이 원산지고 "자주루드베키아" 또는 "자주천인국"이라고 부르며 꽃과 잎을 말려 허브로 사용하지만 줄기나 뿌리로 오일을 만들어 바르는 약으로 사용한다. 아메리카 인디언들이 감기치료제로 사용해왔으며 독사에 물렸을 때도 약초로 사용했다고 해서 인디언허브라고도 한다.

### 제작 및 음용

말린 에키네시아 1작은술을 다관에 넣고 뜨거운 물을 1컵 부어 3~4분간 우려 마신다.

### 효능

항생작용이 아주 강해 면역계통을 강화시켜 주고 각종 염증을 치료하는 효능이 있어 감기, 기관지염, 인후염, 폐렴 등에 효과가 있고 바이러스나 독소의 침입을 막아주어 피부감염이나 아토피, 상처, 욕창에도 효과가 있으며 항알레르기 효능도 있다.

### 주의사항

임신부나 수유 중인 산모는 주의해야 하며 체질에 따라 알레르기반응도 일어날 수 있다.

## 2. 잎, 줄기로 만든 허브차

### 🌸 마테-다이어트에 좋고 소화기능을 개선시킴

마테차는 녹차, 커피와 함께 세계 3대차라고도 불리며 감탕나무과에 속하는 마테(Mate)는 브라질, 아르헨티나의 국경이 만나는 이구아수폭포 주변에서 재배되며 인산, 칼슘, 철분, 칼륨 등 무기질이 풍부한 식물로 마시는 샐러드라는 별칭까지 있다. 마테의 잎을 따서 볶은 후 수분이 5~6%가 될 때까지 건조시킨 다음 손으로 비벼 가루로 만든 차다.

남미 사람이 마실 때에는 나무, 금속, 플라스틱, 동물뿔 등으로 "구암빠"라는 호리병 모양의 통에 마테차를 넣어 뜨거운 물을 붓고 빨대 끝부분에 거름망이 설치된 "봄빌야"라는 빨대로 빨아 마신다. 마테는 "작은 호박"이라는 의미의 케추아 인디언의 말인 'Mathi'에서 유래하였다고 하는데 이는 마테를 마시는 통을 가리키는 말이다.

지금은 보온병이나 템블러에 담아 다니면서 마시기도 하며 파라과이에서는 여름에 차가운 물을 넣어 마시는데 이것을 "떼레레"라고 부르며 길거리에서도 쉽게 볼 수 있다.

## 제작 및 음용

① 전통적으로 마시는 방법은 구암빠에 1/3 정도의 마테차를 넣고 80℃ 정도의 뜨거운 물을 부어 전용빨대를 꽂고 찻물이 노랗게 되면 마시고 다시 뜨거운 물을 부어 마시는데 이렇게 5~6회 정도 마신다.

② 일반적으로는 1L 정도의 뜨거운 물에 마테차 20~30g 정도를 넣고 우려 마신다. 마테차는 성분이 추출되는 시간이 녹차보다 느리기 때문에 5~6번 우려내도 향을 즐길 수 있다.

③ 그 밖에 저지방 우유와 플레인 요구르트 1~2티스푼에 마테차를 넣어 마시기도 하고 다른 허브차와 블렌딩하여 마시기도 한다.

④ 파라과이처럼 찬물을 부어 오랫동안 우려 시원하게 마시기도 하고 이온음료를 타서 마시기도 한다. 이때는 먼저 마테차를 우려낸 후 이온음료를 섞는다.

## 효능

커피나 차처럼 카페인이 들어 있으며 각종 무기질과 천연비타민, 아미노산 등이 들어 있으며 항산화작용이 강하고 비만치료에도 도움이 된다. 또한 지방분해효과가 있어 다이어트에 좋다고 하며 노화예방, 집중력 향상, 각성작용, 혈압강하 등의 효능이 있다. 그 밖에 소화기능을 개선하는 효능과 피로회복, 입냄새 제거, 변비해소 등의 효능이 있다.

## 주의사항

마테차는 소량의 카페인을 함유하고 있지만 물처럼 하루 1L 이상을 마시는 것은 주의해야 한다. 저녁에는 마시지 않는 것이 좋고 임신부 또한 주의해야 하며 마테차도 너무 오래 우리면 쓴맛이 강하므로 오래 우리지 않고 자주 우려내서 마시는 것이 좋다.

## 🌷 루이보스-심신안정, 피부미용

"붉은 덤불"이라는 뜻을 가지고 있는 루이보스는 남아프리카공화국의 세더버그산맥의 고산지역이 원산지로 현지 아프리카인은 수백 년 동안 루이보스를 마셔왔다.

"레드부시"라고 하는 티젠은 루이보스나무의 잎으로 만든 허브차로 벌꿀향을 넣어 쓴맛을 줄이고 부드러우면서 달콤한 향을 내어 현지인들과 여행객들 사이에서 인기가 있는 음료다.

루이보스차는 레드루이보스와 그린루이보스의 2종류로 나뉜다. 레드루이보스는 완전히 산화시켜 만들고 그린루이보스차는 녹차와 유사하게 산화과정을 거치지 않고 생산한다.

그린루이보스는 마테나 캐모마일과 같이 풀향이 나고 레드루이보스는 홍차와 비슷한 향이 나며 다른 향미와도 잘 어울려 블렌딩 재료로도 많이 이용하고 있다.

또한 목욕제로 사용하기도 하고 우려낸 차를 화장수로 사용하거나 요리할 때도 사용한다.

### 제작 및 음용

① 일반적으로 루이보스잎 2~3g을 80℃ 정도의 끓는 물을 붓고 4~5분 정도 우려내어 마신다. 요즘은 티백으로도 많이 나오며 견과류향과 흙향이 약간 나며 붉은색을 띠기 때문에 우유나 설탕을 넣어 마시기도 한다. 우유를 넣을 경우 약간 진하게 탄다.

② 피부미용에 탁월한 효능이 있다는 로즈루이보스차는 장미꽃과 루이보스를 함께 끓여 만든 아이스티다. 500ml의 끓는 물에 장미꽃차 2스푼, 루이보스잎 1스푼, 바닐라빈을 넣고 5분 정도 우려 식힌 후 얼음을 넣은 컵에 따라 마신다.

## 효능

심신을 안정시키는 효능이 있지만 카페인이 없고 타닌 함유량도 적다. 항산화성분이 많고 구리, 철분, 칼륨, 칼슘, 불소, 아연, 마그네슘 등의 미량원소들이 많이 들어 있고 피부미용에도 좋으며 화장품재료로도 많이 사용한다. 항산화성분이 많아 항암작용이 강하고 아토피, 피부염, 피부가 거칠고 습진이 있는 사람 등 피부미용에도 효과가 좋은 것으로 알려져 있다.

신경이 예민해져 불안하고 불면증이 있거나 두통이 있는 사람에게 효과가 있고 불면증, 위장질환, 변비, 알레르기, 류머티즘, 천식 등에도 도움이 된다.

## 주의사항

부작용은 거의 없으나 과다 복용할 경우 복통 설사 또는 어지럼증이 나타날 수 있으므로 주의해야 한다.

## 🌱 레몬그라스-소화촉진과 우울증 치료

레몬그라스는 억새풀과 비슷한 모양의 풀로 손으로 비비면 레몬향기가 난다고 해서 레몬그라스라고 한다. 주로 태국, 필리핀, 인도네시아 등지에서 많이 생산된다.

동남아에서는 차보다는 똠양꿍, 쌀국수 등의 요리에 향신료로 많이 쓰이고 인도에서는 카레에 넣어 먹는다. 요리에 사용할 때는 하얀 뿌리 쪽 부분을 많이 사용하며 차로 마실 때는 어리고 연한 노란 잎이나 푸른 잎 부분을 많이 사용한다. 레몬의 시트랄성분이 많아 정유해서 약품, 향수, 비누, 린스, 캔디에 사용한다.

레몬그라스는 잎과 줄기 모두 사용하며 생으로 사용하거나 건조하거나 건조한 것을 가루로 만들어 요리에 넣거나 다른 재료와 블렌딩(blending)해 차로 마시기도 한다. 우리나라에서는 2010년부터 전남 해남 지역에서 재배되어 유통되고 있는데 해가 잘 드는 사질토양에서 쉽게 자란다.

## 제작 및 음용

① 레몬그라스 잎을 나무방망이로 두들긴 후 1cm 정도의 크기로 자른다.

② 달군 팬에 넣고 덖은 후에 건조한다.

③ 건조된 잎 5~10g 정도를 물 1L에 넣고 물이 끓으면 1~2분 후에 불을 끈다.

④ 따뜻하게 마시거나 식혀 차게 마신다.

⑤ 티백이나 어린잎으로 잘게 부숴 만든 차는 끓는 물에 4~5분간 우려내어 마신다.

### 효능

청열해독, 소염, 진통, 항균, 항바이러스, 신경안정작용이 있어 감기를 예방하고 소화를 촉진시키며 복통, 설사를 예방하며 변비를 해소시킨다.

향은 기운을 잘 통하게 하여 심신을 안정시키고 우울한 기분을 해소하며 두통이나 빈혈에 좋다. 시트랄성분이 들어 있는 오일은 근육통을 풀어주고 스트레스 해소작용을 한다.

### 🌷 레몬밤-내장지방을 제거하는 다이어트식품

지중해 동부지역과 소아시아가 원산지이며 멜리사라고도 부른다. 프랑스, 독일, 이탈리아, 스페인에서 많이 재배하며 주로 잎을 사용한다.

추위와 습기에 강하고 수시로 수확이 가능하며 우리나라에서도 잘 자란다. 잎에서 상큼하고 청량한 향이 나서 레몬이라는 수식어가 앞에 붙었으나 신맛은 나지 않으며 잎을 샐러드, 수프, 소스에 활용하며 건조한 잎은 허브차로 사용한다. 잎은 통풍이 잘 되는 그늘에서 말려 냉동 보관하는 것이 좋다.

### 제작 및 음용

마른잎 5~6장을 주전자에 넣고 80℃ 정도의 물 200ml 정도를 넣고 1~2분간 우려내어 마신다. 마른잎을 분쇄하여 이용해도 좋으며 너무 뜨거운 물보다는 약간 식혀서 사용하는 것이 좋다.

### 효능

내장지방을 제거하는 다이어트에 좋은 식품으로 진정작용이 있으며 항알레르기, 항우울제, 진경제, 소염, 항균, 항바이러스, 소화력 증진, 변비 등에 효과가 있으며 욕조에 넣고 사용하면 피부미용이나 피부염에 도움이 된다.

### 주의사항

노약자, 어린이, 임신부는 주의해야 하며 일반인도 처음부터 많은 양을 섭취하면 구토나 어지럼증, 울렁거림, 졸림 등의 증상이 나타날 수 있으며 저혈압환자도 주의해야 한다.

## 🌼 레몬버베나-편두통, 생리통, 혈액순환

남미가 원산지이며 18세기 스페인 사람에 의해 유럽에 알려졌으며 영국의 정원에서 키우기 시작하여 유럽대륙으로 퍼져 나갔다고 한다. 비슷한 종류의 허브가 많이 있으나 레몬향이 나는 레몬버베나가 유럽에서 인기가 많으며 연한 핑크빛을 띤 작은 흰색 꽃을 피운다. 잎에서 강한 레몬향이 나며 꽃이 피기 직전에 향이 가장 강해서 이때 잎을 채취하여 말려 보관한다.

시트롤성분이 함유되어 있어 레몬향을 풍기는 향수, 화장품, 에센스오일, 비누, 포푸리, 약품 등으로 광범위하게 사용되며 특히 레몬향을 내는 제품에 가장 많이 이용된다.

레몬향으로 유럽 남부에서는 차나 요리에 많이 활용하며 생잎은 샐러드, 수프에 쓰이고 레몬그라스 대용으로도 쓰인다. 포푸리를 만들어 집안에 걸어두면 미생물번식을 막을 수 있고 스페인에서는 레몬버베나티가 유명하다.

레몬버베나는 한국에서도 잘 자라지만 추위에 약해 겨울에는 실내에서 키워야 한다.

### 제작 및 음용

생잎을 사용할 때는 15~20장 정도를 넣고 80℃의 끓는 물을 부어 3~4분간 우려내어 마신다. 건조한 잎은 1작은술 정도를 넣고 뜨거운 물을 부어 2~3분간 우려내어 마신다. 기호에 따라 꿀이나 설탕을 첨가하여 마시며 냉차로 즐길 때는 허브 아이스큐브를 만들어 먹는다.

### 효능

레몬향이 정신을 맑게 하고 혈액순환을 촉진시키며 편두통, 생리통 등 통증을 완화시키고 소화를 돕는다. 그 외에 식욕을 증진키고 해열, 진정, 진경, 이뇨작용이 있으며 비염이나 천식, 감기증상에 도움이 되고 우울증, 불면증 해소에도 좋으며 피부질환에도 도움이 된다.

### 주의사항

생리촉진작용이 있어 임신부는 주의하여야 한다.

## 🌱 페퍼민트-코막힘, 감기, 소화기능에 좋음

민트는 세계적으로 고르게 분포되어 있으며 유럽과 아시아가 원산지이고 우리나라에서도 잘 자라며 예로부터 약용으로 많이 사용하여 왔다. 고대이집트에서는 소화가 잘 되지 않으면 페퍼민트를 먹었다고 하며 기원전 300년에 만든 이집트의 무덤에서 드라이된 페퍼민트 부케가 발견되기도 하였다.

페퍼민트는 밝은 녹색의 줄기와 잎들을 가진 화이트페퍼민트와 보라빛 줄기와 잎을 가진 블랙페퍼민트가 있다. 민트 속에 들어 있는 멘톨성분은 유기화합물로 피부에 닿거나 먹으면 입안에 청량감을 주어 인후통이나 호흡기 이상에도 사용하였다고 한다.

정유하여 껌, 과자, 치약, 약품 등을 만드는데 우리 생활에서 쉽게 접할 수 있을 만큼 널리 사용되고 있다. 향이 강하고 달콤하며 맛은 약간 매운맛과 함께 상쾌하고 시원하며 방향성이 강하다. 잎과 꽃은 차로 마시기도 하며 향이 강해 후식, 음료, 샐러드를 만들거나 장식용으로 널리 사용하고 있다.

### 제작 및 음용

① 따뜻하게 또는 시원하게 마실 수 있으며 생잎은 5~6장 정도를 찻잔에 넣고 뜨거운 물을 부어 3~5분 정도 우려내어 마신다.

② 마른잎은 3~4장을 손으로 비며 다관에 넣고 3~5분 정도 우려내어 작은 찻잔에 따라 마신다.

③ 차게 마실 때는 따뜻한 물에 우려낸 후 식혀서 냉장고에 보관하거나 얼음을 넣어 마신다.

### 효능

강하고 청량한 향으로 기운을 잘 소통시키고 발산시키는 효능이 있어 감기로 인한 코막힘이나 인후통에 효과가 있고 열을 내리며 기운이 뭉쳐 소통이 잘 안 되는 곳을 잘 소통시키므로 구토증상이나 입덧을 완화시키며 멀미에도 도움이 된다. 또한 강력한 살균작용이 있으며 해열, 강심, 방부, 살균, 진통, 졸음 방지, 흥분작용이 있다.

따라서 청량감과 방향성으로 입냄새를 제거하고 강력한 살균력으로 전염병 확산을 억제하며 향기는 기를 잘 통하게 하고 뭉친 것을 풀어주며 정신을 맑게 하여 집중력을 높여준다.

### 주의사항

각성효과가 강해 늦은 시간에 마시는 것은 좋지 않으며 위장이 좋지 않은 사람이 빈속에 많이 마시는 것도 좋지 않다. 또 임신부도 주의해야 한다.

## 타임(백리향)-감기, 소화촉진, 방부제

유럽 남부, 지중해 지역이 원산지이며 프랑스, 스페인, 그리스, 이탈리아가 주산지로 세계 각지에서 자라며 우리나라에서는 "사향초" 또는 "백리향"이라 부른다. 강한 방향이 있으며 향이 백 리까지 간다고 하여 백리향이라 부른다고 한다. 줄기와 잎을 말려서 뜨거운 물에 우려 차로 마시거나 요리에 사용하는데 생선과 고기 그리고 샐러드나 수프 만들 때 사용한다.

꽃에 꿀이 많아 벌이 많이 찾는 식물이고 방향제나 치약, 비누, 연고 등의 제품을 만들 때 사용하며 방부제의 역할도 한다.

### 제작 및 음용

말린 줄기와 함께 잎을 2줄기 정도 다관에 넣고 뜨거운 물 200ml를 부어 3~5분간 우려내어 마신다. 우릴 때 소량의 감초나 산국의 말린 꽃을 넣고 블렌딩하여 마시기도 한다.

백리향은 호흡기계통에서는 감기를 예방하고 기침을 멈추게 하며 가래를 제거해 준다. 소화기계통에도 좋은 작용을 하는데 소화를 도와주고 기운을 잘 통하게 하며 이뇨작용이 있어 소변을 잘 통하게 한다. 또한 식품의 살균, 방부제 역할을 하며 신경계에 작용하여 마음을 진정시키고 두통이나 불면증 해소에도 효과가 있고 피부미용, 피로회복에도 도움이 된다.

### 주의사항

허브계통에 알레르기가 있는 사람과 임신부는 주의하여야 한다.

## 🌱 구아바잎-비염과 당뇨에 좋음

남미가 원산지로 고대 잉카인들은 구아바를 성스러운 나무로 여겨왔으며 건강식 또는 약용으로 사용하였다고 한다. 카리브해 연안, 중앙아메리카, 남아메리카 북부, 동남아시아 등에 자생하며 한방에서는 번석류건(番石榴乾)이라 부르고 나무열매, 잎, 씨, 열매껍질, 줄기 등을 모두 사용한다.

구아바 열매는 비타민 A, B, C가 풍부하고 그중에서도 비타민 C의 함량은 레몬의 3배나 된다고 한다. 일반적으로 반으로 자른 후 껍질을 벗겨서 먹거나 샐러드, 디저트를 만들기도 하고 캔디, 잼, 젤리, 음료 등을 만드는 데 사용하기도 한다. 잎과 열매껍질은 뜨거운 물에 우리거나 끓여서 차로 마신다. 열매의 맛은 바나나, 파인애플, 사과, 토마토 등 서너 가지 과일을 한꺼번에 맛보는 듯한 깊은 느낌이 난다. 디저트나 과일 샐러드에도 이용할 수 있다.

우리나라에서는 제주도, 해남, 의령, 영동, 안성 등지에서 재배 중이다.

### 제작 및 음용

① 말린 구아바잎 2~3장이나 말린 구아바 껍질 5g 정도를 다관에 넣고 끓인 물 200ml를 부어 4~5분 정도 우려 마시고 다시 끓는 물을 부어 2~3회 정도 우려

마신다. 잎과 껍질을 섞어 마시기도 한다.

② 구아바잎 4~5장을 끓는 물 1L에 30분 정도 우려내어 냉장보관하여 조금씩 마시기도 한다.

### 효능

구아바잎은 천연 항히스타민 성분을 함유하고 있어 비염 완화에 효과가 있고 성미가 시고 떫고 따뜻하여 설사와 이질을 멈추게 하고 상처를 잘 아물게 하며 외상출혈, 궤양, 습진, 땀띠, 소양증에도 도움이 된다.

피부미용, 항산화작용이 있으며 항균작용과 혈당을 낮춰 당뇨병환자에게 좋으며 잎에 함유된 폴리페놀성 성분은 당의 흡수를 온화하게 하는 작용이 있다.

### 주의사항

많이 먹으면 소화불량이나 설사를 유발할 수 있다.

## 🌱 올리브잎-천연항생제

남부 유럽 중 스페인 남부, 이탈리아 남부, 그리스와 북아프리카에서도 재배된다. 가공되지 않은 신선한 올리브는 글루코시드 때문에 쓴맛이 매우 강하므로 잿물 같은 희석 용액으로 처리하여 중화시킨다. 열매는 익히거나 날것으로 먹는다. 잎은 가죽질이고 창 모양이며 윗면이 암녹색, 아랫면이 은색을 띠는데 어린 가지의 양쪽에 쌍으로 마주난다. 목재는 부패에 잘 견디며 나무 끝부분이 죽더라도 뿌리에서 새로운 줄기가 곧잘 자라 나온다. 나무가 아름다워 수천 년 동안 격찬을 받아왔다. 식용 올리브는 BC 3500년경 크레타섬에서 길렀으며 BC 3000년 초 셈족이 재배한 것으로 추정하고 있다. 그리스의 호메로스 시대에는 올리브기름을 몸에 발랐으며 BC 600년경 로마에서는 올리브가 매우 중요한 작물이었다. 그 후 올리브는 지중해 근처의 모든 나라로 퍼져 재배되었다.

올리브는 주로 기름을 얻기 위해 재배하지만 고대이집트 시대에는 약용으로 사용하였다고 한다.

히포크라테스의 기록에 의하면 올리브오일과 올리브잎차가 감기, 궤양, 콜레라, 각종 통증을 가라앉히는 데 효과가 있는 것으로 알려져 있다.

올리브잎차는 허브차의 일종으로 만드는 방법은 자연건조한 후 분쇄하거나 비벼서 잎차나 티백으로 만든다.

기후변화로 지금은 우리나라 제주도나 보성, 고흥 지방에서도 올리브나무가 재배되고 있으며 잎차도 상품으로 생산되고 있다.

### 제작 및 음용

다관에 1티스푼 정도의 차를 넣고 끓는 물을 부어 5~6분 정도 우려 마신다. 다시 우려 마셔도 맛과 향이 사라지지 않으므로 여러 번 우려내어 마신다.

하루에 잎 1~2g 먹는 것을 권장하고 있으며 오일은 적당량을 피부에 바르거나 먹는다.

### 효능

올리브나무는 수천 년 전부터 약용으로 애용되어 왔으며 특히 감기, 궤양, 콜레라, 각종 통증을 가라앉히는 데 효과가 있는 것으로 알려져 있으며 현대연구에 의하면 올리브잎에 들어 있는 폴리페놀의 일종인 "올러유러핀"이라는 성분이 천연항생제 역할을 한다고 밝혀졌다. 따라서 강력한 항생작용으로 기침, 감기 등 호흡기질환을 치료하고 면역력을 강화시킨다. 또한 혈압을 낮추는 작용이 있으며 콜레스테롤수치를 낮추며 심혈관질환에도 좋고 피부미용이나 에너지 증진에도 효과가 있다.

서양의 대표적인 장수마을은 프랑스 남부, 이탈리아 남부, 그리스 등 지중해 연안에 있는데 그 원인으로 지중해식사와 올리브를 꼽을 정도로 올리브는 노화예방과 장수하는 데 일정한 역할을 한다.

### 주의사항

많이 마시면 사람에 따라 피로, 근육통, 설사 등이 나타나기도 하는데 처음에 적은 양으로 시작하여 점차 늘리는 방법이 좋다.

## 로즈메리-기억력 증진, 회춘, 저혈압에 좋음

지중해 연안지방에서 많이 나며 바다를 향한 바위틈에서 잘 자라기 때문에 "바다의 방울" 또는 "바다의 이슬"이라는 뜻으로 라틴어에서 유래되었다. 향기 나는 허브 종류 가운데 가장 흔하게 볼 수 있는 것 중의 하나로 자생지에서는 2m가 넘는 크기까지 자란다. 지금은 전 세계에 널리 분포되어 어디서라도 로즈메리를 볼 수 있다.

유럽에서는 결혼식이나 장례식 등의 행사 장식품으로 이용되기도 하고 향수, 화장품, 아로마테라피, 에센스오일, 입욕제 등에 쓰이기도 하며 향기가 강해 잎과 가지는 고기 요리, 소스, 수프, 샐러드 드레싱에 사용한다. 신선한 잔가지는 양고기 밑에 깔거나 생선 속에 넣어서 요리하며 잎은 토마토 수프, 찜 요리에 넣어 사용하거나 차로 활용하기도 한다. 정유성분은 화장품이나 비누의 방향제로 쓰인다.

### 제작 및 음용

로즈메리 3g 정도에 끓인 물 200ml를 붓고 3~4분간 우려 마신다.

### 효능

두통을 없애고 소화작용을 도우며 혈액순환을 촉진시키고 뇌기능을 활성화하며 콜레스테롤를 낮춰 비만이 있는 사람에게도 도움이 된다. 산모에게 좋으며 혈압을 높이는 효능이 있어 저혈압인 사람에게는 도움이 된다. 또한 항균, 항염, 항바이러스 효능이 있어 기관지염이나 감기에도 좋고 모유촉진작용이 있어 산모에게도 좋다.

담즙 분비 촉진작용이 있다.

### 주의사항

임신부나 고혈압이 있는 사람들에겐 좋지 않으며 많이 마시면 경련이나 구토 등의 부작용이 나타날 수 있다.

## 🌱 세이지-장수허브, 기억력 증진, 갱년기에 좋음

　지중해 전역에서 자라고 있으며 유럽 남부와 지중해 동부지역이 원산지이고 러시아, 영국, 프랑스, 이탈리아, 독일 등지에서 많이 생산된다. 고대 그리스, 로마 시대부터 만병통치약으로 이용되어 왔으며 유럽에서도 장수를 상징하는 약으로 사용하기도 하고 고기 요리할 때는 고기 비린내를 잡아주고 지방을 분해하는 효능이 있다고 하여 향신료로도 많이 사용한다.

　식물 전체에 솜털이 나 있으며 5~7월에 꽃이 피는데 품종에 따라 색이 다르다. 그 중에서 연보라색꽃이 피는 품종이 약효도 좋고 향도 강하다고 한다. 영국에서는 "5월에 세이지를 먹으면 장수한다"는 말이 있으며 세이지는 강하고 향기로우면서 약간 쓴맛이 있어서 채소, 샐러드, 소스, 수프, 치즈에 맛을 내는 데 사용하며 생활용품으로는 오일, 트리트먼트, 스킨케어, 치약 등에도 활용된다. 단 향이 강해서 요리할 때는 소량만 사용해야 한다.

### 제작 및 음용

　말린 세이지 1작은술(생잎은 5~6장)을 다관에 넣고 끓는 물 200ml를 붓고 3~4분 우려 마신다. 쓴맛이 있어 꿀이나 설탕을 타서 마시거나 블렌딩해서 마신다.

### 효능

　항노화, 항바이러스, 항균작용이 있어 감기나 인후염, 치주염, 구내염, 잇몸질환 등에 효과가 있고 여성호르몬의 균형을 잡아 갱년기장애 등 여성질환이나 두피질환에 효과가 있다.

　뇌를 활성화시키고 기억력을 향상시키며 정신을 안정시켜 우울증을 개선시키고 혈순환을 원활하게 하여 생리불순에 효과가 있으며 간기능을 좋게 하고 천연소화제작용을 하는 등 유럽 중세시대에는 만병통치약처럼 애용되었다.

### 주의사항

　차는 진통, 진정 작용이 있으나 임신부는 마시지 않는 것이 좋다.

# 마조람-체내 독소를 빼주고 간기능을 좋게 함

지중해 지역이 원산지이며 민트류의 오레가노와 같은 종류로 중동의 일부 지방에서는 마조람을 오레가노로 부르기도 한다. 지금은 허브로 이용하는 마조람을 스위트마조람이라 하고 오레가노를 와일드마조람이라고도 한다.

이집트시대에 다른 향료와 함께 미라를 만들 때 방부역할에 사용하기도 하고 향료, 약용, 요리용 등으로 사용하였다. 또 고대그리스에서는 행복과 장수의 상징이었으며 결혼할 때 마조람으로 만든 화관을 씌워주는 풍습이 있었다. 그리고 오레가노에 비해 향기가 부드러워 포푸리에 꼭 들어갔으며 화장수, 비누, 향수 등으로 만들기도 했다.

유럽에서는 식욕을 증진시키고 살균, 방부효과가 있어 요리에 자주 사용하여 왔으며 고기, 소시지에 넣어 향과 맛을 내게 하고 수프, 찜, 생선요리, 토마토요리, 스튜, 닭요리에 넣기도 하며 꽃도 수프나 샐러드에 넣어 먹는다. 그리고 허브차로 마시기도 한다.

마조람의 잎과 줄기 부분은 조미료나 약용으로 사용되고 있는데 통상적으로 7~8월경에 지상에서 5~8cm 되는 곳으로부터 베어 건조하여 밀폐용기에 담아 냉장보관한다.

## 제작 및 음용

말린 마조람의 줄기와 잎 1티스푼을 다관에 넣고 80℃ 정도의 뜨거운 물에 2~3분 정도 우려내어 마신다. 설탕이나 꿀을 넣어 마시기도 한다.

## 효능

소화기능을 강하게 하며 식전에 마시면 식욕을 증진시키고 식후에 마시면 소화를 돕는다. 또한 간기능을 개선하고 야맹증이나 시력을 좋게 하며 진정작용이 있어 정신을 안정시키고 숙면을 취하게 하며 두통을 없애고 혈압을 내리는 효능이 있다.

잎을 갈아 습포약으로 쓰면 류머티즘, 신경통에 좋으며 차를 끓여 마시면 체내의 독소를 배출하여 몸을 이롭게 한다. 특히 목욕제로 사용하면 감기예방에 좋고 마음을 안정시키며 운동 후의 뭉친 근육을 풀어주고 통증을 완화시키는 작용을 한다. 성욕억제기능이 있어 수도하는 사람들이 먹기도 한다.

## 주의사항

임신부는 먹으면 안 되고 저혈압환자도 많이 마시면 좋지 않다. 또한 졸음을 유발할 수 있어 운전할 때도 마시면 좋지 않다.

## 오레가노-천연방부제, 소화촉진

지중해 연안과 서남아시아가 원산지이며 멕시코, 미국의 일부 지방에서 귀화식물로 자라고 있으며 지금은 세계 곳곳에서 재배되고 있다. 로마시대부터 병원의 내과와 외과에서 모두 오레가노를 사용했다고 한다.

오레가노의 이름은 "산의 기쁨"이라는 그리스의 오리가눔에서 온 것으로 천연항생제로 항균, 항바이러스 작용이 강하고 진정, 진통, 방부, 강장작용과 소화촉진 작용이 있어 식용약이나 외용약으로 이용되어 왔다.

꽃이 핀 후 잎과 줄기를 따서 말린 후에 향신료로 쓰는데 지중해식 요리에 기본양념으로 써왔으며 피자를 포함한 이탈리아 요리에서 많이 사용한다. 신선한 잎은 샐러드나 파스타요리에 사용하고 말린 잎은 강한 향을 내기 위해 바비큐 요리를 할 때나 구운 고기요리에 많이 사용하며 이탈리아 남부에서는 오레가노가 토마토 요리와 잘 어울린다고 하여 거의 모든 요리에 기본으로 들어간다.

### 제작 및 음용

① 말린 오레가노 1작은술을 다관에 넣고 끓는 물을 부어 2~3분간 우려 마신다.

② 말린 오레가노 3~9g을 물 800ml에 넣고 끓여서 반으로 나누어 아침저녁으로 마신다.

③ 오레가노에는 강한 향과 독특한 쓴맛이 있어 다른 허브와 블렌딩하여 허브티로 마신다.

④ 터키의 한 지방에서는 오레가노를 끓여 레몬즙과 설탕을 넣어 마신다고 한다.

### 효능

감기에 효과가 있어 오한이 들거나 기침, 가래 등 호흡기질환에 효과가 있으며 소화촉진작용이 있어 배가 더부룩하고 소화가 잘 안 되는 사람들이나 멀미하는 사람에게 도움이 되고 면역력을 증강시킨다.

기의 순환을 원활하게 하여 활력을 넣어주고 몸의 습사(濕邪)를 제거하는 효능이 있어 관절염이나 무기력한 증상에 좋고 신경조절기능이 있어 두통이나 가슴이 답답하고 정신이 흐린 사람에게도 효과가 있다.

### 주의사항

임신 중인 사람은 주의해야 하고 체질에 따라 속이 거북한 증상이 나타나기도 한다.

## 🌿 바질-소화를 돕고 마음을 안정시켜 줌

꿀풀과에 속하는 일년생 풀로 작은 잎 바질부터 잎이 큰 상추잎 바질까지 그 종류가 다양하다. 인도, 아프리카, 이란 등이 원산지이며 지금은 아프리카, 유럽, 중동, 중국, 동남아 등지에서 널리 재배하고 있다. 주로 이탈리아요리에 많이 사용하고 있으며 그 밖에 지중해요리 등 서양요리에도 향신료로 사용한다. 인도에서는 요리보다는 차로 마시는 것을 선호하고 세계 여러 나라에서는 향신료 외에 잎을 말려서 방향제로 사용하기도 한다.

향기가 온화하며 맛은 달콤하고 톡 쏘는 듯한 기운이 있어 토마토소스에 잘 어울리고 고기나 생선, 샐러드 등에도 사용한다. 생바질잎과 파마산 치즈, 마늘을 으깨어 올리브오일과 섞어 만드는 페스토는 서양요리에 널리 쓰이고 있다.

잎으로 만든 차는 정신을 맑게 하고 마음을 진정시키며 우울증을 해소한다.

### 제작 및 음용

① 생잎을 잘라 팬에 넣고 3번 정도 반복해서 볶는다.(생잎으로 우리는 것도 가능하다.)
② 볶은 잎 2g 정도를 포트에 넣고 끓는 물 100~200ml 정도를 부어 5분 정도 우린다.
③ 걸러서 찻잔에 따라 조금씩 마신다.

### 효능

『동의보감』에 나륵(羅勒, 바질)으로 기록되어 있을 정도로 오랫동안 한약재로 사용되어 왔다. 『동의보감』에 따르면 중초를 편하게 하고 소화를 도우며 나쁜 기운을 제거하는 효능이 있다고 하였으며 맛은 맵고 달며 성질은 따뜻하다고 하였다. 한의학에서는 습을 말리고 중초를 편하게 하고 기운을 잘 돌게 하고 혈액순환을 도우며 해독작용이 있으며 종기를 가라앉게 하는 효능이 있다고 한다.

현대의학에서는 항산화작용이 강하고 마음을 안정시키며 우울증이나 불면증을 개선시키고 위장질환에 효과가 있으며 소화를 돕는다. 또한 비타민을 함유하고 있어 눈건강에 좋고 뼈를 튼튼하게 하며 무기질을 많이 함유하고 있어 독소를 제거하는 효과가 있다. 또한 구취를 없애고 치통에 도움이 되며 신경성두통에도 좋다고 한다.

### 주의사항

『동의보감』에서도 많이 먹으면 안 된다고 했는데 과다복용하면 중추신경을 자극하여 빈혈이 나타나거나 마비증상이 올 수 있으니 일일 섭취량을 준수해야 하며 임신부나 알레르기가 있는 사람도 주의해야 한다.

## 🌿 유칼립투스-기침, 천식 등 폐질환에 좋음

코알라의 먹이로 유명한 유칼립투스는 도금양과에 속하며 자생지에서 상록교목으로 자라며 세계적으로 약 500종이 있는데 호주에서 가장 널리 재배되며 필리핀, 말레이시아, 인도네시아나 파푸아뉴기니에도 자생한다. 나무는 100m까지도 자라며 잎은 길이 30cm나 되는 길쭉한 형태로 부드러운 가죽처럼 생겼는데 여기서 나는 독특한 향기 때문에 방향유인 유칼리유(油)를 짜내고 아로마테라피, 약재 등 허브로 쓰이며 향신료로도 이용한다.

유칼립투스는 그리스어로 "아름답다"와 "덮인다"의 합성어로 꽃이 피기 전에 꽃받침이 꽃을 덮고 있어서 유래되었다고 한다.

유칼립투스는 아로마 오일로 사용하는 것이 일반적이지만 잎을 우려서 차로 섭취하는 방법도 있다. 맛은 깔끔하고 상쾌한 청량감이 있으며 강한 맛이 부담스럽다면 꿀을 살짝 타 먹으면 청량감을 줄이고 부드럽게 섭취할 수 있다.

### 제작 및 음용

① 허브티 1작은술을 티포트에 넣는다.

② 뜨거운 물을 붓고 뚜껑을 덮어 5분 정도 우린다.

③ 꿀을 넣고 잘 저어 걸러서 마신다.

### 효능

강력한 살균효과로 호흡기질환의 기침, 천식, 기관지염 등에 좋으며 진정작용이 있어 스트레스나 긴장감을 해소하고 항균, 방부작용으로 여드름, 아토피를 개선한다. 잎에는 칼슘과 칼륨이 풍부하여 뼈를 튼튼하게 하므로 골다공증 예방에 도움이 되고 콜레스테롤을 체외로 배출시키며 이뇨작용이 있어 부종과 비만을 억제하는 효과도 있다. 청량감이 있어 입안의 구취 제거에도 효과가 있다.

유칼립투스의 추출물로 물파스를 만드는데 이는 관절염, 타박상, 근육통, 신경통 등에 일정한 효과가 있으며 방향살충효과로 벌레 물린 데도 도움이 되고 악취 제거에도 효과가 있다. 또한 혈당강하, 폐결핵에도 효과가 있으며 피로회복에도 좋다.

### 주의사항

다른 허브보다 독성이 강한 편으로 다량으로 장기간 사용하는 것은 좋지 않다. 페놀이나 테프텐 성분이 들어 있어 간이 약하거나 간질환을 앓고 있는 사람들도 주의해야 하며 고혈압, 임신부, 유아 등도 사용에 주의해야 한다.

## 3. 기타 허브차

### 펜넬(회향)-다이어트, 모유촉진, 호흡기에 좋음

유럽 남부와 소아시아가 원산지로 추정되며 미국, 영국, 유라시아 등지에서 재배되고 있으며 우리나라에는 귀화식물로 들어와 야생에서 자라고 있다. 회향이라는 이름은 썩은 간장이나 물고기에 넣으면 본래의 냄새로 돌아간다는 의미라고 한다.

동양에서는 씨앗을 향신료로 널리 사용하고 있으며 고대이집트 파피루스문서에도 기재되어 있는 허브다. 고대 그리스어로 '마르다'의 의미라고 한다. 예전부터 다이어트 차로 이용해 왔으며 펜넬은 씨앗뿐만 아니라 뿌리, 잎, 줄기 모두 요리나 차로 이용한다. 요리에서는 주로 생선이나 고기요리에 사용한다. 회향은 일반적으로 소회향을 칭하는 말이며 대회향이라고 부르는 것은 팔각회향을 말한다.

> *참고 : 회향은 펜넬의 씨로 중국에서 "쯔란"이라 하고 서양요리에서 "커민"이라 부르는 향신료와는 비슷하여 같은 것이라 생각하기도 하지만 다르다. 또한 펜넬과 딜은 잎과 줄기를 향신료로 사용할 때 많이 사용하는 것으로 겉모양은 비슷해 보이지만 이것 또한 다른 식물이다. 향과 모양은 거의 흡사하다. 단 딜은 자라면서 마디마디 잎자루가 생겨나고 펜넬은 밑둥에서 부채꼴모양으로 줄기가 솟아 자라난다.

### 제작 및 음용

① 펜넬차는 씨앗을 으깨어 끓는 물에 우려낸다. 으깬 씨앗 1티스푼 정도를 다관에 넣고 끓는 물 200ml를 붓고 5~10분 정도 우린 후에 마신다.

② 잎과 줄기는 말려서 손으로 비벼 1티스푼 정도 다관에 넣고 끓는 물을 부어 3~4분 우려 마신다.

### 효능

맛은 맵고 성질은 따뜻하며 방광경, 신경, 위경, 심경, 소장경으로 작용한다. 신장과 위장을 따뜻하게 하며 입맛을 돋우고 기운을 잘 통하게 하며 한사를 제거하는 효능이 있다. 따라서 소화를 촉진시키고 위장을 편하게 하며 기침, 감기로 인한 기관지염에 효과가 좋고 빈혈에도 효과가 있으며 이뇨작용과 모유촉진작용이 있다. 그러므로 호흡기에 이상이 있는 사람들이나 부종이 있는 사람, 수유기산모에게 도움이 된다. 또한 다이어트차라는 별명이 있을 만큼 비만에 효과가 있으며 갱년기여성에게도 도움이 되며 변비에도 좋다.

임신부는 주의해야 한다.

## 🌷 로즈힙-비타민 C의 폭탄

로즈힙은 들장미나무의 열매로 꽃이 지고 난 후 열매를 맺는데 이 열매를 로즈힙이라고 부르며 남미와 유럽에서 많이 생산된다. 대부분 붉은색 열매나 짙은 자주색이나 노란색 로즈힙도 있다. 특유의 향을 지니고 있으며 수많은 영양소를 함유하고 있어 허브차로 인기가 있다. 특히 비타민 C는 레몬의 20배가 들어 있어 그야말로 비티민 C의 보고라 할 수 있다. 허브차 외에 오일을 만들기도 하고 스웨덴에서는 뉘폰소파라는 수프를 끓여 먹고 독일이나 스위스에서는 하게부텐마르크라는 잼을 만들어 먹기도 한다.

### 제작 및 음용

말린 로즈힙 1작은술을 유리주전자에 넣고 끓는 물을 부어 5~6분 우려내어 마신다.

### 효능

로즈힙은 비타민 C가 많아 피부건강과 감기예방에 좋으며 면역력을 증강시키고 피로회복에 좋으며 심신을 안정시킨다. 로즈힙의 붉은색에는 리코펜이 많아 항산화작용이 있고 콜레스테롤을 낮추어 다이어트하는 사람에게 유익하며 다량의 칼슘이 함유되어 골다공증에도 좋고 향이 있어 소화촉진작용이 있다. 또한 철분도 풍부해 빈혈예방에 도움이 되고 변비에도 효과가 있다.

### 주의사항

알레르기가 있는 사람은 주의해야 하며 과다 복용 시 신장결석이나 당뇨를 심화시킬 수 있다.

## 🌷 리코리스

콩과에 속하며 다년생 풀로 스페인감초라고도 하며 유럽 남부, 아프가니스탄이 원산지로 식품, 담배, 음료, 차, 약품, 향신료, 감미료로 사용된다. 6~8월에 흰색 또는 연보라색 꽃이 피며 뿌리에서 단맛이 나 감초로 쓰이기도 한다. 이집트의 파피루스에 기록될 정도로 오래전부터 재배되어 온 허브식물로 "민감초"라고도 부르며 뿌리를 사용한다.

### 제작 및 음용

허브티로 포장되어 나오거나 티백으로 나오며 3g 정도를 뜨거운 물에 우려 마신다. 맛이 강해서 주로 블렌드해서 먹거나 우유를 타서 마시기도 한다.

### 효능

위산분비를 억제하고 위점막을 보호하여 위염, 위궤양에 좋으며 알레르기증상을 완화시키고 거담작용이 있으며 천식, 기관지염에 좋고 스트레스, 우울증, 초조함 등을 해소하며 소화가 잘 안 되는 사람에게도 도움이 된다. 또한 간기능을 개선시키는 효능이 있으며 관절염, 두드러기, 습진 등에도 효과가 있다.

### 주의사항

임신부나 수유 중인 산모 그리고 고혈압 환자에게는 좋지 않다.

## 🌱 타히보차

타히보는 잉카문명의 원주민어로 "신의 은총을 받은 약나무"란 뜻이라고 한다. 잉카제국의 인디오들은 이 나무가 곰팡이나 이끼가 끼지 않고 벌레도 접근하지 못할 정도로 살균력이 강한 데서 힌트를 얻어 약으로 여겼다고 한다. 남미 아마존의 오지에서 자생하는 나무로 나무의 내피를 파서 물에 끓여 마셨는데 질병을 치료하고 건강을 지키는 효능이 있음을 알아 이용하게 되었다. 브라질에서는 신의 축복을 받은 나무라고 하며 잉카제국의 인디언들이 건강에 좋다고 하여 많이 마셨다고 한다. 60년대부터 암세포를 억제하는 성분이 있는 것으로 연구되고 여러 가지 논문이 발표되기 시작했다.

타히보의 주요 성분인 라파콜은 항암, 항염작용이 강하고 칼슘은 유유의 30배가 들어 있다.

이 나무는 30m 높이로 나무 밑 직경이 2~3m에 달하는 큰 나무로 100여 종이 있는데 나무의 질이 좋고 내구성이 좋아 남미의 도시에서는 조경이나 목재로 많이 사용한다. 타히보는 이 수목 중에서 아마존 일대의 일부지역에서 자생하는 적보라색의 꽃을 피우는 수목의 외피와 목질 사이의 불과 7mm 정도의 내부 수피만을 약용재료로 사용하고 있다.

핑크색, 노란색, 흰색의 꽃들을 피우는 여러 다른 종류들은 사용하지 않는다.

### 제작 및 음용

타히보의 성분은 고온에서 휘발되기 때문에 3g 정도를 물 2L에 넣고 중불에서 15분간 끓인 후 약불에서 15분 정도 끓여 마시면 성분이 잘 우러나와 좋다. 쇠와 만나면 화학변화가 일어날 수 있으므로 쇠로 만든 솥이나 주전자 또는 컵을 사용하지 않고 유리나 도자기 종류를 사용해야 한다.

### 효능

항암, 항염작용이 강하고 특히 위암과 관련한 여러 연구논문에서 효과가 있음을 증명하고 있으며 항산화작용과 면역력을 증강시키는 효능이 있고 아마존 지역 주민들이 말라리아 등 세균성질환과 기침, 감기 등 호흡기질환, 순환기장애 등에 사용했으며 그 외에 기생충이나 뱀독, 피부질환, 전립선염, 요로감염, 피부질환 등에 광범위하게 사용하고 질병 예방목적으로도 사용하였다고 한다. 당시에는 가정상비약으로 애용되었으며 현재는 미국이나 유럽에서 대체 의약품으로 활발한 연구가 진행되고 있다.

### 주의사항

과다 복용 시 복통 설사를 유발할 수 있으므로 주의해야 한다.

## 🌼 치커리차

초롱꽃목 국화과에 속하는 여러해살이풀로 유럽이 원산지로 유럽의 네덜란드, 독일, 프랑스, 벨기에 등지에서 널리 재배하고 있으며 19세기 미국에 전해져서 미국 동부와 캐나다의 목초지에서는 흔히 볼 수 있으며 지금은 아시아, 아프리카 등 전 세계에서 재배하고 있다.

주로 채소 또는 샐러드로 먹으며 우리나라에서는 쌈채소로 먹거나 상추 대용으로 겉절이를 만들어 먹기도 한다. 서양에서는 주로 샐러드에 넣어 먹고 연한 뿌리는 끓여 버터를 발라 먹기도 하고 갈색으로 볶아서 차나 커피대용으로 마시거나 갈아서 조미 첨가제를 만들거나 약재로 활용하기도 하며 꽃은 중추신경계통의 흥분제 및 심장활동을 증강시키는 약으로 이용된다. 또한 전초는 소의 사료나 목초로 사용하기도 하며 미국에서는 뿌리 볶은 것을 커피의 색, 농도, 쓴맛을 증진시키는 데 사용하기도 한다.

## 제작 및 음용

지상부는 3~9g, 뿌리는 3~6g을 각각 물 800ml에 넣고 달여서 반으로 나누어 아침저녁으로 마신다.

## 효능

치커리는 성질은 차고 맛은 떫고 쓰며 열을 내리고 위장을 튼튼하게 한다. 열량이 낮고 식이섬유가 풍부하면서도 칼륨과 칼슘 등의 각종 무기질, 비타민을 풍부하게 함유하고 있다. 소화불량에 좋으며 배가 더부룩하고 답답한 증상을 개선하고 비만 등 각종 성인병 예방 효능이 있으며 변비예방 및 해소 그리고 다이어트에도 좋다.

치커리에 함유된 인티빈이라는 성분이 쓴맛을 내는데 이 성분은 소화를 촉진하고 콜레스테롤 수치를 낮추어 심장 및 혈관계에 좋고 항산화작용을 하여 노화방지와 항암에 도움이 된다.

# Ⅱ 화차

　모든 식물의 꽃잎을 이용하여 만든 차를 "화차"라고 한다. 단지 여기서는 서양으로부터 전해 내려온 허브계통의 꽃은 허브 범주에 넣고 그 외에 우리에게 익숙한 우리나라나 동양에서 만들어진 꽃차만을 따로 분류하여 소개하고자 한다.

　우리나라는 기후조건상 차나무가 잘 자라는 곳이 많지 않고 차나무를 이용한 차보다는 우리나라 산과 들에 피고 지는 꽃들이나 풀잎, 나뭇잎, 나무껍질, 뿌리 등을 이용하여 음식을 만들 때 사용하거나 말려서 건강에 좋은 차로 마셔 왔다. 우리나라처럼 사계절이 뚜렷한 나라에서는 계절에 따라 달리 핀 꽃향기를 즐길 수 있었다.

　중국에서는 찻잎으로 만든 차가 발달하여 전통적으로 내려온 화차종류가 그리 많지 않지만 지금은 그 종류가 많아지는 추세이다. 전통적으로 내려온 화차는 복건성에서 주로 생산하며 대표적인 차가 재스민차다. 재스민차는 녹차에 재스민향을 착향시키는 차로 중국인들 좋아하는 차다. 또한 계화차는 생화를 따서 말린 후 백찻잎으로 싸서 동여매 만든다. 물을 부으면 꽃이 살아나면서 꽃향은 물론 시각적으로도 아름다운 차가 된다. 꽃만 단독으로 사용하는 차도 있다. 그 외에 유명한 차로 흔히 볼 수 있는 차는 국화차, 모리화차 등이 있다.

　화차는 건조과정이 중요하다. 수분 4% 미만으로 건조해야 장기보관이 가능하다. 일반적으로 화차의 보존기간은 1년인데 더 길어지면 향이나 색이 변한다. 천연색소는 공기 중에 산화하므로 구입 후 통풍이 잘되는 곳에 보관하거나 냉장고에 보관하는 것이 좋으며 화차는 유념과정을 거치지 않기 때문에 우릴 때는 일반 차보다 높은 온도의 물에 우리는 것이 좋다.

　향기가 없는 꽃은 없다. 식물은 꽃을 피우고 난 후에야 비로소 열매를 맺는다. 따라서 꽃은 그 나무의 모든 기운이 모이는 곳으로 그 기운은 향으로 나타난다. 자기 스스로를 보호하기 위해 독성을 가지고 있기도 하며 사람에게는 약효로 작용하기도 한다. 대표적인 효능은 소간해울(疏肝解鬱), 리기조경(理氣調經)으로 여성에게 적합하다.

화차는 일상생활에서 나타나는 스트레스나 우울증을 날려버리고 상쾌한 기분을 선사하며 우리의 건강을 지켜준다. 단 화차는 많이 마시기보다는 하루에 1~2잔 정도로 제한해서 마셔야 한다.


## 1. 꽃차 채집요령

① 종류에 따라 다르지만 채집할 때는 이슬이 마르기 전에 채집하는 것이 좋다.
② 채집할 때는 한곳에서 집중적으로 따는 것보다 솎아주듯이 골고루 따는 것이 좋다.
③ 사람체온이 많이 닿지 않도록 가위, 집게 등의 기구를 사용한다.
④ 봄에 나는 꽃은 찌지 않고 그대로 말린다. 가을국화는 쪄야 한다.
⑤ 말린 꽃은 냉장 보관하는 것이 좋다.


## 2. 주의사항

꽃에는 독성이 있는 꽃들이 있으며 알레르기를 일으키는 물질을 가진 꽃들도 있다. 일반적으로 봄에 일찍 핀 꽃들은 독성이 없다고 하지만 그래도 그 종류에 따라 독성이 있을 수 있기 때문에 경험에 의해 안전한 꽃들을 위주로 만들어 먹는 것이 좋다. 또한 꽃차는 향이 강해 녹차처럼 많이 마시는 것은 좋지 않으며 하루에 한 잔 정도로 그 향을 즐기는 것이 좋다. 또한 각자 특성이 있으므로 자기 몸에 맞는 꽃을 선택하여 마신다.

### 🌼 모리화차-심신을 안정시킴

모리화(茉莉花)차는 재스민차라고도 부르며 중국의 대표적인 화차이다. 송나라 때부터 마시기 시작한 오래된 화차로 중국의 북쪽지방 사람들이 많이 마신다.

주로 녹차로 만들지만 홍차, 오룡차, 청차를 사용하기도 하는데 잎차에 재스민향을 흡착시켜 만든 화차를 말한다.

일반적으로 아침에 채취한 재스민 봉오리는 오후가 되면 벌어지는데 이때가 향이 가장 강하게 나오기 때문에 그 위에 천을 깔고 찻잎을 펼쳐놓아 향을 흡착시켜 만든다. 여러 번 반복할수록 고급 차에 속하며 일곱 번 하는 차를 칠음일제(七窨一提)라고 한다.

모리화차는 중국인들이 가장 좋아하는 차로 대중화되어 있으며 산지와 품종 그리고 만드는 방법에 따라 이름을 달리 부른다. 주로 중국의 푸젠성, 저장성, 장쑤성, 광둥성에서 생산한다.

최근에는 다양한 모리화차가 생산되는데 가운데 모리화를 넣고 주위를 차로 감싼 뒤 다발로 묶어 유리잔에 뜨거운 물을 부으면 꽃이 피듯이 아름답게 퍼지는 차를 비롯해 찻잎을 하나하나 둥글게 공처럼 말아서 만든 바이치루룽(白球龍) 등 고급스럽게 만든다. 그 외에 용정, 대방, 모봉 등의 차에 흡착시켜 만든 모리화차는 화용정, 화대방, 모리모봉 등의 이름으로 불린다. 또한 복주차창에서 만든 모리대백호, 영덕차창에서 만든 천산은호, 소주차창에서 만든 모리소맹호 외에 모리춘풍, 은호, 용도향명, 무도화차 등도 모두 모리화차에 속한다.

### 제작 및 음용

모리화차는 일반적으로 다관에 1~2스푼 정도의 차를 넣고 뜨거운 물을 부어 2~3분 우려내어 마시지만 고급 차는 모양이 아름다워 유리잔을 사용한다. 다관을 사용할 때는 향이 강하기 때문에 다기에 향이 흡착되기 쉬우므로 전용다기를 사용하는 것이 좋다.

### 효능

모리화차는 심신을 안정시키고 우울증이나 스트레스를 해소시키는 효능이 있으며 지방을 잘 분해하고 혈압을 낮추며 순환기계통이나 내분비계통의 기능을 활발하게 하는 효능이 있다.

따라서 마음이 불안하고 무기력하며 정신이 맑지 못한 사람들이나 고혈압, 고지혈증 등 현대 성인병이 있으며 비만인 사람에게 효과가 좋고 피부를 탄력 있게 하고 생리불순, 생리통 등 여성 질환에 효과가 있으며 목감기예방에도 도움이 된다.

### 주의사항

소량의 카페인이 들어 있지만 카페인에 민감한 사람은 두근거림, 복통 등이 유발될 수 있으므로 많이 마시지 않는 것이 좋으며 향이 강해 임신부도 조산할 위험성이 있으므로 많이 마시지 않는 것이 좋다.

## 국화차-간열을 내리고 간기능을 튼튼하게 함

중국에서는 국화차를 당나라 이전부터 먹었지만 주로 약용으로 사용하였으며 청나라에 와서 차로 널리 보급되었다. 국화는 세계적으로 수백 가지가 있는데 현대에 와서는 관상용으로 그 품종이 더 많이 개발되고 있다. 그중에서도 식용 가능한 국화는 몇 종류 되지 않는데 일반적으로 국화차로 만드는 국화는 황국(黃菊), 감국(甘菊), 야국(野菊), 구절초 정도이며 가을에 산과 들에서 흔하게 볼 수 있다.

우리나라에서도 국화는 다양한 방법으로 이용해 왔는데 봄이면 싹을 채취하여 소금물에 데쳐 나물을 만들어 먹고 여름에는 잎을 따서 튀겨 먹기도 하였으며 가을에는 꽃을 따서 차로 마시고 겨울이면 땅속의 뿌리를 캐서 약으로 달여 먹었다.

국화는 크게 대국과 소국으로 나누는데 차로 마시는 국화는 소국을 사용하고 소국 중에서도 가운데 열매를 맺는 심지가 없어 씨를 맺지 않는 종류를 사용한다. 약용으로는 찬 서리를 보름 이상 맞아야 효과가 좋다고 한다.

### 제작 및 음용

차를 만들 때는 꽃이 완전히 피기 전에 채취하여 소금물에 1~2분 데쳐 통풍이 잘되는 그늘이나 건조기에 넣어 건조시켜 만든다. 현대에 와서는 냉동 건조해서 만든 차가 많이 나오며 물에 우리면 꽃이 그대로 살아나 인기가 좋다.

① 건조된 꽃을 다관이나 유리컵에 1~2스푼 넣고 90℃ 정도의 뜨거운 물을 부어 3~4분 정도 우려 마신다.

② 구기자, 찻잎, 용안육을 함께 넣고 우려 마시기도 한다.

### 효능

국화는 성질이 약간 차고 맛은 달고 쓰며 폐경, 간경으로 들어간다. 열을 내리고 간기를 잘 통하게 하여 풍을 막아주며 해독작용이 있으며 종독(腫毒)으로 인한 부기를 가라앉게 하는 효능이 있으며 혈압을 낮추고 두통이나 현훈증상을 완화시키며 눈을 밝게 한다. 혈액 속의 노폐물을 제거하여 심혈관질환예방에 효과적이며 풍열감기에 좋고 면역력을 증강시킨다.

『신농본초경』에서는 "풍으로 인한 두통, 현훈을 치료하고 눈꼽이 끼거나 눈물이 나고 피부가 죽거나 악풍(惡風), 습비(濕痺)를 치료한다. 오래 복용하면 기혈을 잘 통하게 하고 몸이 가벼워져 노화를 예방하여 장수한다."라고 하였다.

### 주의사항

① 농약이나 각종 공해에 오염되어 있는 도시나 도로변에서 자란 국화는 먹지 않는 것이 좋다.

② 성질이 차서 평소 몸이 냉한 사람은 과량 복용 시 복통 설사를 유발할 수 있으므로 주의해야 한다.

## 🌼 장미화차-혈액순환과 피부미용에 좋음

장미화차는 장미꽃을 말려 차로 마실 수 있도록 만든 것으로 아름답고 향이 좋아 차로 마시는 사람들이 점점 많아지고 있다. 차로 이용하는 장미는 큰 것보다는 작은 장미로 꽃이 피기 전에 꽃봉오리를 채취하여 만든다.

장미화에는 에스트로겐과 비타민이 풍부하고 피부미백작용 등이 알려지며 특히 여성에게 인기가 높아지고 있다.

장미의 역사는 아주 오래된 것으로 알려져 있으며 서양에서는 향을 좋아하여 허브로 많이 사용하고 동양에서는 차로 애용해 왔으며 중국의 산둥성, 푸젠성, 저장성, 광둥성에서 많이 생산하고 있다. 지역적 특성에 따라 산둥성에서는 장미화차, 광둥성에서는 장미홍차, 푸젠성에서는 장미녹차, 저장성에서는 장미구곡홍매가 주요 생산품이다.

우리나라에선 주로 5월에서 6월경에 피는 꽃으로 울타리나 정원에 관상용으로 많이 심지만 장미화차가 유행하기 시작하면서 식용장미를 하우스재배하는 농가가 생기고 있다.

장미화는 차 외에 향수를 만드는 재료나 화장품 원료로 쓰이기도 하고 아로마테라피로 이용하기도 한다.

## 제작 및 음용

장미화차는 피기 직전의 꽃봉오리를 해가 뜨고 이슬이 막 걷힌 오전에 채취하여 소금물에 잠시 담갔다가 다시 물로 깨끗이 씻어서 건조하여 보관한다. 다른 방법으로는 소금이나 식초를 넣은 물로 씻어내고 저온에서 살짝 덖어 건조시키기도 한다.

① 건조된 꽃봉오리 4~6개를 유리잔에 넣고 뜨거운 물을 부어 3~5분 정도 우려내어 마신다.

② 보이차와 꿀을 적당량 섞어 마신다.

③ 홍차와 꿀을 적당히 넣어 마시기도 한다.

## 효능

장미화는 성질은 따뜻하고 맛은 약간 달고 쓰며 간 기운을 잘 소통시키고 가슴에 기운이 뭉친 것을 풀어주고 어혈을 제거하며 혈액순환을 돕고 여성의 생리통이나 생리불순을 조절하고 피부미용에 효과가 있다. 또한 정신을 맑게 하고 스트레스를 해소하며 노화예방과 피로회복에 도움이 되고 상처회복에도 좋고 장기복용하면 신진대사를 활발하게 한다.

주의사항

① 잘 변질되기 때문에 보관할 땐 냉장 보관하는 것이 좋다.

② 장미화차는 혈액순환을 강하게 하므로 하혈이 있거나 생리량이 많은 여성은 주의해야 한다.

③ 장미화는 수렴작용이 있어 변비가 심한 사람은 마시지 않는 것이 좋다.

④ 위가 차서 복통 설사를 하거나 피로하고 체질이 허약한 사람도 주의해야 한다.

## 갈화차-숙취해소에 좋음

갈화는 칡의 꽃을 말하며 7~8월에 붉은 자주색 꽃을 채집하여 그늘에 말려두고 뜨거운 물에 우리거나 끓여 마시는 것을 갈화차라고 한다. 칡나무는 콩과에 속한 여러해살이풀로 우리나라 산이나 골짜기의 양지 쪽에 덩굴을 이루며 자생한다. 예로부터 약용이나 식용으로 많이 애용해 왔는데 뿌리는 "갈근"이라 하고 건위, 해열, 소염작용이 있어 약용으로 사용하였으며 어린순은 "갈용"이라고 하며 나물을 해먹기도 하고 쌀에 넣어 칡밥을 지어먹기도 하였다. 어린순에 흑설탕을 넣어 1년 정도 숙성시키면 음료가 되는데 변비, 고혈압, 당뇨를 치료하고 어린이들의 성장발육에 좋은 음료로 마시기도 한다.

### 제작 및 음용

갈화는 약용으로 물에 끓이는 방법과 우려 마시는 두 가지 방법으로 차를 만들어 마시는데 끓이는 방법은 갈화를 물에 넣고 5~10분 정도 끓여 걸러내고 따뜻하게 또는 차게 마신다.

① 도로변이 아닌 깨끗한 산골짜기의 완전하게 피기 전의 칡 꽃을 채취하여 깨끗이 씻는다.

② 찜솥에 올려 3~4분 쪄서 통풍이 잘 되는 그늘에서 말려 보관한다.

③ 갈화 20g 정도를 다관에 넣고 끓는 물을 부어 우려 마신다. 향이 없어질 때까지 여러 번 우려 마신다.

④ 국화나 홍차와 함께 우려 마시기도 한다.

## 효능

성질은 약간 차고 맛은 달며 독성이 없고 위경으로 들어간다. 땀이 나게 하고 열을 내리며 갈증을 멈추게 하고 술독을 풀어준다. 따라서 평소 술을 많이 마시고 몸에 습열이 많아 몸이 무겁고 가슴이 답답한 사람에게 적합하다. 또한 혈압을 낮추는 효능도 있고 식욕부진이나 장염이나 장출혈에도 효과가 있으며 감기예방에도 좋다.

## 주의사항

땀을 많이 흘리는 사람은 주의해야 한다.

## 🌷 금은화차-감기로 열이 날 때 해열제로 좋음

인동과에 속하는 반상록 덩굴식물로 겨울에도 줄기가 마르지 않고 겨울을 잘 견딘다고 하여 인동초 또는 겨우살이덩굴이라는 이름으로도 불린다. 금은화라는 이름은 꽃이 필 때 처음에는 흰색으로 피지만 시간이 지나면 노란색으로 점점 변해 막 피어난 흰꽃과 노란꽃이 한꺼번에 나무에 달려 있다고 해서 붙여진 이름이다. 우리나라에서는 전역에 분포하고 있으며 수분이 있는 햇볕이 따뜻한 길가나 숲에서 자생한다. 금은화는 차로 마시기도 하고 술을 만들어 먹기도 하지만 예로부터 약재로 사용해 왔다. 꽃은 금은화라 하고 줄기와 잎은 인동등 또는 금은등이라 부르며 효능이 달라 서로 다른 질병에 사용한다.

인동덩굴은 옛 건축물의 벽화나 도자기, 장식품에 무늬로 많이 새겼으며 고구려 강서대묘의 천장과 발해의 도자기, 천마총 천마도의 둘레에도 인동무늬가 들어가 있다. 『산림경제』에 보면 "이 풀은 등나무처럼 덩굴져 나고, 고목을 감고 올라간다. 왼쪽으로 감아 나무에 붙으므로 좌전등이라 한다. 또 추운 겨울에도 죽지 않기 때문에 인동이라 한다"라고 했다. 제작 및 음용 금은화는 피기 전의 꽃을 따서 그늘에 말려 사용한다. 다른 방법으로는 찜솥에 한번 찐 후 말려서 사용하기도 하며 꿀에 재워서 사용하기도 한다.

① 금은화꽃을 채취하여 깨끗이 씻은 후 그늘에 말린다.

② 말린 금은화 1큰술을 다관에 넣고 끓는 물을 부어 5~6분 우려 마신다.

③ 말린 금은화를 냄비에 넣고 물을 부어 한번 끓인 후 걸러서 마시기도 한다.

④ 녹차에 향만 흡착하여 차로 마시기도 하고 은교, 산사 등을 넣어 끓여 마시기도 한다.

### 효능

금은화는 성질은 차고 맛은 달며 약간 쓰고 폐경, 위경, 간경으로 들어간다. 주요 효능은 소산풍열(疏散風熱), 청열해독(淸熱解毒), 양혈지리(凉血止痢), 통경활락(通經活絡), 호부미용(護膚美容), 소리인후(疏利烟喉)며 그 외에 이뇨작용이나 혈압을 내리는 효능이 있다. 또한 혈액순환을 활발하게 하고 신진대사를 촉진시키며 뇌혈전을 예방하고 소염, 진통, 항균작용이 있다. 따라서 감기 초기에 발열이 있거나 두통, 인후통이 있는 사람에게 효과가 있고 종창이나 종기에도 효과가 있고 위염이나 위궤양에도 효과가 있으며 여름철이나 몸에 열이 많은 사람에게 좋다.

### 주의사항

금은화는 약간의 독성이 있으므로 장기복용하면 좋지 않다.

## 🌷 홍화차-혈액순환과 혈전을 풀어줌

국화과 1년생 초본으로 이집트기 원산지이다. 한국, 중국, 대만, 일본, 인도, 이집트, 남유럽, 북아메리카 등지에 분포하고 있으며 한자어로 홍화라 부르고 우리나라에서는 "잇꽃"이라고 한다. 다른 이름은 자홍화(刺紅花), 홍난화(紅蘭花), 초홍화(草紅花), 대홍화(大紅花) 등이 있으며 주로 약용으로 많이 사용하며 씨는 기름을 짜고 꽃은 착색염료로도 사용했으며 어린잎은 식용했다고 한다. 전초는 홍화라고 부르고 씨는 홍화자라고 한다.

줄기의 높이는 1m 정도로 자라고 엉겅퀴와 비슷하며 꽃은 붉은색이 도는 노란색으로 피침형으로 나온다. 조선시대에는 태천, 함흥, 경성, 명천, 길주, 북청 등에서 많이 재배하였다고 하며 지금은 산청에서 많이 재배한다.

홍화에는 카사민과 샤프롤 옐로 물질이 들어 있어 예로부터 염색염료로 사용해 왔는데 최초로 염색한 것은 4000여 년 전 이집트에서 시작되었으며 한나라 때 중국에 전해졌다고 한다. 우리나라에서도 평양 교외 낙랑고분에서 홍색으로 염색된 천이 출토되었고, 신라 때에는 홍전(紅典)이 설치되어 홍색을 전업적(專業的)으로 염색한 사실로 미루어 그 역사가 깊다고 할 수 있다. 조선시대에는 잇꽃염색이 일반화되어 서민들은 밭에 재배하여 염색하였고, 관에서는 상의원(尚衣院)과 제용감(濟用監)에 각각 10명의 홍염장을 두어 염색을 담당하게 하였다고 한다. 잇꽃은 염료 이외에 의약용과 화장용 입술연지로도 사용했으며 씨는 기름을 짜고 어린잎은 식용한다.

### 제작 및 음용

홍화를 차로 만들 때는 찌거나 덖어서 건조하여 사용하거나 설탕이나 꿀에 재어 보름 정도 숙성한 후 뜨거운 물에 우려 마신다.

① 개화 직전의 꽃을 채취하여 꽃받침을 제거하고 꽃잎만 깨끗이 씻는다.

② 찜솥에 면을 깔고 꽃을 올리고 살짝 찐다.

③ 찐 꽃잎을 꺼내 그늘에서 수분이 없어질 때까지 말린다.

④ 말린 홍화를 1작은술 정도 다관에 넣고 뜨거운 물을 부어 우려 마신다.

### 효능

홍화는 성질은 따뜻하고 맛은 매우며 심장경, 간경으로 들어간다. 활혈작용이 강하고 어혈을 풀어주며 생리통을 완화시키며 혈액에 관한 모든 질병에 유익하다. 넘어져 멍이 든 사람이나 생리통, 폐경, 생리불순 등 여성질환에 효과가 있고 출산 후 어혈로 인한 복통이나 자궁근종, 중풍으로 인한 구완와사, 반신불수 등에 효과가 있다.

### 주의사항

홍화는 여성의 자궁수축을 강하게 하고 어혈을 풀어주고 혈액순환을 활발하게 하는 효능이 강해 임신부는 주의해야 한다.

## 🌼 동백꽃차

차나무과 동백나무속의 상록교목으로 한국, 일본, 대만, 중국 등 동북아시아에 자생하며 겨울에 꽃을 피워 동백(冬柏)이라 불린다. 동백나무꽃은 산에서 나는 차나무의 꽃이라 하여 산다화(山茶花)라 부르기도 하며 우리나라에서는 울릉도, 제주도, 중부 이남지방에서 흔하게 볼 수 있으며 부산의 동백섬, 여수 오동도, 전북 선운사 등의 동백꽃이 유명하다.

대부분 겨울에 붉은색 꽃이 피지만 분홍색이나 흰색의 꽃피기도 하며 설경 속에서 피는 꽃은 매우 아름다워 많은 사람의 사랑을 받아왔으며 일반적으로 12월부터 꽃을 피우기 시작해서 2~3월이면 만발한다. 차로 마시는 꽃은 홑동백과 겹동백 두 가지가 있는데 홑동백은 꽃잎을 따서 꿀이나 설탕에 재워 차로 마시고 겹동백은 완전히 피기 전에 따서 제다하여 일반 꽃차처럼 마신다.

동백꽃은 꽃이 질 때 꽃잎이 한 장씩 떨어지지 않고 시들지 않는 상태에서 꽃송이 전체가 한꺼번에 떨어지는 것이 특징으로 옛날에는 혼례식 때 동백나무와 대나무를 함께 자기 항아리에 꽂아 부부가 함께 오래 살기를 기원하기도 했다. 또한 동백나무 씨에서 기름을 짜서 머릿기름이나 등잔불기름으로 사용하거나 약용으로 사용해 왔으며 지금도 식용유나 화장품원료로 사용하고 있다.

### 제작 및 음용

동백꽃차는 동백꽃이 피기 전에 봉오리상태로 채취하여 제다하는 것이 효능 면에서 가장 좋으나 잘 마르지 않기 때문에 꽃잎을 하나씩 따서 제다하여 마시기도 하며 꽃잎을 꿀에 재워 보름 정도 지나면 냉장 보관하여 뜨거운 물에 타서 마시기도 한다.

① 동백꽃이 피기 전의 꽃봉오리를 채취하여 살짝 씻은 후 물기를 말리면서 2~3일 시들린다.

② 시든 꽃을 펴서 수술은 잘라내고 꽃잎을 하나씩 펴서 눌러준다.

③ 채반에 면이나 한지를 깔고 편 꽃잎을 가지런히 놓는다.

④ 찜기에 넣고 1~2분 정도 살짝 찐다.

⑤ 통풍이 잘 되는 그늘에서 건조한다.

⑥ 잘 말린 동백꽃 한 송이를 찻잔에 넣고 뜨거운 물을 부어 우려내어 마신다.

### 효능

동백꽃은 성질은 차고 맛은 달고 쓰고 매우며 혈액을 맑게 하고 지혈작용이 있으며 양혈(凉血), 산어(散瘀), 소종(消腫)작용이 있다. 따라서 토혈, 하혈, 장출혈, 코피 등 여러 가지 출혈증상에 좋고 인후통이나 생리통에 효과가 있으며 강심작용이 있어 정신을 안정시키는 효능도 있고 이뇨작용이 있으며 노폐물배출에도 도움이 된다. 넘어져 멍든 데나 화상에는 꽃잎을 가루로 만들어 동백기름에 반죽하여 붙이면 효과가 있다.

### 주의사항

동백꽃차는 너무 많이 마시지 않는 것이 좋으며 알레르기가 있는 사람도 있다. 매스꺼거나 두통이 오는 사람은 마시지 않는 것이 좋다.

## 목련화차

목련(木蓮)은 연꽃처럼 생긴 꽃이 나무에 달렸다고 해서 붙여진 이름이다. 꽃이 피기 전 꽃봉오리가 붓을 닮았다고 해서 목필(木筆)이라 부르기도 하고 꽃봉오리가 피기 시작할 때 북쪽을 향한다고 해서 북향화(北向花)라고도 부르며 5월 말쯤 숲속에서 잎이 난 다음에 꽃이 피는 함박꽃나무(산목련) 역시 목련과 가까운 형제나무로 북한에서는 함박꽃나무를 목란(木蘭)이라 하며 북한 국화로 알려져 있다. 또한 한방에서 목련을 신이(辛夷)라고 부르며 꽃이 피기 전의 꽃봉오리를 따서 약재로 사용해 왔는데 주로 창이자와 함께 사용한다. 따라서 목련꽃을 "신이화"라고 부르기도 한다.

꽃잎은 기본적으로 백색이지만 자색으로 피는 자목련도 있다. 자목련은 독성이 강해 차로 마시기는 좋지 않으며 3월에 잎이 나오기 전에 하얀 꽃을 피우는데 꽃이 완전히 피기 전에 꽃을 따서 차로 만들어 마신다. 꽃잎이 9장인 것은 제주산 토종 목련이고 6장인 것은 중국에서 온 외래종 백목련이다. 가정에서 목련주를 담거나 목련으로 효소를 담가 먹기도 한다.

## 제작 및 음용

목련화의 꽃이 피기 전 꽃봉오리를 한방에서는 신이라고 하여 약효가 가장 강하다. 말린 신이 10g을 물 3컵 정도를 붓고 15분 정도 끓여 걸러서 마신다.

차로 마실 때는 꽃이 막 피어오를 때 따서 그대로 냉동실에 보관하고 생으로 차를 우려 마시는 방법과 꽃잎을 살짝 찌거나 그대로 그늘에 말려 제다하여 마시는 것이 일반적이다.

덖어서 만들 때는 면포를 깔고 달궈진 팬에서 덖는다.

① 꽃이 막 피어나기 시작한 꽃봉오리를 딴다.

② 꽃잎을 한 장씩 따서 깨끗이 씻어 물기를 제거한다.

③ 찜통에 넣고 1~2분 쪄서 꺼내 통풍이 잘 되는 그늘에 말린다.

④ 제다한 꽃잎 4~5개를 다관에 넣고 끓는 물을 부어 우려 마신다.

## 효능

신이는 성질을 따뜻하고 맛은 매우며 폐경, 위경으로 들어간다. 풍한을 제거하고 코를 잘 통하게 하는 효능이 있어 풍한으로 인한 두통이나 비염, 코막힘, 축농증에 효과가 있고 치통에 좋으며 알레르기비염에도 효과가 있으며 정신활동을 많이 하는 사람에게 도움이 된다.

## 주의사항

자목련은 사용하지 않는 것이 좋으며 꽃 알레르기가 있는 사람은 주의해야 하며 열이 많은 사람도 너무 많이 마시는 것은 좋지 않다.

## 🌸 생강나무꽃차

생강나무는 녹나무과에 속하며 전국의 산기슭 양지바른 곳에서 자라는 나무로 중국, 일본에도 분포하며 새로 잘라낸 가지나 잎에서 생강냄새가 나므로 생강나무라고 한다. 납매(蠟梅), 새앙나무, 생나무, 아위나무라고도 부르며 동백나무가 없는 지방에서는 생강나무기름을 짜서 머릿기름으로 사용했기 때문에 동백나무, 동박나무라고 부르기도 한다.

봄에 잎이 나오기 전 노란색의 꽃이 먼저 피기 때문에 산수유나무와 혼동하는 경우도 있는데 잎을 보면 쉽게 구별할 수 있다. 생강나무잎은 어긋나기로 달리고 산수유나무 잎은 마주나기로 달린다. 또한 생강나무는 암꽃과 수꽃이 서로 다른 암수딴몸의 특징을 갖고 있으며 작은 꽃 여러 개가 뭉쳐 꽃대 없이 산형꽃차례를 이루며 피고 산수유는 암술과 수술이 한꽃에 달려 있으며 꽃잎이 4개로 긴 타원형 모양의 여러 개 꽃이 방사형을 이루며 핀다.

우리나라에 생강이 들어오기 전에는 이 나무껍질과 잎을 말려서 가루를 내어 양념이나 향료로 썼다고 한다. 어린싹은 작설차(雀舌茶)라 하여 어린잎이 참새 혓바닥만큼 자랐을 때 따서 말렸다가 차로 마시거나 연한 잎을 따서 그늘에서 말려 찹쌀가루를 묻혀 기름에 튀겨 부각을 만들어 먹기도 했다. 어린 가지 말린 것을 황매목(黃梅木)이라 하며 약재로도 사용한다.

### 제작 및 음용

생강나무꽃차를 만드는 방법은 찜기에 쪄서 말리는 방법과 여러 번 덖고 식히기를 반복하여 만드는 방법이 있다.

① 생강나무꽃이 완전히 피기 전에 채취하여 깨끗이 씻는다.

② 면포나 한지에 깔아 물기를 말려준다.

③ 찜기나 덖음 솥에 넣고 찌거나 덖는다.

④ 그늘에 말려 수분이 완전하게 제거되면 유리병에 보관한다.

⑤ 꽃봉오리 4~5개를 다관에 넣고 뜨거운 물을 부어 우려 마신다.

## 효능

어혈을 풀어주고 중초를 따뜻하게 하며 신진대사를 활발하게 하는 효능이 있으며 신경계, 순환기질환을 다스린다. 넘어져 멍이 들거나 타박상, 근육통에 효과가 있고 어혈로 인한 산후풍이나 유방종통에 좋고 감기로 인해 오한이 들거나 기침이 심할 때 도움이 되고 배가 차고 복통이 있으며 수족냉증이 있는 사람에게 효과가 있다.

## 주의사항

특별한 부작용은 없으나 과다 복용 시 복통, 설사, 구토 등이 나타날 수 있다.

## 🌱 아카시아꽃차

아카시아나무는 북아메리카가 원산지로 콩과에 딸린 낙엽교목으로 전 세계에 분포되어 있다. 한국에는 1911년 일본에서 들여왔다고 하며 아카시아로 불렸는데 현대에 와서 아카시아속의 식물이 들어오면서 우리가 알고 있는 미국이 원산지인 아카시아는 아카시아나무로 구별한다.

5~6월이면 온 산이 하얗게 보일 정도로 아카시아꽃이 만발하며 향기 또한 진하게 퍼진다. 꽃 속에는 질 좋은 맑은 갈색의 꿀이 들어 있어 아카시아꿀을 만드는데 우리나라에서 생산되는 꿀의 70%를 차지한다. 또한 아카시아꽃이 피기 전에 꽃을 송이채 따서 장아찌를 만들기도 하고 꽃잎에 찹쌀가루를 묻혀 부각을 만들어 먹기도 하며 술을 담그거나 차로 마시기도 하는 등 다양하게 이용한다.

나무도 단단하고 예쁜 색을 가지고 있어 고급가구를 만드는 데 활용하며 잎은 사료로 사용하기도 한다.

## 제작 및 음용

아카시아꽃은 피기 직전 꽃이 맺혀 있을 때 채취해야 향이 좋다. 너무 안 핀 것이나 많이 피어버린 것은 향이 약하다. 취향에 따라 찌거나 덖어서 차를 만든다.

① 꽃을 채취하여 깨끗이 씻어준다.

② 면포를 깔고 널어 물기를 제거한다.

③ 찜통에 넣고 잠깐 증기를 쏘였다 식히기를 2~3회 반복한다.

④ 통풍이 잘 되는 그늘에서 바짝 말린다.

⑤ 꽃잎 10개 정도를 다관에 넣고 뜨거운 물을 부어 우려 마신다.

### 효능

아카시아꽃은 현대 연구에 의하면 로비닌, 아카세틴 등 몸에 유익한 성분을 많이 함유하고 있는데 소염, 이뇨, 해독, 이담작용이 있으며 향은 정신을 맑게 하고 기운이 잘 돌게 하며 미래의 항생제라 부를 만큼 항균작용도 좋다. 따라서 항생제로 인한 내성이 있는 사람에게 효과가 좋고 중이염, 여드름, 화장독 등 염증치료에 효과가 있으며 임신부종을 가라앉게 하고 가래, 기침, 천식, 기관지염 등에 도움이 된다.

### 주의사항

한꺼번에 너무 많이 마시면 설사를 할 수 있으니 주의해야 한다.

## 🌷 원추리꽃차

백합과에 속하는 다년생풀로 한국, 중국, 대만, 일본 등 주로 동아시아에 분포하며 그 종류는 약 20~30종이 된다. 우리나라에서 자생하는 원추리는 약 8종 정도가 되며 넘나물, 망우초(忘憂草), 득남초(得男草), 의남초(宜男草), 훤초(萱草) 등으로 부른다. 어린순은 나물로 먹고 뿌리는 약재로 사용한다. 꽃은 백합 비슷한 깔때기 모양이며 노란색에서부터 등황색까지 약간씩 다르며 끝이 6개로 갈라진다. 이른 봄에 어린싹을 채취하여 나물로 먹는데 이것을 넘나물이라 하고 꽃과 잎은 밥에 넣어 먹기도 하고 술을 담그기도 하며 튀김도 만들고 샐러드에 넣기도 하며 뿌리는 약재로 사용한다. 원추리는 멧돼지가 원추리 뿌리를 즐겨 파먹는 것을 보고 사람들이 먹기 시작했다고 한다.

영어로는 아침에 피었다가 저녁에 진다고 하여 "데이릴리(Day Lily)"라고 부르며 중국에서는 금침채(金針菜), 황화채(黃花菜)라고 하여 나물이나 샐러드에 이용한다.

### 제작 및 음용

꽃차를 만드는 방법은 다른 꽃차와 동일하다. 찌거나 덖어 건조되면 유리병에 보관하여 두었다 꺼내 뜨거운 물에 우려 마신다.

① 꽃봉오리가 피기 직전의 꽃을 채취하여 꽃술을 떼어버리고 약한 소금물에 씻어낸다.

② 면포에 널어 물기를 제거하고 찜솥에 넣어 찌고 식히기를 몇 번 한다.

③ 통풍이 잘되는 그늘에서 바짝 말려 보관한다.

④ 꽃잎 3~4개를 다관에 넣고 뜨거운 물을 부어 우려 마신다.

### 효능

원추리는 심신을 안정시키고 스트레스를 해소하며 우울증을 완화시키고 폐열을 내리고 소염, 살균, 이뇨, 해독작용이 있다. 따라서 마음을 안정시키며 불면증에도 효과가 있고 소변이 붉고 잘 나오지 않는 사람이나 가슴에 번열이 있어 답답하고 한숨이 자주 나오는 사람에게 적합하고 임질이나 황달을 치료한다. 또한 장을 튼튼하게 하고 노화예방에도 도움이 되며 독초를 먹고 중독된 사람들의 해독에도 좋다.

### 주의사항

① 원추리는 어린싹만 먹어야 하며 자란 원추리는 독성이 강해 먹으면 안 되고 생으로 먹지 말고 꼭 데쳐서 물에 담가두었다 먹어야 한다.

② 원추리의 뿌리에는 콜리신이라는 독성물질이 있으므로 하루 40g 이상을 복용하면 시력 저하나 대소변에 피가 섞여 나올 수 있다고 한다.

### 🌸 연꽃차

연은 아시아와 오스트레일리아, 유럽 등지가 원산지며 연못의 진흙 속에서 자라며 꽃은 7~8월에 피고 백색 또는 홍색이 일반적이지만 지금은 개량되어 여러 가지 색을 피운다.

연은 버릴 것이 하나도 없는 식물로 열매는 벌집처럼 꽃받침의 구멍에 씨가 검게 익는데 이것을 연밥이라고 하여 까서 먹기도 하고 밥이나 반찬의 재료로 사용한다. 뿌리는 우리가 반찬으로 먹는 연근이며 잎은 밥을 싸서 먹거나 차로 마시고 씨를 품고 있는 연방이나 줄기는 한약재로 사용한다.

연과 같은 수련과의 수련은 연과 같은 종으로 여기지만 실제로는 서로 다른 종류다. 수련의 잎은 연처럼 위로 자라지 않고 수면에 떠 있는 형태로 자라며 꽃도 크기가 약간 작고 수면에 떠서 피며 낮에만 피고 밤에는 꽃잎을 닫는다.

청나라 부생육기의 연향차는 수련이 닫히기 전 꽃 속에 찻잎을 넣어두었다가 아침에 피면 찻잎을 꺼내 차를 우려 마시면 연꽃향이 배어들어 차향이 좋다고 한다.

연꽃은 일반적으로 차를 만들어 마시는데 여러 종류의 꽃 중에서 백련을 가장 고급으로 여긴다.

### 제작 및 음용

연꽃차는 연꽃이 절반 정도 피었을 때 채취해서 그늘에 말려 쓰거나 생화를 한지에 싸서 냉동실에 넣어두고 차를 우릴 때 꺼내서 사용하기도 하며 현대에 와서는 냉동건조시켜 만들기도 한다.

① 아침에 연꽃이 완전히 피기 전에 꽃봉오리를 채취한다.

② 흐르는 물에 깨끗이 씻는다.

③ 그늘에 건조시켜 냉동보관한다.

④ 연꽃 한 송이에 물 1L를 넣고 끓는 물을 부어 우려내어 마신다.

### 효능

연꽃은 심신을 맑게 하고 신장의 정기를 보하며 지혈작용이 있고 머리카락을 윤기있게 하며 피부미용에 효과가 있다. 그러므로 정신적으로 힘들어 하는 사람들이나 유정, 몽정 등에 효과가 있으며 여성의 하혈이나 냉 대하에 효과가 있으며 노화예방에 도움이 되고 면역력을 증강시키는 건강식으로 좋다.

## 🌷 맨드라미꽃차

비름과에 속하는 한해살이풀로 인도네시아 등의  아시아 열대지역이 원산지로 전 세계에 널리 분포되어 있다. 우리나라에는 1600년대에 들어온 것으로 알려져 있으며 『산림경제』에 기록되어 있다. 꽃모양이 닭 벼슬처럼 보여 계관화(鷄冠花) 또는 계관초(鷄冠草), 계두(鷄頭)라고 부르며 잎과 줄기는 계관묘(鷄冠苗)라 하고 종자는 계관자(鷄冠子), 청상자(靑箱子), 유관실(類冠實)이라 부르며 한방에서 약재로 쓰인다.

어린잎은 나물로 먹기도 하며 맨드라미꽃은 음식에도 사용하였는데 증편에 고명으로 올리거나 떡이나 잡채를 만들 때도 넣었으며 색소로 이용했다는 기록이 있다.

주로 관상용이나 약용, 염료로 사용해 왔으며 약으로 쓸 때는 탕이나 환 또는 산제로 사용한다.

### 제작 및 음용

꽃과 줄기를 채취하여 잘게 찧어 설탕을 넣고 15일 정도 숙성시켜 먹거나 팬에 볶아 말려두었다 뜨거운 물에 우려 마신다. 맛이 써서 차와 함께 넣고 우려 마시기도 한다.

① 꽃과 줄기를 따서 잘게 찧는다.
② 그늘에 두어 약간 시들게 한 후 달군 팬에 넣고 볶는다.
③ 볶은 맨드라미를 그늘에 바짝 말려 유리병에 보관한다.
④ 말린 맨드라미 3~4개를 다관에 넣고 뜨거운 물을 부어 우려 마신다.

### 효능

성질은 차고 맛은 쓰며 간경, 대장경으로 들어간다. 간화로 인한 열독을 치료하고 풍을 예방하며 지혈작용과 지사작용이 있다. 간열로 인해 눈이 자주 충혈되거나 두통, 현훈, 피부병 등에 효과가 있고 간염이나 요로결석, 생리불순에도 좋으며 실사를 멈추게 하고 열을 내리며 임신중독이나 임질에 도움이 되고 모든 출혈증상에 효과가 있다.

주의사항

① 임신부는 먹지 않는 것이 좋으며 몸이 찬 사람도 좋지 않다.

② 약으로 사용할 때는 고본(藁本)과 함께 쓰지 않으며 식품으로는 가물치, 돼지고
　기와 함께 사용하면 안 된다.

## 🌸 유채꽃차

십자화과 배추속에 속하며 두해살이풀로 전 세계에 분포한다. 봄이면 들판을 노랗게
물들이며 우리나라에서는 제주도가 가장 유명하며 씨에서 카놀라유를 추출한다. 중국
에서는 운대(蕓薹), 호채(湖菜), 채종(菜種)이라고 부르며 서양에서는 잎 모양이 케일
을 닮아 "시베리안 케일"이라 부르기도 한다.

캐나다, 중국, 인도, 독일 등에서는 상업적 목적으로 대량 재배하고 있으며 캐나다와
중국이 생산량이 가장 많다.

우리나라에는 명나라시기에 들어온 것으로 추측되며 주로 제주도나 전남 등 남부지
방에서 재배하고 연한 잎과 줄기는 나물이나 김치로 만들거나 된장국에 넣어 먹고 어린
순은 쌈이나 겉절이로 먹기도 한다.

유채씨는 카놀라유를 짜내며 카놀라(Canola)유란 이름은 캐나다(Can), 기름(Oil),
산성(Acid)의 앞글자를 따서 만든 합성어로 캐나다 유채협회에서 사용하던 상표명이었
는데 1970년대 캐나다에서 품종 개량한 유채씨로 기름을 많이 생산하여 판매하기 시
작하면서 붙인 이름이다. 오늘날에는 유채기름을 부르는 이름으로 사용한다.

카놀라유는 식용유로 사용하다 현대에 와서는 바이오디젤 연료로도 사용하고 있으
며 식물성 기름에서 추출한 친환경적이고 재생 가능한 연료로 인기가 있다. 이외에도
산업용 윤활유나 양초, 화장품, 잉크 등 다양한 방면에 활용되고 있으며 기름을 짜내고
남은 찌꺼기는 사료를 만든다. 또한 꽃을 말려 차로도 마시는데 뜨거운 물을 부어 우리
면 찻물이 노랗고 맛이 달고 부드러워 인기가 있다.

## 제작 및 음용

유채꽃은 습기에 약해 찌는 방법보다는 덖어서 만드는 것이 좋으며 덖지 않고 그대로 말려 사용하기도 한다.

① 꽃봉오리가 피기 시작할 무렵 꽃이 달린 줄기와 함께 채취한다.

② 깨끗이 씻어 면포를 깔고 그늘에서 일주일 정도 말린다.

③ 달군 팬에서 덖는다.

④ 완전히 건조될 때까지 여러 번 덖어주고 완전히 건조되면 유리병에 담는다.

⑤ 건조된 유채꽃을 다관에 3~4개 정도 넣고 뜨거운 물을 부어 우려 마신다.

## 효능

성질은 차고 맛은 달고 매우며 눈을 밝게 하고 혈압을 낮추며 해독, 지혈작용과 고밀도 콜레스테롤이 많아 몸에 좋지 않는 저밀도 콜레스테롤을 낮추는 작용이 있어 성인병 예방에 좋으며 혈액순환을 원활하게 한다. 성장기 어린이나 여성 또는 노년층의 골다공증 예방에 도움이 되고 식이섬유가 많아 변비예방에 좋으며 봄철 춘곤증 예방과 빈혈예방에 효과가 있고 토코페롤 함량이 많아 피부미용과 노화예방에도 효과가 있다.

## 주의사항

유채는 성질이 차서 설사를 자주 하거나 아랫배가 찬 사람은 주의해야 한다.

## 🌷 개나리꽃차

개나리는 물푸레나무과에 속하는 낙엽활엽관목으로 연교(連翹), 신이화, 영춘화, 황춘단, 황화수, 황금조, 신리화, 어리자, 어아리 등의 이름으로도 부르지만 개나리로 가장 많이 불리며 함경도에서는 꽃이 일찍 피기 때문에 매화라 부르기도 한다. 개나리는 우리나라 전역에서 야생하는 꽃으로 열매는 약용으로 사용한다. 개나리나무가 모두 열매를 맺는 것은 아니고 열매를 맺는 나무가 따로 있으며 열매를 연교라고 하며 한방에서 약용으로 사용한다. 우리나라에서는 의성개나리열매를 사용하고 중국에서는 당개나리열매를 약재로 사용한다.

개나리꽃으로 술을 담그면 개나리주라 부르고 열매로 술을 담그면 연교주라고 한다. 영어로는 4개의 꽃잎이 갈라져 황금종처럼 생겼다고 해서 golden-bell tree라고 부른다. 원산지는 중국이라고 하지만 대표적인 우리 자생식물 중의 하나로 꽃이 일찍 피는 "만리화", 꽃이 연한 황색인 "산개나리", 열매를 약용으로 쓰는 "의성개나리" 등이 있다.

### 제작 및 음용

개나리꽃도 설탕에 재워 숙성과정을 거치는 청을 만들어 마시는 방법과 그냥 그늘에서 말리거나 덖어서 건조시켜 뜨거운 물에 우려 마시는 방법이 있다.

① 개나리꽃이 아직 완전히 피지 않은 봉오리를 채취하여 깨끗이 씻어 물기를 뺀다.

② 한지에 깔아 저온에서 덖어 건조한다.

③ 개나리 꽃잎차를 1스푼 다관에 넣고 뜨거운 물을 부어 우려 마신다.

④ 금은화와 함께 차를 만들어 마시면 효능이 더욱 강해진다.

### 효능

성질은 평하고 맛은 쓰며 소염, 이뇨, 해열작용과 항균작용이 있으며 감기로 인해 열이 날 때 열을 내리며 열독으로 인한 피부병이나 종기에 효과가 있으며 인후염에도 좋고 각종 염증에 효과가 있다. 또한 소변에 피가 섞여 나오거나 잘 나오지 않으며 요도결석이 있는 사람에게도 도움이 된다.

### 주의사항

개나리꽃은 소화기가 약해 소화가 잘 안 되는 사람이나 몸이 찬 사람은 주의해야 하며 과다 음용하는 것은 피하는 것이 좋다.

### 🌷 매화꽃차

장미과에 속하는 매화나무의 꽃을 말하며 원산지는 한국, 중국, 일본 등지의 아시아이며 서북향이 막힌 양지바른 곳에서 잘 자란다. 일지춘(一枝春), 군자향(君子香)이라고도 하며 난초, 국화, 대나무와 함께 4군자에 속하며 이른 봄에 가장 먼저 피어나는 꽃으로 눈 속에서 핀다고 하여 실중매라는 이름도 있고 봄을 알리는 나무라고 하여 춘고초(春告草)라고도 부른다.

매화꽃의 색은 흰색의 백매화가 가장 많고 그 외에 홍매화, 분홍매화, 청매화 등도 있으며 또 다른 이름으로 만첩흰매화, 만첩홍매화, 만첩분홍매로 구분하기도 하는데 만첩이라는 말은 겹꽃을 뜻하는 말로 꽃잎이 다섯 개가 넘어가는 꽃을 말한다.

매화나무꽃은 향기가 그윽하고 아름다워 차로 마시며 우리나라에는 섬진강 주변에서 매화축제를 열고 있다. 매화나무는 뿌리, 열매, 가지, 잎, 꽃망울까지 모두 약용으로 사용한다.

### 제작 및 음용

매화를 채취해서 신선한 상태에서 냉동보관하여 필요할 때 꺼내 뜨거운 물에 우려 마시거나 그늘에 건조시켜 냉동보관하는 방법이 있으며 건조시켜 마시는 차는 솥에 한 번 쪄서 면포를 깔고 솥에 덖어 건조시켜 만든다. 또한 설탕이나 꿀에 재워 숙성시킨 후 조금씩 물에 타서 마시는 방법이 있다.

① 꽃망울이 터지기 전의 몽우리를 채취하여 깨끗이 씻는다.

② 물기를 제거하고 그늘에 말려 약간 시들린다.

③ 달군 팬에 한지를 깔고 차를 올려 살짝 덖고 30~40℃ 정도의 열에서 잠재우기를 한다.

④ 그늘에서 바짝 말려 유리병에 담는다.

⑤ 매화봉오리 5~6개를 다관에 넣고 뜨거운 물을 부어 우려 마신다.

### 효능

기침, 해열, 해독, 이뇨작용이 있으며 갈증을 해소하고 숙취를 없애주며 소화를 돕고 갈증을 해소하며 "매핵기"에 효과가 있다. 또한 피부미용에 도움이 되고 구토, 구역질 증세를 완화시키며 마음을 편하게 한다.

### 주의사항

위산이 많아 위나 장이 약한 사람은 많이 마시면 좋지 않다.

## 천일홍차

비름과에 속하는 한해살이풀로 열대 아메리카가 원산지로 꽃이 피어 1,000일 동안 색이 변하지 않는다고 하여 천일홍이라고 부른다. 다른 이름으로는 천일초(千日草), 천금초(千金草), 천년초(千年草)라고도 하며 꽃은 7~10월에 피고 보라색, 붉은색, 연한 홍색, 흰색으로 피고 예로부터 불전을 장식하는 꽃으로 애용되어 왔다. 주로 관상용이나 약용으로 사용하며 약으로 사용할 때는 전초를 약재로 사용하며 탕에 넣거나 짓이겨서 외상에 붙이기도 한다.

제다하여 차로 이용하기도 하는데 찻물이 투명하고 은은한 붉은색으로 우러나와 아름답고 향기롭다.

### 제작 및 음용

천일홍차는 일반적으로 증제한 후에 덖고 잠재우기를 거쳐 건조한다.

① 약간 덜 핀 천일홍꽃을 채취하여 깨끗이 씻어 물기를 제거한다.

② 면포에 싸서 찜솥에 넣고 살짝 찐다.

③ 찐 천일홍을 그늘에서 건조시킨 후 달궈진 솥에 한지를 깔고 덖는다.

④ 덖고 식히기를 몇 번 반복한다.

⑤ 덖음이 완료되면 저온에 두고 오랫동안 잠재우기를 하면서 수분을 완전히 날린다.

⑥ 완성된 천일홍 5~6송이를 다관에 넣고 뜨거운 물을 부어 우려 마신다.

### 효능

천일홍은 성질은 평하고 맛은 달며 기침을 멈추게 하고 천식을 치료하며 간열을 내리며 뭉친 것을 풀어주고 두풍(頭風), 목통(目痛), 창상(瘡傷)에 효과가 있고 이질, 백일해, 소아경기에 좋다.  따라서 갑자기 두통이 있고 눈이 충혈되고 아프며 우울증이나 불면증이 있는 사람에게 효과가 있고 성인병에 좋으며 스트레스를 많이 받고 종기나 피부트러블, 가려움증 등에도 도움이 된다.

## 🌸 진달래차

진달래과에 속하며 중국, 내몽골, 일본, 극동러시아 등지에 분포하며 우리나라에서는 개나리와 함께 봄을 알려주는 꽃으로 사랑받아 왔다. 분홍색의 꽃은 잎이 나오기 전인 4월부터 피기 시작한다. 중국 전설에서 유래하여 두견새가 밤새워 울다가 피를 토하여 꽃을 분홍색으로 물들였다고 하여 "두견화(杜鵑花)"라 부르기도 한다. 꽃, 잎, 줄기, 가지, 뿌리 등을 모두 식용이나 약용으로 사용하고 있으며 한방에서는 꽃을 말려 두견화 혹은 영산홍이라는 약재로 사용한다. 진달래꽃은 날것으로 따서 먹을 수 있으므로 참꽃이라 부르기도 한다. 화채 또는 화전을 만들어 먹기도 하고 술을 만들어 두견주라고 하는데 술을 빚어 먹을 경우 담근 지 100일이 지나야 맛이 난다고 하여 백일주라고도 한다. 또한 민간에서는 진달래 줄기로 만든 숯으로 승복을 염색하기도 했다.

진달래와 비슷한 종류로는 흰진달래, 털진달래, 산진달래, 참꽃, 철쭉꽃, 산철쭉 등이 있는데 이런 꽃들은 먹을 수 없다고 하여 개꽃이라고 불렀다.

### 제작 및 음용

진달래는 예로부터 음식에 많이 사용해 왔는데 차로 만들어 봄을 즐기기도 했다. 진달래꽃을 채취하여 깨끗이 씻은 후 물기를 제거하고 설탕이나 꿀에 재워 보름 정도 지난 후에 한 수저 정도를 떠서 뜨거운 물에 타 마시기도 하고 꽃잎을 덖어 건조시켜 보관한 후 뜨거운 물에 우려내어 마시기도 한다.

① 꽃이 피기 전의 꽃봉오리를 채취하여 꽃술을 떼어내고 깨끗이 씻어 물기를 제거한다.

② 덖음솥에 넣고 저온으로 천천히 덖고 식히기를 반복한다.

③ 잠재우기를 해서 완전히 건조되면 유리병에 담아 보관한다.

④ 꽃잎 5~6개를 다관에 넣고 뜨거운 물을 부어 우려 마신다.

### 효능

혈액순환을 개선시키고 어혈을 풀어주며 생리불순이나 무월경에 효과가 있고 두통이나 감기로 인한 기침에 효과가 있고 천식에 도움이 되며 신경통, 염증에도 좋은 것으로 알려져 있으며 혈관을 확장하여 혈압을 낮추는 효과가 있는 것으로 알려져 있다. 또한 코피가 나거나 토혈에 좋으며 식욕을 증진시키고 소화를 돕는다.

### 주의사항

한꺼번에 너무 많이 마시면 복통, 설사를 유발할 수 있어 좋지 않다.

## 🌷 찔레꽃차

찔레나무는 장미과에 속하며 중국, 일본 등지에 분포한다. 우리나라 토종으로 전국에서 잘 자라며 적응력이 뛰어나기 때문에 장미의 원예품종을 번식시킬 때 대목으로 많이 이용되고 있다. 찔레나무, 가시나무라고도 하며 꽃은 5월에 백색 또는 연한 홍색으로 피고 열매는 10월에 붉게 익는다.

찔레나무와 비슷한 식물로는 왕가시나무가 있는데 찔레나무와 섞여 나며 이것은 줄기가 옆으로 자라며 가시와 선모가 있다는 점이 다르다.

꽃을 날로 따먹기도 하고 어린순은 나물로 먹기도 하였으며 보릿고개가 있던 시절 새로 나온 굵은 순은 껍질을 벗겨 날로 먹기도 했다. 한방에서는 찔레나무를 "석산호"라고 부르며 열매를 "영실"이라 하여 약재로 사용하였다. 주로 열매는 여성의 생리불순이나 부스럼, 종기, 변비, 신장염, 방광염 등을 치료하는 데 쓰였고 뿌리는 산후풍이나 부종, 이질, 혈변, 어혈, 관절염 등을 치료하는 데 사용하였다. 또한 찔레꽃의 향기는 매우 진하고 상큼하여 찔레꽃을 증류하여 화장수를 만들기도 하였다.

### 제작 및 음용

찔레꽃은 부서지기 쉬우므로 덖을 때 조심해야 하며 찔레순도 약간 들어가게 한다. 일반적으로 덖지 않고 살짝 쪄서 건조하거나 그냥 건조하여 차로 마신다. 물론 설탕이나 꿀을 넣어 보름쯤 숙성시켜 뜨거운 물에 타서 먹기도 한다.

① 꽃잎이 완전히 피지 않는 꽃송이를 채취하여 깨끗이 씻어 물기를 제거한다.

② 한지나 면포에 싸서 살짝 뜨거운 김을 쏘인다.

③ 덖을 땐 솥을 저온으로 하여 살짝 덖고 식혀서 건조시킨 후 병에 담아 보관한다.

④ 꽃잎 8~10개를 다관에 넣고 뜨거운 물을 부어 우려 마신다.

### 효능

성질은 차고 맛은 시고 달며 활혈(活血), 이뇨, 사하(瀉下), 해독작용이 있다. 열독을 완화시키고 더위를 이기며 속을 편하게 하고 지혈작용이 있으며 생리불순이나 생리통, 변비, 옹종(癰腫), 창독(瘡毒), 수종, 소변불리(小便不利)에 효과가 있고 신장염 등 각종 염증을 치료하며 갈증을 멈추게 하고 혈액을 맑게 하여 현대 성인병 예방에 좋다.

### 주의사항

비위가 찬 사람이나 임신부는 주의해야 한다.

## 🌷 수선화차

수선화과에 속하는 여러해살이풀로 원산지는 지중해 연안이며 유럽, 북아프리카, 중국, 일본에 분포하며 우리나라에서는 제주도에 자생하며 남부지방에서 많이 자란다. 따뜻한 지방의 바닷가 모래땅이나 약간 습한 곳에서 잘 자라며 땅속줄기는 검은색으로 양파처럼 둥글고 잎은 선형으로 난처럼 자란다. 꽃은 12~3월경 꽃줄기 끝에 6개 정도가 핀다. 열매를 맺지 못하여 알뿌리로 번식하고 아름답고 향기로운 꽃을 피운다. 1~2월에 잎 사이에서 꽃줄기가 나와 흰색이나 노란색 따위의 꽃이 핀다.

수선이라는 이름은 중국명으로 물에 있는 신선이라는 뜻으로 수선(水仙)이라고 부른다. 다른 이름으로는 제주수선, 겹첩수선, 배현(配玄), 수선창(水仙菖)이라 부르며 눈 속에 피는 수선화를 설중화(雪中花)라고도 하며 부화관은 금빛 술잔같이 보이고 아래 여섯 장의 흰꽃은 받침대처럼 보여 마치 은쟁반 위에 놓인 황금잔 같다 하여 금잔은대(金盞銀臺)라는 별명도 있다.

주로 관상용으로 쓰이며 약용으로 이용하기도 하는데 약으로 쓸 때는 탕으로 하여 사용하거나 외상일 경우나 부스럼 등에 짓이겨 붙이거나 생즙을 내어 바른다.

### 제작 및 음용

수선화도 꽃잎이 얇아 그냥 그늘에서 말려 사용하거나 살짝 찐 후에 말려 사용하지만 덖음을 할 때는 저온에서 덖고 설탕이나 꿀에 재워서 사용하기도 한다.

① 수선화 꽃잎이 약간 덜 피었을 때 채취하여 깨끗이 씻어 물기를 제거한다.

② 덖음솥을 저온으로 하여 덖고 식히기를 몇 번 반복한다.

③ 잠재우기를 하여 완전히 건조한 후 병에 담는다.

④ 꽃잎 한 장을 잔에 넣고 뜨거운 물을 부어 우려 마신다.

### 효능

수선화는 수액대사를 활발하게 하여 견비통, 류머티즘 등의 증상을 완화시키고 혈액순환을 도와 어혈이나 타박상에 이용하며 생즙을 내어 부스럼이나 종기, 옹종에 붙이며 향유를 만들어 풍을 제거하고 열을 내리며 백일해, 기침, 천식 등 호흡기질환에 이용하며 구토증상에도 도움이 된다.

### 주의사항

수선화는 성질이 차서 몸이 차고 설사를 자주 하며 수족냉증이 있는 사람은 주의해야 한다.

## 🌸 계화차

계화는 계수나무의 꽃을 말하며 단계(丹桂), 목서(木犀), 구리향(九里香) 등으로 부른다. 원산지는 중국과 일본으로 알려져 있으며 관상용으로 많이 심는다. 계화는 꽃의 색에 따라 금, 은, 단으로 구분하며 우리나라에서는 물푸레나무라고도 부른다.

꽃은 3~5월에 잎보다 먼저 나오며 이 꽃을 말려서 계화차를 만든다. 향이 진하고 맛이 강하며 맛과 향이 입안에 오래 남아 있으며 탕색은 녹황색으로 달콤한 향이 나고 향기로워 입안을 맑고 개운하게 만들어주는 효과가 있다.

### 제작 및 음용

유리잔에 계화 3~5g 정도를 넣고 끓는 물을 부어 5분 정도 우려낸 후 꿀이나 설탕을 넣어 마신다.

### 효능

성질은 따뜻하고 맛은 매우며 비위를 튼튼하게 하고 식체를 내리고 입냄새를 제거한다. 가래를 삭이고 기침을 멈추게 하며 폐를 윤택하게 하고 자음작용이 있으며 한사를 없애주어 풍한감기에도 효과가 있다. 입냄새가 많이 나고 이가 아프며 풍한감기로 기침이나 가래가 많은 사람이나 시력이 모호한 사람에게 적합하다.

### 주의사항

비위에 습열이 쌓인 사람은 주의해야 한다.

## 🌼 삼칠화차

삼칠화는 오가과 삼칠나무의 꽃으로 금불환화(金不換花), 혈삼화(血蔘花) 등으로 불리며 예로부터 인삼하고 견줄 정도로 그 효능을 인정받아 왔다. 『본초강목습유』에서는 "인삼은 보기약의 최고고 삼칠은 보혈약의 최고다."라고 기재되어 있다. 삼칠은 뿌리, 줄

기, 잎, 꽃 모두 약재로 사용하며 각 부위에 따라 약효도 조금씩 다르다.

### 제작 및 음용

말린 삼칠꽃 5g 정도를 뜨거운 물에 넣고 5분 정도 우려 마신다.

### 효능

삼칠화는 성질은 차고 맛은 달며 열을 내리고 간기를 안정시키며 어혈을 풀어주고 부기를 가라앉게 하며 혈액순환을 활발하게 하면서 지혈작용이 있다. 따라서 마음을 진정시키고 정신을 안정시키며 혈압을 내리고 혈액의 지방을 내리며 눈을 밝게 한다. 차로

마시면 진액을 만들어 갈증을 없애주고 다이어트에 좋다. 그 밖에 머리가 어지럽고 눈이 침침하며 이명현상이 나타나는 사람이나 편두통, 고혈압, 고지혈증환자에게 적합하다.

### 주의사항

신체가 차고 허약한 사람이나 임신부, 생리 중인 여성에게는 좋지 않다.

차의 모든것

제 4 장

약차

차의 모든 것

# 약차

약차란 약이 되는 차를 말하는 것으로 동양전통의학의 일종이다. 침, 뜸, 안마, 기공 등과 같은 목적을 달성하기 위해 차의 형식을 빌려 여러 가지 재료를 간단하게 물에 넣고 끓여 본격적인 치료제인 탕제를 먹기 전에 치료하기 좋은 인체환경을 만들거나 질병예방, 가벼운 질병치료, 면역력 증강 등을 목적으로 한다.

차는 『신농본초경』에서는 고채(苦菜)라고 하였으며 일명 차초(茶草)라고도 하며 맛은 쓰고 성질은 차며 독이 없고 오래 복용해도 안심할 수 있으며 기운이 생기고 머리가 맑아지며 잘 눕지 않게 하고 몸을 가볍게 하며 노화를 늦춘다고 기록하고 있다. 처음에는 약초로 사용되었음을 짐작하게 한다. 당나라 때 육우가 쓴 『다경』에는 차 이름이 다섯 가지가 나오는데 차(茶), 가(檟), 설(蔎), 명(茗), 천(荈)이다. 서한시대 양웅의 『방언』에는 "촉나라 서남쪽 사람은 차를 천(荈)이라고 부른다."라고 기재되어 있으며 사마상의 『범장편』에 여러 가지 약재이름과 함께 기재되어 있는 것으로 보아 일종의 약재로 사용되고 있음을 알 수 있다. 그 후 차가 사람들 사이에 향, 맛, 효능 등이 좋아 점점 기호식품으로 자리 잡았을 것으로 추정할 수 있다. 차를 본격적으로 즐기기 시작한 시기는 당나라 시대로 당시 과거제도가 시행되고 여러 선비들이 과거시험을 위해 책을 읽고 공부에 정진할 때 집중력을 향상시키고 잠을 쫓아주는 최고의 음료로 인정받았을 것으로 짐작된다. 따라서 처음에는 약으로 시작되었으나 당나라시기에는 완전한 하나의 기호식품으로 자리 잡을 수 있었음을 문헌을 통해 알 수 있다.

그 당시 여러 가지 약재 중에서 생활 속에서 차를 가장 많이 끓여 먹었으므로 차를 끓이는 방식으로 간편하게 끓여 먹는 것 뒤에 차를 붙이게 된 것으로 짐작된다. 예를 들면 구기자차, 생강차, 대추차, 상엽차, 진피차, 지각차 등이 있다.

후에 육우의 『다경』에서는 "찻잎으로 만들지 않는 것을 차라고 부르면 안 된다. 탕이라고 해야 한다."고 했지만 탕제의 개념과도 차이가 있어 풍속적으로 차라고 불러왔다.

약차의 기원 또한 오래되었는데 문헌에서는 삼국시대 위나라의 장읍이 쓴 동양 최초의 백과사전인 『광아』에 "찻잎을 채집하여 떡처럼 만들어 생강, 대파를 넣고 끓여 마시면 술이 깨고 잠이 오지 않는다."라고 기재되어 있다. 차를 마시기 시작한 것은 한나라부터지만 다른 재료와 함께 넣어 끓여서 약효를 기재한 것은 이 책이 최초다. 따라서 약차의 기원을 이 시기로 보고 있다.

그 후 당나라시기의 『신수본초』에 약차와 연관된 여러 가지 내용이 기록되어 있으며 손사막의 『천금요방』에서는 "죽여노근차" 등 10여 종이 차로 기록되어 있다. 『천금요방8편, 치제풍방』에 기록되어 있는 내용을 보면 죽여탕은 죽여, 생갈근, 생강으로 구성되어 있는데 찻잎은 들어가지 않고 음용방법이 기재되어 있다. 그 내용은 "의사가 질병을 치료하기 위해서는 선후가 있으며 탕약을 따뜻하게 제공하는 기회를 놓치면 사람을 죽일 수도 있고 고질병을 만들어버리기도 한다. 따라서 먼저 이 죽여음(竹茹飮)을 마시게 하고 그다음에 탕제를 먹인다."라고 기재되어 있다. 이것은 먼저 차를 마시는 형식으로 죽여탕을 먹여 인체를 다스려놓고 본격적인 치료를 한다는 의미로 먼저 마시는 탕은 약차범위로 들어간다.

그 후에 맹선이 쓴 최초의 약선 전문서적인 『식료본초』에서도 "상엽을 볶아 물에 끓여 마시면 갈증을 멈추게 하는데 이것은 일종의 '차법'이다"라고 기재되어 있고 『식의심경』에는 "지각을 이용하여 지각을 차 끓여 마시는 방법으로 마신다."라고 기재되어 있고 『본초습유』에는 찻잎을 모든 질병을 치료하는 약재로 단독으로 사용하거나 다른 약재와 배합하여 사용하고 있음을 알 수 있다.

송나라시기에도 보건양생책인 진직이 쓴 『수친양노방』에도 차방제가 많이 기록되어 있으며 창이차, 회화차 등 대용차도 수록되어 있다.

원나라시기에는 훌사혜가 쓴『음선정요』에 구기차, 옥마차, 금자차 등이 나오고 명나라에서도『보제방』등에 많은 약차가 기록되어 있다.

그러므로 약차는 동양의학에서 나름대로 한 위치를 차지하며 생활 속에서 전해 내려오고 발전해 왔다고 볼 수 있다.

# Ⅰ 풀, 잎으로 만든 차

### 🌱 쑥차-천연해독제

봄이면 우리나라 어디에서든 볼 수 있는 국화과에 속하는 식물인 쑥은 순수한 우리나라 말이고 약재로는 "애엽"이라 부른다. 쑥은 단군신화에 등장할 정도로 우리 생활과 밀접한 관계를 갖고 있으며 다양한 용도로 오랫동안 사용되어 왔음을 알 수 있다.

이른 봄 산과 들에 나는 어린 쑥을 캐어 쑥떡, 쑥부침개, 쑥국, 쑥버무리 등을 만들어 먹었다. 현대에 와서는 어린 쑥을 캐어 찌거나 덖어서 말려 쑥차로 마신다.

약용으로는 5월 단오에 채취하여 말린 것이 가장 효과가 크다고 하였으며 "7년 된 병을 3년 묵은 쑥이 고친다."라는 말이 있듯이 쑥을 말려 달여 먹기도 하고 상처에 바르기도 하였으며 뜸을 뜰 때도 사용하였다.

여름철에는 다 자란 쑥으로 불을 피워 모기나 벌레를 쫓거나 냄새를 제거하는 데 이용하였으며 귀신이 들어오지 못하도록 단오에 말린 쑥을 걸어놓기도 하였다.

쑥에는 무기질과 비타민의 함량이 많으며 특히 비타민 A와 비타민 C가 많이 들어 있다.

### 제작 및 음용

말린 쑥 3g 정도를 다관에 넣고 끓는 물을 부어 2~3분 우려내어 마신다. 결명자, 장미, 콩가루 등과 블렌딩해서 마시면 좋다.

### 효능

혈액을 맑게 하고 혈액순환을 활발하게 하며 면역기능을 강화시키는 효능이 있으며 해독, 살균작용이 있고 몸을 따뜻하게 하는 효능이 있어 수족냉증에도 좋으며 복부가 차고 배가 은근히 아프고 소화가 잘 되지 않을 때도 효과가 있다. 또한 각종 부인과질환에 효과가 있으며 간기능을 강화시켜 주고 공해로 인한 독소를 배출하며 목욕제로 쓰면 피부질환을 치료하고 피부를 탄력 있고 부드럽게 한다.

그 외에 소염, 진통작용이 있고 가려움증, 습진에도 효험이 있으며 변비해소, 노화예방, 다이어트에도 도움이 된다.

### 주의사항

쑥차는 많이 마시면 구토, 복통, 설사를 유발할 수 있으며 술과 함께 마시면 좋지 않고 몸에 열이 많은 사람들도 주의해야 한다.

### 익모초차−부인과질병에 최고

익모초는 꿀풀과에 속하며 우리나라, 중국, 일본 등지에서 자란다. 여성질환에 효과가 좋아 익모초라 부르고 눈을 밝게 한다고 하여 익명초라는 이름도 있다고 한다. 또한 돼지가 잘 먹어 저마라는 이름도 있으며 줄기가 마처럼 생겼다고 하여 야천마라는 이름도 있다. 약으로 쓸 때는 탕으로 끓이거나 즙으로 짜서 마시며 술로 담가 마시기도 하지만 맛이 써서 단품으로 먹을 때는 주로 환으로 만들어 먹는다.

여름에 꽃이 아직 다 피지 않았을 때 줄기 윗부분을 잘라 햇볕에 말려 약재로 사용한다. 씨앗은 충울자라고 부르며 역시 약재로 사용한다.

### 제작 및 음용

차로 마실 때는 부드러운 줄기와 잎을 채취하여 솥에 덖어 유념한 후 다시 한 번 덖은 후에 말린다. 차 맛이 쓰기 때문에 적은 양을 넣어 우리며 꿀을 넣어 마시기도 한다. 다른 방법으로는 대추와 함께 끓여 마시기도 한다.

### 효능

주로 순환기계통으로 작용하는데 혈액순환을 개선시키고 신진대사를 활발하게 하며 호르몬 분비를 촉진시키고 심신안정을 시키는 효능이 있어 생리불순, 생리통, 산후통증 등 모든 부인과질환에 효과가 있고 고혈압, 동맥경화 등에도 효과가 있으며 진정, 진통, 지혈, 이뇨작용이 있어 부종, 신장염, 신장결석 등에도 효과가 있다. 난산(難産)이나 출산 후 태반이 완전하게 나오지 않거나 어혈 등이 남아 복통이 있는 경우에도 복용하면 좋으며 혈뇨를 보거나 옹종, 창양 등에도 좋다.

### 주의사항

임신부는 먹으면 안 되고 생리량이 많거나 묽은 사람도 주의해야 한다.

## 🌷 연잎차-다이어트 효과

우리나라 전국의 연못이나 강가에서 자라는 다년생 초본의 수생식물로서 근경이나 종자로 번식한다. 원산지는 아시아와 호주 북부라고 하며 불교의 상징으로 연못의 진흙 속에서 자란다. 종류가 다양하여 백색, 홍색, 황색 등 여러 가지 색으로 꽃이 피며 열매는 벌집처럼 생긴 꽃받침의 구멍에 들어 있는데 이것을 연자라 하여 식용 또는 약용한다. 또한 뿌리는 연근이라 하여 조림이나 전, 튀김 등 다양한 요리를 만들어 먹고 연잎이나 연꽃 역시 약용이나 식용으로 사용하고 차로 마시며 줄기는 연경이라 하여 약재로 사용한다.

### 제작 및 음용

연잎은 줄기부분을 잘라내고 5cm 간격으로 잘게 잘라 솥에 덖은 후 건조하여 차로 사용한다. 건조된 차를 다관에 3g 정도 넣고 끓는 물을 부어 2~3분 우려내어 마신다.

### 효능

혈관을 튼튼하게 하고 콜레스테롤이나 혈액의 지방을 낮추어 혈관질환과 다이어트, 현대 성인병에 효과가 있으며 심신을 안정시키며 치매, 노화예방에 좋고 불면증을 해소하고 집중력을 향상시키는 효능이 있다. 또한 이뇨작용이 있어 부종에 효과가 있으며 지혈작용이 있어 각종 출혈증상에 좋고 니코틴 제거에도 효과가 있어 담배 피우는 사람이나 공해 속에 사는 현대인에게 도움이 된다.

## 주의사항

연잎은 성질이 차서 몸이 찬 사람이나 속이 차서 소화가 잘 안 되는 사람은 주의해야 하며 임신부도 많이 먹으면 좋지 않다.

## 🌸 자소엽차-식체예방

히말라야산맥에서 동아시아에 걸친 지역이 원산지이며 우리나라를 비롯해 중국, 일본에 분포한다.

한방에서 차조기 또는 자소엽(紫蘇葉)이라 부르고 열매는 자소자(紫蘇子)라 부른다. 잎은 자주색을 띠고 우리가 쌈채소나 절임반찬으로 많이 먹는 깻잎은 한방에서는 소엽이라 하고 열매는 소자라고 한다.

자소엽은 일본에서 도시락과 여러 음식에 많이 들어가며 특히 강한 항균작용이 있어 식중독 예방에도 도움이 되는 향신료이다. 해독작용이 있어 매운탕이나 생선요리에 많이 사용하며 방부제, 진통제로의 역할도 하며 씨는 기름을 짜서 먹는다.

또한 입욕제로도 사용하는데 항산화작용이 있는 안토시아닌을 함유하고 있어 피부 재생효과가 있고 피부를 부드럽게 만들어준다고 한다.

### 제작 및 음용

자소엽차는 잎을 채취하여 통풍이 잘 되는 그늘에서 말려 사용하거나 살짝 덖은 후 말려 사용한다. "카멜레온차"라는 별명이 있는데 이는 찬물에서는 보라색을 띠고 온도가 올라가면 색이 옅어지면서 파란색을 띠다 50℃ 이상 올라가면 노란색으로 변하기 때문이다.

① 약용으로는 마른잎 5~10g을 물 1L에 넣고 달여서 반으로 나누어 아침저녁으로 마신다.

② 차로 마실 때는 말린 자소엽 3~5g을 물 1.5L에 넣고 5~10분 정도 끓여서 마신다.

③ 마른잎을 넣고 끓는 물을 부어 5~10분간 우려 마시기도 한다.

### 효능

자소엽은 성질이 따뜻하고 맛이 매우며 독이 없고 비경, 심장경, 폐경으로 들어간다. 기운을 잘 소통시키고 아래로 내려가게 하여 식체나 배가 더부룩하고 소화가 잘 안 될 때 효과가 좋으며 대소변을 잘 나오게 한다. 또한 성질이 따뜻하여 풍한을 없애고 배 속의 한사를 제거하며 기침을 멈추게 하고 담을 없애며 천식에 효과가 있고 어패류의 독을 해독해 준다. 진피와 배합하면 그 효과가 더욱 강해지며 가슴이 답답한 증상에도 도움이 된다.

### 주의사항

기운이 부족한 사람이나 몸에 열이 많은 사람이나 인후염이 있는 사람들이 많이 마시면 침이 마르고 몸이 건조해질 수 있으므로 주의해야 한다.

## 어성초차-천연항생제

정식명칭은 약모일이나 한방에서는 잎에서 물고기 비린내가 난다고 해서 "어성초"라고 부르며 우리나라를 비롯해 아시아 동남부에서 자라고 있으며 습하고 그늘진 숲 속에서 잘 자란다. 지금은 해안지방에서 주로 재배하고 있다. 제주도, 울릉도에서 많이 자라며 길가나 밭 주변 물이 흐르는 나무 밑의 그늘지고 약간 축축한 곳에서 잘 자라며 번식력이 왕성하다.

비린내가 나서 벌레가 오지 않아 농약을 치지 않고도 재배가 가능하다. 그래서 생초로 먹기는 어렵다. 그러나 생활용품에 많이 활용하고 있는데 효능이 좋아 천연비누, 샴푸, 팩, 화장품 등의 재료로 많이 사용되고 있다. 목욕제로 사용하면 목욕을 할 때 물속에 말린 어성초를 넣고 통 목욕을 해도 피부염이나 아토피 피부염에 도움을 줄 수 있다. 한때 우리나라에서 발모차가 유행하였는데 발모차는 어성초와 자소엽, 녹차를 2:1:1로 넣어 만든 것이다.

### 제작 및 음용

어성초는 비린내 때문에 생초보다는 말려서 사용하는데 말리면 비린내가 많이 사라져서 차로 만들어 마신다.

① 차는 말린 어성초잎 10g을 넣고 물 1L를 부어 20분 정도 끓여 차로 마신다.

② 발모차는 어성초 10g, 자소엽 5g, 녹차 5g을 물 1.5L에 넣고 한 시간 정도 상온에서 우린 후 끓여 마시는 차를 말한다.

## 효능

삼백초과의 여러해살이풀인 어성초는 성질은 차고 매우며 비린 맛이 나고 간경, 폐경으로 들어가며 청열, 해독, 이뇨, 항균, 항염, 소종작용이 있다. 꽃이 필 때 뿌리째 뽑아 그늘에 말린 것을 한방에서 임질, 요도염의 치료에 사용하고 잎을 따서 그대로 말리거나 불에 말려서 종기 또는 화농이 생긴 상처에 붙이기도 한다. 차로 만들어 마시면 동맥경화를 예방하고 이뇨작용이 있어 부종을 치료한다. 어성초에는 쿠에르치트런 성분이 다량 함유되어 있어 피부에 쌓여 있는 노폐물을 제거하는 효능이 있으며 아토피, 여드름, 습진, 옹종, 농양 같은 피부병에 효과가 있고 두피에 작용하여 탈모를 예방하고 모발을 건강하게 한다.

## 주의사항

어성초에는 독성이 있어 몸이 차거나 수족냉증이 있는 사람들과 어린이, 노약자들은 주의해야 한다.

## 삼백초차-항암, 배농작용이 강함

삼백초는 뿌리와 잎, 꽃 세 가지가 희다고 해서 붙여진 이름인데 꽃이 피면서 꽃 밑에 있는 2~3개의 잎이 하얗게 변하고 뿌리도 하얀색을 띤다.

우리나라와 일본, 중국 등지에 분포하며 제주도와 남해안과 서해안 지역에서 재배하고 있으며 습기가 많은 지역에서 잘 자란다.

삼백초과에 속하며 쓴맛이 있고 독한 냄새를 풍기는데 송장 썩는 냄새가 난다 하여 "송장풀"이라고도 하며 약효와 생김새가 어성초(약모밀)와 비슷하다.

관상용으로 많이 쓰였으나 지금은 꽃을 포함하여 잎과 줄기, 뿌리가 약재로 쓰이고 비누, 치약, 화장품 등 각종 생활용품을 만드는 재료로 쓰인다. 특히 항암작용이 뛰어나다고 알려져 술이나 차로 만들어 마시기도 한다.

### 제작 및 음용

말린 삼백초 15g을 물 500ml 정도를 붓고 15~20분 정도 끓여 거름망에 걸러 차로 마신다. 몸이 찬 사람은 쑥을 조금 넣어주면 좋다. 설탕이나 꿀을 타서 마시기도 한다.

### 효능

삼백초의 효능은 어성초와 비슷하다. 어성초는 항균작용이 뛰어나 항생제 역할에 더 치중되고 삼백초는 이뇨, 대사촉진 작용이 강해 면역력이 약해서 나타나는 질병에 많이 사용되었다. 따라서 삼백초는 수종이나 각기를 치료하고 대소변을 잘 나오게 하며 가래를 삭이고 막힌 것을 뚫어주는 효능이 있어 간경화, 폐농종, 암, 부인병 등에 좋은 효과가 있다. 또한 종기나 용종, 여드름, 습진, 피부염 등에 좋고 배농작용이 강해 삼백초잎을 비벼서 환부에 붙이면 고름이 잘 나오고 통증이 완화된다고 한다.

### 주의사항

독성은 없으나 성질이 차서 몸이 찬 사람은 많이 마시면 복통, 설사를 유발할 수 있으므로 주의해야 한다.

## 🌷 신선초차-항생제 내성을 잡아줌

신선초는 명일엽, 선립초, 선삼초, 함초라고도 부르며 아열대지방에서 자생하는 미나리과의 식물이다. 우리나라 전역에서 재배가 가능하며 잎모양은 인삼과 비슷하고 두껍고 연하며 짙은 녹색으로 윤기가 난다. 자르면 바로 새싹이 나올 정도로 잘 자라서 명일엽이라 부른다고 한다.

게르마늄을 다량 함유한 약초로 널리 알려져 있으며 마그네슘, 나트륨, 유황 등 각종 미량원소를 함유하고 있어 조혈작용이나 항균, 항암, 소염 작용이 있는 것으로 알려져 있다.

신선초는 즙을 짜서 마시거나 나물로 먹거나 볶거나 조려서 반찬으로 먹기도 하고 샐러드나 쌈채소로 활용하기도 하는 등 여러 가지 요리에 응용한다. 한방에서는 생약 재료로 사용하기도 하며 덖어서 건조시켜 차로 마시기도 한다.

### 제작 및 음용

신선초는 먹는 방법이 다양하다. 신선한 잎은 쌈이나 샐러드 등 각종 요리에 사용하지만 차로 마실 경우 신선초잎을 덖어서 건조하여 차로 우려 마시거나 분말로 만들어 먹는다.

① 말린 찻잎을 다관에 3~5g 정도 넣고 끓는 물을 부어 10분 정도 우려 마신다.

② 분말 10~20g을 물에 타서 살짝 끓여 먹는다.

③ 분말을 우유나 요구르트에 타서 마신다.

### 효능

신선초에는 혈관계로 작용하는 게르마늄과 칼콘, 철분을 비롯해 비타민, 카로틴, 무기질, 철, 폴리페놀 등이 함유되어 있다. 따라서 혈액의 산성 노폐물들을 제거하여 혈액을 정화시키고 콜레스테롤을 제거하며 혈압을 낮춘다. 게르마늄은 인체에 산소를 보충해 주고 인터페론의 분비를 촉진시켜 항암작용에 효과가 있으며 칼콘은 항산화효과가 크고 혈전형성을 예방하는 효과가 있으며 철분은 빈혈을 예방한다. 또한 간기능을 좋게 하여 간경화를 예방하는 효과가 있고 피부미용에 좋으며 모세혈관을 튼튼하게 하며 대소변을 잘 나오게 한다. 그 외에 각종 미량원소가 신진대사를 활발하게 하여 당뇨, 동맥경화 등 현대 성인병을 예방하고 이뇨작용이 있어 부종을 없애고 신장기능을 활성화하며 모유가 잘 나오도록 하는 효능도 있다.

### 주의사항

신장결석이 있는 사람은 주의해야 하며 생즙으로 마실 경우 복통, 설사나 두드러기가 나타날 수 있다.

### 🌱 솔잎차

솔잎차는 소나무잎을 이용하여 만든 차로 독성이 없는 소나무잎을 골라야 하는데 주로 적송, 흑송 등의 나뭇잎을 사용한다. 잣나무를 이용하면 백엽차라고 부른다. 솔잎은 떫고 쓰며 향미가 강해 생으로 먹기에는 적합하지 않으므로 말려서 가루를 만들거나 솔잎에 설탕을 넣고 절여 차로 우려 마신다. 효능이 좋아 옛날부터 약용으로 사용하여 왔으며 이른 봄 새순이 나올 때 어리고 부드러운 잎을 채취하여 만든다.

예로부터 솔잎은 주변에 널려 있고 향이 좋아 떡을 찔 때나 음식을 만들 때 여러 가지 생활도구로 사용하였으며 솔잎 자체에 발효성이 있어 솔잎, 솔방울 등을 채취하여 솔잎차, 솔잎주, 솔방울주 등을 만들어 마셨다.

나무 중에서도 향토수종인 적송이 약용으로는 으뜸인데 잎의 생것 또는 그늘에서 말린 것을 사용한다. 솔잎에 있는 테르펜계통의 독특한 방향물질은 사람의 마음을 안정시키는 효능이 있으며 솔잎의 항산화효능이 알려지면서 차, 효소, 엑기스, 환, 화장품, 비누 등 솔잎을 이용한 다양한 형태의 건강기능성 식품과 생활용품이 개발되고 있다.

### 제작 및 음용

① 솔잎을 채취하여 소금물로 깨끗이 세척하여 찜통에 넣고 1~2분간 찐 후 그늘에 바짝 말려 갈아서 가루로 만들어 물에 조금씩 타서 마신다.

② 손질한 솔잎 300g을 60℃ 정도의 물에 넣고 10시간 동안 우려내어 설탕을 넣어 마신다.

③ 솔잎 200g 정도에 설탕 1kg과 물 1L를 넣고 밀봉해서 통풍이 잘 되는 곳에 보관하여 반달 정도 지난 후 숙성되면 조금씩 꺼내 뜨거운 물에 우려 따뜻하게 또는 차게 해서 마신다.

④ 두유와 함께 먹는 것도 좋다고 한다. 특히 검은콩이나 약콩으로 만든 두유에 타서 가루가 물에 잘 풀어지면 마신다.

### 효능

솔잎차는 소화를 돕고 루틴과 테르펜, 베타카로틴, 비타민 등의 성분이 있어 모세혈관을 튼튼하게 하고 콜레스테롤수치를 낮춰 고혈압, 동맥경화를 예방하고 항산화작용이 강해 활성산소를 제거하여 암예방에 좋고 면역력을 강화시키는 효능이 있으며 무기질이 풍부하게 들어 있어 피로회복에 좋다. 『동의보감』에서는 위장병, 고혈압, 중풍, 신경통, 천식에 효과가 있다고 하였으며, 『본초강목』에서는 종양을 없애고 모발을 나게 하며 오장을 편하게 하고 곡식 대용으로도 사용한다고 했다. 그 밖에 감기, 당뇨뿐만 아니라 노화예방에도 도움이 되고 정신을 맑게 하고 불면증에도 효과가 있으며 냉, 대하와 같은 부인과질환에도 좋다.

### 주의사항

독성이 있는 소나무 종류가 많으며 잘못 먹었을 경우 복통 설사와 가려움증, 구토, 오심, 현기증 등의 증상이 나타날 수 있으며 알레르기가 있을 수도 있으므로 주의해야 한다.

### 🌷 죽엽차

죽엽은 대나무잎을 말하며 인류가 대나무를 활용한 역사는 대단히 오래되었다. 대나무로 생활용품, 무기, 악기 등을 만들었으며 봄에서 늦은 봄에 나는 죽순은 지금도 훌륭한 음식으로 애용되고 있으며 왕대나 솜대의 줄기 내부에 있는 막상피는 죽여(竹茹)라 하고 대기름은 죽력(竹瀝)이라 하여 약용으로 사용하여 왔다.

대나무잎은 죽엽이라 하여 차로 마시거나 약용으로 이용되어 왔다. 중국 사천성의 팬더는 주식이 대나무잎이다.

### 제작 및 음용

① 채취한 죽엽을 0.5cm 정도로 잘라 깨끗이 씻는다.

② 찜솥에 찌거나 팬에 넣고 살짝 덖는다.

③ 면보자기에 싸서 물기가 나오도록 비벼준다.

④ 비빈 죽엽을 다시 한 번 덖어 통풍이 잘 되는 그늘에서 건조한다.

　　대나무의 찬 성질을 낮추려면 3회에서 9회까지 위의 과정을 반복한다.

⑤ 건조된 죽엽을 3~4g 다관에 넣고 끓는 물을 붓고 5~10분 정도 우려 마신다.

　　유념을 거치지 않고 건조한 죽엽은 물에 끓여 마신다.

### 효능

죽엽은 성질은 차고 맛은 달며 해열, 생진, 이뇨작용이 있다. 심장열과 폐열을 제거하여 가슴이 답답하고 혓바늘이 돋고 입안이 허는 증상이나 감기로 인해 열이 나고 인후통이 있고 코피가 자주 나는 사람에게 효과가 있고 생진작용이 있어 갈증을 멈추게 하고 소염, 해독작용이 있어 각종 종기나 염증치료에 도움이 되며 어린이들의 홍진(紅疹)에 좋다.

죽엽에는 비타민, 포도당, 과당, 무기질, 불포화지방산(리놀렌산), 섬유질 등 영양소도 풍부하게 들어 있으며 혈액의 지방을 낮추고 노폐물을 제거하는 효능이 있어 고혈압, 중풍 등에 효과가 있고 열이 나면서 소변이 잘 안 나오고 요도염이 있는 사람에게도 효과가 있다.

### 주의사항

몸이 차고 수족냉증이 있는 사람이나 구토, 설사, 소화불량이 있는 사람은 주의해야 한다.

## 🌷 감잎차

감잎차는 감나무의 어린잎을 채취하여 만든 차를 말한다. 감나무는 중국 남부가 원산지로 알려져 있으며 감나무과에 속한다. 아시아, 아프리카, 아메리카의 열대에서 아열대지방에 널리 분포되어 있으며 그 종류도 500여 종이 된다. 한방에서는 감나무의 꽃받침을 시체(柿蒂)라고 부르며 구토나 딸꾹질, 기침 등 기운이 역상승한 질환에 약용으로 사용하여 왔으며 열매는 "시자", 잎은 "시엽", 곶감은 "시병"이라 한다.

감잎차는 주로 산에서 자라는 어린 감잎을 채취하여 만드는데 단맛이 은은하게 풍기며 여러 가지 영양성분을 함유하고 있어 인기가 있다.

### 제작 및 음용

① 산에 있는 어린 감나무잎을 채취하여 깨끗이 씻는다.

② 찜통에 찌거나 솥을 달구어 덖고 유념하기를 여러 번 반복한다.

③ 통풍이 잘되는 곳에서 건조한다.

④ 완성된 감잎을 다관에 2~3g 정도 넣고 뜨거운 물을 부어 3~4분 우려내어 마신다.

### 효능

감잎은 성질은 차고 맛은 달며 독이 없다. 영양성분으로는 폴리페놀이 많이 들어 있고 특히 비타민 C의 제왕이라 할 만큼 많이 들어 있으며 감잎차의 비타민 C는 열에 잘 견디는 성질이 있어 흡수율이 비교적 좋다. 또한 비타민 A를 비롯해 유기산, 당, 엽록소, 섬유질 등 많은 영양소를 함유하고 있다. 따라서 염증을 제거하고 중금속을 잘 배출시키며 성인병 예방과 질병에 대한 저항성이 강하고 혈압을 낮추고 숙취해소, 지혈작용, 지사작용, 감기예방, 노화예방, 피부미용 등의 효능이 있다. 그리고 카페인이 없어 임신부나 부인병에도 도움이 된다.

### 주의사항

변비가 있는 사람이나 빈혈, 저혈압환자는 너무 많이 마시는 것이 좋지 않다.

## 🌱 은행잎차

은행잎차는 은행나무의 잎을 채취하여 만든 차를 말한다. 은행나무는 중국이 원산지이지만 탁한 공기에도 잘 자라 우리나라에서는 가로수로 널리 퍼져 있으며 잎은 여름에는 흐린 회녹색에서 황록색을 띠나 가을에는 황금색으로 바뀌었다가 늦가을에 떨어진다.

싹이 튼 지 20년 이상이 지나야 열매를 맺기 때문에 씨를 심어 손자를 볼 나이에 열매를 얻을 수 있다고 하여 공손수(公孫樹)라고도 부른다. 옛날에는 우리나라, 중국, 일본에서는 주로 절에 많이 심었고 잎이 아름답고 벌레에 강해 세계 곳곳에서 관상수로 널리 이용되었다.

한방에서는 열매를 "백과(白果)"라고 부르며 진해거담제로 사용하였으며 식용으로는 익은 은행을 까서 구워먹거나 고급요리에 고명으로 얹고 찜요리나 탕요리의 재료로 사용하였다.

잎에는 여러 가지 화합물이 들어 있는데 플라보노이드계의 물질은 사람의 혈액순환을 도와주는 효능이 있어 현대에 와서는 혈액순환제 약을 만든다. 또한 잎에는 자체정화능력이 있고 방충작용을 하는 것으로 알려진 부틸산이 있어 잎을 책 속에 넣어두면 책에 좀이 슬지 않는다고 하여 책갈피로 사용하기도 하고 말려 집안에 두기도 하였다.

### 제작 및 음용

은행잎을 채취하여 그냥 말린 후 가위로 잘게 썰어 사용하는 방법과 찜통에 쪄서 말리는 방법, 그리고 덖고 유념하기를 반복하여 건조시키는 방법이 있으나 독성이 있어 가장 안전한 방법으로 만들어야 한다.

① 은행잎은 막 피어나기 시작한 어린잎을 채취한다.(잎이 크면 독성이 많아진다.)

② 채취한 은행잎을 소금물에 하루 이상 담가두었다 다시 맑은 물에 하루를 담가 건져놓는다.

③ 그늘에서 약간 말린 후 달궈진 팬에 넣어 살짝 덖고 유념하고 덖고 유념하기를 몇 회 반복한다.

④ 마지막에 완전 건조하여 습기가 차지 않도록 통풍이 잘 되는 곳에 보관한다.

⑤ 은행잎차 2~3g을 다관에 넣고 뜨거운 물을 부어 5~6분 정도 우려내어 마신다.

### 효능

은행잎은 혈액순환을 활발하게 하고 혈전을 없애주며 혈관을 튼튼하게 하는 효능이 가장 크다. 따라서 고혈압, 동맥경화 등 순환기계통의 질병에 효과가 좋으며 뇌혈류를 개선하여 중풍, 건망증, 치매에 효과가 있고 어지럼증, 이명, 손발저림에도 효과가 있다. 그리고 여성의 생리불순, 생리통 등 어혈로 인한 부인과질환에 효과가 있고 일본에서의 연구에 의하면 발모효과가 있다고 한다.

그 외에 수족냉증이나 변비, 기관지천식, 위궤양 등에도 효과가 있다고 한다.

### 주의사항

① 겉껍질은 냄새가 고약하고 피부 염증을 일으키기도 하므로 주의해야 한다.

② 은행잎은 대개 오염물질을 흡착하므로 가로수의 은행잎은 사용하지 않는 게 좋다.

③ 은행잎차는 반드시 푸르고 어린잎으로 해야 독성이 적다.

④ 잎에도 약간의 독성이 있으므로 너무 많이 마시지 말고 하루에 한두 잔만 마신다.

## 차전초차-관절통증

차전초는 길가나 들, 산 등 우리나라 어디에서든 쉽게 볼 수 있는 풀로 섬유질이 강하여 질기고 좋지 않는 환경에서도 잘 자란다 하여 우리나라에서는 "질갱이"라고 한다. 차전초는 중국에서 유래된 말로 사람이 다니는 길옆에서 많이 자라기 때문에 수레가 다니는 길 앞에서 자라는 풀이라고 하여 차전초라고 한다.

질갱이과에 속하며 여러해살이풀로 줄기는 없고 뿌리에서 잎이 나 옆으로 퍼져 자란다. 우리나라를 비롯해 중국, 일본, 대만, 말레이시아, 시베리아 등지에 분포한다.

질경이는 무기질이 풍부하여 이른 봄이나 초여름에 어린잎과 뿌리를 채취하여 나물로 먹거나 말려두었다 죽이나 나물로 만들어 먹는 구황식물로 이용하기도 하였으며 씨앗은 한방에서 "차전자"라 하여 이뇨제, 지사제, 진해제로 사용되고 차전자의 진액으로 국수의 점도를 높이는 용도로 사용하기도 하였으며 차로 끓여 마시기도 하였다.

### 제작 및 음용

① 이른 봄에 채취한 연한 질경이를 소금물에 담가 이물질을 제거한 후 끓는 물에 살짝만 데쳐 물기를 제거하고 통풍이 잘 되는 그늘에 말려 보관해 두었다 사용한다. (나물용)

② 연한 질경이를 채취하여 0.5cm의 폭으로 잘라 덖고 비비기를 반복한 후 건조시켜 보관한 후 차로 마신다. 차로 마실 때는 말린 차전초 4~5g을 다관에 넣고 끓는 물을 부어 10분 정도 우려내어 마신다.

③ 취향에 따라 꿀이나 설탕을 가미하여 마시기도 한다.

### 효능

차전초는 성질은 차고 맛은 달며 미끄러운 특징을 가지고 있으며 기본효능은 이뇨통림(利尿通淋)작용으로 대소변을 잘 나오게 하고 열을 내리며 수액대사를 활발하게 한다. 따라서 방광과 삼초의 열을 내리고 소변이 잘 나오도록 하기 때문에 소변이 잘 나오지 않고 따끔거리는 증상이 있는 임증이나 방광염, 요도염, 전립선염에 효과가 있고 통풍이나 관절통에도 좋다. 또한 섬유질이 많고 소장의 비별청탁(泌別清濁)작용을 도와 변비에도 효과가 있다.

그리고 폐열로 인한 기침, 가래, 인후염, 천식에도 쓰이며 눈을 밝게 하는 효능도 있어 간열로 인해 눈이 충혈되고 붓거나 아픈 증상에도 좋다.

### 주의사항

몸이 찬 사람이나 임신부는 먹지 않는 것이 좋으며 허한(虛寒)체질이나 습열(濕熱)이 없는 사람은 많이 먹지 않는 것이 좋다.

## 🌷 고정차 - 청열해독

고정차는 대용차로 중국 남방지역에서 생산되는 차로 종류는 30종이 넘는다. 고대에는 약으로 사용되었으며 나중에 차로 인가가 있어 황궁에 공납까지 했던 차다. 일반적으로 크게 두 가지로 분류한다. 하나는 주로 해남도와 광서 지방에서 많이 생산되는 한약재로 쓰이는 교목나무인 동청(冬靑)과에 속한 식물의 잎으로 만든 대엽동청이며 잎 하나로 둘둘 말아 막대기모양으로 만들기 때문에 일엽차라고도 부른다. 다른 하나는 사천성이나 귀주성에서 생산되는 여정고정차로 소엽고정 또는 청산녹수라고 부른다. 고정차는 봄에 채취하여 만든 차가 부드럽고 상품이며 가을에 채엽한 것은 억세다.

고정차는 쓴맛을 내는 것이 특징으로 막 입에 들어갈 때는 강한 쓴맛을 느끼나 점점 단맛의 여운이 남는다. 중국에서는 등소평이 즐겨 마셨다고 하여 등소평차라고 부른 사람들도 있다. 중국 차의 성인 육우의『다경』에 보면 "맛은 쓰고 단맛이 숨어 있으며 수명을 연장하는 효능이 있다."라고 쓰여 있다. 일설에 따르면 젖산을 배출하는 효능이 강해 운동선수들에게 의무적으로 마시게 했다는 말도 있다.

### 제작 및 음용

한 잎으로 되어 있어 유리다기를 사용하여 마시는 것이 좋으며 뜨거운 물로 우려 마시기도 하고 우린 차를 냉장고에 넣어 차갑게 하여 생수로 마시기도 한다. 뜨거운 물로 우릴 때는 4~5번 우려 마실 수 있다. 아니면 여름철 녹차처럼 생수병에 담아 천천히 마시기도 한다. 또 다른 방법으로는 보이차를 마실 때 고정차 반 개 정도를 넣고 함께 우려 마셔도 좋다.

### 효능

연구에 의하면 고정차의 쓴맛은 웅담과 같은 물질로 알려져 있으며 아미노산, 비타민 C, 폴리페놀, 각종 무기질이 풍부하게 들어 있고 카페인은 아주 소량만 들어 있다고 한다. 따라서 항암효과가 좋고 콜레스테롤을 저하시키는 효능이 있어 현대 성인병인 고혈압, 동맥경화, 중풍, 당뇨 예방에 효과가 있으며 성질이 차서 더위를 이기고 해열, 해독, 소염, 진통작용이 있어 각종 종양이나 염증을 치료한다. 그리고 근육을 풀어주고 혈액순환을 잘 되게 하여 타박상이나 류머티즘에 좋고 피로회복에 효과가 있으며 비만, 변비해소에 도움을 준다.

간의 해독작용과 기능을 도와 지방간에 효과가 있으며 눈을 맑게 해주고 이뇨작용이 있으며 신장에도 도움이 된다. 또한 잇몸이 붓고 아프며 냄새가 나는 사람들이나 두통, 이질 등에도 도움이 된다.

『중약대사전』에는 열을 내리고 독을 제거하며 눈을 맑게 하고 간을 도우며 인후나 폐에도 좋다고 하였으며 『본초습유』나 『본초강목』에서도 고정차는 순환기계통을 개선하여 혈압을 낮추고 혈당을 감소시킨다고 했다. 고정차는 여름철에 마시는 것이 적합하며 더운 지방에 사는 사람들이 많이 마신다.

몸이 찬 사람이나 추운 겨울에 마시는 것은 좋지 않으며 임신부나 임신을 원하는 사람은 마시지 않는 것이 좋다.

## 🌸 방아잎차 – 토사곽란

꿀풀과에 속하는 여러해살이풀로 우리나라를 비롯해 중국, 일본, 대만 등지에 분포하며 여름에 자주색 꽃을 피우는 강한 향기가 나는 방향성 식물로 한국 토종 허브로 알려져 있다.

전국적으로 분포하며 양지바른 곳이나 집 돌담 틈 사이에서도 흔하게 볼 수 있으며 한방에서는 곽향이라 부르며 토사곽란을 진정시키는 약으로 사용한다. 경상도에서는 방앳잎라고 부르며 어린순을 채취하여 추어탕이나 생선매운탕 등의 비린내를 없애는 향신료로 많이 사용하며 그 외에 장떡, 된장버무리, 나물, 부추전, 샐러드 등에도 넣어 먹는다. 그 밖에 관상용, 염료용, 방향제로 사용하기도 한다.

우리나라 말로는 지방에 따라 다양하게 부르는데 배초향, 야곽향, 깨나물, 깨풀, 대박하, 향여, 수고화, 방애풀, 소단라향, 밀봉초, 중개풀, 참뇌기, 토곽향, 합향 등등이 있다.

차로 마시기도 하는데 향이 너무 강해 호불호가 갈리기는 하지만 효능이 좋아 필요한 사람은 향이 맞지 않아도 필요한 만큼 마시면 건강에 유익하다.

### 제작 및 음용

차로 마실 때는 덖어서 말리는 것이 마시기 좋으며 건조기를 사용할 때는 쪄서 사용하기도 한다. 약으로 사용할 때는 그늘에 그냥 말려 사용하기도 하고 말린 잎을 가루로 내어 따뜻한 물에 타서 먹거나 환으로 만들어 먹는다.

① 어린잎을 채취하여 깨끗이 씻은 후 물기를 제거하고 달구어진 솥에 넣고 덖는다.

② 잎을 덖은 후에 잠시 식혔다 다시 덖기를 몇 번 반복하고 통풍이 잘 되는 그늘에서 바짝 말린다.

③ 말린 방아잎 2~3g을 다관에 넣고 뜨거운 물 1컵을 부어 3~4분 우려 마신다.

### 효능

곽향은 성질은 약간 따뜻하고 맛은 맵고 심장, 폐, 비, 위경으로 들어간다. 장운동을 활발하게 하며 습열과 악취를 제거하고 기운을 잘 통하게 하며 신진대사를 활발하게 하는 효능이 있다. 따라서 토사곽란이나 식욕이 없고 소화가 잘 되지 않는 사람이나 소화기계통에 염증이 있는 사람, 감기, 가래, 기침을 하는 사람, 종기, 종양, 습진, 부스럼 등 피부염이 있는 사람에게 효과가 있으며 특히 여름에 음식을 잘못 먹어 복통, 설사, 구토 등 증상이 있는 사람에게 좋다. 그 외에 잎을 끓인 물로 가글을 하거나 이를 닦으면 입냄새 제거에도 좋고 무좀에도 효과가 있다.

### 주의사항

몸에 열이 많은 사람이나 알레르기가 있는 사람은 주의해야 한다.

### 🌷 민들레차

국화과에 속하는 다년생 초본식물로 금잠초(金簪草), 지정(地丁), 포공영, 안질방이라고 부르기도 한다. 그 종류가 400여 종이 된다고 하며 우리나라에 있는 토종민들레는 흰꽃을 피우며 노란꽃을 피우는 민들레는 귀화식물인 서양민들레다. 민들레는 겨울이  되면 꽃줄기와 잎이 모두 죽고 이듬해 다시 싹을 피우기 때문에 생명력이 강하다고 하여 민초라고 하며 앉은뱅이라는 별명도 있다.

이른 봄이면 주로 산이나 들에서 흔하게 볼 수 있으며 관상용이나, 식용, 약용으로 이용된다. 어린순은 나물이나 초고추장무침 또는 국거리로 쓰기도 하며 잎과 뿌리를 말려 포공영이라 부르며 약재로 사용한다. 생즙을 내어 마시기도 하고 뿌리로 술을 담그기도 하며 팬에 볶아 커피 대용인 차로 이용하기도 한다.

### 제작 및 음용

① 민들레잎을 채취하여 말린 후 솥에 덖는다.

② 덖은 잎을 손으로 비벼 거칠게 부순다.

③ 건조기에 넣거나 통풍이 잘 되는 곳에서 바짝 건조시킨다.

④ 다관이나 유리컵에 5g 정도를 넣고 뜨거운 물 200ml를 부어 우려낸다.

## 민들레전초차 제작 및 음용

① 꽃, 뿌리, 줄기, 잎, 전초를 채취한다.

② 깨끗이 씻어 바구니에 담아 물기를 제거한다.

③ 바람이 잘 통하는 그늘에 널어두어 시들게 한다.

④ 잘게(3cm 정도) 잘라 고온에서 덖어준다.(200℃ 이상)

⑤ 식으면 다시 덖기를 세 번 정도 더 해준다.

⑥ 온돌이나 건조기에 넣어 완전히 건조한다.

⑦ 완전 건조된 잎을 솥에 넣고 마무리 가향작업을 한다.

⑧ 높은 온도에서 향이 진하게 날 때까지 저어주면서 볶는다.

⑨ 온도를 낮춰서 30분 정도 숙성시킨 뒤 식혀서 유리병에 보관한다.

⑩ 다관에 3g 정도를 넣고 끓는 물을 부어 우려 조금씩 마신다.

## 효능

간기능을 개선시키고 건위, 소염, 해열, 해독, 이뇨작용이 있다. 따라서 간기능 저하로 피로하고 지방간, 간염, 담낭염, 늑막염이 있는 사람들이나 술을 자주 마시는 사람에게 효과가 있으며 소화불량, 식욕부진이나 복부팽만, 대변불통, 궤양, 위염, 대장염, 기관지염이 있는 사람에게도 좋고 종창이나 종기, 아토피 피부염 등 피부병에 짓이겨 바르기도 했다고 한다. 또한 냉, 대하, 갱년기 등 부인병질환에도 효과가 있으며 옛날에는 젖이 잘 나오지 않는 여자가 먹으면 젖이 잘 나온다고도 하여 산모에게 먹였다고 한다.

약효는 노란색 민들레보다 흰민들레가 더 좋은 것으로 알려져 있다.

## 주의사항

도심에 자라는 민들레는 오염되어 있을 수 있으니 주의해야 하고 몸이 찬 사람도 너무 많이 마시는 것은 좋지 않다.

## 상엽차

뽕나무과에 속하는 낙엽활엽교목으로 한국, 중국 등 아시아가 원산지로 오디나무라고 부르기도 하는데 그 나무의 잎을 상엽이라고 한다. 중국에서는 상엽을 신선초라 하고 일본에서는 장수초라고 부른다. 열매는 오디라고 부르는데 한방에서는 상심자라 하고 뿌리껍질은 상백피, 어린 가지는 상지, 겨울에 나는 순은 상기생 등 모두 한방에서 귀한 약재로 쓰였다.

상엽은 잠엽(蠶葉)이라 하여 누에를 기르는 데 사용해 왔다. 우리나라에서 누에를 키우기 시작한 지는 삼한시대 이전으로 추정한다. 기록에 보면 고구려 동명왕과 백제 온조왕 때 농사와 함께 누에치기를 한 기록이 있다. 신라 박혁거세 17년(BC 40)에는 임금이 직접 6부의 마을을 돌면서 누에치기를 독려했다는 내용이 『삼국사기』에 기록되어 있다. 이후 통일신라를 거쳐 고려에 이르기까지 누에치기의 중요성을 누누이 강조하고 있다.

조선시대에도 비단 생산을 늘리기 위해 집집마다 뽕나무를 심게 하면서 누에치기를 독려했다고 한다. 세종대왕도 누에치기를 독려했는데 예부터 내려오던 친잠례(親蠶禮)를 강화하여 왕비가 직접 비단 짜는 시범을 보이기도 했다고 한다. 또한 각 도마다 좋은 장소에 뽕나무를 널리 심도록 하였고 누에치기를 연구하는 잠실을 설치하였으며 중종 때는 보다 효율적으로 관리하기 위해 각 도에 있는 잠실(蠶室)을 서울 근처로 모았는데 그곳이 현재 서초구 잠원동 일대라고 한다.

### 제작 및 음용

① 상엽을 연한 이파리만 채취하여 씻어 물기를 제거한다.

② 솥을 달궈 3, 4차례 덖고 유념하면서 말린다.

③ 찜통에 넣고 살짝 쪄서 건조하는 방법도 있다.

④ 건조된 상엽 10g 정도를 다관에 넣고 끓는 물을 부어 우려 마신다.

⑤ 한방차로 효능을 강조하기 위해서는 50g 정도의 잎을 넣고 물 500ml를 부어 달여서 마시기도 한다.

### 효능

상엽은 성질은 차고 맛은 달고 쓰며 폐경, 간경으로 들어간다. 따라서 풍열을 제거하고 폐열을 내리고 건조한 것을 윤택하게 하고 간양을 억제시키며 간열을 내려 눈을 밝게 한다. 따라서 풍열감기나 온병 초기에 효과가 있으며 폐열로 인한 기침을 멈추게 하고 마른기침에도 효과가 있다. 또한 간양상항으로 인해 현훈, 두통, 머리가 무겁고 화가 잘 나는 등의 증상이 있는 사람에게 도움이 되며 간열로 인해 눈이 충혈되고 눈앞이 아른거리는 사람에게도 좋다.

### 주의사항

비위가 허약하고 몸이 찬 사람은 주의해야 한다.

## 🌱 비파잎차

비파나무는 장미과에 딸린 상록교목으로 동남아지방, 중국이 원산지며 일본에서 많은 원예품종이 만들어졌으며 우리나라는 제주도에서 자란다. 늦가을부터 겨울에 걸쳐 흰색 작은 꽃들이 피는데 향기가 나고 열매는 다음해 6월에 노랗게 익는다. 그 모양은 서양배와 비슷하고 고운 털에 싸여 있는데 악기 비파와 모양이 비슷하다고 하여 비파라고 부른다.

잎은 두껍고 뻣뻣하며 타원형이나 창 모양이고 비파엽(枇杷葉)이라 부르고 그 씨는 비파인(枇杷仁)이라고 한다. 잎, 열매, 씨앗 모두 한약재로 사용해 왔다.

『동의보감』에서 열매는 "성질이 차고 맛이 달며 독이 없고 폐의 병을 치료하고 오장을 윤택하게 하며 기운을 아래로 내린다."라고 기재되어 있다.

### 제작 및 음용

① 비파잎을 채엽하여 깨끗이 씻어 물기를 제거한다.

② 그늘에 널어 3일 정도 말린다.

③ 잘 마르면 손으로 비벼서 보관한다.

④ 비파잎 10g 정도에 물 4컵을 붓고 20분 정도 끓여 걸러서 마신다.

### 효능

성질은 약간 차고 쓰며 폐경, 위경으로 들어간다. 폐열을 내리고 기침을 멈추게 하며 기운을 아래로 내려 구역질이나 구토를 막는다. 따라서 폐열로 인한 기침이나 기가 위로 올라와 나타나는 천식을 가라앉게 한다. 또한 위에 열이 많아 기운이 위로 올라와 나타나는 구토나 구역질을 완화시킨다.

### 🌱 음양곽차

매자나무과에 속하며 우리나라와 중국에 많이 분포되어 있으며 선령비 또는 삼지구엽초라고 부른다. 원줄기에서 가지가 3개로 갈라지고 그 가지 끝에 각각 3개씩 모두 9개의 잎이 달려 삼지구엽초라고 한다. 어릴 때는 잎은 승마나 꿩의다리, 깽깽이풀과 비슷하게 자라지만 삼지구엽초의 잎이 하트모양이며 가장자리에 톱니처럼 들어간 자리가 있어 구분할 수 있다.

꽃은 관상용이나 식용으로 사용하고 전체는 음양곽이라는 약재로 사용하며 잎과 줄기, 뿌리는 술로 담가 먹기도 한다. 민간에서는 흑염소와 잘 어울려 염소탕집에서 많이 먹는다.

약재로 사용할 때는 잎과 줄기를 여름에 채취하여 술에 하룻밤 담갔다가 불에 건조하여 탕에 넣어 끓인다. 우리나라의 중북부 이북지방에서 주로 자라며 지리산 일대에서도 발견된다.

### 제작 및 음용

① 삼지구엽초를 구입하여 절구통에 넣고 잘게 부순다.
② 잘게 부순 삼지구엽초를 다관에 넣고 끓는 물을 부어 10분 정도 우려 마신다.
또는 유리주전자에 넣고 물을 부어 15분 정도 끓여서 걸러 마시기도 한다.

### 효능

성질은 따뜻하고 맛은 맵고 달며 신장경과 간경으로 들어간다. 신장을 따뜻하게 하고 튼튼하게 하며 양기를 보한다. 또한 풍을 소통시키고 습을 제거한다. 따라서 신장의 양기쇠약으로 양위, 빈뇨, 요슬무력감 등에 효과가 있고 풍한습으로 인한 관절염이나 사지에 마비감이 있을 때 효과가 있으며 여성에게는 자궁을 따뜻하게 하고 남성에게는 정력을 강하게 한다.

### 주의사항

음허화왕(陰虛火旺)인 사람은 주의해야 한다.

# II 풀열매, 씨앗, 과실차

## 🌷 모과차

모과는 중국이 원산지이며 장미과에 속하는 모과  나무열매로 원래 이름은 목과(木瓜)인데 모과로 변한 것이다. 목과는 나무에 달린 참외란 뜻이며 중국에서는 열대지방에서 나는 파파야도 목과라 부르는데 우리가 말하는 모과와는 다른 열대과일이다. 예로부터 민간에서는 관절염이나 감기약으로 끓여 먹어왔으며 최근에는 방향제로도 사용한다.

모과는 울퉁불퉁하게 생긴 것이 많아 "어물전 망신은 꼴뚜기가 시키고 과일전 망신은 모과가 시킨다."는 말이 있다. 모양뿐만 아니라 모과는 시고 떫은맛이 강하고 과육이 단단하여 과일로 먹기는 힘들지만 약으로 효능과 향이 진하고 좋아 설탕이나 꿀에 절여 차로 마시거나 과실주로 담가 먹었다. 모과청을 만들 때는 매실처럼 알코올화가 진행되기 쉽다.

### 제작 및 음용

모과차 만드는 법은 크게 두 가지로 구분한다. 하나는 씨를 빼고 잘게 썰어 그대로 말린 것과 모과청을 만들어 먹는 것이다.

① 잘 익은 모과를 깨끗이 씻어 씨를 제거하고 과육을 얇게 썰어 햇볕에 말려 놓았다 물에 끓이거나 우려 마신다. 가루를 만들어 물에 타 마시기도 한다.

② 잘 익은 모과의 씨를 제거하고 채썰어 설탕에 버무려 유리병에 담아 재워 밀봉해 둔다. 숙성되면 꺼내 끓이거나 우려 마신다.

### 효능

모과는 향이 강해 신진대사를 활발하게 하고 사포닌, 비타민 C, 사과산, 구연산 등이 풍부하여 소화를 돕는다. 폐를 보하고 기관지를 튼튼하게 하며 특히 목감기에 효과가 있으며 뼈를 튼튼하게 하여 골다공증이나 관절염에 좋고 어린이 성장에도 도움이 된다.

『동의보감』에는 "갑자기 토하고 설사를 하면서 배가 아픈 위장병에 좋고 소화를 돕고 설사 멈추게 하며 갈증을 제거하고 근골을 튼튼하게 하여 다리와 무릎에 힘이 빠지는 것을 낫게 한다"라고 했다. 신진대사를 활발하게 하므로 피로회복에 좋고 숙취해소 작용이 있으며 피부미용에도 효과가 있다.

### 주의사항

변비환자나 신장병이 있는 사람은 주의해야 하며 유기산성분이 많아 입안에 오래 머금으면 치아가 손상될 수 있으며 씨에는 독이 있으므로 제거해야 한다.

## 귤피차

귤은 운향과에 속하며 중국 남부, 필리핀, 인도차이나 북부지방을 포함한 동남아시아가 원산지다. 우리나라에서는 제주도에서 가장 많이 생산되며 그 외 남부지방에서도 재배된다.

귤이 언제부터 어떻게 제주도에서 재배되기 시작했는지는 알 수 없으나 『삼국사기』에 "백제 문무왕 때인 476년 탐라에서 지역 특산물로 헌상했다"라는 내용이 나오는 것으로 보아 적어도 삼국시대 이전부터 제주도에서 재배된 것으로 추측된다.

귤은 겨울철의 대표적인 과일이지만 한방에서는 좋은 약재료로 이용되고 있다. 귤피는 노랗게 익은 귤껍질을 3년 이상 묵혀 진피라 하고 덜 익은 껍질은 청피라고 부르며 기운을 잘 통하게 하고 조절하는 약재로 썼다.

### 제작 및 음용

① 귤껍질을 벗겨 소금 또는 베이킹소다를 넣고 깨끗이 씻어 가늘게 채썬다.
② 물기를 제거하고 달구어진 팬에 넣고 볶고 식히기를 여러 번 한다.

③ 통풍이 잘 되는 곳에서 바짝 말려 보관한다.

④ 오래 묵은 귤껍질 5~10g을 넣고 물 500ml 정도를 부어 끓인다.

⑤ 물이 절반 정도로 줄면 걸러서 하루에 두 번으로 나눠 마신다.

## 효능

진피는 한방에서 대표적인 이기(理氣)작용과 화위(和胃)작용이 있는 약재로 사용되며 기운이 뭉쳐 소화가 잘 되지 않는 사람이나 우울증이 있는 사람에게 효과가 있고 윤폐생진(潤肺生津)작용이 있으며 가래, 기침을 멈추게 하고 성인병 예방, 숙취해소, 피부미용에 좋다.

『동의보감』에 "진피는 성질이 따뜻하고 맛은 쓰고 매우며 독이 없다. 가슴에 기가 뭉친 것을 풀어주고 식욕을 돋우며 소화를 돕고 이질을 멈추게 하고 가래를 삭이고 구역질을 멈추게 하며 대소변을 잘 통하게 한다."라고 기재되어 있다. 또한 일본학자의 연구에 의하면 폐경 후 여성의 골다공증 예방에 좋은 효과가 있다고 한다.

 * 청피는 성질은 따뜻하고 맛은 쓰고 독이 없으며 기운이 막히는 것을 치료하고 간기를 잘 돌게 하며 배속에 적이 뭉치거나 가슴에 기운이 막혀 있는 것을 뚫어준다. 또한 여성의 가슴이 붓거나 겨드랑이나 옆구리에 발생하는 악창을 치료한다.

## 주의사항

기가 허약한 사람이나 음기가 부족한 사람은 많이 먹지 않아야 하며 껍질에 농약이 많이 묻어 있을 수 있으므로 세척 시 주의해야 한다.

## 🌷 배숙차

배는 아삭하고 시원하며 단맛이 있는 과일로 기원전부터 있었던 것으로 추측되지만 그 시기에는 야생 돌배였고 지금은 개량된 품종으로 우리나라에는 대부분 일본에서 들여온 것이다. 배는 생과일로 먹지만 육류 요리할 때 넣으면 연육제 역할을 하고 소화를 돕기 때문에 많이 사용해 왔으며 겨울철 동치미나 물김치를 담글 때 넣으면 시원하고 달달한 맛을 더욱 진하게 하며 배숙을 만들어 먹으면 감기를 예방하고 갈증을 멈추게 한다. 그 외에도 무더운 여름에 시원한 화채를 만들거나 잼이나 드레싱을 만들어 먹기도 한다.

배숙은 배를 4~6쪽으로 쪼개서 통후추를 박고 물에 생강을 넣고 끓여서 차게 해서 마시는 우리나라 전통음료다. 궁중에서는 상에 낼 때 유자즙을 넣고 잣을 띄워 내기도 한다.

### 제작 및 음용

① 배 1개를 6등분하여 껍질을 벗기고 씨를 제거한 후 가장자리를 다듬는다.

② 통후추를 배 1쪽에 3개 정도 박는다.

③ 생강을 얇게 썰어 물 4컵 정도를 붓고 끓이다 배를 넣고 끓인다.

④ 배가 적당하게 익으면 설탕이나 꿀을 넣고 완성한다.

### 효능

배는 해열생진작용이 있어 열병이나 갈증을 풀어주고 기침, 감기, 편도선염, 천식 등 호흡기질환에 좋으며 소화를 촉진시키고 숙취해소작용이 있다. 또한 독성물질을 씻어내 주고 대소변을 잘 나오게 하며 성인병 예방에 도움이 된다.

### 주의사항

배는 성질이 차서 몸이 찬 사람에게는 좋지 않으나 배숙은 생강과 후추가 중화시키므로 몸이 찬 사람이 먹어도 무난하다. 단 소화기가 너무 약한 사람은 몸의 변화를 관찰하면 양을 조절하는 것이 좋다.

## 🌱 유자차

운향과에 속하는 과일나무로 중국이 원산지이며 사천성, 호북성, 운남성 등지에 야생으로 자라고 있으며 우리나라에는 신라시대에 전해진 것으로 알려져 있다. 운향과에 속하는 식물들 가운데 내한성이 가장 강하며 지금은 남해안지방과 남해안 도서지방에서 재배하고 있다.

유자는 신맛이 너무 강해 과일로 생식하기에는 적합하지 않지만 향기가 강해 유자청을 만들어 유자차로 즐기거나 정과나 떡, 약과 등의 음식을 만들 때 향을 내는 향신료로 많이 사용하였으며 꽃망울도 향미료로 사용하였다.

덜 익은 열매를 따서 껍질을 약용으로 사용하기도 하였는데 유자피(柚子皮) 또는 등자피(橙子皮)라고 하여 소화를 돕고 위를 튼튼하게 하고 감기예방에 좋다고 하며 씨도 등자핵(橙子核)이라 하여 약용으로 사용하였다.

그 외에 입욕제로 활용하기도 했으며 실내나 차 안에 두고 방향제로 사용하기도 하였다.

### 제작 및 음용

① 유자를 베이킹소다나 소금으로 깨끗이 씻는다.

② 반으로 잘라 씨를 제거하고 가늘게 채썬다.

③ 유자와 설탕을 같은 양으로 잘 버무려준다.

④ 뜨거운 물로 소독한 유리병에 차곡차곡 담아 숙성시킨다.

⑤ 숙성되면 유자청 2~3스푼을 뜨거운 물에 우려 건더기와 같이 먹는다.

### 효능

유자는 성질은 차고 맛은 시다. 행기(行氣)작용, 해독작용, 소염작용과 진토(鎭吐)작용이 있어 기운을 잘 통하게 하고 아래로 내려주는 효과가 있어 오심(惡心)이나 구토 증상에 좋으며 소화를 돕고 가슴을 편하게 해준다. 또한 비타민 C 함유량이 매우 높아 감기예방과 피부미용에 좋으며 숙취해소에 도움이 된다. 최근의 연구결과에 의하면 대장질환에도 효과가 있다고 한다.

### 주의사항

성질이 차서 몸이 찬 사람은 주의해야 하며 유자청은 설탕이 많이 들어가므로 당뇨환자나 다이어트 중인 사람은 유자청보다는 말린 유자로 차를 끓여 마시는 것이 좋다.

## 🌷 산수유차

산수유는 중국이 원산지라고 알려져 있으나 1970년 광릉 지역에서 자생지가 발견되어 우리나라에서도 자생하는 것으로 알려졌다. 겨울의 추위가 가시기도 전에 산골짜기

에 화사한 황금색 꽃을 피우고 가을에는 온통 빨간 열매로 붉게 물들이는 나무로 전남 구례에서는 봄이면 산수유 축제를 여는데 이곳에는 수명이 300~400년으로 추정되는 나무가 있다.

산수유는 잎이 나오기 전에 노란색 꽃부터 나오며 작은 꽃들이 20~30개씩 모여 조그만 우산모양의 봉우리를 형성하며 군락을 형성하여 꽃동산을 이룬다.

열매는 서리가 내린 늦가을에 수확하여 씨앗을 빼고 쪄서 말린 것을 약용으로 사용한다. 신맛이 강해 술이나 차로 만들어 먹는 것이 일반적이다.

### 제작 및 음용

말린 산수유 100g에 물 2L를 넣고 30~40분 정도 끓여 하루에 두세 번 마신다.

### 효능

산수유는 성질이 약간 따뜻하고 맛은 시고 떫으며 간과 신장의 음을 보하고 정수(精髓)를 채워주며 소염작용과 수렴작용이 있다. 따라서 몸이 허약하여 정력이 부족하고 허리 무릎이 시고 아프며 눈이 침침하고 머리가 어지러우며 식은땀이 나고 이명현상이 나타나는 사람에게 적합하고 음위, 유정, 몽정, 요실금에도 효과가 좋으며 여성의 생리불순에도 도움이 된다.

### 주의사항

소변이 잘 나오지 않는 사람은 주의해야 하며 씨에는 독소가 있으므로 꼭 제거해야 한다.

## 🌱 오미자차

우리나라 전 지역의 주로 산골짜기 암반지대에서 흔하게 자라는 덩굴성 식물로 중국, 일본, 러시아 동북부 등지에 분포한다. 열매는 다섯 가지 맛이 모두 있다고 하여 오미자라고 하였다. 『산림경제』에서 "육질은 달고 시며 씨앗은 맵고도 쓰며 합하면 짠맛

(鹹味)이 나기 때문에 오미자라고 한다.”고 기록되어 있는데 일부에서는 오미자껍질이 달고 짜며 과육은 시고 씨는 맵고 쓰다고 하므로 사람의 미각으로 알아내기는 쉽지 않다.

　오미자는 우리나라에서 생산되는 것이 품질이 좋아 중국과 일본으로 보냈다는 기록이 있으며 우리나라에서는 조선 이전부터 밭에서 재배해 왔으며 지금은 문경이 주생산지로 유명하며 암수가 다른 나무이므로 같이 심어야 열매를 맺는다.

　오미자의 종류로 열매의 색이 청색에서 익으면 거의 검은색을 띠는 흑오미자가 있는데 제주에서 많이 나고 남쪽 섬에서 자라는 오미자는 남오미자라고 하는데 쓰임새는 오미자와 비슷하다.

　오미자는 약효가 다양하고 효과가 좋아 약용으로 많이 사용해 왔으며 민간에서는 옛날부터 요리에 사용해 왔는데 오미자청을 만들어 차로 마시거나 술을 담가 먹었고 색이 아름다워 화채를 만들거나 다른 음식의 색을 내는 데도 사용하였다.

## 제작 및 음용

① 말린 오미자 100g을 생수 2L에 넣고 12시간 정도 담가두었다 건더기를 버리고 물만 따라 꿀을 넣어 마신다.

② 말린 오미자 100g을 뜨거운 물에 2시간 정도 담가두었다가 불에 올려 끓기 시작하면 불을 끄고 계속 우려 식으면 건더기를 건져내고 냉장고에 넣고 꿀을 타서 시원하게 마신다.

③ 오미자에 설탕을 넣고 청을 만들어 3개월 정도 숙성시킨 후 물에 타서 마신다.

## 효능

　오미자는 다섯 가지 맛을 가지고 있어 오장에 골고루 들어가며 몸이 허약하여 땀이 많이 나고 더위에 지친 사람에게 적합하며 갈증을 없애고 기침, 천식에 효과가 있으며 혈액순환을 활발하게 하여 혈압을 내리며 심혈관질환과 당뇨에도 효과가 있다고 한다. 특히 신장과 폐에 좋으며 수렴작용이 있어 몽정, 유정 등에 효과가 있고 눈을 밝게 하고 피부미용에 좋으며 피로회복과 노화예방에도 도움이 된다.

### 주의사항

임신부나 수유기에는 주의해야 하며 위가 약하고 역류성 식도염이 있거나 위염, 장염이 있는 사람도 주의해야 한다.

## 구기자차

구기자는 가지과에 속하는 구기자나무의 열매를 말하고 우리나라 전역에서 나며 중국, 일본, 대만 등에 분포한다. 우리나라에서는 청양과 진도에서 가장 많이 재배하고 있으며 중국에서는 녕하구기자가 가장 유명하다.

열매는 주로 약용으로 사용하고 인삼, 하수오와 함께 3대 명약으로 알려져 있다. 음식을 만들 때 고명으로 사용하면 예쁘고 건강에도 좋으며 특히 약선요리에서 많이 사용한다. 건조된 열매색이 선명한 빨간색은 건조기에 말린 것이고 검붉은색을 띠는 것은 햇볕에 말린 것이다. 건조된 열매는 겉이 쭈글쭈글하고 속에 많은 씨가 들어 있다. 구기자는 열매뿐만 아니라 뿌리껍질은 지골피라 하여 약재로 사용하고 구기자의 어린잎은 나물로 무쳐 먹거나 밥이나 국에 넣어 먹거나 그늘에 말려 차로 마신다. 열매는 구기차(枸杞茶) 또는 구기주(枸杞酒)를 만들어 마신다.

### 제작 및 음용

마른 구기자 20g을 물 1L에 넣고 30분 정도 끓여 거름망에 걸러 마신다. 구기자차를 마실 때는 설탕이나 꿀을 곁들여 먹거나 계피나 생강, 대추 등을 함께 끓여 마시기도 한다.

### 효능

약성(藥性)은 평범하고 독이 없다. 구기자는 간과 신장을 보하고 간기능을 개선하며 간경변을 예방하고 피로회복과 시력을 보호하며 혈당과 혈액의 지방을 낮추고 기억력을 증강시키며 신장기능을 강화시켜 허리와 무릎이 저리고 유정, 대하가 있는 사람에게 효과가 있고 안과 질환으로 시력이 약해지거나 하체가 약한 사람에게 좋다.

오래 복용하면 몸이 가벼워지고 기력이 왕성해지며 늙지 않는다.

현대의학적인 성분은 베타인, 카로틴, 티아민, 루틴, 비타민 A · $B_1$ · $B_2$ · C 등이 함유되어 있으며 동물실험을 한 결과 베타인성분은 간에서 지방의 축적을 억제하고 간세포의 신생을 촉진하며 혈압을 내려주는 작용도 한다. 구기자의 루틴성분은 모세혈관을 튼튼하게 하여 심혈관질환을 예방한다.

### 주의사항

열이 있는 사람들이나 임신부나 수유기 여성도 주의해야 한다. 또한 구기자에서 술냄새가 나면 상한 것이므로 먹지 않는 것이 좋다.

## 대추차

대추나무는 유럽 동남부와 아시아 동남부가 원산지로 갈매나무과 대추나무속 식물이다. 대추나무열매를 대추라고 하며 말리거나 생으로 식용 또는 약용으로 사용한다. 중국에서는 대조(大棗)라고 부르며 또한 그 색이 붉다 하여 홍조라고도 하며 단맛이 있어 생으로 먹기도 하고 저장을 위해 건조하여 많이 사용하는데 찬 이슬을 맞고 건조한 것이라야 양질의 대추가 된다고 한다.

우리나라 전통음식에서 밤과 함께 빠지지 않을 정도로 널리 쓰이며 관혼상제 때의 음식에는 필수적인 과실이다. 제상이나 잔칫상에 과일로 그대로 놓거나 정과로 만들기도 하며 떡이나 고급음식에 고명으로 많이 애용해 왔다. 또한 우리나라에서 대추는 남자아이를 상징하여 폐백을 올릴 때 시어머니가 며느리에게 아들 낳으라고 치마폭에 던져주는 풍습도 있다.

우리나라 주산지는 충청북도 보은이며 그 밖의 지방에서도 잘 자란다.

### 제작 및 음용

① 대추는 베이킹소다를 넣고 주름 사이에 있는 이물질까지 깨끗이 씻어낸다.

② 솥에 말린 대추 30알 정도를 넣고 물 2L를 붓고 물이 절반으로 줄 때까지 끓인다.

③ 끓인 대추를 거름망을 이용하여 걸러낸다.

④ 하루에 2~3번 정도 한 잔씩 마신다. 기호에 따라 꿀을 넣어 마시기도 한다.

### 효능

대추는 자양강장작용을 목적으로 많이 사용하여 왔으며 이뇨작용과 번조증(煩燥症), 약성완화작용 등에 활용해 왔다. 『동의보감』에는 "대추는 성질은 따뜻하고 맛은 달고 독이 없으며 속을 편하게 하고 오장을 보한다. 오래 먹으면 안색이 좋아지고 몸이 가벼워지며 늙지 않는다."라고 하였다. 정신을 안정시키며 불면증에 효과가 있고 속을 편하게 하여 비위기능을 개선시키며 이뇨작용이 있어 부종에 도움이 된다. 또한 혈액순환을 돕고 간기능을 개선하며 면역력을 증강시키는 효능이 있으며 약성을 완화시켜 탕제에 자주 사용하며 피부미용과 노화예방에도 도움이 된다.

이 밖에도 여름에 더위로 인해 밥을 먹지 못할 때 대추잎을 찧어 즙을 내 물에 타서 마시면 효과가 있다고 하며 고혈압도 효과가 있다고 한다.

### 주의사항

몸에 열이 많은 사람은 많이 먹으면 좋지 않고 덜 익은 대추는 먹지 않는 것이 좋다. 또한 칼로리가 높아 비만인 사람에게도 좋지 않으며 차를 마셨을 때 속이 더부룩하고 갑갑한 증상이 나타나는 사람도 먹지 않는 것이 좋다.

## 🌷 오디차

뽕나무의 열매를 말하며 오디 또는 오들개로 불리며 약재로는 상심자(桑椹子)라고도 한다.

처음에는 녹색으로 열매를 맺었다가 붉은색으로 변하고 다 익으면 자주색을 띤다. 당나라 때부터 약재로 이용되었다고 한다. 맛이 달아 생으로 먹기도 하고 냉동실에 보관하였다 음식에 사용하기도 하며 약재로 사용할 때는 건조시킨다.

또한 오디로 빚은 술은 상심주 또는 선인주라고 불렀으며 정력을 강하게 하고 흰머리를 검게 하며 노화예방에 좋다고 하여 귀한 술로 대접받았다. 『동의보감』에서 오디술은 "구복변백불로(久服變白不老)"라 하여 오래 복용하면 흰 머리를 검게 하고 늙지 않는다고 했다. 오디는 술뿐만 아니라 생즙을 짜서 마시기도 하고 시럽을 만들어 차로 마시기도 한다. 그 밖에 떡이나 잼, 주스 등으로 만들어 먹는다.

### 제작 및 음용

① 생오디 1kg을 깨끗이 씻어 약한 불로 국물이 없어질 때까지 천천히 삶는다.

② 국물이 없어지면 꿀 500g을 넣고 한소끔 더 끓인다.

③ 식혀서 소독한 유리병에 담아 냉장고에 보관한다.

④ 하루에 2~3번 1큰술을 떠서 따뜻한 물에 타 마신다.

### 효능

오디는 간과 신장을 보하며 풍을 가라앉게 하고 몸을 윤택하게 하며 정력을 강하게 하고 혈압을 낮추는 작용이 있다. 특히 신장이 허약한 사람에게 좋으며 갈증을 멈추게 하고 눈과 귀를 밝게 하며 관절을 부드럽게 한다. 또한 숙취해소나 건망증이 있는 사람에게 좋고 흰머리를 검게 하고 피부미용과 노화예방에도 도움이 된다.

현대의학적으로도 당 종류가 많고 유기산과 점액질, 비타민 C, 비타민 B군이 함유되어 있으며 각종 무기질도 많이 들어 있다. 안토시아닌도 흑미나 검은콩에 비해 4~9배나 많이 들어 있으며 식이섬유도 많아 변비예방에도 좋고 당뇨치료에도 도움이 되며 루틴성분을 함유하고 있어 콜레스테롤을 제거하여 혈액의 지방을 낮추는 효과도 있다.

### 주의사항

성질이 차서 몸이 차거나 수족냉증이 있는 사람에게는 적합하지 않으며 복용 시 복통, 설사, 복부 팽만감이 있는 사람은 먹지 않는 것이 좋다.

## 🌷 지구자차

갈매나무과 헛깨나무속에 속하며 주로 동아시아에 분포한다. 우리나라에서는 중부 이남지방에서 볼 수 있으며 헛깨나무라고도 부른다. 지구자나무는 호깨나무, 호로깨나무로도 부르며 중국에서는 지구자(枳椇子), 괴조(拐棗), 목밀(木蜜), 목산호(木珊瑚)

등으로도 부른다. 열매는 약재로 이용하며 잎, 줄기도 약용 또는 식용으로 사용하며 추출액이나 분말 등을 이용하여 음료, 차, 환을 만든다. 나무는 재질이 좋아 건축재나 가구를 만드는 데 사용하기도 한다.

『본초강목』에서는 "헛개나무의 열매는 간을 보호해 주고 숙취를 덜게 하며 구역질을 멈추게 한다. 나무를 술독에 넣으면 술이 물로 된다."라고 했다.

### 제작 및 음용

열매 50g에 물 2L를 넣고 물이 절반으로 줄어들 때까지 끓여서 거름망에 걸러 마신다. 열매씨는 단단하여 그냥 끓이면 약효가 우러나지 않기 때문에 따로 절구에 빻아서 달여 마신다.

### 효능

지구자는 성질은 평하고 맛은 달고 시며 심경, 비장경으로 들어가며 간을 보하고 주독을 풀어주며 갈증을 멈추게 하고 번열을 없애는 작용이 있다. 그리고 대소변을 잘 통하게 하고 구역질이나 딸국질을 멈추게 하며 혈당과 혈압을 낮추는 효능이 있다. 평소에 술을 많이 마시고 간이나 소화기능이 좋지 않는 사람에게 좋다.

### 주의사항

지구자는 대량으로 마시면 설사를 할 수도 있으므로 주의해야 한다.

## 🌸 여주차

박과에 속하며 원산지는 인도로 추정된다. 동남아 지역에서 식용으로 많이 사용하며 중국에서는 맛이 써서 쓴 오이라는 뜻으로 고과(苦瓜)라 부르며 다른 이름은 만여지(蔓荔枝)라고도 부른다. 우리나라에서는 주고 관상용으로 많이 심었으나 당뇨에 좋다는 효능이 알려지며 지금은 차로 마시기도 하고 약용으로 많이 쓰인다. 어린 열매와 씨껍질[種皮]을 주로 사용하는데 잎을 고과엽(苦瓜葉), 꽃을 고과화(苦瓜花), 씨를 고과자(苦瓜子), 뿌리를 고과근(苦瓜根)이라 부르고 약재로 많이 사용한다.

여주는 처음에 노란 꽃이 피고 나중에 울퉁불퉁한 열매가 열리는데 처음에는 진한 녹색이지만 익으면 노란색이나 오렌지색으로 변한다.

일본에서도 "고야차"라고 하여 전통 건강차로 많이 이용한다.

### 제작 및 음용

말린 여주 20g을 물 2L 정도를 넣고 끓여 마신다.

### 효능

여주는 맛이 쓰고 성질은 차며 청열해독작용이 있어 열이 있는 사람들이나 여름더위를 먹은 사람에게 효과가 좋고 혈당을 내리는 효능이 있어 당뇨환자에게 좋다. 갈증을 멈추게 하고 가슴이 답답한 증상을 개선시키며 간열을 내려 눈을 밝게 하고 열독과 열사를 제거한다. 뜨거운 곳에서 일하는 사람이나 더운 지방을 여행할 때 마시면 좋다.

### 주의사항

여주는 성질이 차서 평소 몸이 찬 사람들이나 수족냉증이 있는 사람은 주의해야 한다.

## 🌱 산사차

산사나무는 전국에 걸쳐 자라는 갈잎나무로 질배나무, 동배나무, 애광나무, 아가위나무라고도 부르고 온대지방에서 잘 자라며 세계적으로 천 종이 넘는다. 천연기념물 506호로 지정된 서울 영휘원의 산사나무는 줄기 둘레가 한아름이 훨씬 넘는 203센티미터에 키가 9미터에 이른다.

동양에서는 주로 약재로 이용하지만 서양에서는 "메이플라워" 즉 "오월의 꽃"이라고 하며 오월이 되면 꽃다발을 만들어 문에 달아놓는 풍습이 있다고 한다. 우리나라를 비

롯하여 중국과 일본에서는 산사나무 열매를 '산사자(山査子)'라 하는데 우리나라에서는 토산사라고 하고 중국에서는 산사육이라고 부르며 소화제로 이용하였다. 『산림경제』에는 "산속에서 나는데 반쯤 익어 맛이 시고 떫은 것을 채취하여 약으로 쓰는데 오래 묵은 것이 좋으며 물에 씻어 연하게 쪄서 씨를 제거하고 햇볕에 말린다."라고 하였다. 아기사과와 닮아 산사과로 잘못 알고 있는 사람들도 있다. 중국에서는 전통적으로 산사에 설탕물을 입혀 길거리음식으로 애용해 왔으며 현재는 산사를 이용하여 술을 담그거나 젤리형태나 전병, 과자, 정과, 떡 등 다양한 제품을 생산하고 있다.

### 제작 및 음용

산사를 깨끗이 씻어 말려서 보관하거나 말린 산사열매를 볶아서 사용한다. 소화불량이나 무력감이 있을 때는 볶지 않은 것을 사용하는 것이 좋고 궤양성 질병일 경우에는 초해서 사용하는 것이 좋다. 또 다른 방법으로는 산제(散劑)로 만들거나 술을 담가 먹기도 하며 어떤 사람은 효소로 담가 숙성시켜 먹기도 한다.

① 말린 산사 20g을 절구에 깨트려 다관에 넣고 끓는 물을 부어 3~4분 우려내어 여러 번 나눠 마신다.

② 말린 산사열매나 초(炒)한 열매 30g에 물 2L를 넣고 20분 정도 달여 꿀을 약간 넣어 마신다.

### 효능

산사는 주로 소화기 · 순환계 질병을 다스리며 고기 먹고 체하거나 소화가 잘 안 되는 증상에 효과가 좋다. 현대에 와서는 다이어트식품으로 각광받고 있는데 혈액의 지방을 분해하고 혈액순환을 촉진시키며 혈관을 확장시키고 혈압을 낮추는 효능이 있다. 따라서 현대생활습관병이 있거나 비만하고 속이 더부룩하며 소화가 잘 안 되는 사람이나 고기나 술을 즐겨 먹는 사람에게 적합하며 어혈로 인한 생리불순, 생리통에도 효과가 있다.

### 주의사항

산사는 신맛이 강해 위산분비가 많아 궤양이 있는 사람은 속쓰림이 나타날 수 있다.

그 밖에 가끔 산사차를 마시면 메스꺼움, 두통, 현기증 등이 나타나는 사람들도 있으므로 이런 증세가 나타는 사람은 주의해야 한다.

## 🌷 용안육차

용안(龍眼)나무는 중국 남부지역이 원산지로 알려져 있으며 동남아와 중국의 복건성, 광서성, 광동성, 사천성, 대만 등지에서 많이 재배된다. 무환자나무과에 속하며 키가 큰 상록성 나무로 과육을 용의 눈알과 비슷하다고 해서 용안육(龍眼肉)이라고 부른다. 꽃은 커다란 다발형태로 피고 후에 여지처럼 생긴 열매가 많이 달린다.

중국의 길거리나 재래시장 등지에서 가지째로 묶어서 파는 모습을 흔히 볼 수 있으며 여지보다 크기가 작고 동그랗게 생겼다.

용안 열매는 겉껍질을 벗기면 반투명한 과육이 있고 과육 안에 까맣고 둥그런 씨가 나온다. 맛이 달고 맛이 있는 열대과일이다.

### 제작 및 음용

말린 용안육 10g을 물 1L에 넣고 30분 정도 달여 마신다.

### 효능

용안육은 성질이 따뜻하고 맛은 달며 심장과 비장으로 들어간다. 심장과 비장을 튼튼하게 하고 정신을 안정시키며 기혈을 보하는 효능이 있으며 몸과 마음이 허약하고 얼굴이 창백하며 기억력이 없고 가슴이 두근거리고 불안한 사람에게 적합하다. 『신농본초경』에서는 "오장의 사기를 없애고 마음을 안정시키며 식욕을 촉진하고 장기간 복용하면 정신을 강하게 하고 총명하게 한다."라고 하였으며 한방에서 보약을 지을 때 필수로 들어간다. 따라서 혈액이 허약하여 불면증이 있거나 초조하고 건망증이 있는 사람에게도 좋으며 수험생이나 정신노동을 하는 사람에게 효과가 있고 피부가 거칠고 마른 사람에게도 도움이 된다.

### 제작 및 음용

용안육은 맛이 좋고 달아 많이 먹을 수 있지만 너무 많이 먹는 것은 도리어 좋지 않다. 하루에 50g 이상 먹는 것은 좋지 않으며 복령, 황기, 백출, 산조인, 인삼, 목향, 감초 등을 함께 넣고 달여서 마시면 몸과 마음이 허약한 사람들의 보약이 된다. 또한 몸이 찬 사람은 적당량을 소주에 담가 먹으면 효과가 좋다. 중국 고급식당에서는 팔보차를 주는데 이때 용안육이 들어간다.

① 말린 용안육 10g을 다관에 넣고 뜨거운 물을 붓고 우려내어 마신다.
② 용안육 10g, 산조인 8g, 대추를 넣고 30분 정도 달여 마신다.(불면증, 신경쇠약에 좋다.)

### 주의사항

용안육은 성질이 따뜻하여 열이 많은 사람은 오랫동안 복용하지 않는 것이 좋으며 담화(痰火)가 있거나 감기로 폐열이 있는 사람은 복용하지 않는 것이 좋고 소화기에 허열이 있으며  약한 사람도 소화에 부담을 줄 수 있으므로 주의해야 한다.

## 🌸 방대해차

방대해는 오동나무과 열대성나무로 베트남, 라오스 등 동남아가 주산지며 중국에서는 해남도에서 주로 생산되고 우리나라에서는 나오지 않는다. 타원형으로 생긴 종자를 약재로 사용하며 안남자, 대동과, 호대해, 대발 등으로 불린다. 겉껍질이 가벼우면서 성글어 쉽게 떨어지며 물에 넣으면 실타래처럼 해면상태의 덩어리가 된다. 뜨거운 물에 넣으면 크게 부풀어 오른다고 하여 방대해라고 부른다.

### 제작 및 음용

방대해 1개를 유리잔에 넣고 뜨거운 물을 부어 5~10분 정도 우려내어 마신다. 나한과를 깨서 함께 우려 마시기도 한다.

### 효능

방대해는 성질은 차고 맛은 달며 폐경, 대장경으로 들어간다. 폐기를 맑게 하고 잘 소통되게 하며 열을 내리고 대장을 잘 통하게 하는 효능이 있다. 폐열이 많아 목소리가 나오지 않거나 감기로 인해 인후염이 있는 사람이나 가래가 많고 기침하는 사람에게 효과가 좋으며 폐기가 울결되어 가슴이 답답한 증상 또는 열로 인한 변비증상에도 도움이 된다.

### 주의사항

중초가 차거나 습이 많아 변이 묽게 나오는 사람은 주의해야 한다.

## 🌷 매실차

매실은 매화나무의 열매로 원산지는 중국이며 수확시기에 따라 열매가 덜 익었을 때는 청매실이라 하고 익으면 노란색을 띠는데 이것을 황매실이라고 한다. 청매실은 껍질이 파랗고 과육이 단단한 상태로 신맛이 가장 강하며 아삭한 식감 때문에 장아찌를 만들어왔으며 황매실은 노랗게 익은 것으로 향기가 매우 좋고 과육이 부드러워 일본에서 우매보시를 만든다.

병충해에 강하기 때문에 농약을 따로 하지 않아도 잘 자란다고 하며 우리나라 대표적인 생산지역은 순천, 광양, 하동 등지다. 또한 술로 담가 마시기도 하였으며 청매를 짚불에 훈연하여 말리면 검은색으로 변하는데 이것을 오매라고 부르며 한약재로 예부터 널리 사용해 왔다. 특히 조선시대에 단오가 되면 궁중에서 임금께 제호탕을 올렸는데 오매가 주재료이며 사인, 백단향, 초과와 함께 가루내어 중탕한 뒤 꿀을 넣고 음료로 마셨다고 한다.

### 제작 및 음용

매실청을 만들어 충분히 숙성한 후 차로 마신다. 장아찌를 담가 먹을 때는 청매실을 사용하고 매실차를 만들 때는 황매실을 사용하여 담그는 것이 좋다. 몸에 열이 많을 때는 박하를 첨가하여 차로 마시면 효과가 좋다.

① 매실을 식초나 소금 또는 베이킹소다를 이용하여 깨끗하게 씻은 후 물기를 제거한다.

② 매실과 설탕을 1:1비율로 용기에 담아 밀봉한다.

③ 3개월 정도가 지나면 건더기를 건져내어 유리병에 담아 냉장보관한다.

④ 매실청 2~3큰술을 물에 타서 차게 또는 따뜻하게 마신다.

## 효능

매실은 성질은 평하고 맛은 시며 간경, 폐경, 위경, 대장경으로 들어간다. 진액을 만들어 갈증을 해소하며 열을 내리고 설사를 멈추게 하고 식욕을 돋우며 소화를 돕고 만성기침을 멈추게 한다. 또한 매실에 들어 있는 유기산은 피로회복에 좋고 여름철 건강에 도움이 되며 복통, 설사에 효과가 좋다. 근육에 들어 있는 젖산을 분해하는 효능이 있으며 칼슘 흡수를 촉진시키고 숙취를 일으키는 아세트알데히드를 분해하며 멜라닌색소의 합성을 억제하여 피부미백효과도 있다고 한다.

## 주의사항

① 매실은 알레르기가 있는 사람도 있으므로 이런 체질은 주의해야 한다.

② 특히 청매실에는 아미그달린이라는 독성물질이 있으므로 날것으로 먹으면 안 된다.

## 🌸 석류피차

석류나무열매의 껍질을 말한다. 석류나무는 서아시아가 원산지며 우리나라에는 고려 초기 중국으로부터 들어온 것으로 추정한다. 우리나라 중부지방과 남부지방에서 자라며 열매를 석류라 하고 안에 많은 씨가 들어 있어 다산을 상징하며 씨의 겉에 즙이 많고 맛이 시고 달아 그대로 먹거나 화채를 만들며 물김치 담글 때 넣기도 한다. 약재로 채취한 뿌리는 쌀뜨물에 담갔다가 햇볕에 말려 사용하고 열매 껍질은 석류피(石榴皮)라 하여 껍질이 벌어지기 전에 말려서 약재로 사용한다.

## 제작 및 음용

석류피를 약재로 사용할 때는 햇볕에 그대로 말려 사용하고 차로 마실 때는 살짝 덖거나 쪄서 말린다. 뿌리껍질은 쌀뜨물에 담가두었다 말려 약재로 사용한다. 석류피차는 계피와 생강, 감초를 같이 넣고 덖어서 사용하기도 한다.

① 석류피를 깨끗이 씻어 잘게 자른다.

② 찜통에 넣고 찐 후 덖어 건조시킨다.

③ 건조된 석류피차를 물에 넣고 30분 정도 끓여 마신다.

### 효능

석류피는 성질은 따뜻하고 맛은 시고 떫고 위경, 대장경으로 들어간다. 천연 에스트로겐이 많이 함유되어 있어 갱년기여성에게 좋으며 여성호르몬 이상으로 나타나는 생리불순, 폐경, 대하, 골다공증, 우울증에 효과가 있으며 고삽작용이 있어 설사, 탈항, 탈루, 유정, 출혈성질병 등에 좋으며 천식, 인후염, 인후통에도 좋고 살충, 항균작용이 있어 구충효과도 있다.

### 주의사항

이질에 효과가 있으나 초기에 열이 많고 진액이 마른 경우에는 사용하지 않는 것이 좋으며 대변이 굳어 잘 나오지 않는 변비에도 좋지 않다.

## 🌼 수세미차

박과에 속하는 덩굴성 한해살이풀로 열대아시아가 원산지며 수세미외 또는 수세미오이라고도 부르는데 익으면 열매 안에 질긴 그물모양의 섬유질이 있어 수세미 대용으로 사용한다고 해서 붙여진 이름이다. 어린 열매는 식용으로 요리하여 먹기도 하고 즙을 내어 마시기도 한다. 동아시아와 유럽, 아프리카에서 많이 재배되고 있으며 중국에서는 사과락이라고 부른다. 약재로 사용해 왔으며 현재는 화장수나 화장품을 만드는 원료로도 많이 사용한다.

### 제작 및 음용

① 아직 익지 않은 열매를 따서 깨끗이 씻는다.

② 0.5m 정도의 두께로 둥글게 썰어 햇볕에 바짝 말린다.

③ 마른 수세미를 물에 넣고 30분 정도 삶아 물을 따라 마신다.

### 효능

수세미는 성질은 차고 맛은 달며 폐경, 간경, 위경, 대장경으로 들어간다. 목이나 콧속이 간질거리고 기침이나 재채기를 자주 하는 사람들이나 감기에 잘 걸리고 목소리가 쉬어 잘 나오지 않으며 목에 가래가 많고 칼칼한 사람에게 효과가 있다. 열을 내리고 습을 제거하며 경락을 잘 통하게 하며 통유, 안태작용이 있으며 피부미용에 좋다. 축농증, 기관지염, 후두염, 피부염, 아토피, 부종 등에 효과가 있으며 신진대사를 촉진시킨다.

### 주의사항

수세미는 찬 성질이 있어 몸이 찬 사람이나 설사를 자주 하고 변이 묽은 사람에게는 좋지 않으며 소화기관이 약하고 손발이 찬 사람에게도 좋지 않다. 또한 수세미에는 약간의 독성이 있어 너무 많이 먹는 것도 좋지 않다.

## 익지인차

생강과에 속하며 높이가 25~30cm 정도로 자라는 다년생초본 식물로 익지라고 부르며 그 식물의 열매를 말한다. 중국 중남부지방에서 많이 자라고 5~6월경에 채취하여 햇볕에 말려서 약재로 사용한다. 열매가 단단하여 깨지 않으면 잘 우러나지 않으며 향이 강해 너무 볶으면 향이 없어서 약효도 떨어진다. 따라서 말린 익지인은 겉껍질을 제거한 뒤 씨에 소금을 넣고 살짝 볶아 절구통에 넣고 빻아서 사용한다. 향이 강해 너무 오래 끓이면 좋지 않다.

### 제작 및 음용

① 익지인의 겉껍질을 벗기고 팬에 소금을 약간 넣고 약간만 볶는다.
② 볶은 익지인을 절구통에 넣고 빻아 10g을 티백에 담는다.
③ 유리주전자에 넣고 물을 부어 10분 정도 끓인 후 하루에 두 번 마신다.

### 효능

신장과 비장을 따뜻하게 하며 정이 새어나가지 않도록 하고 소변을 축적하며 소화를 놉고 침을 흘리지 않게 한다. 따라서 하체가 차서 나타나는 유정, 유뇨, 빈뇨에 효과가 있고 비위가 차서 나타나는 복통 설사, 침을 흘리는 증상을 개선한다. 또한 저혈압이 있는 사람에게 효과가 있다.

### 주의사항

몸에 열이 많거나 배가 더부룩하고 가스가 찬 사람은 주의해야 하며 익지인의 겉껍질을 제거하지 않으면 가슴이 답답한 증상이 나타날 수 있다.

## 🌱 불수차

불수감(佛手柑)은 운향과에 속하는 열매로 주산지는 중국 남쪽의 광둥(廣東), 광시(廣西), 푸젠(福建)성 지역이며 베트남 등의 동남아시장에서도 가끔씩 볼 수 있으며 일본이나 우리나라 남해안의 고흥, 나주, 완도 등지에서 하우스재배를 하고 있다.

가지에 가시가 있고 길게 자라며 꽃잎 수는 5~7개이고 꽃잎 색은 흰색이며 자주색을 띠는 것도 있다. 열매는 10월 상순경에 착색되기 시작하여 1월 상순경에 황금색을 띠게 되고 얇게 썰어 말려서 약재로 사용한다. 향기가 오래 지속되므로 화분에 옮겨 관상용으로 집안에 두기도 한다. 중국에서는 열매의 끝이 손가락처럼 갈라진 것이 부처님의 손 같다고 하여 불수라고 부르며 나무는 불수귤나무라고 한다. 주로 한약재로 많이 사용하며 가정에서 청을 담가 차로 마시거나 건조하여 차로 마시고 술을 담그기도 한다.

### 제작 및 음용

① 유자차처럼 토막으로 썰어 설탕을 넣고 유리병에 담아두었다 뜨거운 물에 타서 마신다.

② 건조한 불수를 보온병에 넣고 끓는 물을 부어 20분 정도 우린 후 마신다.

### 효능

성질은 따뜻하고 맛은 맵고 쓰며 간경, 비장경, 폐경으로 들어간다. 간 기운을 잘 소통시켜 울결된 것을 풀어주고 기운을 조절하여 중초를 편하게 하며 습을 말리고 담을 삭인다. 따라서 간기가 울결되어 나타나는 우울증이나 가슴과 옆구리 창통에 효과가 있고 기체로 인한 복부팽만감이나 통증에 좋다. 또한 오래된 가래가 많은 기침이나 가슴이 답답하고 통증이 있을 때 마시면 도움이 된다.

## 🌼 구채자차

구채자는 백합과 다년생풀인 부추의 씨앗을 말하며 중국 서북부 또는 인도가 원산지로 추정되며 우리나라에서도 자생하고 많이 재배하고 있다. 경상도에서는 정구지라 부르고 그 밖에 솔이라고 부르는 데도 있다. 한자어로는 구(韭)라 하여 구채라고 부르며 씨앗을 구채자라고 한다. 우리나라에는 삼국시대쯤 들어왔을 것으로 추정한다. 약용으로 많이 사용하는 씨앗은 9월경에 성숙해지면 채취하여 햇볕에 말려 볶아서 사용한다. 약으로 사용할 때는 탕으로 달이거나 가루로 만들어 환약에 넣어 먹기도 한다.

### 제작 및 음용

① 부추씨를 볶아서 절구통에 넣고 빻아 10g 정도를 티백에 담는다.
② 티백을 보온병에 넣고 끓는 물을 부어 오랫동안 우리거나 달여 마신다.

### 효능

성질은 따뜻하고 맛은 맵고 달며 신장경, 간경으로 들어간다. 간과 신장을 따뜻하게 보하며 양기를 증강시키고 정을 새어나가지 않게 한다. 남성의 양위나 유정, 여성의 냉, 대하에 좋으며 또한 요실금에도 효과가 있고 간과 신장의 음 부족으로 허리와 다리에 힘이 없고 시고 아프며 근골이 허약하여 굽히고 펴는 것이 힘든 사람에게 도움이 된다.

### 주의사항

과량복용은 좋지 않고 음허화왕인 사람도 주의해야 한다.

## 🌷 보골지차

콩과에 속하는 한해살이풀인 개암풀의 열매를 골수를 보한다고 하여 보골지 또는 파고지(破古紙)라고 한다. 또한 호구자(胡韭子)라는 이름으로도 불리는데 이는 중국의 서북쪽에서 나는 부추씨와 비슷하다고 하여 붙여진 이름이다.

효능도 구채자와 비슷한데 한방에서는 신장을 보하고 양기를 증강시키는 약재다. 민간에서도 많이 응용하여 왔는데 보골지에 검은깨와 호두를 같이 갈아 복용하면 근골이 튼튼해지고 기혈이 안정되어 장수한다고 하며 추어탕에 넣으면 하초의 기능이 약한 사람이나 찬 사람에게 좋은 약선이 된다. 닭이나 오리와 함께 탕을 끓여 마시기도 하였다. 어린이 유뇨증에는 보골지를 볶아 갈아서 4g 정도씩 먹으면 효과가 있다고 한다. 신기가 허약한 사람은 소금을 넣어 볶으면 효과가 더 좋다고 한다.

### 제작 및 음용

보골지 10g을 볶아 절구통에 넣고 빻아서 티백에 담아 보온병에 넣고 끓는 물을 부어 20~30분 우리거나 달여서 마신다.

### 효능

성질은 따뜻하고 쓰고 매우며 신장경이나 비장경으로 들어간다. 신장을 튼튼하게 하고 양기를 보하며 정과 소변을 새어나가지 않게 잡아주고 비장을 따뜻하게 하여 설사를 멈추게 한다. 또한 신장의 납기기능을 좋게 하고 천식을 멈추게 한다. 따라서 신장이 허약하여 나타나는 양위, 허리와 무릎의 냉통에 좋고 유정, 유뇨, 빈뇨에 효과가 있으며 비장과 신장의 양이 부족하여 나타나는 오경설사에 도움이 되고 신허로 나타나는 천식에도 효과가 있다.

### 주의사항

몸에 열이 많거나 소변이 노랗고 혈뇨를 보는 사람은 주의해야 하며 음허화왕, 변비가 있는 사람도 주의해야 한다.

## 🌱 토사자차

토사자는 메꽃과에 속하는 일년생 넝쿨식물로 칡, 쑥, 콩 등 다른 나무에 기생해서 살아가는 기생식물이다. 조선시대에는 조마(鳥麻)라고 하였으며 이를 한글로 풀이하면 "새삼"이 된다. 우리나라 전역에서 볼 수 있으며 들이나 밭에서 잘 자라며 다른 식물에 엉키고 감기며 영양분을 빨아먹고 영양분을 흡수하면 땅속의 뿌리는 없어진다. 따라서 땅에는 인삼, 바다에는 해삼, 하늘에는 새삼이라는 말이 있다.

한방에서는 토사자(菟絲子)라고 하는데 허리가 부러진 토끼가 이것을 먹고 나았다고 하여 붙여진 이름이며 신장을 보하는 약재로 사용한다. 즙이나 술을 만들어 먹거나 씨앗을 말려 탕제나 차로 마신다.

### 제작 및 음용

토사자 12g을 팬에 볶아 절구통에 넣고 빻아 유리주전자에 넣고 물 3컵을 부어 20분 정도 끓여 걸러서 마신다.

### 효능

토사자는 성질은 평하고 맛은 맵고 달며 간, 신장, 비장경으로 들어간다. 신장을 튼튼하게 하며 신장의 정기를 보하고 간기능을 좋게 하여 눈을 밝게 하며 설사를 멈추게 하고 태아를 안정시키는 효능이 있다.

신장이 허약하여 허리가 아프거나 양위, 유정, 빈뇨 등의 증상이 있는 사람이나 자궁이 차서 임신이 안 되는 사람에게 효과가 있고 간과 신장이 약해 정혈부족으로 인해 눈이 침침한 사람, 비장과 신장의 양기가 허약하여 변이 묽거나 설사를 자주 하는 사람, 태동불안으로 유산기가 있는 임신부에게도 도움이 된다.

### 주의사항

평보약이지만 약간은 온보하는 작용이 있어 음허화왕이나 대변이 건조하고 소변이 노랗게 나오는 사람은 주의해야 한다.

## 🌱 사원자차

사원자는 편경황기의 씨앗으로 모래사장이나 길가에 납작하게 깔려서 자라며 중국의 내몽골이나 동북지방에서 많이 자생한다. 몸이 허약했던 당나라 현종의 딸 영락공주가 안사의 난으로 사원지방으로 피난을 갔는데 거기서 자란 편경황기의 씨앗을 먹고 건강해졌다고 하여 사원자라는 이름이 붙었다고 한다. 한방에서는 씨앗을 말려 신장의 양기를 보하는 약재로 사용한다.

## 제작 및 음용

사원자 10g을 볶아 절구통에 넣고 빻아서 티백에 담아 보온병에 담고 끓는 물을 부어 20~30분 우리거나 달여서 마신다.

## 효능

신장을 보하고 신장의 정이 새어나가지 않도록 하며 간을 보하여 눈을 밝게 한다. 신장이 허약하여 발생하는 요통, 양위, 유정, 유뇨, 빈뇨, 냉, 대하 등에 효과가 있으며 눈앞이 아른거리고 침침한 증상에 도움이 된다. 특히 요실금에 효과가 좋다.

## 주의사항

온보하고 고섭작용이 있어 음허화왕이나 소변불리가 있는 사람은 금해야 한다.

# Ⅲ 곡물차

## 🌷 메밀차

메밀은 동아시아의 북부 및 중앙아시아 등지가 원산지로 세계 각지에서 재배되고 있으며 메밀 또는 메물로 부르기도 하고 중국에서는 교맥(蕎麥)이라고 부른다. 우리나라에서는 함경도에서 많이 재배되었으며 지금은 강원도 봉평에서 많이 생산되고 있다. 『향약구급방(鄕藥救急方)』에 처음 기록되어 있는데 메밀은 추위에 잘 견디며 생육기간이 짧아 흉년에 응급작물로 좋고 기후나 토양이 좋지 않은 산간지역에서 잘 자라 구황식물로 적합하다.

메밀에는 여름메밀과 가을메밀이 있는데 5월에 파종하여 7~8월에 수확하는 메밀을 여름메밀이라 하고 7월에 파종하여 10월에 수확하는 메밀을 가을메밀이라 부른다.

메밀은 단백질이 풍부하고 영양가가 높으면서 독특한 맛이 있어 국수, 냉면, 전병, 만두, 묵 등을 만들어 먹고 어린 메밀잎은 나물로 먹고, 성숙한 잎과 꽃에서는 혈압강하제인 루틴을 추출하거나 약재로 사용한다. 또한 메밀깍지로 만든 베개는 가볍고 부서지지 않으며 통풍이 잘 되고 습하지 않아 많이 사용하기도 한다.

### 제작 및 음용

① 메밀을 깨끗이 씻어 그늘에 말려 물기를 제거한다.
② 팬을 달구어 메밀을 넣고 색이 약간 변할 정도로 볶아준다.
③ 볶은 메밀 1~2큰술을 넣고 물을 부어 보리차처럼 끓여 마신다.

## 효능

메밀은 성질이 차고 맛은 달고 시며 비장경, 위경, 대장경으로 들어간다. 비장의 열과 습을 제거하고 기운을 아래로 내리는 작용이 있어 식체를 내리며 이뇨작용과 장의 유동운동을 활발하게 하여 대소변을 잘 통하게 하고 칼로리가 낮아 다이어트에 좋은 효과가 있다. 또한 루틴(Rutin)을 많이 함유하고 있어 혈관을 튼튼하게 하고 노화예방에도 좋으며 혈당과 혈압을 낮추는 작용이 있으며 각종 성인병 예방에도 도움이 된다. 메밀은 성질이 차서 여름철에 땀을 많이 흘리고 소화가 잘 되지 않고 속이 더부룩하며 식욕부진일 때 먹으면 좋다.

### 주의사항

① 몸이 찬 사람이나 소화기가 약하고 저혈압이 있는 사람은 많이 먹지 않는 것이 좋다.

② 알레르기를 유발할 수 있으므로 주의해야 한다.

③ 옛 문헌에 양고기, 돼지고기와 동시에 섭취하면 털이 빠질 수 있고 풍을 유발할 수 있다고 기록되어 있으므로 동시에 섭취할 경우 주의해야 한다.

## 보리차

벼목 벼과에 속하는 식용작물로 한자로는 대맥이라 부르며 선사시대에 에티오피아와 남동아시아에서 재배가 시작되어 기원전에 거의 전 세계로 퍼져 나갔으며 생육기간은 보통 90일이다. 보리는 식량으로 가장 오래된 작물 중의 하나로 인류가 농경문화를 시작하면서 재배되었다. 7000년 전에 야생종이 재배되었으며 세계의 다양한 기후조건에 광범위하게 분포하고 있다.

보리는 크게 겉보리와 쌀보리로 나뉘며 껍질이 종실에 달라붙어 분리되지 않는 것을 겉보리라 하고 껍질이 종실에서 쉽게 분리되는 것을 쌀보리라고 한다. 쌀보리는 주로 쌀에 섞어서 밥을 하고 겉보리는 동물의 사료나 맥주를 만드는 데 사용한다. 또한 엿기름으로 감주를 만들어 먹거나 보리를 볶아서 보리차로 이용한다.

보리는 겨울에 자라므로 병충해가 붙지 않아 재배하기 편하고 쌀에 부족한 여러 영양성분을 보충해 줄 수 있어 쌀과 함께 먹으면 건강에 좋은 효과를 낸다. 보리는 맥아당, 전분, 단백질 등을 주성분으로 하며 탄수화물과 단백질의 소화를 돕고 혈당강하작용을 한다.

### 제작 및 음용

보리차를 만들 때 볶는 정도에 따라 맛이 달라질 수 있다. 보리를 볶을 때 불 조절을 잘 해야 하는데 겉보리는 약한 불에 겉껍질이 약간 탈 듯하게 천천히 볶는 것이 좋다.

① 보리를 깨끗이 씻어 물기를 제거한다.

② 팬을 달구어 겉이 부분적으로 탈 정도로 볶는다.

③ 볶은 보리 1~2큰술을 넣고 물을 부어 끓여 마신다.

### 효능

보리는 성질은 약간 차고 맛은 달고 짜며 비장경, 신장경으로 들어간다. 비위를 튼튼하게 하고 소화를 도우며 대소변을 잘 통하게 하고 몸속의 노폐물을 제거한다. 섬유질이 많아 장유동운동을 활발하게 하고 숙변을 제거하며 소변을 잘 나오게 하는 효능이 있으며 열량이 높지 않아 다이어트에 좋고 베타카로틴과 폴리페놀이 많아 활성산소를 제거하여 성인병 예방이나 노화예방에도 좋다. 『동의보감』에서는 "보리차는 위를 편하게 하고 관장효능이 있으며 식체, 소갈, 소변불리, 수종, 화상 등을 치료한다."라고 하였으며 『본초강목』에서도 "오장을 보하고 기를 내리며 식체를 제거하고 식욕을 증진시킨다."라고 하였다. 보리차를 끓여 식후에 마시면 속을 편하게 하고 소화를 돕는다.

### 주의사항

볶아 먹으면 별 부작용은 없으나 임신부나 수유기산모는 많이 먹지 않는 것이 좋다.

### 🌷 율무차

율무는 동남아시아가 원산지로 한방에서는 종자를 의이인(薏苡仁)이라고 부르며 한약재로 사용한다. 전 세계에서 널리 재배하며 열매는 식용, 약용으로 사용하며 우리나라에서는 북부지방의 일부를 제외하고 아무데서나 생
육이 가능하며 경기 연천, 강원 영월, 충북 제천 등지
에서 많이 생산된다.

우리나라에서는 주식보다는 약용으로 많이 사용되
어 왔으나 현대에는 밥이나 죽에 넣어 먹거나 가루로
만들어 여러 가지 음식에 활용하고 차로 마시기도 한다. 약용으로 사용할 때는 농도가
약한 소금물에 삶은 뒤 말려서 사용한다.

줄기에 달린 잎은 사료로도 쓴다. 약으로 쓸 때는 탕으로 하거나 술을 담가서도 쓴
다. 하지만 임신부가 복용하면 낙태할 위험이 있다.

### 제작 및 음용

① 율무를 깨끗이 씻어 바람이 잘 통하는 곳에 두어 물기를 제거한다.

② 팬을 약간 달구어 약불로 10분 정도 서서히 볶는다.

③ 볶은 율무를 1~2스푼 정도 넣고 물을 부어 30분~1시간 정도 끓여 차로 마신다.

### 효능

율무는 성질은 약간 차고 맛은 달고 담백하며 비장경, 위경, 폐경으로 들어간다. 습
을 제거하고 비장을 튼튼하게 하며 열을 내리고 농을 배출시키는 효능이 있으며 뭉친
근육을 풀어주고 대소변을 잘 통하게 하며 노폐물을 배출시키며 폐를 보하고 면역력을
증강시킨다. 따라서 습으로 인한 풍습성 질병에 효과가 있고 습한 열대지역이나 여름
철에 효과가 좋으며 피부미용이나 다이어트, 관절염 등에 효과가 있다. 또한 폐옹, 대
하, 수종, 소변불리, 소화불량, 설사, 신경통에 효과가 있으며 당뇨에도 효과가 있다.

### 주의사항

임신부는 낙태위험이 있으니 주의해야 하며 변비가 심한 사람이나 소변을 자주 보는
사람도 많이 섭취하면 좋지 않다.

## 🌷 수수차

수수는 벼과에 속하는 주요 곡물 중 하나로 유럽과 아시아가 원산지이며 세계 곳곳에서 재배되고 있다. 우리나라에는 중국으로부터 전해진 것으로 알려져 있으며 고량(高粱), 노제(蘆稷), 당서(唐黍), 촉서(蜀黍), 노속(蘆粟)이라고도 한다. 줄기 끝에 달리는 이삭의 모양은 몰려 있는 것과 퍼져 있는 것, 곧게 선 것, 밑으로 숙인 것 등 품종에 따라 다양하다.

우리나라에서는 오래전부터 재배해 왔을 것으로 추측되며 함경북도 회령의 청동기시대 유적에서 수수가 발견되었고 경기도 여주의 선사시대 주거지에서도 탄화미와 함께 수수껍질이 출토되기도 했다.

곡식 중에서 가장 먼저 여물어 쌀이 부족할 당시 밥에 넣어 먹거나 수수팥떡, 수수전병, 수수부꾸미 등을 만들어 먹었으며 현대에 와서는 건강에 유익한 효능이 알려지며 엿, 과자, 두부, 국수, 차, 가래떡, 죽 등으로 활용범위가 넓어지고 있다.

또한 수수는 색이 붉어서 어린아이의 돌이나 생일 때 귀신이 들어오지 못하고 건강하게 자라라는 의미로 수수팥떡을 만들어 먹이는 풍습도 있었으며 줄기는 수수깡이라 하여 빗자루를 만들어 사용하였으며 울타리, 사료, 연료 등으로도 사용하였다.

중국에서는 고량(高粱)이라 불리며 고량주의 원료로 사용하며 한국에서도 문배주의 원료로 조와 함께 사용한다.

### 제작 및 음용

① 수수를 깨끗이 씻어 바람이 잘 통하는 곳에 두어 물기를 제거한다.
② 팬을 약간 달구어 약불로 10분 이상 서서히 볶는다.
③ 볶은 수수를 1~2스푼 정도 넣고 물을 부어 30~1시간 정도 끓여 차로 마신다.

## 효능

수수는 성질이 따뜻하고 맛은 달고 떫으며 비장경, 위경, 폐경으로 들어간다. 중초를 따뜻하게 하여 소화를 돕고 비장을 튼튼하게 하며 위와 장을 수렴하여 설사를 멈추게 하여 가래를 없애고 기침을 멈추게 하며 식체를 내리고 이뇨작용이 있어 복수나 부종에 효과가 있다. 또한 혈액을 맑게 하고 순환을 좋게 하며 정신을 안정시키고 지혈작용이 있으며 항산화작용과 항암효과가 있다.

## 주의사항

한번에 너무 많이 먹으면 변비를 유발할 수 있다.

## 🌷 조차

조는 벼과에 속하는 1년생 풀로 동북아시아가 원산지로 추정되며 옛날에는 중요한 곡식 중의 하나로 재배가 이루어졌다. 기원전 중국의 신농씨 시절에 오곡 중의 하나로 되어 있으며 우리나라에서는 강원도, 경북, 전남, 제주도 등지에서 많이 생산되고 아시아 전역을 비롯해 유럽 동남부, 아프리카 북부, 북남미 등지에서도 재배되고 있다. 한자로는 소미(小米), 곡자(谷子), 속미(粟米), 황속(黃粟) 등으로 부르며 가장 오래된 식량중의 하나로 온대기후에 적합하고 병충해가 적어 농약을 적게 사용하므로 대부분 무공해작물로 재배되며 토양이 척박하고 강수량이 적은 지역에서 주로 재배되고 있다. 조는 씨앗의 성질에 따라 차조와 메조로 구분하고 파종시기에 따라 봄조와 그루조로 구별한다. 봄조는 생육기간이 짧고 6월 중순에서 7월 초순에 파종하는 그루조는 비교적 길다. 차조는 찰기가 있으며 노란색과 녹색 두 가지가 있고 메조는 차조보다 열매가 굵고 끈기가 적으며 색이 엷다.

우리나라에서는 쌀과 보리 다음으로 많이 재배해 왔으며 쌀이나 보리와 함께 밥이나 죽을 만들어 먹고 엿, 떡, 소주, 죽, 사료 등으로 사용하였으며 줄기는 말려 사료나 지붕을 이는 데 또는 연료로 사용하였다.

## 제작 및 음용

조차는 차라고 하기보다는 조탕에 가깝다. 조를 깨끗이 씻어 물기를 제거한 후 달구어진 팬에 살짝 볶아서 물을 부어 끓인 후 걸러서 국물을 마신다. 토사곽란이 심하거나 속이 많이 불편하여 소화를 시키지 못할 때는 건더기를 건져내고 국물만 마신다.

## 효능

조는 성질은 약간 차고 맛은 달고 짜며 비장경, 위경, 신장경으로 들어간다. 중초를 편하게 하고 신장을 튼튼하게 하며 열을 내리고 해독작용이 있으며 곽란에 좋고 위에 허열이 있을 때 효과가 있으며 갈증을 멈추게 한다. 따라서 비위의 기능이상으로 오는 여러 가지 소화기 질병에 효과가 있으며 옛날부터 민간처방으로 애용해 왔다.

『본초강목』에서는 "조는 맛이 짜고 담백하여 기운이 차고 아래로 내려가 신장의 곡물이라고 하며 신장병에 유익하다. 허열로 인한 소갈병에 좋다."고 하였으며『신수본초(新修本草)』에 의하면 "좁쌀뜨물은 곽란으로 열이 나고 번갈이 있을 때 마시면 즉시 낫는다. 소갈을 멈추게 한다."고 하였고『본초습유(本草拾遺)』에서는 "좁쌀을 물에 끓여 먹으면 복통 및 코피를 다스리고 가루로 만들어 물에 타서 즙을 먹으면 모든 독을 풀어주고 곽란이나 위통을 다스린다."고 하였다.

## 🌱 현미차

현미는 쌀겨층과 배아가 남아 있는 쌀로 벼의 도정과정에서 왕겨만 제거한 덜 깎은 쌀을 말한다. 겨층과 배아가 그대로 남아 있어 완전히 정제된 백미에 비해 영양적으로는 많은 장점이 있고 저장성 또한 좋은 장점이 있지만 소화가 잘 안 되고 식감이 백미보다 떨어지는 단점 또한 있다. 현대에 와서는 영양이 풍부하고 성인병으로 인한 여러 가지 질병으로 현미가 건강식으로 인기가 있지만 주식으로의 소비는 그다지 많지 않다.

현미로 차를 만들어 마시기 시작한 것은 일본에서 시작되었다. 일본에서는 "겐마이차"라고 부르며 녹찻잎과 현미를 혼합하여 녹차를 싫어하는 사람들도 누룽지향이 나서 부담 없이 즐겨 마실 수 있도록 만들었다. 지금은 우리나라에서도 현미녹차가 생산되어 나오고 있다. 다만 일본의 겐마이차는 현미를 찐 후 볶아서 튀겨서 만드는 반면 우리나라에서는 현미를 볶아 부수어 증제녹차와 혼합하는 것이 다르다.

### 제작 및 음용

현미녹차는 일반적으로 티백을 사용하나 집에서는 다관을 이용해 마실 수도 있으며 현미만 넣고 마실 때는 건더기와 함께 마시기도 하며 취향에 따라 설탕이나 꿀을 넣어 마시기도 한다. 녹차를 넣어 함께 마시거나 넣지 않고 현미만 마시기도 한다.

① 현미를 깨끗이 씻은 후 그늘에 말려 물기를 제거한다.

② 달구어진 팬에 넣고 색이 노랗게 될 때까지 볶는다.

③ 볶은 현미를 잘게 부순 후 뜨거운 물을 부어 마신다.

### 효능

현미는 성질은 평하고 맛은 달며 비장경, 위경으로 들어간다. 중초를 보하고 비위를 튼튼하게 하며 설사를 멈추게 하는 효능이 있으며 현대의학적으로 다양한 영양소를 함유하고 있다. 우리 몸에 유익한 비타민 $B_1$, $B_2$, $B_6$, E 등이 풍부하고 식이섬유가 풍부해 변비와 다이어트식품으로 효과가 있으며 항산화효소가 많아 노화예방에도 좋으며 엽산을 비롯해 철분, 인, 아연, 칼슘 등의 미네랄을 함유하고 있다. 그러므로 당뇨환자나 비만인 사람들도 즐겨 마실 수 있으며 면역력을 증가시키는 효능도 있다.

### 주의사항

현미는 거칠어 소화에 부담을 줄 수 있으나 현미차는 볶아서 부순 후에 차로 마시므로 특별한 주의사항은 없다.

## 🌱 맥아차

보리에 물을 부어 싹을 내어 말린 식품으로 맥아 또는 엿질금이라고 부른다. 제작 및 음용은 겉보리를 깨끗이 씻어 하루 정도 물에 담가두었다 불면 소쿠리에 건져 시루에 안치고 젖은 보자기를 덮어둔다. 가끔씩 물을 뿌려주고 3일쯤 지나면 싹이 나오며 뿌리가 엉키기 시작한다. 뿌리가 엉키면 꺼내 물에 씻어서 다시 시루에 안친다. 이런 과정을 두세 번 하고 나면 6일쯤 되었을 때 싹이 많이 자라는데 이때 꺼내서 통풍이 잘되는 곳에서 말린다.

우리나라에서는 주로 엿과 식혜를 만드는 데 사용하며 늦가을 기온이 낮을 때 기른 것이 가장 질이 좋다고 하며 서늘하고 통풍이 잘되는 곳에 보관한다.

지금은 전문적으로 만드는 곳이 있어 기계화되어 있으며 생맥아는 가마에서 나오는 열의 강도와 시간에 따라 맛과 색깔이 달라진다. 공장에서 만드는 맥아는 맥주나 과자를 만드는 데 많이 사용된다.

### 제작 및 음용

보리 대신 맥아를 사용하는 차로 보리차와 동일하다.

### 효능

맥아는 보리에 비해 성질이 따뜻하고 맛은 달다. 소화를 돕고 비위를 편하게 하며 기운을 아래로 내리는 효능이 있어 소화불량이나 식욕부진에 좋고 설사나 구토를 멈추게 한다. 한방에서 맥아는 소화제로 쓰이는데 주로 탄수화물을 많이 섭취하는 사람에게 효과가 좋다.

또한 맥아는 유즙을 분비하거나 줄이는 데 모두 사용하는데 1회에 10~15g 정도를 복용하면 유즙이 증가하고 30g 이상으로 많은 양을 사용하면 유즙이 감소하여 민간에서 유아들의 젖을 뗄 때 사용하였다.

### 주의사항

산모가 수유하는 동안 마시는 것은 유즙을 감소시키기 때문에 좋지 않다.

## 옥수수차

옥수수는 세계 3대 작물 중 하나로 남아메리카 북부 안데스산맥 부근의 저지대나 멕시코, 페루가 원산지로 추정되며 오늘날에는 전 세계적으로 널리 재배되고 있다.

우리나라는 16세기 조선 때 중국으로부터 들어온 것으로 중국에서는 옥미(玉米), 옥고량(玉高粱), 옥서(玉黍) 등으로 부르고 우리나라에서는 옥수수, 강냉이, 강내이, 강내미 등으로 부르며 주식인 쌀, 보리를 재배하지 못하는 산간지대에서 식량대용으로 많이 재배했다. 따라서 강원도에서는 옥수수를 활용한 식사와 간식 메뉴가 다양하게 발달하게 되었다. 쪄먹거나 밥, 죽, 수제비, 올챙이국수, 옥수수범벅, 옥수수엿, 찰옥수수시루떡, 올챙이묵 등을 만들어 먹었다. 남부지방에서도 산을 개간한 밭에 심어 간식으로 활용하였으며 70년대에 와서는 축산업과 가공산업의 발달로 인해 옥수수의 수요량이 증가하면서 옥수수를 재배하는 면적도 증가했다. 하지만 현대에 와서는 국내 수확량이 부족하여 대부분을 수입에 의존하고 있다.

옥수수는 찰기에 따라 크게 찰옥수수와 메옥수수로 분류하는데 전분이 100%이면 찰옥수수라 하고 70% 정도면 메옥수수라고 부른다. 다른 분류로는 당도에 따라 찰옥수수, 단옥수수, 초당옥수수로 분류하기도 하는데 찰옥수수는 일반적으로 쪄서 먹고 단옥수수와 초당옥수수는 간식뿐만 아니라 통조림을 만들기도 하고 피자, 샐러드 등에 토핑용으로 많이 사용한다. 그 외에 재배기술의 발달로 다양하게 개량되어 여러 종류가 재배되고 있다.

또한 옥수수는 차를 만들어 마시며 알갱이 외에 수염을 활용하여 옥수수수염차를 만들어 마시기도 한다.

### 제작 및 음용

옥수수는 주로 알갱이를 차로 만들어 마시는데 현대에 와서 옥수수수염의 효능이 알려지며 옥수수수염으로 차를 만들어 마시기도 한다. 옥수수수염은 말려 놓았다 팬에 타지 않게 살짝 볶아서 물에 끓여 마신다.

① 옥수수 알갱이를 뜯어내어 깨끗이 씻어 물기를 제거하고 약간 말린다.

② 달궈진 팬에 넣고 노릇해질 때까지 볶는다.

③ 볶은 옥수수를 1~2스푼 넣고 물을 부어 10~20분간 끓여 마신다.

### 효능

옥수수는 성질은 평하고 맛은 달며 위경, 대장경으로 들어간다. 중초를 튼튼하게 하고 소변을 잘 통하게 하는 효능이 있어 식욕부진이나, 수종, 요로결석, 소변불리 등에 효과가 있고 콜레스테롤을 낮추어 고지혈증을 예방하고 관상동맥경화에 효과가 있으며 혈압과 혈당을 낮추는 효능도 있어 현대 성인병 예방에 효과가 좋다. 지질도 많이 함유하고 있어 변비나 피부노화에도 효과가 있으며 잇몸질환에도 도움이 되며 체력을 튼튼하게 한다.

### 주의사항

① 음허화왕인 사람 즉 몸에 허열이 있고 건조한 사람은 튀겨서 먹는 것은 좋지 않다.

② 곰팡이가 난 것은 강력한 발암작용이 있으므로 주의해야 한다.

③ 옥수수차는 쉽게 상하기 때문에 주의해야 한다.

## 🌼 결명자차

콩과에 속하는 일년생 초본식물로 씨앗을 결명자라고 부르며 북미가 원산지로 산과 들에 자생하며 요즈음에는 밭에서 재배한다. 꽃이 진 뒤 활처럼 굽은 기다란 꼬투리가 열리고 이 꼬투리 속에 씨가 들어 있는데 이를 결명자 또는 초결명(草決明), 천리광(千里光), 양각두(羊角豆)라고 하여 예로부터 약재로 써왔다. 주로 중국, 일본 등 아시아 전역에서 재배하고 있으며 우리나라도 각지에서 재배가 가능하다.

결명자(決明子)라는 이름은 눈을 밝게 해준다는 의미로 중국 고서 『신농본초경』에는 "결명자는 청맹(靑盲)과 눈이 충혈되고 눈물이 흐르는 것을 다스리며 오래 마시면 정력이 강해지고 몸이 가벼워진다."고 하였으며 『동의보감』에서도 간기를 다스려준다고 기록되어 있다.

결명자는 주로 차로 만들어 마시는데 씨를 볶아 물에 넣고 끓이면 검붉은색의 차가 된다.

### 제작 및 음용

① 결명자를 깨끗이 씻어 물기를 제거한다.

② 팬에 넣고 천천히 약간 노릇해질 때까지 볶는다.

③ 볶은 결명자 20~30g 정도에 물 3컵 정도를 넣고 30분 정도 끓인다.

## 효능

결명자는 성질은 약간 차고 맛은 달고 쓰며 간경, 신장경, 대장경으로 들어간다. 간열을 내리고 간기를 잘 통하게 하며 눈을 밝게 하고 대변을 잘 나오게 하며 혈압을 낮춘다. 따라서 눈이 자주 충혈되고 햇빛을 볼 수 없을 정도로 부시고 시거나 눈물이 나오는 증상에 효과가 있으며 급성결막염이나 각막혼탁증세에도 효과가 있다. 또한 간염치료에 좋고 간경화로 인한 복수 찬 데도 효과가 있으며 간열로 인한 고혈압에도 효과가 있다.

그 외에도 이뇨작용과 해독작용이 있으며 눈앞이 어지러운 증상에 도움이 된다.

## 주의사항

① 저혈압환자는 장기복용하면 좋지 않다.

② 성질이 차서 몸이 차고 수족냉증이 있는 사람도 주의해야 한다.

③ 문헌에 마인(삼씨)과 함께 먹으면 안 된다고 한다.

## 🌸 객가뢰차

뢰차(擂茶)는 중국의 호남성, 강서성, 복건성 그리고 대만에 있는 객가인들과 호남, 호북, 사천, 귀주 등의 험한 산지의 기슭이나 깊은 계곡에 살고 있는 토가족(土家族)이 주로 마시는 그들의 전통차로 천년이 넘는 세월 동안 계승해 온 풍습이다. 우리나라의 미숫가루와 비슷하다.

객가인은 고향을 떠나 객지를 떠도는 사람이라는 뜻으로 전쟁을 피해 산속으로 들어가 농사를 짓거나 차를 재배해 팔며 생계를 꾸리며 그들만의 방식으로 집을 짓고 공동생활을 하며 독특한 문화를 만들어 전승해 온 사람들로 중국과 대만 등지에 살고 있다. 토가족들은 뢰차를 "삼생탕(三生湯)"이라고도 하는데 삼생탕은 차나무에 채취한 신선한 생찻잎과 생강, 생쌀을 원료로 하여 함께 섞어 빻아 간 후 물을 붓고 끓여서 만들어낸 탕이란 뜻에서 붙여진 이름이다.

뢰차는 "나라에 하루라도 임금이 없으면 안 되고 집에 뢰차가 없으면 안 된다."라는 말이 있을 정도로 이들 문화에서 뢰차는 중요한 자리를 차지하고 있다. 평상시 휴식을 취할 때는 이웃끼리 뢰차를 마시면서 잡담을 하며 즐기고 집에 손님이 찾아오면 접대용으로 사용하였다고 한다. 또한 집마다 어린애가 두 살이 되면 동네사람들을 초청하여 뢰차를 대접하는 풍습이 있다.

제작방법 또한 세월이 흐르면서 발전하였는데 지금은 땅콩, 깨, 콩 등을 넣어 맛이 더 좋아지고 현지에서 나는 재료를 이용한 향토요리를 곁들여 먹는다고 한다.

### 제작 및 음용

뢰차는 쌀과 곡물, 견과류, 생강, 찻잎 등을 곱게 갈아 물을 붓고 반죽을 하여 걸쭉한 죽처럼 만들어두었다가 물을 부어 마시는 차로 식사대용으로도 마셨다고 한다.

전통방식은 나무나 흙으로 만든 유발[뢰발(擂鉢) : 절구통]에 볶은 재료를 넣고 단단한 나무로 만든 뢰곤(擂棍)으로 찧어 곱게 간 후 물을 붓고 죽처럼 만들어 뢰표(擂瓢)로 걸러 항아리에 담아두고 뜨거운 물을 부어 저은 뒤에 마신다.

현대에 와서는 모든 재료들을 곱게 갈아 미숫가루처럼 만들어 봉지에 담아 뜨거운 물을 붓고 저어서 마실 수 있도록 포장되어 나온다.

### 효능

뢰차는 식사대용으로 곡물과 견과류, 생강, 찻잎 등 몸에 필요한 모든 영양소를 갖춘 차로 오장육부를 보하고 기혈을 만들며 죽처럼 갈아 만들어 소화하기 쉽다. 따라서 체력이 허약하고 소화를 잘 시키지 못하며 면역력이 약한 사람들이 먹으면 좋다. 또한 병후 회복식으로 적당하며 어린이들의 성장이나 노화를 예방하는 효과가 있으며 평상시 부족하기 쉬운 영양소를 공급하여 신진대사를 활발하게 하고 신체의 균형을 유지시킨다.

# Ⅳ 나무껍질, 줄기, 버섯류차

## 🌸 오갈피차

　오갈피나무는 두릅나무과에 딸린 낙엽관목으로 오가피(五加皮), 참오갈피나무라고도 부르며 다른 이름으로는 남오가피(南五加皮), 오화(五花), 목골(木骨), 오가(五佳), 오엽목(五葉木), 땅두릅이 있다. 우리나라, 중국, 러시아 등지에 분포하며 꽃은 8~9월에 자주색으로 피고 열매는 10월에 익는다. 참오갈피나무는 줄기에 가시가 있으나 작은 가지에는 드물게 가시가 달려 있으며 가시오가피는 줄기에 솜털처럼 가시가 달려 있다. 뿌리껍질과 줄기껍질, 열매를 약재로 사용하고 술을 담가 먹기도 하며 새순은 나물로 무쳐먹고 잎은 말려 차 대용으로 사용하거나 부각을 만들어 먹기도 한다. 잎을 가루로 만들어 국수나 떡, 빵 등을 만들 때 넣기도 한다. 예부터 집의 울타리 용도로 심기도 하였으며 근피를 오가피라 하고 잎은 오가엽이라고도 불렀다.

　구소련에서는 "시베리아인삼"으로 부르며 인삼과 같은 효능을 지닌 식품으로 운동선수들의 체력보강이나 지구력 향상에 좋다고 하여 널리 애용하였으며 중국의 『신농본초경』에 상품으로 수록되어 있는 건강식품이다.

　경동시장에서는 오가피 종류를 지방이름을 붙여 부르기도 하지만 크게 분류하면 진오가피, 가오가피, 가시오가피로 나눌 수 있다. 이 중에서 가시오가피가 효능이 가장 좋고 다음은 진오가피며 가오가피가 가장 질이 낮다고 한다.

　우리나라에서 오갈피를 원료로 상품을 만들어 시판되고 있는 약이나 드링크제로는 엘콕크, 엘로드F, 왕삼천, 젠 등이 있으나 원료는 중국과 소련에서 수입되고 있다.

### 제작 및 음용

오가피나무의 1일 용량은 6~12g이며 오갈피산(散), 오갈피환(丸), 오가주(五加酒), 유전산(油煎散), 영양각탕(羚羊角湯), 오갈피척탕(五加瘀脊湯) 등의 처방에도 들어간다. 오가피는 독성이 없으므로 매일 끓여 차로 마시면 건강에 좋다.

① 오가피나무를 채취하여 잘게 잘라 말린다.

② 말린 오가피나무 10g을 냄비에 넣고 물 400ml를 넣고 물이 절반으로 줄 때까지 끓인다.

③ 거름망에 걸러 오가피차를 컵에 따라 마신다.

### 효능

오가피는 성질은 따뜻하고 맛은 맵고 쓰며 간경, 신장경으로 들어간다. 강장효과가 좋고 풍습을 없애며 간과 신장을 보하고 혈액순환과 경락을 잘 통하게 하고 근육과 뼈를 튼튼하게 하며 부종이나 각기병에 효과가 좋으며 진통작용도 있다.

따라서 체력이 허약하고 관절이 약하며 신장이 허약하여 조로현상이 있으며 관절염이나 부종이 있는 사람들이나 육체노동을 많이 하는 사람들의 체력증강에도 효과가 좋다.

주로 순환기계통이나 운동신경계통으로 작용하며 나이 들어 모든 기능이 퇴화되어가는 사람에게 유용하며 심장을 튼튼하게 하고 신진대사를 활발하게 하며 근육과 골격을 튼튼하게 하므로 노화예방에 좋다.

어린순은 나물로 만들어 먹고 뿌리껍질이나 줄기는 요통, 신경통, 관절염, 부종 등에 쓰이며 그 외에도 항균, 항암 작용 등이 있는 것으로 알려져 있어 이와 관련된 약물 개발에 대한 기초 연구가 활발하다.

### 주의사항

특별한 부작용은 없으나 음액이 부족하여 몸에 열이 나는 사람은 주의해야 한다.

### 🌷 두충차

두충과에 속하는 낙엽교목으로 중국이 원산지로 아시아에 널리 분포하며 느릅나무와 비슷하고 나무껍질을 한약재로 사용한다. 사선목(思
仙木), 사중(思仲)이라고도 부르며 두충나무 껍질을 쪼
개면 하얀색 유즙이 나오고 말려 쪼개면 하얀 실 같은
고무질이 나오기 때문에 목면이라고도 부른다.

『본초강목』에 의하면 옛날에 두중이라는 사람이 이
나무껍질과 잎을 차로 달여 마시고 도를 통했다고 해서
두중(杜仲)이라 불렀다고 한다.

두충은 『신농본초경』에 나오는 약재로 우리나라에서도 약재를 얻기 위해 중국에서
들여와 재배한 것으로 추정되며 경기도, 강원도, 충북, 경북지역에서 많이 볼 수 있다.

나무껍질을 주로 약이나 차로 끓여 마시고 곱게 갈아 환제나 산제로 사용하기도 하
며 술을 담가 마시기도 한다. 잎은 차로 만들어 마신다.

일반적으로 5~6월에 채취하여 말려서 약으로 사용하며 약으로 쓸 때는 탕으로 하거
나 환제 또는 산제로 하여 사용한다. 술을 담가서 쓰기도 한다.

### 제작 및 음용

두충은 나무껍질이나 잎을 차로 만들어 마시는데 잎은 덖어서 유념과정을 거쳐 말려
서 차처럼 우려 마시며 껍질은 코르크층이 있어 2시간 정도 약한 불에 끓여 마신다. 허
리통증에는 속단속, 토사자, 육종용 등을 배합하고 고혈압에는 황금, 하고초, 상기생,
우슬 등을 배합한다. 건강을 위해서 차로 마시는 사람은 감초를 조금 넣어 끓여도 좋다.

① 나무껍질을 채취하여 잘게 잘라 소금물에 담갔다 건져서 말린다.

② 마른 두충을 달궈진 팬에서 색이 변하기 시작할 때까지 볶는다.

③ 볶은 두충 10g을 물에 한번 씻어 검정가루를 제거한 후 냄비에 500ml의 물을 넣
   고 약한 불에 서서히 끓인 후 걸러서 마신다.

### 효능

두충은 성질이 따뜻하고 맛은 달고 매우며 간경, 신장경으로 들어가고 독이 없다. 허
리통증에 가장 좋은 약재로 알려져 있으며 간과 신장을 보하고 근육과 뼈를 튼튼하게

하며 태아를 안정시키는 효능이 있다. 그러므로 노인들의 요통에 효과가 좋고 임신부의 하복통이나 하혈에 좋으며 유산을 예방하는 효과도 있다.

또한 두충에는 칼슘이 풍부하게 함유되어 있으며 섬유질은 근육, 인대, 뼈를 강하게 해주는 효과가 있어 허리뿐만 아니라 모든 관절을 튼튼하게 해주며 콜레스테롤과 혈압을 낮추고 비뇨기질환이나 혈관질환에도 도움이 되며 간기능을 개선시켜 준다.

### 주의사항

몸에 열이 많거나 음이 약해 허열이 있는 사람은 많이 마시는 것이 좋지 않다. 또한 간양상항으로 인한 고혈압에는 효과가 없으며 소화력이 약한 사람에게도 좋지 않다.

### 계피차

계피는 녹나무과에 속하는 상록교목인 생달나무의 껍질로 만든 약재로 건위약제와 과자, 요리 및 향료의 원료로 쓰인다. 원산지는 종류에 따라 다르지만 중국의 남부, 일본, 베트남, 태국, 캄보디아 등 주로 아시아에 자생하고 있으며 성분은 휘발성 정유성분을 약 1% 정도 함유하고 있으며 그중에 펠란드렌(Phellandrene), 유게놀(Eugenal), 메틸유게놀(Methyleugual) 등이 함유되어 있다.

우리나라에서는 흔히 얇은 껍질을 계피(桂皮)라고 불러왔는데 한약명으로 육계라고 칭하기 때문에 식품의약품안전처에서 육계라는 이름으로 정식명칭을 정하였다.

다른 종으로 "실론계피나무"가 있는데 스리랑카와 인도 남부해안가, 미얀마 등지가 원산지며 남아메리카와 서인도제도에서도 재배하고 있다. 스리랑카가 대표적인 생산지로 주로 비가 많이 오는 시기에 수확한다. 이 나무에는 0.5~1% 정도의 정유(精油)를 함유하고 있으며 나무조각들을 증류하면 기름이 나오는데 이 기름을 식품이나 향신료, 약으로 사용한다.

이집트에서는 미라를 만들거나 요술을 할 때 사용했다고 하며 유럽에서는 향신료로 귀하게 대접받았다. 중세 유럽의 대표적 무역회사인 동인도회사에서도 가장 중요한 물품 중 하나가 계피였다고 한다. 현대에 와서도 유럽에서 빵을 굽거나 커피, 카레 등의 맛을 내는 데 널리 이용되고 있다.

또 다른 종으로 키나모뭄 카시아의 수피가 있는데 이 나무껍질은 정유성분을 1~2% 정도 함유하고 있으며 카시아기름이라고 부르며 리큐어나 초콜릿을 만드는 데 사용한다.

카시아 수피는 줄기와 가지를 벗겨서 건조하는데 여러 겹으로 말려 있으며 밝고 붉은색을 띠고 있다. 중국, 베트남, 인도네시아에서 주로 생산된다.

## 제작 및 음용

계피는 우리 생활에서 다양한 형태로 이용하는데 우리나라에서 수정과가 대표적이며 생강과 함께 넣고 곶감을 넣어 만든다. 또한 계피를 가루로 만들어 커피에 넣어 마시기도 하며 빵을 구울 때도 사용한다. 일반적으로 차로 만들어 마실 때는 다음과 같다.

① 계피 10g을 냄비에 넣고 물 1L 정도를 부어 물이 절반으로 줄 때까지 달인다.

② 걸러서 하루에 2~3회 나누어 마신다.

## 효능

계피는 성질은 뜨겁고 맛은 맵고 달며 신장경, 비장경, 심장경, 간경으로 들어간다. 한기(寒氣)를 없애고 몸을 따뜻하게 하며 경락을 따뜻하게 하여 잘 통하게 하고 신장의 양기를 보하며 비위를 따뜻하게 한다. 그러므로 신장의 양기부족으로 인한 양위(陽痿), 궁냉(宮冷), 생리통, 요통, 수족냉증 등에 효과가 있으며 배가 차고 복통, 설사, 구토에도 좋으며 방향성 건위제로 식욕부진, 소화불량에도 도움이 된다. 또한 노인들의 무릎이 차고 시리며 아픈 증상에도 효과가 있으며 한성으로 인한 신경통이나 풍습성 관절염에도 도움이 된다.

## 주의사항

고혈압환자나 염증이 있는 사람은 주의해야 하며 몸이 차지 않은 사람이 너무 많이 복용하는 것도 좋지 않다.

## 🌸 겨우살이차

겨우살이는 한약명으로는 "상기생"이라고 부르며 산뽕나무, 참나무, 팽나무, 물오리나무, 밤나무, 자작나무, 배나무 등에 생하며 자란다. 우리나라 전국에서 새 둥지처럼 둥글게 자란다. 기생생활을 하고 있지만 엽록소를 가지고 있는 반기생식물로 노란빛을 띤 초록색이다. 천천히 자라고 오래 살지만 숙주식물이 죽으면 자연적으로 죽는다.

겨우살이와 비슷한 종류로는 붉은겨우살이, 꼬리겨우살이, 동백나무겨우살이 등이 있다.

유럽에서는 겨우살이의 효능이 알려지면서 특별한 마력과 병을 치료하는 신성한 나무로 여겨 영초라고 하였으며 겨우살이 밑에서 입맞춤을 하면 반드시 결혼을 한다고 믿기도 했다고 한다. 또한 민간요법으로 암이나 고혈압을 치료하는 약재로 사용했다고 한다.

겨우살이는 열대지방에 여러 종류가 자라고 있으며 우리나라서에는 약 5종 정도가 자라는데 이 중에서 참나무나 떡갈나무에서 자란 것만 약재로 사용한다. 가정에서는 주로 차로 마시거나 술을 담가 먹는다.

### 제작 및 음용

차로 마실 때는 잎과 줄기를 같이 끓여 마시며 술을 담글 때는 소주를 넣고 3개월 정도 숙성시켜 마신다.

① 참나무나 떡갈나무에서 자라는 겨우살이를 이른 봄에 채취하여 잘게 썰어서 말린다.
② 말린 겨우살이 15g을 냄비에 넣고 물 1L를 부어 한 시간 정도 달인다.
③ 다 달여지면 걸러서 하루에 3~4회 차로 마신다.

### 효능

상기생은 성질은 평하고 맛은 쓰고 달며 간경, 신장경으로 들어간다. 간과 신장을 보하고 근육과 뼈를 튼튼하게 하며 풍습으로 인한 질병을 치료하고 태아를 안정시킨다.

또한 면역력을 증강시키고 혈압을 낮추고 혈당을 안정시키며 동맥경화를 예방하는 효능이 있어 현대 생활습관병에도 좋으며 풍습성관절염에 효과가 있고 간신 부족으로 인한 부인들의 하혈 또는 임신하혈, 생리과다, 태동불안에 효과가 좋다.

유럽에서는 민간요법으로 혈압을 내리고 항암제로 사용하기도 하였다고 하며 『동의보감』에서는 "근골을 튼튼하게 하고 수염과 눈썹을 잘 자라게 하며 요통, 옹종을 치료한다. 임신 중 하혈을 멈추게 하고 태아를 편하게 하며 산후병을 치료한다."라고 기록되어 있다.

## 🌱 개똥쑥차

개똥쑥은 국화과에 속하며 한해살이풀로 키는 1m 정도로 자라며 우리나라를 비롯해 일본, 중국, 대만, 몽골, 시베리아 등지에 분포한다. 개똥쑥은 뜯어서 손으로 비비면 개똥냄새가 난다고 하여 우리나라에서는 개똥쑥이라 불렀으며 옛날부터 청호(靑蒿)라 하여 전초를 약용으로 이용해 왔으며 취호(臭蒿), 황화호(黃花蒿), 초호(草蒿), 황향호(黃香蒿), 계슬초(鷄虱草), 고호(苦蒿)라고도 불렀다.

개똥쑥은 우리나라 전역에서 자생하는 여러 가지 쑥 중에 하나로 냄새가 강하며 길가나 들, 집터 등지에서 흔하게 볼 수 있다. 어린순은 식용하기도 했으며 현대에 와서는 오일을 만들어 산화방지제, 피부컨디셔닝제(유연제, 보습제)로 활용하기도 한다.

개똥쑥은 노벨의학상을 받은 중국의 투유유 교수가 청호의 추출물이 말라리아에 효과가 있다는 사실을 확인한 후 유명해졌다. 투 교수는 개똥쑥에서 추출물을 뽑아낼 때 낮은 온도의 물에서 우려내야 한다는 기록을 보고 그대로 적용하여 만든 것이 말라리아 치료제인 "아르테미시닌"이다.

### 제작 및 음용

개똥쑥을 복용하는 방법은 여러 가지가 있다. 효소를 담거나 즙으로 만들어 마시고 또는 환으로 만들어 먹기도 한다. 하지만 가장 편리한 방법은 차로 마시는 것이다. 차로 마실 때는 건조하여 그대로 다관에 담아 우려 마시거나 잘게 부숴 티백에 넣어 우리기도 한다.

① 가을에 채취하여 깨끗이 씻어서 햇볕이나 건조기에 말린다.

② 말린 개똥쑥 4~6g 정도를 다관에 넣고 60~70℃ 정도의 따뜻한 물을 붓는다.

③ 5분에서 30분 정도까지 우려 마신다.

### 효능

성질은 차고 맛은 맵고 쓰며 간경, 담경으로 들어간다. 온열로 인하여 음이 상해 허열이 나는 증상을 다스리고 열병 후에 남아 있는 잔열을 없애며 밤에 열나고 아침에 나아지는 증상에 효과가 있다. 즉 음허발열, 골증노열, 조열도한, 오심전열 등에 좋다. 또한 더위를 먹어 목이 마르고 두통이나 어지러운 증상에 효과가 있고 풍열 감기, 학질, 이질, 설사, 가려움증, 소아경련, 악창 등에 도움이 된다. 그리고 간담으로 인한 황달이나 급성간염에 효과가 있으며 각종 암에도 효능이 있는 것으로 연구가 진행되고 있다. 그 외에 외용약으로 독충에 물리거나 상처, 피부병에 즙을 바르기도 한다.

### 주의사항

성질이 차서 수족냉증이 있으며 몸이 찬 사람에게는 구역질, 구토, 복통, 설사를 유발할 수 있으며 위가 찬 사람들도 주의해야 한다. 열이 없는 사람이 너무 많이 마시는 것도 좋지 않다. 또한 알레르기가 있을 수도 있으므로 주의해야 한다.

## 🌷 영지차

구멍장이버섯목 불로초과의 버섯으로 활엽수의 뿌리나 그루터기에서 자라며 북아메리카, 아시아, 유럽에 널리 분포하고 있다. 주로 자두나무, 뽕나무, 너도밤나무, 매화나무, 밤나무 등에 기생하여 자라는데 대부분 버섯모양이지만 드물게 사슴뿔모양으로 자라는 것도 있는데 이것을 녹각지라고 부른다. 일반적으로 영지버섯 또는 영지(靈芝)라고 부르며 신령한 버섯이라는 뜻이다. 불로초라 하여 영약으로 알려져 왔으며『신농본초경』

이나 『본초강목』 등의 문헌에 산삼과 같은 영약으로 기록되어 있다.

현재는 원목이나 톱밥으로 만든 배지를 이용하여 인공재배하고 있으며 버섯의 표면 색에 따라 적지, 흑지, 황자, 자지, 청지, 백지 등으로 구분하며 앞면은 처음에는 황백색을 띠다가 생장하면서 먼저 자란 부분부터 적갈색 혹은 자갈색으로 변하며 뒷면은 황백색을 띠고 관공이 많이 나 있다.

갈색계통의 영지는 다른 것보다 약효가 높은 것으로 여기며 구멍장이버섯류의 대다수가 항암효과가 있는 것으로 알려져 있다.

### 제작 및 음용

영지를 달일 때에는 물 1리터에 버섯 10~15g 정도 넣고 처음에는 강한 불로 했다가 끓기 시작하면 약한 불에서 20~30분 정도 더 달인 후 마신다.

### 효능

영지버섯은 성질은 평하고 맛은 달고 쓰며 심장경, 폐경, 간경, 신장경으로 들어간다. 정신을 안정시키고 기혈을 보하며 기침, 천식을 멈추게 하며 허약한 증상을 개선하는 효능이 있다. 따라서 불안정하고 불면증이나 놀라는 증상이 있는 사람이나 꿈이 많고 건망증이 있는 사람에게 좋다. 또한 가래가 있고 기침을 자주 하며 천식이 있는 사람에게도 좋으며 식욕이 없고 가슴이 답답하며 의욕이 없고 피로하며 권태감이 있는 사람에게도 효과가 있다. 그 외에 면역력을 조절하고 혈당과 혈액의 지방을 낮추며 항산화작용이 있고 노화예방에 좋으며 항암작용도 있다.

### 주의사항

일반적으로 독성이 없고 부작용은 없지만 알레르기가 있을 수 있으며 체질과 소화능력에는 차이가 있기 때문에 처음에는 조금씩 먹으면서 양을 조절하는 것이 좋다.

### 🌼 상황버섯차

상황버섯은 진흙버섯과에 속하는 여러해살이 버섯으로 산뽕나무에서 자라는 노란색의 버섯이란 뜻으로 붙여진 이름이지만 뽕나무에서만 자라는 것은 아니고 다른 활엽수나 침엽수에도 기생하여 자라며 우리나라의 산이나 중국, 일본, 호주, 필리핀, 북아메리카 등지에 자생한다. 상황버섯이 자랄 때 처음에는 진흙 덩어리가 뭉쳐진 것처럼 보이다가 다 자란 후에는 나무 그루터기에 혓바닥을 내민 모습이어서 수설(樹舌)이라고도 하며 모양이 마치 목질같이 생겼다 하여 목질진흙버섯이라고 부른다. 그 외에 상이(桑耳), 상목이(桑木耳), 매기생(梅寄生), 상황고(桑黃菇), 상신(桑臣) 등으로도 부른다.

산뽕나무 그루터기에 기생하며 오래된 버섯을 가장 상급으로 치며 겨울에 성장을 멈추고 진흙색으로 변했다가 이듬해 봄부터 늦가을까지 노란 진흙덩이 형태로 자란다.

중국의 진나라에서는 백 년 이상 된 상황버섯이 발견되면 나라에서 제를 올렸다고 하며 뽕나무 뿌리에서 자라기 때문에 일반적으로 사람들의 눈에 띄는 경우가 드물다고 전해진다.

일본에서도 상황버섯에 대한 관심과 연구가 활발하게 진행되어 동물실험을 통해 면역력증강과 특히 항암작용이 뛰어나다는 결과를 얻어 인기가 있으며 우리나라에서도 실험연구가 진행되며 한때 큰 인기를 얻어 수요가 많아져 현재는 자연산 버섯을 찾기가 쉽지 않다.

국내에서는 8종이 자생하는 것으로 알려져 있으며 현재는 인공 재배에 성공하여 여러 농가에서 재배하고 있다. 상황버섯은 약으로 쓸 때는 탕으로 하거나 산제 또는 환제로 하여 사용하는 것이 일반적이나 달여서 차로 마시는 것이 가장 효과가 좋다고 한다.

### 제작 및 음용

상황버섯을 끓이면 황색 또는 엷은 황색으로 맑은 빛을 띠며 맛과 향이 없는 것이 특징이어서 순하고 담백하여 먹기에도 좋다. 탕제로 만들 때는 끓이기도 하지만 상황버섯 속에 들어 있는 여러 가지 성분 중에 열에 약한 성분이 있어 따뜻한 물에 우려 차로 마시는 방법이 좋다고 한다.

① 상황버섯을 깨끗이 씻어 말린 후 잘게 부순다.

② 다관에 상황버섯가루 3~5g을 넣고 60℃ 정도의 물을 넣고 30분 정도 우린다.

③ 걸러서 따뜻하게 마신다.

## 효능

성질은 약간 차고 맛은 달고 매우며 간경, 신장경으로 들어간다. 간기능을 개선하고 면역력을 증강시키며 여성의 생리를 조절하고 지혈작용이 있다. 여성의 하혈, 냉, 대하, 빈혈치료에 효과가 있으며 항암작용이 강하고 특히 여성경부암이나 위암, 대장암, 직장암, 간암에 예방효과가 좋으며 각종 출혈증상이 있거나 어혈, 옹종 등에 효과가 있고 숙취해소나 알코올로 인한 간 손상에 좋다. 그 외에 만성위통이나 구토증상이 심한 사람에게도 도움이 된다.

## 주의사항

치료 외에 과다복용이나 장기 복용하는 것은 좋지 않다. 오래 복용하면 호흡중추신경계마비가 올 수도 있으며 복통, 어지럼증, 두통, 속쓰림 증상이 나타날 수도 있다. 몸이 찬 사람도 주의해야 한다.

## 🌱 차가버섯차

차가버섯은 소나무비늘버섯과에 속하며 자작나무, 오리나무, 물푸레나무, 버드나무 등 활엽수 등에 기생하여 자라는 약용버섯으로 시베리아가 원산지이며 북유럽, 중국, 일본, 한국 등지에 분포하고 있다. 자작나무에서 자라는 버섯을 상품으로 치며 다른 나무에 기생하는 차가버섯은 약효가 떨어지는 것으로 알려져 있다.

차가(ʁara)버섯이라는 이름은 러시아어를 우리말로 발음한 것이며 겉이 불규칙하고 불에 탄 숯과 같이 생겼으며 검은색을 띤다. 내부는 황갈색 목질로 코르크와 비슷하고 건조하면 쉽게 부서지고 떨어져 나간다.

러시아나 북유럽 등지에서는 예로부터 커피나 차처럼 음료형태로 마시며 민간요법의 치료제로 사용해 왔으며 현대에 와서 연구가 활발해져 항암작용과 면역력 증대, 현대성인병 예방 등 그 효능들이 밝혀지고 있으며 우리나라에도 그 효능이 알려져 사랑받고 있다.

### 제작 및 음용

차가버섯은 뜨거운 물로 우려낸 차에서는 건강에 유익한 성분이 파괴되는 경우가 많아 끓이지 않고 따뜻한 물에 우려 마시는 것을 권장한다. (상황버섯과 비슷하다.)

① 차가버섯을 깨끗이 씻어 물에 30분 정도 불려 절구로 잘게 부순 뒤 말린다.

② 다관에 차가버섯을 5g 정도 넣고 60℃ 정도의 물을 넣고 30분 정도 우린다.

③ 걸러서 따뜻하게 마신다.

### 효능

차가버섯은 베타글루칸(β-Glukan) 함량이 높고 멜라닌, 폴리페놀 등을 많이 함유하고 있어 면역력을 증강시키고 항암효과가 있으며 항산화작용이 뛰어나 활성산소를 제거하는 효능이 있어 심장이나 심혈관질환 등 현대 성인병 예방에 좋은 것으로 연구결과가 나오고 있다. 또한 비타민 A는 피부트러블을 개선시키고 특히 아토피를 치료하는 데 효과가 있으며 혈당을 낮추는 효능이 있어 당뇨환자에게 도움이 되고 각종 염증을 다스리는 효과도 있다.

### 주의사항

차가버섯은 일반적인 약과 함께 복용하는 것은 좋지 않다고 하며 알레르기 반응이 나타날 수도 있으므로 주의해야 한다. 또한 차가버섯을 섭취하고 나서 호흡이 힘들거나 심장박동이 빨라지는 사람도 있다고 한다. 알레르기나 부작용이 나타나는 사람은 음용을 중단해야 한다.

## 🌱 동충하초차

동충하초는 겨울에는 곤충으로 있다가 여름이 되면 풀로 자라난다고 하여 붙여진 이름이다.

그 외에 하초동충(夏草冬蟲), 충초(蟲草), 동충초(冬蟲草), 번데기버섯 등으로도 불리며 발생은 동충하초의 포자가 나비, 벌, 송충이, 딱정벌레, 매미, 누에 등의 번데기 몸을 뚫고 들어가 자라는 일종의 버섯으로 1~2개가 나오는 것이 보통이고 간혹 여러 개가 나오는 경우도 있다.

동충하초(冬蟲夏草)는 예로부터 인삼, 녹용과 함께 3대 강장제로 유명하였으며 세계에서 가장 값이 비싼 약재 중 하나다. 세계에는 수천 종류의 동충하초가 있는데 사람들한테 가장 인기가 있는 것은 히말라야 지방의 해발 3천 미터가 넘는 고산지대의 초원에서 나오는 박쥐나방동충하초로 중국의 신강성, 청해성, 티베트, 네팔, 부탄, 파키스탄, 미얀마 등의 고산지대에서도 채집한다.

현재 우리나라에 200가지가 넘는 동충하초가 있는데 동충하초 포자에 감염되면 어떤 곤충이든지 동충하초가 될 수 있다. 소백산, 가야산, 속리산, 월출산, 만덕산, 지리산, 내장산, 모악산 등에서 자생하며 현재는 번데기에 인공재배하여 유통되고 있다.

동충하초는 주로 식용이나 약용 또는 불로장생의 비약으로 이용하는데 기생하여 자라는 곤충에 따라 그 효능은 다를 수 있다.

## 제작 및 음용

동충하초는 물에 달여서 먹거나 음식을 조리할 때 같이 넣어 조리해서 먹기도 한다. 차로 마실 때는 가루로 갈아 뜨거운 물에 타서 마시는 것이 가장 좋다.

① 동충하초를 구입하여 약한 불에 볶은 후 식혜 믹서에 갈아 분말을 만든다.

② 컵에 약 3~5g을 넣고 뜨거운 물에 우려 마신다.

## 효능

동충하초는 성질은 따뜻하고 맛은 달며 폐경, 신장경으로 들어간다. 폐와 신장을 보하고 천연항생제성분을 함유하고 있어 면역력을 증강시키며 감기, 천식, 만성기침에 효과가 있고 피로회복에 좋으며 항암작용 또한 강하다. 항산화작용이 있어 노화나 성인병 예방에 좋으며 신장기능을 강화시키고 중금속을 제거하고 혈관건강과 당뇨에도 효과가 있다. 동충하초는 불로장생의 약으로 애용되며 체질이 허약하고 나이드신 분들에게 적합하며 항암치료나 방사선치료를 받는 사람에게도 도움이 된다.

## 주의사항

특별한 부작용은 없으나 한 번에 너무 많이 마시면 위장장애가 나타날 수 있으므로 주의해야 한다.

## 🌼 옥수수수염차

옥수수수염은 화본과 한해살이풀 옥수수의 꽃술을 말하는데 옥수수가 자라면서 할아버지 수염처럼 길게 늘어져 나오며 생약명으로는 옥미수(玉米鬚)로 불린다. 식용으로는 적합하지 않아 농사짓는 사람은 모두 떼어내 버리는데 한의원에서는 약성이 있어 널리 쓰이고 있다.

주로 이뇨제나 혈압강하제로 쓰이지만 여름철 더위를 막아주는 음료로도 널리 사용된다.

농촌진흥청의 연구에 의하면 옥수수수염에 함유되어 있는 "메이신"이라는 물질은 수분을 증발시키는 작용을 낮추고 보습효과가 있으며 손상된 각질층을 복원하여 피부를 탄력있게 하는 것으로 나타나 화장품을 개발하는 데 유용하게 쓰일 수 있다고 한다.

### 제작 및 음용

옥수수수염은 단독으로 차를 만들어 먹기도 하지만 볶은 옥수수나 현미를 넣고 끓이거나 결명자, 감국과 함께 끓여 먹어도 좋다.

① 옥수수수염을 채취하여 깨끗이 씻은 후 그늘에 말린다.

② 마른 옥수수수염 30g을 냄비에 넣고 물 2L 정도를 붓고 20분 정도 끓인다.

③ 걸러서 컵에 따라 하루에 3~4회 마신다.

### 효능

성질은 평하고 맛은 달며 신장경, 방광경, 간경, 담경으로 들어간다. 혈압과 혈당은 내리고 이뇨작용과 지혈작용이 있으며 또한 이담작용과 청열해독작용이 있다. 따라서 몸이 자주 붓고 소변이 잘 나오지 않는 증상에 좋고 당뇨나 고혈압환자에게도 효과가 있으며 간염, 담낭염, 담낭결석에도 도움이 된다. 또한 더위를 식히고 노폐물을 제거해

주는 효능이 있어 여름철 음료로도 적당하며 지방분해를 촉진하는 효능이 있어 현대생활습관병이 있는 사람이나 다이어트하는 사람에게도 도움이 된다.

### 주의사항

이뇨작용이 강해서 신장에 문제가 있는 사람은 주의해야 하며 너무 많이 마시는 것도 좋지 않다. 또한 밤에 마시면 수면의 질을 나쁘게 할 수 있으므로 주의해야 한다. 그리고 몸이 찬 사람도 너무 많이 마시는 것은 좋지 않다.

## 등심초차-심화를 내리고 부종을 치료

외떡잎식물로 백합목 골풀과에 속하며 한방에서는 줄기 속을 꺼내 말린 것을 등심초라고 하며 약재로 사용한다. 우리나라, 중국, 일본, 대만, 북미 등지에서 생산되며 습지나 강가, 논둑에서 많이 자라며 원줄기로 돗자리를 만들기도 한다.

등심초는 성질은 차고 맛은 달며 독이 없다. 산후부종에는 등심초 12g, 결명자씨 10g, 옥미수 5g을 배합하여 끓여서 하루 세 번에 나누어 마시면 효과가 좋다.

### 제작 및 음용

등심초 12g에 물 300ml를 붓고 끓여 물이 반으로 줄면 차게 식혀 여러 번 나눠 마신다.

### 효능

심화로 인해 얼굴이 벌겋게 달아오르고 가슴이 답답하고 울화가 치밀며 불안하고 잠이 오지 않는 증상이 있는 사람이나 폐열로 인해 기침이 나고 인후나 콧속 등의 점막이 건조한 사람에게 효과가 있고 이뇨작용이 강해 열이 나면서 소변이 잘 나오지 않거나 부종, 결석, 신장염, 방광염, 자궁출혈, 설사, 간질 등에 효과가 있다. 어린이들이 잠을 자지 않고 열이 나며 울거나 경기를 할 때도 도움이 된다.

### 주의사항

몸이 차고 허약한 사람은 먹지 않는 것이 좋다.

# V 뿌리차

## 🌷 생강차

생강은 열대아시아, 인도 등이 원산지로 추정되며 현재는 세계 대부분의 지역에서 재배하고 있다. 중국이나 인도, 아시아 남동부에서는 고대부터 주로 향신료나 약용으로 사용해 왔으며 1세기경에 지중해 지방으로 건너간 것으로 추정되며 11세기경 영국에 널리 알려지게 되었다.

잎은 대나무잎처럼 생겼으며 줄기는 키가 1m 정도로 자란다. 생강은 주로 뿌리를 사용하며 색깔은 진한 노란색, 밝은 갈색, 담황색 등으로 다양하다. 향신료로 사용하는 생강은 보통 갈아서 찌개요리, 카레요리, 볶음요리, 빵, 과자, 소스, 피클 등에 넣고 우리나라에서는 편강을 만들기도 하며 일본에서는 얇게 썰어 절여 먹는다.

주로 약재로 많이 사용하는 건강(乾薑)은 생강을 물에 담갔다 말린 것을 말하고 검게 구운 생강을 흑강(黑薑)이라고 하며 건생강(乾生薑)이라고 부르는 것은 캐서 햇볕에 말린 것을 말한다.

우리나라에는 『고려사』에 생강에 대한 기록(1018)이 나오는 것으로 보아 그 이전부터 재배한 것으로 추정되며 현재는 전북이나 충청 지방에서 많이 생산하고 있다. 수확은 8~11월에 하며 품종은 소생강(小生薑), 중생강(中生薑), 대생강(大生薑)으로 나누어진다.

### 제작 및 음용

생강은 단독으로 사용하여 생강차로 마시기도 하고 계피와 함께 끓여 수정과를 만들거나 대추와 함께 끓여 마시기도 한다. 생강차를 만드는 방법도 다양한데 생강을 저며 설탕에 절여두었다가 끓이는 방법과 믹서에 갈아 전분을 가라앉혀 버리고 생강즙을 만들어 끓여 만드는 방법이 대표적이다.

① 생강을 구입하여 칫솔로 흙을 깨끗이 씻어 잘게 채썰어 준비한다.

② 생강 100g에 물 2L 정도를 넣고 1시간 정도 약한 불에 끓인다.

③ 걸러내어 아침저녁으로 한 컵씩 마신다. 이때 설탕이나 꿀을 넣어 마시기도 한다.

### 효능

생강은 성질은 따뜻하고 맛은 맵고 폐경, 비장경, 위경으로 들어간다. 체표의 한기를 없애고 중초를 따뜻하게 하며 구토를 멈추게 하고 폐를 따뜻하게 하여 기침을 멈추게 한다. 따라서 감기 초기 몸에 한기가 있을 때 유용하고 배가 차며 복통이 있을 때 좋고 구토나 구역질이 나는 증상에 효과가 있다. 또한 폐가 차서 기침과 가래가 있을 때 효과가 있으며 게나 생선 독을 해독하는 효능이 있어 해물요리 할 때 사용하면 좋다. 그리고 반하, 생남성 등의 약물에 중독되었을 때 해독작용을 한다.

### 주의사항

생강은 자극성이 강해 너무 많이 마시면 복통, 설사를 할 수 있으며 감기로 인해 고열이 있거나 편도선염 등이 있는 사람에게도 좋지 않으며 고혈압환자도 주의해야 한다.

### 🌷 우엉차

국화과에 속하는 2년생 초본식물로 아시아, 유럽 등지가 원산지이며 야생으로 자라기도 하지만 주로 식용하기 위해 밭에서 재배한다. 우웡, 우채라고도 하며 한자로는 牛蒡(우엉), 越年草(월년초)라고 한다.

보통 봄이나 가을에 종자를 파종해서 이듬해 6~7월에 수확하며 잎은 크고 둥글고 꽃은 7~8월에 피는데 엉겅퀴를 닮은 자주색 꽃이 핀다. 9월이 되면 갈색 열매가 익는데 이것을 한방에서는 우방자(牛蒡子), 대방자(大方子), 흑풍자(黑風子)라고 하며 주로 약재로 사용하며 우엉뿌리는 우방근(牛蒡根)이라고 하며 주로 식용한다. 우엉뿌리는 쫄깃하면서 아삭하고 식감이 좋아 김밥 속재료로 사용하거나 조림, 찜, 무침, 튀김 등을 만들어 먹기도 하고 전골이나 찌개에 먹기도 하며 특히 돼지고기와 함께 조리하면 돼지고기 누린내를 제거한다.

우엉잎은 우방경엽(牛蒡莖葉)이라고 하며 데치거나 볶아 먹거나 말려 약으로 사용하기도 한다.

근래에는 우엉뿌리를 볶아 차로 만들어 마시는데 다이어트에 좋다고 알려져 있다.

우리나라에서는 주로 경북 안동이나 경남 진주 등 경상도 지역에서 많이 생산되고 있다. 10월에 2년 이상 된 뿌리를 깨끗이 씻어서 햇볕에 말린다.

### 제작 및 음용

① 우엉뿌리를 깨끗이 씻어 껍질을 벗기지 않고 편으로 얇게 썬다.

② 채반에 널어 4~5일 정도 바짝 말린다.

③ 마른 우엉을 팬에 넣고 갈색으로 변할 때까지 서서히 볶는다.

④ 볶은 우엉 5g을 다관에 넣고 뜨거운 물을 부어 우려 마신다.

### 효능

성질은 차고 맛은 맵고 쓰며 폐경, 위경으로 들어간다. 풍열을 제거하고 해독, 이뇨작용이 있으며 종독(腫毒)을 없애고 인후종통, 옹종에 좋으며 변비를 개선하고 당뇨에 효과가 있다.

현대의학에서는 식이섬유가 풍부해 배변활동을 활발하게 하고 이눌린이 풍부해 이뇨작용이 있으며 껍질에는 콜레스테롤을 낮추고 심장병과 암을 예방하는 사포닌이 들어 있으며 항산화작용이 있다.

### 주의사항

우엉은 성질이 차서 몸이 냉한 사람이나 설사를 자주 하는 사람이나 저혈압이 있는 사람은 주의해야 한다. 또한 우엉은 피가 뭉치는 것을 방해하므로 출혈이 잦은 사람도 주의해야 한다.

## 🌷 우슬차

비름과에 속하는 여러해살이 초본식물로 주로 동아시아 등지에서 자라며 우리나라에서는 중부 이남지방의 산과 들에서 흔하게 자라는 풀이다.

쇠무릎의 뿌리를 말하며 식물 줄기에 있는 마디의 형상이 소의 무릎과 유사하다고 하여 "쇠무릎"이라 부르며 한자어로는 "우슬(牛膝)"이다. 주로 11~12월에 채취하여 말려서 한약재로 사용한다.

약재상에서 중국산 우슬을 천우슬(川牛膝)이라 하고 한국산 우슬을 상우슬(常牛膝)로 구분하는데 천우슬은 원기둥형의 말꼬리형태로 작은 줄기는 없으며 황회색이나 회갈색을 띤다. 우리나라에서 나는 상우슬은 뿌리가 가늘고 길게 여러 개가 달려 있으며 천우슬보다 작고 가늘며 뿌리 윗부분에 잔줄기가 많이 나 있다.

민간요법으로 무릎이 아프거나 신경통에 뿌리를 캐어 약으로 쓴다. 어린싹을 나물로 먹기도 하며 뿌리는 탕뿐만 아니라 술을 담그거나 조려서 엿을 만들기도 하며 가루를 내어 환을 지어 먹기도 한다. 그리고 허리가 아플 때는 두충과 함께 달여 먹기도 하는데 한방에서는 우슬탕(牛膝湯), 평간강압탕(平肝降壓湯) 등에 쓰인다.

## 제작 및 음용

① 가을에 뿌리를 캐어 깨끗이 씻어 햇볕에 말린다.

② 말린 우슬 10~20g을 물 2L 정도를 넣고 1시간 이상 달인다.

③ 걸러서 하루에 두 번씩 차로 마신다.

## 효능

우슬은 성질은 평하고 맛은 쓰고 달며 시다. 간경, 신장경으로 들어간다. 혈액순환을 돕고 생리를 잘 통하게 하며 간과 신장을 보하고 근골을 튼튼하게 하며 수액대사를 활발하게 하며 혈액을 아래로 잘 내려가게 하는 효능이 있다.

주요 성분은 사포닌, 칼륨, 점액질 등으로 독이 없으며 허리와 다리가 허약한 증상에 좋고 넘어져 멍이 들거나 관절이나 인대가 손상된 경우에도 효과가 있으며 신장결석에도 도움이 되고 진통작용도 있다. 그리고 자궁의 수축을 증강시키며 혈관을 확장시켜 일시적인 혈압을 내리는 작용도 있으며 부인들의 생리통이나 생리불순에도 좋다.

우슬은 탕으로 사용하면 혈액순환을 활발하게 하고 멍든 곳의 혈액을 풀어주고 관절을 편하게 하며 술을 담가 마시면 간과 신장의 기능을 개선시키고 허리와 무릎관절을 강하게 하는 효능이 있다.

### 주의사항

혈액을 묽게 하므로 임신부나 설사를 하는 사람, 자궁출혈이 있는 사람은 주의해야 한다.

## 🌸 인삼차

인삼은 두릅나무과에 속하며 우리나라, 중국, 러시아연해주 등지가 원산지로 현재는 우리나라를 비롯해 중국, 미국, 캐나다 등지에서 재배되고 있다. 원래는 깊은 산속에서 자라는 야생종이었으나 지금은 재배하여 생산한다. 재배를 시작하면서부터 야생에서 자라는 인삼을 산삼이라고 하여 구분한다.

그리고 인삼의 종주국이라 할 수 있는 우리나라 인삼을 중국에서는 고려인삼, 일본에서는 조선인삼, 서양에서는 "Korean ginseng"이라 부르며 중국에서 나는 인삼은 백삼이라 부르고 미국이나 캐나다에서 재배하는 인삼을 서양삼, 화기삼이라고 부른다.

원래 우리나라에서는 인삼을 "심"이라고 불렀으며 지금도 심마니, 심봤다 등에서 그 유래가 남아 있으며 우리나라에서 나는 인삼과 다른 나라에서 나는 인삼을 구별하기 위해 한자로 우리나라 삼은 "蔘"으로 쓰고 외국삼은 '參'으로 써왔다.

산삼(山蔘)은 생산량이 너무 적고 희소가치가 높아 수요를 따라가기 힘들어 재배를 시작하였는데 최적의 조건을 갖춘 우리나라가 가장 적합한 천연적 조건을 갖추고 있어 재배 및 가공법이 발달하였다. 우리나라 어디에서나 재배가 가능하며 전남 화순에서 처음 재배하였으며 개성상인들에 의해 개성에서 재배가 성행하였고 그 후로는 금산 지역에서 많이 재배하였고 지금은 제주도를 제외한 모든 곳에서 재배되고 있다.

### 제작 및 음용

인삼은 건삼을 구입하여 물에 넣고 달여 만들거나 수삼을 잘게 잘라 꿀에 재워두었가 끓여 먹는 방법이 있으며 대추 등 다른 재료와 함께 끓여 마시기도 한다.

① 건삼 5g을 잘게 잘라 준비한다.

② 유리나 스텐으로 된 냄비에 넣고 물 600ml 정도를 부어 30분 이상 달인다.

③ 걸러서 하루에 2~3회 마신다.

### 효능

성질은 따뜻하고 맛은 달고 약간 쓰며 폐경, 비장경, 심장경으로 들어간다. 대보원기작용이 있으며 비장과 폐를 보하고 진액을 만들어주며 정신을 안정시키고 지력을 돕는 효능이 있다. 인삼은 『신농본초경』에 상품으로 기재되어 있으며 그 효능은 "오장을 보하고 정신을 안정시키며 눈을 밝게 하고 오래 복용하면 몸이 가벼워지고 장수한다."라고 기록되어 있다.

한방에서는 강장제, 강심제, 건위보정제, 진정제로 사용되고 기운이 허약한 사람에게 특효약으로 사용되고 있으며 신진대사를 활발하게 하고 피로회복에 좋은 약으로 쓰이고 있다.

현대에 와서 연구가 활발하게 진행되고 있는데 주성분은 사포닌으로 면역력을 증강시키고 항피로작용이 있으며 발육촉진작용, 생식능력증강, 혈당강하작용, 항암작용 등 만병통치약처럼 좋은 효능들이 밝혀지고 있다.

### 주의사항

인삼은 특별한 부작용은 없으나 마시고 나면 불면증, 구토, 설사가 나타나는 사람은 마시지 않는 것이 좋고 열이 많은 사람들도 주의해야 한다.

## 🌱 하수오차

하수오는 일반적으로 적하수오를 말하며 우리가 흔하게 보는 백하수오는 다른 식물이다.

중국에서 들어와 약용으로 재배하고 있으며 다년생 초본의 덩굴식물로 들이나 산에서 야생으로도 자란다.

토우(土芋), 적갈(赤葛), 붉은조롱, 새박뿌리라고 부르기도 하며 뿌리줄기는 땅속으로 뻗으면서 군데군데 고구마처럼 굵은 덩이뿌리를 형성하는데 붉은빛을 띤 짙은 갈색이다.

줄기를 야교등(夜交藤)이라 부르고 한방에서 약재로 사용하며 잎을 하수엽(何首葉)이라 부르며 어린잎은 데쳐서 나물로 먹기도 한다.

한방에서 백하수오라 불리는 약재는 박주가리과에 속하는 큰조롱이라는 식물이며 하수오와는 식물학적으로 다른 식물이며 비슷한 종류로 지리산에 "나도하수오"라는 식물이 있는데 잎이 크고 열매가 날개 없이 세모진 난형으로 꽃덮이(花被)에 싸여 있어 하수오와 다르다. 또한 유사종으로 박주가리와 이엽우피소가 있다.

약으로 쓸 때는 탕이나 환, 산제로 사용하거나 술을 담가 먹는다.

### 제작 및 음용

하수오 9~15g에 물 1L를 넣고 30분 정도 달여 음용한다.

### 효능

성질은 약간 따뜻하고 맛은 쓰고 달며 약간 떫다. 간경, 신장경으로 들어간다. 생으로 사용하면 해독제, 학질치료제, 윤장통변작용이 있고 포제하여 사용하면 간과 신장을 튼튼하게 하고 정혈을 보하며 두발을 검게 하는 효능이 있으며 자양강장제로 사용한다.

따라서 정혈이 부족하여 허리와 다리가 허약하고 눈앞이 자주 어지러우며 이명현상이 나타나는 등 노화가 빨리 진행되는 사람에게 유용하다.

### 주의사항

대변이 묽거나 설사를 하고 몸에 습담이 많은 사람은 주의해야 한다.

## 🌷 지골피차

지골피는 구기자나무뿌리의 껍질을 말하며 다른 이름으로는 구기근피(枸杞根皮), 기근(杞根), 구기근(枸杞根)이라고도 한다. 가을에 뿌리를 캐내어 물에 씻어 껍질을 벗겨 햇볕에 말려 사용하거나 술에 담갔다가 햇볕에 말려 사용하기도 한다.

중국 약물이름의 기원은 구기(枸杞), 이명으로 지골(地骨), 구극(枸棘), 고기(苦杞), 첨채(甜菜), 천정(天精), 양유(羊乳), 지보(地輔), 지선(地仙), 각서(却暑), 선인장(仙人杖), 서왕모장(西王母杖) 등으로 불리는데『본초강목』을 쓴 명나라 이시진은 구(枸)와 기(杞)는 나무이름으로 가시가 헛깨나무 구(枸)와 비슷하고 줄기는 버드나무 기(杞)와 비슷해서 두 글자를 합쳐 구기라고 불렀다고 한다.

### 제작 및 음용

① 구기자나무 뿌리를 캐어 깨끗이 씻어 껍질을 벗겨서 햇볕에 말린다.
② 말린 지골피 10g 정도를 냄비에 넣고 물 1L 정도를 붓고 30분 정도 달인다.
③ 걸러서 하루에 2~3회 한 잔씩 차로 마신다.

### 효능

성질은 차고 맛은 달며 폐경, 간경, 신장경으로 들어간다. 혈액 속의 열을 내리고 허열을 제거하며 화를 가라앉게 하고 폐를 맑게 하는 효능이 있다. 따라서 혈열로 인한 출혈증상에 효과가 있고 폐열로 인한 가래, 기침, 천식에 좋으며 음이 허약하여 나타나는 도한에 효과가 있다.

또한 오후조열이나 야간조열, 머리에만 나타나는 열, 한열왕래, 장기간미열 등 실열이 아닌 종류의 허열에 효과가 좋으며 고혈압이나 혈당을 낮추는 효능도 있으며 어깨뼈가 저리고 풍습성관절염에 효과가 있다고 한다. 약재를 끓여서 입안을 헹구면 잇몸 출혈을 그치게 하고 붓고 고름이 나고 아픈 증상에도 좋다고 한다.

### 주의사항

감기로 인해 열이 있는 사람들이나 비장이 허약하여 변이 묽게 나오는 사람은 주의해야 한다.

### 🌼 황기차

황기는 한약재로 쓰이는 콩과에 속하는 다년생 초본식물로 뿌리를 사용한다. 원산지는 아시아로 우리나라와 중국, 일본, 몽골, 시베리아 등지에 분포하고 야생은 산속의 바위틈에서 잘 자라며 1m 정도에 뿌리와 줄기는 곧게 자란다. 다른 이름으로는 단너삼, 백본(百本), 재분(載粉), 수판마(數板麻), 감판마(甘板麻)라고도 하며 7~8월에 엷은 황색 꽃이 피고 우리나라에서는 도미황기, 탐라황기, 자주황기, 묏황기 등이 자라고 있다.

황기(黃芪)는 삼계탕과 같은 보양식에도 많이 쓰이는데 가을에 채취해 잔뿌리를 제거한 뒤 말려서 사용한다. 기운을 보하고 허약한 신체를 튼튼하게 하는 효능이 있어 닭에 넣고 삶아 먹는다. 조선 인조 때 왕비가 몸이 좋지 않자 황계탕을 올렸다고 하는 기록이 있는데 황계탕은 닭에 황기를 넣고 삼계탕처럼 끓인 것을 말한다. 또한 차나 술로 만들어 먹기도 하였으며 콩과에 속하며 단너삼, 노랑황기, 도미황기라고도 한다. 뿌리는 약재로 이용하는데 차나 술, 탕으로 많이 해 먹는다.

### 제작 및 음용

황기 50g 정도를 물 2L에 넣고 30~40분 정도 달여 하루에 2~3회 마신다.

### 효능

성질은 약간 따뜻하고 맛은 달며 비장경, 폐경으로 들어간다. 비장을 튼튼하게 하고 중초를 보하며 양기를 올려주고 체표의 기운을 튼튼하게 하고 이뇨작용이 있으며 독을 제거하고 새살을 잘 돋아나게 한다. 면역력을 증강시키고 허약한 체질을 튼튼하게 하며 신진대사를 활발하게 한다. 따라서 소화기가 허약하여 음식을 많이 먹지 못하고 변이 묽게 나오는 사람이나 권태감과 무력감이 있는 사람에게 효과가 있으며 기혈이 부족한 사람에게도 좋고 탈항, 자궁하수, 내장하수, 자궁출혈 등에도 효과가 있으며 여름철 땀이 많이 나는 사람들이나 부종이 있는 사람에게도 유익하고 화농성질환 후기에 상처를 빨리 아물게 한다.

### 주의사항

특별한 부작용은 없으나 너무 많이 마시면 복통, 설사가 나타날 수도 있으니 주의해야 한다.

## 🌺 둥굴레차

백합과에 속하는 여러해살이식물로 옥죽(玉竹),
괴불꽃, 황정(黃精), 편황정(片黃精), 선인반(仙人
飯), 위유(萎蕤), 토죽(菟竹) 등으로도 불리며 동아
시아 지역의 산과 들에서 자란다.

이른 봄에 어린잎을 채취하여 물에 담가 우려낸 다
음 나물로 먹기도 하고 뿌리줄기는 가을에 캐서 그늘에 말린 후 볶아서 차로 마시거나
한약재로 사용하며 술을 담가 먹기도 한다.

차로 사용할 때는 찌고 말리기를 여러 번 반복한 후 볶아서 사용하면 구수한 맛과 향
이 좋다. 약으로 사용할 때는 그늘에 말려서 탕으로 만들거나 증기로 쪄서 말린 후 가루
로 만들어 환이나 산제로 만든다. 가루는 타박상에 바르기도 한다.

둥굴레의 종류로는 선옥죽, 각시둥굴레, 통둥굴레, 용둥굴레, 왕둥굴레, 무늬둥굴
레, 층층둥굴레. 갈고리층층둥굴레 등이 있으며 식용 또는 약용으로 사용하는데 우리나
라에서는 황정과 특별한 구분 없이 사용하기도 한다. 황정은 죽대, 진황정이라고 하여
귀경과 작용이 둥굴레와는 약간 다르다. 따라서 한약재로 사용할 때는 구별하여 사용
하는 것이 맞지만 가정에서 차로 마실 때는 특별하게 구별하지 않고 마셔도 무방하다.

### 제작 및 음용

① 둥굴레를 채취하여 깨끗이 씻어 적당한 크기로 잘라 찜통에 넣고 20분 정도 찐다.

② 찐 둥굴레를 그늘에서 말린다. 이 과정을 2~3회 반복한다.

③ 바짝 말린 둥굴레를 팬에 넣고 색이 변할 때까지 볶는다.

④ 볶은 둥굴레 30~50g에 물 2L 정도를 넣고 30분 정도 끓여 마신다.

### 효능

성질은 약간 차고 맛은 달며 폐, 위경으로 들어간다. 양음윤조(養陰潤燥), 생진지갈
(生津止渴)작용이 있다. 폐에 열이 있으며 건조하여 마른기침을 하는 사람이나 각혈 또

는 목이 자주 쉬는 사람에게 좋고 위음(胃陰)이 부족하여 입이 자주 마르고 갈증이 나며 속에서 열이 올라오는 느낌이 있는 사람에게 효과가 있다. 특히 몸이 마르고 건조하며 열병을 앓고 난 후의 사람에게 수분을 공급하고 더운 여름철 땀을 많이 흘려 피로하고 쇠약해진 사람에게 적합하다.

### 주의사항

과다복용하면 소화기가 약한 사람은 속쓰림이나 더부룩한 증상이 나타날 수 있고 일부는 불면증이 나타나기도 한다.

## 칡차

콩과에 속하는 덩굴식물로 우리나라, 중국, 일본이 원산지로 생명력이 왕성하여 양지바른 곳이면 아무 곳에서나 잘 자란다.

우리나라에서 아주 옛날부터 널리 활용해 왔는데 칡 줄기로는 밧줄을 만들거나 갈포라고 하여 섬유를 만들어 입기도 하고 삼태기나 바구니를 만들었다. 뿌리는 즙을 짜서 마시거나 녹말을 갈분이라고 하여 과자나 떡을 만들어 먹고 갈근(葛根)이라고 하여 한약재로 사용하였다. 잎은 가축의 사료나 퇴비로 사용하였고 5월에 나오는 어린잎은 나물로 먹기도 했으며 꽃은 갈화(葛花)라고 하여 말려서 장풍(腸風)이나 숙취해소에 좋은 약재로 사용하였다.

차로는 말린 칡뿌리 달인 것을 갈근차(葛根茶) 또는 갈근탕(葛根湯)이라 하고 칡뿌리에서 추출한 녹말을 물에 개어 만든 것을 갈분차(葛粉茶)라고 한다.

### 제작 및 음용

칡뿌리 100g을 물 2L에 넣고 30분 정도 끓여 설탕이나 꿀을 타서 마시거나 끓일 때 대추, 감초를 넣고 끓여 마시기도 한다.

### 효능

성질은 차고 맛은 달고 매우며 비장경, 위경으로 들어간다. 근육을 풀어주고 열을 내리며 진액을 만들어 갈증을 멈추게 하고 양기를 올리고 설사를 멈추게 한다. 감기몸살로 근육이 뻣뻣하고 열이 나며 목이 마른 사람에게 좋고 홍역 초기에 효과가 있다. 날씨가 덥거나 열병으로 진액이 손상되어 갈증이 심할 때 좋으며 습열로 인한 이질, 설사에 효과가 있고 고혈압이나 당뇨환자에게도 도움이 된다.

### 주의사항

몸이 너무 차거나 몸이 너무 허약한 사람 또는 임신부는 주의해야 한다.

## 🌸 연근차

연우(蓮藕)라고도 하며 연(蓮)의 뿌리를 말한다. 연꽃, 연수, 연방, 연잎, 연근, 연경, 연자, 연자심은 모두 연에서 나오는 것으로 때로는 약재로 때로는 요리나 차로 우리 생활에서 활용하고 있다. 그중에서 연근은 우리의 식탁에 반찬으로 자주 오르며 차를 만들어 마시기도 한다. 연근은 못이나 논의 진흙 속에서 자라며 마디가 있고 속에 빈 구멍이 있으며 희고 가늘며 조직이 단단하고 아삭거리며 가을에 비대해져서 연근이 된다.

연근은 삶거나 간장에 조리고, 튀김옷을 입혀 튀기고, 식초에 절여 여러 가지 형태의 요리를 만들고 연근에서 추출한 녹말을 우분이라고 하여 요리해서 먹기도 한다.

껍질을 벗겨두면 공기에 닿아 갈변되는데 쇠칼이나 쇠솥에 닿아도 심하게 갈변되므로 피하는 것이 좋다.

연근의 성분은 탄수화물이 약 14%이고 아스파라긴, 아르기닌, 타이로신, 레시틴 등이 함유되며 비타민 C는 20% 정도 함유된다.

연근을 고를 때는 외관상 선도를 유지하고 부서짐이 없으며 색과 빛은 선명하고 육질이 싱싱하고 탄력이 있으며 표백제 등의 냄새가 없는 것을 고르는 것이 중요하다.

### 제작 및 음용

① 연근은 솔로 깨끗하게 씻어 껍질을 벗기지 않고 2~3mm 두께로 썬다.

② 연근을 통풍이 잘 되는 곳에서 한나절 정도 말린다.

③ 약간 꼬들꼬들하게 마른 연근을 달군 팬에 넣고 덖는다.

④ 덖은 연근 4~5개를 물 1L 정도에 넣고 20분 정도 끓여 걸러 마신다.

### 효능

연근은 생것은 성질이 차고 익히면 따뜻해지며 맛은 달고 심장경, 간경, 비경, 위경으로 들어간다. 생으로 갈아 마시면 토사곽란, 갈증해소, 숙취해소에 좋고 어혈을 풀어주고 지혈작용이 있으며 익힌 연근은 오장을 보하고 혈액에 유익하며 건비작용이 있고 식욕을 증진시키며 허약한 체질을 튼튼하게 하는 효능이 있다. 현대연구에 의하면 연의 약효는 타닌에 의하는 것으로 수렴성 때문에 상처를 낫게 하고 지혈작용이 있으며 설사, 구토를 다스리고 기침을 멈추게 한다고 한다. 또한 비타민 C가 많아 피로회복에 좋고 항산화작용으로 노화방지, 피부미용, 항암작용이 있으며 철분은 빈혈예방에 좋고 불용성 식이섬유가 많아 소화를 돕는다.

### 주의사항

생연근은 성질이 차서 몸이 찬 사람에게는 좋지 않고 익힌 연근은 당분이 많아 당뇨환자에게 좋지 않다. 또한 철제그릇은 사용하지 않는 것이 좋다.

## 삽주차

삽주는 국화과 여러해살이풀로 우리나라 전국에서 자라며 중국, 일본, 만주 등지에 분포한다. 뿌리를 주로 약재로 사용하는데 가을에 채취한 뿌리 중에서 햇뿌리는 "백출"이라 하고 묵은 뿌리는 "창출"이라 하며 그 효능도 약간 다르다. 뿌리에는 방향성 정유가 많이 함유되어 있어 독특한 향이 있으며 습을 제거하고 비위를 튼튼하게 하는 대표적인 약재로 쓰인다.

봄에 어린순은 물에 데쳐 나물을 해먹거나 찌개에 넣기도 하고 다른 산나물과 함께 무치기도 하며 묵나물, 튀김, 쌈, 겉절이를 하기도 한다. 또한 여름철에 덩이줄기를 태운 연기로 옷장이나 쌀창고를 훈증하면 곰팡이가 끼지 않는다고 한다.

비슷한 종류로는 당삽주가 있는데 삽주와 비슷하지만 엽병이 없다.

## 제작 및 음용

삽주는 주로 한약재로 탕이나 환, 산제로 이용하지만 차로 만들어 즐기기도 하는데 쌀뜨물에 하루 정도 담가 정유성분을 뺀 후 말려서 곱게 갈아 꿀을 섞어두었다가 한 큰 술 정도 떠서 뜨거운 물에 타서 먹기도 한다.

① 삽주뿌리를 캐서 잔뿌리를 정리하고 깨끗이 씻어 얇게 썬다.

② 삽주뿌리를 쌀뜨물에 하루 정도 담가둔다.

③ 정유성분이 어느 정도 빠지면 햇볕에 말린다.

④ 말린 삽주뿌리를 달군 팬에 넣고 노릇하게 볶는다.

⑤ 볶은 삽주뿌리 20g을 물 2L에 넣고 30분 정도 끓여 걸러낸다.

⑥ 하루에 2~3회 한 컵씩 마신다.

## 효능

성질은 따뜻하고 맛은 달고 쓰며 비장경, 위경으로 들어간다. 건비익기(健脾益氣), 조습이뇨(燥濕利尿), 지한(止汗), 안태(安胎)작용이 있으며 비장이 허약하여 소화불량, 식욕부진이 있는 사람이나 기운이 부족하여 의욕이 없고 권태감이 있으며 식은땀이 나는 사람에게 좋고 몸에 담음이 쌓여 변이 묽게 나오거나 수종이 있는 사람에게도 효과가 있다. 또한 임신부가 비장이 허약하여 유산기가 있거나 임신부종, 사지수종이 있을 때도 유용하다.

## 주의사항

몸에 진액이 부족한 사람은 장기간 복용하는 것은 좋지 않다.

## 🌷 초석잠차

초석잠은 꿀풀과에 속하는 다년생 초본식물로 우리나라 산과 들, 습기가 많은 곳에서 흔하게 자라며 중국, 일본, 러시아 등지에 분포한다. 땅속줄기는 희고 길게 옆으로 뻗어 자라며 줄기는 곧추서고 높이는 40~80cm 정도로 자란다. 초석잠은 지잠, 감로자, 적로 등으로 불리기도 하며 중국이 원산지로 추정되나 일본에서 인기가 있으며 우리나라에는 일본을 통해서 들어온 것으로 추측된다.

석잠풀의 뿌리열매를 초석잠(草石蠶)이라 하며 생김새가 누에를 닮아 붙여진 이름이다. 민간요법으로 초석잠은 꽃을 포함한 모든 부분을 약재료 이용한다.

뿌리의 맛은 달고 아삭한 맛이 있어 간장이나 식초에 절여 장아찌를 만들어 먹거나 볶아서 과자처럼 먹기도 하고 곱게 갈아 물에 타서 차처럼 마시기도 좋다. 또한 가루를 이용해 떡이나 국수, 빵, 만두를 만들 때 혼합하여 먹거나 생으로 삶아 먹기도 하며 술을 담가도 맛이 좋다.

초석잠의 효과는 뿌리만이 아니라 그 잎, 줄기 등에도 있어 잎과 줄기를 활용하여 다양한 요리나 차를 만들어도 좋다.

### 제작 및 음용

초석잠은 여러 가지 요리를 만들어 먹기도 하지만 차로 마시는 방법도 다양하다. 가루를 만들거나 효소를 만들어 먹기도 하고 꿀과 섞어 재워 놓고 마시기도 한다. 일반적인 차로 우리거나 끓여 마실 때는 차를 마시고 난 후 건더기도 건져 먹는다.

① 초석잠을 캐어 칫솔로 깨끗이 씻는다.

② 통풍이 잘 되는 곳에서 일주일 정도 말린다.

③ 말린 초석잠을 약한 불에서 천천히 노릇하게 볶는다.

④ 볶아진 초석잠 20g을 물 2L에 넣고 30분 정도 끓여 거른다.

⑤ 하루에 2~3회 마신다.

### 효능

성질은 시원하고 평하고 맛은 달고 약간 맵다. 뇌세포를 활성화시키고 기억력을 증진시키고 노인성 치매예방과 중풍예방에 좋고 이뇨작용이 있어 부종이나 소변불리에 효과가 있으며 안질과 황달에도 도움이 된다. 또한 어혈을 풀어주는 효능이 있어 넘어져 멍이 들었을 때 좋으며 혈액순환을 활발하게 하여 간경화나 동맥경화에도 효과가 있으며 오장을 편하게 하고 해독작용이 있으며 소염작용이 있어 뱀에 물렸을 때나 각종 염증에도 도움이 된다. 그리고 초석잠에는 골뱅이형 초석잠과 누에형 초석잠이 있는데 골뱅이형 초석잠은 뇌혈관으로 작용하는 효능이 강하고 누에형 초석잠은 여성질환에 효능이 강하다고 한다.

### 주의사항

몸이 냉한 사람이나 임신부는 주의해야 한다.

## 🌼 파뿌리차

파는 백합과 식물로 원산지는 중국의 서부 또는 시베리아의 알타이 지역으로 추정하며 아직 원종은 발견되지 않고 있으며 내한성, 내서성이 강하여 북은 시베리아로부터 남은 열대지방까지 분포되어 있으며 중국에서는 3000년 전부터 재배되었다고 할 만큼 오랜 재배역사를 가지고 있으며 식문화에서 빠질 수 없는 식품이다. 우리나라에는 고려 이전에 들어온 것으로 추정되며 전국 각 지역에서 모두 재배되고 있다. 우리 생활에서 향신료로 없어서는 안 될 만큼 널리 쓰이고 있지만 뿌리와 아래의 하얀 부분을 말려서 "총백(蔥白)"이라 부르며 한방에서 약재로 애용되어 왔다.

그대로 두면 향이 나지 않지만 자르거나 짓이기면 조직이 파괴되면서 매운 냄새와 파의 독특한 향이 나오는데 이 매운 성분은 유화아릴 성분으로 열에 약하다.

요리할 때는 볶음요리, 나물, 전, 김치 재료로 사용되거나 느끼한 맛을 잡아주기 때문에 각종 곰탕이나 생선의 매운탕 등 모든 탕종류에 향신료로 들어가며 소화를 돕기 위해 생으로 먹기도 한다. 감기 초기나 아랫배가 찰 때 차로 마시면 좋다.

### 제작 및 음용

파뿌리는 단독으로 사용하기도 하지만 속이 찰 때는 생강, 대추를 배합하고 감기 초기에는 도라지, 배를 배합하여 끓여 마지막에 꿀을 넣어 먹으면 맛과 향이 좋고 효과도 좋다.

① 파뿌리 부분을 잘라 칫솔로 깨끗이 씻어낸다.

② 냄비에 10개 정도를 넣고 물 2L 정도를 붓고 끓인다.

③ 노랗게 물이 우러나면 걸러서 찻잔에 담아 마신다.

### 효능

성질은 따뜻하고 맛은 매우며 폐경, 위경으로 들어간다. 발한해표(發汗解表)작용과 산한통양(散寒通陽)작용이 있으며 우리 몸에 찬 기운을 몰아내고 따뜻한 기운을 잘 통하게 하는 효능이 있어 풍한감기로 인해 오한이 들거나 콧물이 나기 시작한 감기 초기에 적합하다. 또한 한기가 몸에 있어 양기가 잘 통하지 않아 몸에 통증이 있는 사람이나 아랫배가 차고 복통이 있는 사람에게 효과가 있고 산후 젖이 잘 나오지 않는 산모나 유방종통이 있는 사람에게도 유용하다.

### 주의사항

몸에 열이 많은 사람은 너무 많이 마시는 것이 좋지 않다.

### 🌱 맥문동차

백합과에 속하는 다년생초본식물로 아시아를 원산지로 우리나라를 비롯해 중국, 일본 등지에 분포하며 주로 그늘진 곳에서 자생한다. 우리나라 중부 이남에서 주로 자라며 길이는 30~50cm 정도로 자라며 겨울에도 잎이 지지 않고 푸르며 꽃은 5~6월에 연한 보라색으로 피고 열매는 푸른색을 띤 검정색으로 익으며 무리지어 자란다. 맥문동은 땅속 뿌리줄기에 흰색 덩어리로 달려 자라는데 이것을 봄과 가을에 캐서 껍질을 벗기고 햇볕에 말린 것을 말하며 한약재로 쓰인다.

맥문동과 유사종으로는 개맥문동과 소엽맥문동이 있으며 맥문동이라 부르는 것은 대엽맥문동을 말한다.

### 제작 및 음용

① 맥문동을 깨끗이 씻어 말린다.
② 팬에 맥문동을 넣고 약한 불에서 천천히 볶는다.

③ 볶은 맥문동 50g에 물 1L를 넣고 1시간 정도 끓인다.

④ 걸러서 찻잔에 담아 하루에 2~3회 한 잔씩 마신다.

## 효능

성질은 차고 맛은 달고 약간 매우며 위경, 폐경, 심장경으로 들어간다. 양음생진(養陰生津), 윤폐청심(潤肺淸心)작용이 있으며 폐가 건조하여 마른기침을 하거나 토혈, 객혈, 폐옹에 좋고 번열, 소갈, 열병으로 인한 진액부족이나 입이나 목이 건조한 증상을 치료하고 변비에도 효과가 있다. 또한 심장의 열을 내리고 심장의 열로 인한 불면증, 건망증, 심계(心悸), 정충(怔忡)에 좋고 위음부족으로 인한 목마름, 위완동통, 구역질, 그리고 배가 고프나 식욕이 없는 증상 등에 효과가 있다.

## 주의사항

심지를 뽑지 않고 먹으면 가슴이 답답한 증상이 나타날 수 있으므로 거심을 하였는지 확인한 뒤 복용해야 하며 성질이 차서 몸이 냉한 사람은 주의해야 한다.

## 🌱 도라지차

초롱꽃과에 속하는 여러해살이풀로 뿌리를 약재 또는 식용하며 우리나라, 중국, 일본 등지에 분포한다. 전국의 산지에서 자라며 도랒이라 줄여 부르기도 하고 한자어로는 길경(桔梗), 백약(白藥), 경초(梗草), 고경(苦梗) 등이 있으며 방언으로는 질경, 돌갓, 도래, 돌가지, 약도라지, 고길경 등이 있다.

도라지는 예로부터 유일하게 우리 민족이 즐겨 먹는 식품으로 반찬으로 많이 먹어왔다. 오래된 산도라지는 약효 또한 우수하여 산삼과 같다고 하며 우리나라에서 나는 도라지가 품질이 좋아 일본이나 홍콩, 타이완 등지로 많이 수출하고 있다.

도라지는 꽃이 예뻐 지금은 관상용으로도 쓰이며 뿌리뿐만 아니라 연한 순은 데쳐서 나물로 먹고 꽃잎은 생으로 무치거나 화전처럼 튀겨 먹기도 한다.

종류로는 흰색꽃을 피는 백도라지, 꽃이 겹으로 피는 겹도라지, 키가 작은 애기도라지, 키가 더 작은 홍노도라지 등이 있다.

### 제작 및 음용

도라지를 요리할 때는 하루 이틀 물에 담가 쓴맛을 제거한 후에 요리하지만 차로 마실 때는 우리지 않고 그대로 건조하여 물에 끓이거나 꿀에 재워 믹서에 갈아 따뜻한 물에 타서 먹는다. 끓일 때 대추, 감초, 수세미, 배 등을 용도에 따라 함께 넣어 끓이기도 한다.

① 도라지뿌리를 잘 씻어 얇게 어슷썰기를 한다.

② 도라지를 그늘에서 일주일 정도 말린다.

③ 말린 도라지 20g을 물 1L 정도를 넣고 30분 정도 끓인다.

④ 걸러서 하루에 3번씩 컵에 따라 마신다.

### 효능

성질은 평하고 맛은 쓰고 매우며 폐경으로 들어간다. 폐기선개(肺氣宣開), 거담(祛痰), 이인(利咽), 배농(排膿)작용이 있으며 감기로 인해 가래가 나오고 기침을 하는 증상에 좋고 인후통이 있는 사람이나 목이 쉰 사람에게 효과가 있으며 가슴이 답답하고 아프며 폐에 농이 있어 입에서 비린내가 나는 증상을 치료한다.

### 주의사항

도라지는 기운이 위로 올라가 퍼지는 특성이 있어 구토가 나오고 어지러우며 음허화왕으로 각혈을 하는 사람은 먹지 말아야 하며 위, 십이지장궤양이 있는 사람도 먹으면 좋지 않다.

## 🌱 더덕차

초롱꽃과에 속하는 다년생 덩굴식물로 우리나라 전국 각지나 중국, 일본 등지에 분포한다.

일부 학자들은 더덕을 사삼(沙蔘)이라고도 하나 잔대가 사삼이라는 학자도 있어 의견이 분분하다. 중국에서는 사삼을 남사삼과 북사삼으로 나누는데 그 효능은 비슷하며 우리나라 더덕은 북사삼과 비슷하다.『명물기략』에서 더덕을 "사삼"이라 하고 양유(羊

乳), 문희(文希), 식미(識美), 지취(志取) 등의 별명을 가지고 있다고 하여 사삼이라고 여긴 것 같다. 더덕은 우리나라에서는 예로부터 약용보다는 식용으로 많이 애용했는데 "오래 묵은 더덕은 산삼보다 낫다"는 말이 있을 정도로 효능도 인정받아 왔다.

『고려도경』에서는 "관에서 매일 내놓는 나물에 더덕이 있는데 그 모양이 크며 살이 부드럽고 맛이 있다. 이것은 약으로 쓰는 것이 아닌 것 같다"라는 기록이 있는데 우리나라에서는 식용으로 많이 사용하였고 수요가 많아 지금은 많이 재배하고 있다.

더덕은 어린잎을 채취하여 데쳐서 나물로 먹거나 쌈으로 먹기도 하고 뿌리는 더덕고추장구이, 더덕장아찌, 생채, 누름적, 정과, 더덕술 등으로 만들어 먹었다.

더덕은 쌉쌀하면서도 단맛이 나는 것이 특색이며 독특한 향기가 있고 유사종으로는 푸른더덕, 만삼, 소경불알 등이 있다.

## 제작 및 음용

① 칫솔을 이용하여 더덕을 깨끗이 씻는다.

② 1mm 간격으로 얇게 썰어 말린다.

③ 팬에 말린 더덕을 넣고 덖는다.

④ 덖은 더덕 30g에 물 1L 정도를 붓고 물이 반으로 줄 때까지 끓인다.

⑤ 걸러서 하루에 2~3회 컵에 따라 마신다.

## 효능

성질은 약간 차고 맛은 달고 약간 쓰며 폐경, 위경으로 들어간다. 폐음과 위음을 보하는 작용이 있으며 진액을 만들고 가래를 삭이며 기침을 멈추게 하는 효능이 있다. 또한 폐와 위에 열이 많은 사람에게 효과가 좋고 기운을 나게 한다. 마른기침을 많이 하고 목이 자주 쉬며 인후가 마른 사람이나 위에 열이 있어 배가 고프나 식욕은 없고 구토가 잦은 사람들이 먹으면 좋다. 현대 의학적으로 더덕에는 인삼이나 도라지에 많은 사포닌뿐 아니라 칼슘과 철분 등이 풍부하게 들어 있어 피로회복에 좋고 기침, 가래, 천식을 멈추게 하고 해독, 소염작용이 있으며 콜레스테롤을 제거하는 효능이 있다고 한다.

### 주의사항

아랫배가 차고 몸이 냉한 사람은 많이 먹지 않는 것이 좋다.

## 🌷 울금차

생강과에 속하는 다년생 초본식물로 인도가 원산지로 알려져 있으며 우리나라를 비롯해 인도네시아, 중국, 대만, 일본 등지에 분포한다.

심황(深黃), 울금(蔚金), 을금(乙金), 걸금(乞金), 천을금(川乙金), 옥금(玉金), 울금초(鬱金蕉), 금모세(金母蛻), 마술(馬述), 황제족(黃帝足) 등으로 불리기도 한다.

술과 함께 섞으면 금처럼 누렇게 된다 하여 "울금"이라는 이름이 붙었다고 하며 말의 질병을 치료한다고 하여 "마술"이라고도 한다.

근경은 굵고 옆으로 자라며 표면에 바퀴 모양의 마디가 있고 자른 단면은 연한 황색으로 맵고 향이 강하며 약용으로 사용하거나 식품으로 과자나 향료, 조미료로 쓰기도 하고 관상용으로 심기도 한다.

강황을 울금과 혼동하는 사람도 많은데 엄밀히 구분하면 서로 다른 유사종이다. 강황은 노란색이 선명하고 매운맛은 약하며 쓴맛이 강하고 울금은 붉은빛을 띠며 매운맛이 강한 반면 쓴맛이 약하다. 효능은 비슷한 것으로 알려져 있으며 옛날에는 우리나라, 중국, 일본, 미얀마 등지에서 착색제나 직물의 염료로 이용하였다고 한다. 약으로 사용할 탕으로 하거나 환, 산제로 하여 사용하거나 술을 담그기도 한다.

### 제작 및 음용

울금차는 생강차와 같은 방법으로 먹을 수 있다. 깨끗이 세척하여 얇게 썰어서 물에 넣고 끓여 설탕이나 꿀을 타서 먹거나 울금을 썰어 설탕에 재워두었다 뜨거운 물에 타서 먹는 방법, 건조시켜 달여 먹는 방법 등이 있다.

### 효능

성질은 차고 맛은 맵고 쓰며 간경, 담경, 심장경으로 들어간다. 활혈지통(活血止痛), 행기해울(行氣解鬱), 청심양혈(淸心凉血), 이담퇴황(利膽退黃)작용이 있으며 혈액순환을 활발하게 하고 통증을 완화시키고 기운이 잘 통하게 하며 심장이나 혈액의 열을 내리고 담즙을 잘 통하게 하여 소화를 촉진시킨다. 부인들의 생리불순, 생리통, 산후어혈복통 등에 좋고 토혈, 뇨혈, 코피 등 각종 출혈에 좋으며 담낭염, 간염, 위염 등에도 효과가 있고 넘어져 멍이 든 사람이나 황달이 있는 사람에게도 좋다.

### 주의사항

임신부나 수술을 앞두고 있는 사람, 상처가 난 사람은 주의해야 한다.

## 🌸 감초차

콩과에 속하는 다년생 초본식물로 중국 북부 시베리아, 이태리 남부, 만주, 몽골 등지에 자생하거나 재배한다. 뿌리를 쪄서 건조시켜 한약재로 사용하며 맛이 달아서 "감초"라고 부른다.

다른 이름으로는 밀초(密草), 미초(美草)라고도 한다. 감초는 모든 약재들을 순하게 하고 배합이 잘 되도록 중화작용을 하므로 많은 방제에 빠지지 않고 들어간다. 따라서 어느 자리에나 빠지지 않고 끼어드는 사람을 "약방의 감초"라고 비유한다. 유사종으로는 우리나라에서 나는 개감초가 있는데 단맛이 적고 가지에 털이 적으며 열매가 타원형으로 한약재로는 사용하지 않는다.

### 제작 및 음용

① 감초를 구입하여 깨끗이 씻어 물기를 말린다.

② 팬에 감초를 넣고 약한 불에 약간 노릇할 때까지 서서히 덖는다.

③ 감초 15g을 냄비에 넣고 물 1L를 부어 은근하게 오랫동안 끓인다.

④ 걸러서 찻잔에 따라 하루에 2~3회 마신다.

### 효능

성질은 평하고 맛은 달며 심장경, 폐경, 비장경, 위경으로 들어간다. 보비익기(補脾益氣), 거담지해(祛痰止咳), 완급지통(緩急止痛), 조화제약(調和諸藥)작용이 있다. 심장의 기운이 부족하여 부정맥이 있는 사람들이 마시면 좋고 비장의 기운이 약하여 식욕부진이나 소화가 잘 안 되는 사람이나 기침, 가래, 천식에 효과가 있으며 소화기 궤양이 있어 통증이 심하거나 경련이 일어나는 사람에게 도움이 된다. 또한 해독작용이 있어 열독이나 인후종통, 다른 식품의 독 즉 뱀독, 복어독 등을 해독하며 마음을 편하게 한다.

### 주의사항

해조류와 함께 먹는 것은 좋지 않으며 습이 많아 기운의 흐름이 좋지 않은 사람이나 습이 많은 사람, 수종이 있는 사람은 주의해야 하며 건강한 사람도 장기적으로 먹는 것은 좋지 않다. 당뇨가 있는 사람도 주의해야 한다.

## 🌷 단삼차

꿀풀과에 속하며 중국이 원산지로 우리나라에서도 약용식물로 재배하고 관상용으로 쓰이기도 하며 어린 순을 삶아 나물로 먹기도 한다. 뿌리를 약용으로 사용하며 인삼의 형태를 닮고 색이 붉어서 붉을 단(丹)자를 써서 단삼이라고 한다. 11월 상순부터 다음해 3월 상순까지 채취하는데 11월 상순에 캐낸 것이 가장 좋다고 하며 뿌리를 캐내 수염뿌리를 제거하고 햇볕에 말려서 사용한다.

다른 이름으로는 하지를 튼튼하게 하며 달리는 말을 쫓아갈 수 있다고 하여 분마초(奔馬草)라 부르기도 하고 혈액을 살리는 뿌리라고 하여 혈생근(血生根)이라 부르기도 한다. 그 외에 다른 이름으로는 적삼, 목양유, 축마, 홍근 등이 있다.

일상생활에서는 뿌리를 탕에 넣어 요리하거나 뿌리를 말려 가루를 만들어 물에 타거나 환, 산제를 만들기도 하며 끓여서 차로 마시기도 하고 술을 담가 먹기도 한다.

## 제작 및 음용

① 단삼을 구입하여 깨끗이 씻어 물기를 제거한다.

② 잘게 썰어 팬에 넣고 약한 불에 은근히 덖는다.

③ 냄비에 단삼 15g을 넣고 물 1L 정도를 붓고 30분 정도 끓인다.

④ 단삼을 걸러내고 찻잔에 담아 하루에 2~3회 마신다.

## 효능

성질은 차고 맛은 쓰며 심장경, 심포경, 간경으로 들어간다. 활혈조경(活血調經), 거어지통(祛瘀止痛), 양혈소옹(凉血消癰), 제번안신(除煩安神)작용이 있다.

부인들의 생리불순, 생리통, 산후어혈복통에 좋으며 어혈로 인한 심교통(心絞痛), 어혈복통, 적취(積聚) 등에 효과가 있고 넘어져 멍이 든 증상에도 좋으며 종기, 용종, 악창에도 효과가 있다. 또한 가슴이 두근거리고 불면증이 있으며 가슴이 답답한 증상을 개선시키고 풍습성 관절염에도 효과가 있다.

## 주의사항

임신부나 출혈성 질환이 있는 사람은 주의해야 한다.

## 백모근차

볏과에 속하며 일명 "띠"라고 불렀으며 우리나라 산과 들, 풀밭 등지의 양지바른 곳에서 무리지어 자라는 다년생 풀이다. 5~6월이 되면 줄기 끝에서 벼이삭과 같은 하얀 싹이 나오는데 부드럽고 단맛이 나서 삐삐, 삘기, 뺌비기 등으로 부르며 뽑아 먹기도 하였으며 씨가 여물면 솜털처럼 변해 바람에 날린다. 한방에서는 봄과 가을에 뿌리를 캐어 말려서 약재로 쓰는데 색이 하얗다고 해서 생약명으로 백모근(白茅根)이라고 한다. 다른 이름으로는 모근(茅根), 난근(蘭根), 여근(茹根), 지관(地菅), 겸두(兼杜), 지근근

(地筋根)이라고도 한다. 띠는 옛날에는 다양하게 쓰였는데 다 자란 풀은 잘라 말려서 볏짚 대신에 지붕이나 담장을 씌우기도 했으며 바닷가에서 김을 만들 때 발을 만드는 데 쓰이고 배를 덮는 이엉이나 비가 올 때 어깨에 걸치는 도롱이를 만들어 쓰기도 했다.

### 제작 및 음용

백모근을 차로 마실 때는 다른 재료와 함께 끓여도 잘 어울리는데 백모근 15g에 녹차3g 정도를 같이 넣고 끓이거나 율무를 넣어 끓여 마셔도 좋다.

① 백모근을 캐어 깨끗이 씻어 잘게 자른다.

② 통풍이 잘되는 곳에서 말린다.

③ 백모근 15g을 냄비에 넣고 물 1L를 부어 20분 정도 끓인다.

④ 백모근을 걸러내고 찻잔에 따라 하루 2~3회 마신다.

### 효능

성질은 차고 맛은 달며 폐경, 위경, 방광경으로 들어간다. 양혈지혈(養血止血), 청열이뇨(淸熱利尿), 청폐위열(淸肺胃熱)작용이 있어 각혈, 혈뇨, 토혈, 혈변, 외상출혈 등 모든 출혈증상에 효과가 있고 소변이 잘 나오지 않는 증상이나 수종, 임질, 황달증상에 좋다. 또한 열병으로 인한 갈증이나 위열로 인한 구토 폐열로 인한 기침, 천식 등에 효과가 있으며 혈열을 내린다.

### 주의사항

체질이 냉하고 비위가 차며 구토, 설사, 소화불량 등의 증세가 있는 사람은 주의해야 한다.

## 🌱 돼지감자차

국화과에 속하며 북아메리카가 원산지로 귀화식물이며 개화하면 해바라기와 비슷한 꽃이 피고 땅속에 있는 울퉁불퉁하게 생긴 덩이줄기를 식용한다. 일명 뚱딴지라고 부르며 국우(菊芋), 뚝감자 등으로 불린다. 이름과 형태는 감자와 비슷하지만 전혀 다른 종의 식물이며 생으로 먹으면 아삭하고 시원하고 우엉과 비슷하기도 하며 조리면 단맛이 강해진다. 2010년경부터 돼지감자에 '이눌린'이라는 물질이 많이 함유돼 '천연 인슐린'으로 알려지면서부터 대중의 관심을 얻기 시작했고 지금은 전국적으로 재배하고 있다.

돼지감자는 일반 감자나 우엉 등과 비슷한 식감 및 풍미를 지니고 있어 여러 가지 요리재료로 적합하다. 돼지감자수프를 만들거나 깍두기를 담그기도 하고 분말로 만들어 밀가루와 섞어 여러 가지 반죽을 만들어 빵, 국수, 수제비 등을 만들어 먹을 수도 있다. 또한 튀김옷을 입혀 튀겨 먹기도 하고 샐러드나 생채, 조림, 장아찌를 만들어 먹는다.

그 외에 전초와 괴경을 사료용으로 쓰기도 하고 공업용으로 이용하기도 한다.

### 제작 및 음용

돼지감자를 믹서기에 갈아 꿀 등을 넣어 즙으로 먹기도 하고 얇게 썰어 햇볕에 말려서 물을 부어 차로 마시기도 한다.

① 돼지감자를 캐어 깨끗이 씻은 후 얇게 썬다.

② 돼지감자 편(片)을 햇볕에 2~3일 말린다.

③ 팬에 마른 돼지감자를 넣고 약한 불에 덖는다.

④ 돼지감자 50g 정도를 물 1L에 넣고 20분 정도 끓인다.

⑤ 건더기를 건져내고 물을 컵에 따라 수시로 마신다.

### 효능

돼지감자의 이눌린은 칼로리가 낮은 다당류로 위액에 소화되지 않고 분해되어도 과당으로만 변화되어 혈당치를 상승시키지 않으면서 천연 인슐린의 역할을 하므로 당뇨 환자들이 마시면 좋고 식이섬유가 풍부해서 장 건강에 좋고 변비를 개선시키며 다이어트에 좋고 저밀도 콜레스테롤 함량을 낮추고 중성지방을 제거하는 효능이 있어 현대성인병 예방에 효과가 있다.

### 주의사항

① 돼지감자는 껍질에도 좋은 성분이 많이 들어 있어 껍질째 먹는 것이 좋다.

② 조리 시에는 영양성분이 손실되므로 생으로 먹는 것을 권장한다.

## 🌷 육종용차

육종용은 오리나무더부살이라고 하며 오리나무뿌리에 기생하여 자란다. 열당과에 속하는 한해살이 기생식물로 백두산에서 많이 나며 뱀가죽 같은 비닐모양으로 통째로 말리거나 편으로 잘라 술에 담가 말려서 약재로 사용한다. 중국 서북부, 내몽골, 사할린, 중앙아시아 등지에 분포하고 있으며 봄이나 가을에 채취하며 사막의 인삼이라 불리기도 하며 술에 담가 약술을 만들거나 탕제나 차로 끓여 마신다. 중국에서는 예로부터 황후들이 즐겨 마셨으며 신장의 양기를 보하고 정혈을 채워주는 자양강장제로 이름이 나 있다.

### 제작 및 음용

육종용 15g을 유리주전자에 넣고 물 300ml를 부어 물이 반으로 줄 때까지 끓여 걸러서 마신다.

### 효능

육종용은 신장의 양기를 보하고 정혈에 유익하며 장을 윤택하게 하여 변을 잘 통하게 한다. 신장의 양기부족과 정혈부족으로 인해 허리가 아프고 다리가 시고 힘이 없는 증상이나 양위, 조사 등에 효과가 있으며 자궁이 차서 불임증이 있는 여성에게도 도움이 된다.

### 주의사항

설사를 하는 사람이나 음허화왕인 사람은 주의해야 한다.

## 🌷 황정차

황정은 둥굴레와 비슷한 것으로 둥굴레와 황정이 같다고 주장하는 사람도 있지만 효능과 모양이 비슷해도 엄연히 다른 식물이다. 일반적으로 우리가 알고 있는 산둥굴레는 한방명으로 옥죽 또는 외유라고 부른다. 비슷한 식물로 통둥굴레, 왕둥굴레, 용둥 굴레 등이 있다.

중국 도홍경은 "황정의 잎은 대나무잎과 비슷하고 짧으며 뿌리는 위유와 비슷하지 만 황련처럼 마디가 있고 건조하여도 부드럽고 기름기가 있어 반질거린다."고 하였으 며 북한사전에는 낚시둥굴레 또는 죽대둥굴레를 황정이라 하고 평안남도에서 많이 난 다라고 기록되어 있다.

『동의보감』에 의하면 평안도에서 자생하며 임금님께 진상하던 약재로 잎이 마주난 것을 황정이라 하고 마주하지 않는 것을 편정이라 하는데 그 효능이 황정에 미치지 못 한다고 기록되어 있다.

구별하는 법은 황정은 잎이 대나무잎과 비슷하며 4~5엽이 마주하여 나고 1년마다 둥근 혹모양의 마디를 만들며 둥굴레(옥죽)는 휘어진 줄기에 잎이 마주나지 않고 어긋 나며 뿌리는 황정이 굵고 둥굴레는 가늘다. 또한 귀경도 둥굴레는 폐와 위경으로 들어 가지만 황정은 비장경, 폐경, 신장경으로 들어가며 효능도 비슷하면서 약간 다르다.

### 제작 및 음용

황정 15g을 유리주전자에 넣고 물을 3컵 정도 부어 반으로 줄 때까지 끓여 마신다.

### 효능

성질은 평하고 맛은 달며 비장, 폐, 신장경으로 들어가며 기와 음을 보하고 비장을 튼튼하게 하고 폐를 윤택하게 하며 신장에 유익하다. 폐와 신장의 음이 부족하여 마른 기침을 오래한 사람에게 효과가 있고 비위가 허약하여 권태감이 있는 사람이나 신장의 정이 부족하여 노화가 빨리 진행되는 사람에게 유익하며 내열이 있는 소갈병에도 도움 이 된다. 폐와 비장의 기운을 보하는 효능이 있으며 음을 보하는 효능이 있어 피부를 윤택하게 한다. 『의학입문』에 의하면 "오로칠상을 치료하며 심폐를 맑게 하고 풍습병 을 제거하며 비위의 기운을 돌아주며 10년 이상 복용하면 장수한다."고 기록되어 있다.

차의 모든 것

제 5 장

양생 및
보건작용의
차

차의 모든 것

 제 5 장

# 양생 및 보건작용의 차

양생이란 영원한 인류의 염원으로 끊임없이 노력하고 있는 풀 수 없는 숙제다. 차를 마시는 것은 무병장수를 위한 양생의 수많은 방법 중에 하나로 계속 발전하고 있다.

찻잎도 여러 가지 보건작용이 있지만 여기서는 좀 더 구체적인 인체환경에 알맞은 재료를 선택하여 누구나 가정에서 쉽게 끓여 차처럼 즐길 수 있는 차를 소개하고자 한다. 양생보건차는 차의 편리함을 빌려 한약재의 효능을 위주로 발전하여 왔으며 무엇보다도 질병예방에 그 목적이 있고 치료역할보다는 치료보조역할이나 평소 기력증진과 신체의 음양조화를 유지하여 건강하고 행복한 삶을 영위할 수 있는 데 중점을 둔 양생의 목적을 달성하기 위한 수단으로 넓은 의미의 차라고 할 수 있다.

# I 기를 보하는 차

## 🌷 홍삼홍차

**재료** : 홍삼 10g, 홍차 3g, 얼음설탕 적당량

### 제작 및 음용

홍삼을 얇고 잘게 잘라 홍차와 함께 보온병에 담아 끓는 물 200ml 정도를 부어 10분 정도 우려낸 후 조금씩 따라 마시고 여러 번 우려 마신다.

### 효능

대보원기 작용이 있으며 오장의 기를 보하고 진액을 만들어주고 정신을 안정시키며 지력을 증강시키는 효능이 있어 기운이 허약하여 무기력하고 모든 일에 의욕이 없으며 조금만 움직여도 숨이 차고 정신이 없는 사람에게 도움이 된다.

## 🌷 사군자차

**재료** : 인삼 9g, 백출 9g, 복령 9g, 감초 6g, 보이차 5g

### 제작 및 음용

앞의 4가지 재료를 유리주전자에 넣고 물 400ml를 부어 30분 정도 끓인 후 보이차를 넣고 5분 정도 더 끓여 걸러서 하루에 3회로 나눠 마신다.

### 효능

비위의 기운을 보하고 소화기를 튼튼하게 하는 효능이 있다. 얼굴색에 빛이 없고 목소리가 작고 호흡이 빠르며 힘이 없고 식욕이 없으며 소화를 잘 시키지 못하고 배가 더부룩하며 변이 묽게 나오는 증상이 있는 사람에게 도움이 된다.

## 🌸 황기대조차

**재료** : 황기 6g, 대추 3개, 홍차 1g

### 제작 및 음용

황기는 잘게 썰고 대추는 씨를 제거하고 유리주전자에 넣는다. 물 300ml를 부어 30분 정도 끓인 후 다관에 담아 홍차를 넣고 5분 정도 우린 후 걸러서 찻잔에 따라 마신다.

### 효능

기혈을 보하고 기운을 위로 올려 면역력을 증강시키며 수액대사를 활발하게 한다. 여름철에 기운이 없고 식은땀을 많이 흘리며 권태감이 들고 몸이 자꾸 가라앉는 느낌이 드는 사람들이나 감기에 쉽게 걸리는 사람에게 도움이 된다.

## 🌸 옥병풍차

**재료** : 황기 12g, 방풍 8g, 백출 6g, 오매 5g

### 제작 및 음용

위의 재료를 모두 잘게 잘라 보온병에 넣고 끓는 물을 부어 15분 정도 우려내 조금씩 마시고 여러 번 우려내어 마신다.

### 효능

기운을 보하며 특히 위기(衛氣)를 튼튼하게 하여 땀이나 갈증을 멈추게 하고 면역력을 증강시킨다. 여름철 쉽게 감기에 걸리거나 땀을 많이 흘려 기운이 없는 사람에게 유익하고 식은땀을 자주 흘리는 사람에게도 도움이 된다.

## 🌸 보중익기차

**재료** : 황기 20g, 백출 9g, 감초 9g, 인삼 6g, 진피 6g, 승마 6g, 시호 6g, 당귀 2g

### 제작 및 음용

위의 재료를 유리주전자에 넣고 물 400ml를 넣고 물이 절반으로 줄 때까지 끓여 걸러서 하루에 2번으로 나눠 마신다.

### 효능

기운을 보하고 양기를 올리며 비위의 기운을 튼튼하게 하고 잘 소통되게 하며 허열을 없앤다. 비위기허, 기허하함(氣虛下陷), 기허발열증에 효과가 있다. 즉 식사를 많이 하지 못하고 사지가 무력하고 권태감이 있으며 식은땀이 나고 허열이 있으며 변이 묽고 오래 설사하는 사람에게 도움이 된다.

## 🌷 정신증력차

**재료** : 만삼 10g, 구기자 12g, 맥아 15g, 산사 20g, 오룡차 5g, 황설탕 30g

### 제작 및 음용

위의 재료를 모두 유리주전자에 넣고 물을 부어 20분 정도 끓여 걸러서 차 대용으로 마신다.

### 효능

기혈을 보하고 소화를 도우며 정신력을 높이고 허약한 체질을 개선하는 효능이 있어 체질이 허약하고 음식을 많이 먹지 못하는 사람에게 도움이 된다.

## 🌷 생맥차

**재료** : 인삼 9g, 맥문동 9g, 오미자 6g

### 제작 및 음용

위의 재료를 잘게 부숴 보온병에 넣고 끓는 물을 부어 15분 이상 우려내 수시로 마시며 여러 번 우려 마신다.

## 효능

기운과 진액을 만들어주고 음을 붙잡아놓고 땀을 멈추게 한다. 온열이나 서열(暑熱)로 기운이 소모되어 음을 상하게 하여 나타나는 증상으로 땀을 많이 흘리고 정신이 피로하며 무력하고 숨이 차며 말하기가 싫고 입이 마르고 갈증이 나는 증상에 효과가 있으며 오랫동안 기침하여 폐가 허약해진 사람에게 도움이 된다.

# Ⅱ 혈을 보하는 차

## 🌱 초향대추차

**재료** : 산조인 10g, 구기자 12g, 용안육 9g, 대추 7개, 구감초 5g, 설탕 10g

### 제작 및 음용

산조인은 절구통에 부수고 대추는 씨를 제거하여 용안육, 구기자를 넣고 30분간 끓인 후 걸러서 설탕을 넣어 하루에 2회 나눠 마신다.

### 효능

간과 신장을 튼튼하게 하고 기혈을 보하며 심혈부족으로 부정맥이 뛰거나 가슴이 두근거리고 어지럽고 불면증이나 여성의 생리불순 등에 효과가 있다.

## 🌱 송대용사물차

**재료** : 숙지황 12g, 당귀 6g, 백작약 9g, 천궁 6g,
대추 6개, 용안육 10g, 잣 · 황설탕 적당량

### 제작 및 음용

위의 재료를 유리주전자에 넣고 물을 부어 30분 정도 끓인 후 걸러서 하루에 2번 마신다.

### 효능

보혈작용이 있으며 혈액을 안정시키고 잘 통하게 한다. 혈액부족으로 혈액이 순조롭게 순행되지 않아 가슴이 두근거리고 얼굴이 창백하며 불면증이 있고 어지럽고 눈이 침침한 증상이 있을 때 유용하다.

## 🌷 건포도대추차

**재료** : 건포도 25g, 대추 25g, 홍차 3g

**제작 및 음용**

건포도와 대추를 유리주전자에 넣고 물을 적당히 부어 30분 정도 끓여 다관에 담고 홍차를 넣어 3분 정도 우린 후 따라 마신다.

**효능**

보혈작용과 보기작용이 있으며 빈혈증상이 있을 때 도움이 된다.

## 🌷 단삼황정차

**재료** : 단삼 10g, 황정 10g, 홍차 5g

**제작 및 음용**

위의 재료를 모두 믹서에 갈아 티백에 담아서 보온병에 넣고 끓는 물을 부어 10분 정도 우린 후 조금씩 따라 마시고 여러 번 우려내어 마신다.

**효능**

보혈작용이 있으며 혈액순환을 활발하게 하고 여성의 생리를 조절하며 번열(煩熱)을 없애고 정신을 안정시키며 신정(腎精)을 보한다. 빈혈이 있는 사람이나 생리불순, 생리통, 산후복통, 어혈심통, 넘어져 멍이 든 데도 도움이 된다.

**주의사항** : 임신부는 주의해야 한다.

## 🌷 귀비차

**재료** : 황기 12g, 용안육 12g, 산조인 12g, 백출 9g, 복령 9g, 인삼 9g, 목향 6g, 생강 6g, 대추 6개, 감초 3g

### 제작 및 음용

산조인은 절구통에 거칠게 부숴 위의 모든 재료와 함께 유리주전자에 넣고 물을 적당히 부어 30분 정도 끓인 후 걸러서 하루에 나눠 마신다.

### 효능

심장과 비장의 기혈이 모두 허약하여 나타나는 증상으로 가슴이 두근거리고 무서움증이 들며 건망증, 불면증이 있고 도한과 허열이 올라오며 음식을 적게 먹고 얼굴색이 누렇게 된 사람에게 도움이 된다.

## 계원녹차

**재료** : 용안육 20g, 녹차 2g

### 제작 및 음용

용안육을 찜통에 넣고 1시간 정도 쪄서 녹차와 함께 다관에 넣고 뜨거운 물을 부어 5분 정도 우린 후 따라 마신다.

### 효능

보혈작용이 있어 빈혈을 치료하고 허약한 체질을 개선한다.

# III 기혈을 보하는 차

## 🌷 이황삼구차

**재료** : 황기 15g, 황정 10g, 인삼 5g, 구기자 10g

### 제작 및 음용

위의 재료를 유리주전자에 넣고 물 300ml를 부어 15분간 끓인 후 보온병에 담아 조금씩 따라 마시고 다 마신 후에는 끓는 물을 계속 부어 우려 마신다.

### 효능

기혈을 동시에 보하는 효능이 있다. 또한 기혈을 조절하고 혈액순환을 도와 경락을 잘 통하게 하여 허약한 체질을 개선하고 수족이 차고 복통 설사를 하는 사람에게 도움이 된다.

### 주의사항

감기에 걸린 사람은 주의해야 한다.

## 🌷 팔진차

**재료** : 인삼 10g, 백출 10g, 복령 10g, 숙지황 10g,
백작약 10g, 천궁 6g, 당귀 3g, 구감초 5g,
생강 6g, 대추 3개, 얼음설탕 적당량

### 제작 및 음용

위의 모든 재료를 유리주전자에 넣고 물 600ml를
부어 30분 정도 끓여 걸러서 하루에 3번으로 나눠 마신다.

### 효능

기혈을 모두 보하는 효능이 있으며 얼굴색이 누렇고 어지러우며 눈이 침침하고 사지가 무력하며 숨이 차고 힘이 없으며 가슴이 자주 두근거리고 무서움증이 드는 허약한 사람에게 효과가 있으며 평소에 체력소모가 많아 체력이 손상된 경우에도 도움이 된다.

## 🌷 십전대보차

**재료** : 생지황 12g, 황기 12g, 백작약 9g, 복령 9g, 백출 9g, 인삼 6g, 천궁 6g, 당귀 6g, 육계 3g, 감초 3g, 생강 6g, 대추 6개, 얼음설탕 적당량

### 제작 및 음용

위의 모든 재료를 유리주전자에 넣고 물 600ml를 부어 30분 정도 끓여 걸러서 하루에 3번으로 나눠 마신다.

### 효능

몸을 따뜻하게 하고 기혈을 보하며 허약해진 체력을 증강시킨다. 음식을 적게 먹고 기혈부족이나 병을 오래 앓아 무력하고 기운이 없는 사람 중 양기가 허약하여 차고 추위를 타는 사람에게 적합하다.

## 🌷 인삼양영차

**재료** : 인삼 10g, 황기 15g, 당귀 6g, 백작약 15g, 숙지황 10g, 백출 6g, 진피 6g, 오미자 5g, 복령 5g, 원지 3g, 계지 3g, 생강 6g, 대추 3개, 감초 3g, 얼음설탕 적당량

### 제작 및 음용

위의 모든 재료를 유리주선자에 넣고 불 600ml를 부어 30분 정도 끓여 걸러서 하루에 3번으로 나눠 마신다.

## 효능

심장을 튼튼하게 하고 정신을 안정시키며 기혈을 보하는 효능이 있으며 체력이 허약하여 몸이 무기력하고 사지가 무거우며 뼛속에 통증이 있는 느낌이 들고 허리와 등이 경직되어 아프고 무서움증이 들며 기침과 천식증상이 나타나기도 한다. 특히 정신적으로 힘들어하는 사람에게 효과가 있다.

# Ⅳ 음을 보하는 차

### 🌷 백합맥문동차

**재료** : 백합 12g, 맥문동 12g, 꿀 적당량

#### 제작 및 음용

백합과 맥문동을 팬에 살짝 볶아 꿀과 함께 보온병에 넣고 뜨거운 물을 부어 15분 정도 우려 조금씩 따라 마시고 여러 번 반복하여 우려내 수시로 마신다.

#### 효능

진액을 만들고 심장과 폐, 위장의 음을 보한다. 폐음이 부족하여 마른기침을 하고 인후가 건조하며 심장의 음이 부족하여 가슴이 답답하고 열이 나며 가슴이 두근거리고 불면증이 있으며 정신이 불안정할 때 도움이 된다.

#### 주의사항

맥문동은 심을 제거한 것을 사용해야 한다.

### 🌷 맥문석곡차

**재료** : 석곡 12g, 맥문동 12g

#### 제작 및 음용

석곡과 맥문동을 깨끗이 씻어 보온병에 담고 끓는 물을 부어 15분 정도 우려내어 조금씩 따라 마시고 여러 번 반복하여 우려내 수시로 마신다.

### 효능

진액을 만들고 갈증을 멈추게 하며 위음(胃陰)을 자양하고 위의 열을 내리는 효능이 있으며 신장의 음을 보하여 허열을 내린다. 열병으로 진액이 상해 갈증이 나는 증상이나 복부가 열이 나며 아프고 잇몸이 자주 부으며 입안이 헐고 미열이 있는 사람에게 도움이 된다.

### 🌷 사삼둥굴레차

**재료** : 사삼 15g, 둥굴레 20g

**제작 및 음용**

볶은 둥굴레를 유리주전자에 넣고 물 600ml를 부어 30분 정도 끓인 후 수시로 따라 마신다.

### 효능

음을 자양하고 건조한 것을 윤택하게 하며 진액을 만들고 갈증을 멈추게 한다. 폐음부족으로 마른기침을 하고 목소리가 자주 쉬는 사람이나 위음부족으로 위에서 열이 나고 입이 마르고 혀가 건조하며 식욕이 없는 사람에게 도움이 된다.

### 🌷 황정구기자차

**재료** : 황정 15g, 구기자 15g

**제작 및 음용**

위의 모든 재료를 유리주전자에 담고 물을 부어 20분 정도 끓인 후 걸러서 수시로 마신다.

### 효능

신정을 보하고 기운을 만들며 음을 자양하고 비장을 튼튼하게 하며 폐를 윤택하게 하는 효능이 있다. 신정부족으로 인한 조로, 조백, 어지럼증, 내열이 있는 당뇨 등에 효과가 있고 폐가 건조하여 나오는 마른기침에 좋으며 비위가 허약하여 음식을 많이 먹지 못하는 사람에게 도움이 된다.

## 🌷 육미지황차

재료 : 숙지황 12g, 산수유 6g, 산약 6g, 택사 3g, 복령 3g, 목단피 3g, 생강 6g,
대추 3개, 얼음설탕 적당량

### 제작 및 음용

위의 모든 재료를 유리주전자에 넣고 물 600ml를 부어 30분 정도 끓여 걸러서 하루에 3번으로 나눠 마신다.

### 효능

신장의 음을 보하고 자양하는 효능이 있어 허리와 다리가 시고 무력하며 어지럽고 눈이 침침하며 도한, 유정, 수족심열 등의 증상이 나타나고 이가 흔들리고 발목에 통증이 있으며 소변이 시원하게 나오지 않는 증상이 있는 사람에게 적합하다.

## 🌷 구국지황차

재료 : 구기자 12g, 국화 6g, 숙지황 12g, 산수유 6g, 산약 6g, 택사 3g, 복령 3g,
목단피 3g, 생강 6g, 대추 3개, 얼음설탕 적당량

### 제작 및 음용

위의 모든 재료를 유리주전자에 넣고 물 600ml를 부어 30분 정도 끓여 걸러서 하루에 3번으로 나눠 마신다.

### 효능

신장을 자양하고 간음을 보해 눈을 밝게 하는 효능이 있다. 간신음허(肝腎陰虛)증으로 허리다리가 시고 아프며 눈이 어지럽고 이명, 수족심열, 유정 등 신장이 허약한 증싱과 함께 시력이 모호하며 바람을 만나면 눈물이 나고 눈에 모래알이 있는 느낌

이 드는 증상에 도움이 된다.

## 🌱 좌귀차

재료 : 숙지황 12g, 산약 6g, 구기자 6g, 산수유 6g, 복령 5g, 구감초 3g

### 제작 및 음용

위의 모든 재료를 유리주전자에 넣고 물 600ml를 부어 30분 정도 끓여 걸러서 하루에 3번으로 나눠 마신다.

### 효능

신장의 정(精)을 보하고 자음작용을 하며 신정부족증에 좋다. 허리가 시고 유정, 도한 등의 증상과 입이 마르고 인후가 건조하며 갈증이 있어 물을 많이 마시는 증상에 도움이 된다.

## 🌱 구감초차

재료 : 구감초 12g, 생강 9g, 계지 9g, 인삼 6g, 생지황 50g(건지황 10g), 맥문동 10g, 대추 10개

### 제작 및 음용

위의 모든 재료를 유리주전자에 넣고 물 600ml를 부어 30분 정도 끓여 걸러서 하루에 3번으로 나눠 마신다.

### 효능

음을 자양하고 혈을 보하며 몸을 따뜻하게 하고 기운을 보하는 효능이 있으며 음혈부족이나 심장의 기운이 허약하여 나타나는 부정맥에 효과가 있다. 심장박동이 빠르고 힘이 없으며 기운이 없고 무력하며 숨이 가쁘고 기침이 나오며 침이 많고 몸이 가라앉는 증상이 있는 사람에게 도움이 된다.

## 🌸 일관차

**재료** : 사삼 9g, 맥문동 9g, 당귀 9g, 생지황 30g(건지황 6g), 구기자 12g, 천연자 5g

### 제작 및 음용

위의 모든 재료를 유리주전자에 넣고 물 600ml를 부어 30분 정도 끓여 걸러서 하루에 3번으로 나눠 마신다.

### 효능

간 기운을 잘 통하게 하고 자음작용이 있으며 간 기운이 잘 소통되지 않는 증상에 적합하다. 음이 허약하고 기운이 울결되어 나타나는 증상으로 흉복부에 통증이 있고 신물이 넘어오고 입이 마르고 쓰며 인후가 건조하고 변비 등이 있는 사람에게 좋다.

# Ⅴ 양을 보하는 차

## 🌷 보양정력차

재료 : 음양곽 6g, 구기자 12g, 홍차 3g

**제작 및 음용**

위의 재료를 모두 유리주전자에 넣고 물을 부어
10분 정도 끓여 걸러서 수시로 조금씩 마신다.

**효능**

간과 신장을 보하고 양기를 보해 정력을 향상시킨다. 성욕감퇴나 양위 등 신장의
양이 허약해져 나타나는 증상에 도움이 된다.

## 🌷 녹용인삼차

재료 : 녹용 1g, 인삼 15g, 오룡차 5g

**제작 및 음용**

녹용과 인삼을 유리주전자에 넣고 물 400ml 정도를 붓고 30분간 끓여 다관에 담
아 오룡차를 넣고 3분 정도 우려내 걸러서 마신다.

**효능**

신장을 따뜻하게 하고 양기를 보한다. 신장의 양기가 허약하여 손발이 차고 소변
을 자주 보는 사람에게 도움이 된다.

**주의사항**

녹용은 약성이 강해 처음에는 조금씩 사용해야 하며 열이 많은 사람은 주의해야
한다.

## 🌷 가시오가피차

재료 : 가시오가피 10g, 초두충 10g, 상기생 10g,
　　　 모리화차 5g

### 제작 및 음용

앞의 3가지 재료를 유리주전자에 넣고 물 500ml
정도를 붓고 30분간 끓여 다관에 담아 모리화차를
넣고 3분 정도 우려내 걸러서 마신다.

### 효능

신장의 양기를 보하고 근골을 튼튼하게 하며 기운을 강하게 하는 효능이 있어 허리
가 시고 아프며 풍습성 관절염이 있는 사람, 걸음이 늦은 어린이, 비장과 폐기가 부족
하여 오래 기침을 하는 사람, 양위(陽痿), 조설(早泄) 등에 도움이 된다.

## 🌷 육종용두충차

재료 : 육종용 20g, 초두충 12g, 보이차 5g

### 제작 및 음용

위의 모든 재료를 유리주전자에 넣고 물 450ml를 부어 30분 정도 끓여 다관에 담
아 보이차를 넣고 3분 정도 우려서 하루에 3번으로 나눠 마신다.

### 효능

신장을 보하고 양기를 도우며 장을 윤택하게 하여 노인성 변비를 해소한다. 신양
부족, 정혈부족으로 허리와 다리가 시고 아프며 무력하고 양위, 조설, 불임 등의 증
상에 도움이 된다.

## 🌷 오자연종차

재료 : 구기자 15g, 토사자 15g, 복분자 8g, 차전자 6g, 오미자 3g

### 제작 및 음용

위의 모든 재료를 유리주전자에 넣고 물 450ml를 부어 30분 정도 끓여 걸러서 하루에 3번으로 나눠 마신다.

### 효능

신정을 보하고 정을 채워주며 간을 자양하여 눈을 밝게 하는 효능이 있으며 요통, 양위, 조설, 요실금, 자궁냉불임증 등에 도움이 된다.

### 주의사항

음허화왕으로 열이 많고 몸이 건조한 사람은 주의해야 한다.

## 🌱 가미신기차

**재료** : 숙지황 12g, 인삼 10g, 산수유 6g, 우슬 6g, 산약 6g, 택사 3g, 복령 3g, 목단피 3g, 생강 6g, 계지 3g, 대추 3개, 얼음설탕 적당량

### 제작 및 음용

위의 모든 재료를 유리주전자에 넣고 물 600ml를 부어 30분 정도 끓여 걸러서 하루에 3번으로 나눠 마신다.

### 효능

신장의 양기를 보하는 효능이 있으며 허리가 아프고 다리에 힘이 없으며 배꼽 아래가 차고 양위(陽痿), 조설(早泄) 등의 증상에 도움이 된다.

## 🌱 우귀차

**재료** : 숙지황 12g, 산약 6g, 산수유 6g, 구기자 6g, 토사자 6g, 두충 6g, 육계 3g, 생강 6g, 대추 3개, 감초 3g

### 제작 및 음용

위의 모든 재료를 유리주전자에 넣고 물 600ml를 부어 30분 정도 끓여 걸러서 하

루에 3번으로 나눠 마신다.

## 효능

신장을 따뜻하게 하고 신정을 보하며 골수에 도움이 된다. 오랜 병이나 노화로 인해 정신이 맑지 않고 기력이 없으며 사지가 차고 허리와 다리가 시고 무력하며 양위, 조설 등의 증상이 나타나고 음식을 많이 먹지 못하며 노인성 골다공증이나 청소년불육증에 도움이 된다.

ㅋ

# Ⅵ 심장에 유익한 차

## 🌼 금은화국화차

**재료** : 금은화 10g, 국화 10g, 산사 3g, 꿀 100g

**제작 및 음용**

금은화와 국화를 유리컵에 넣고 끓는 물을 부어
알맞게 식힌 후 꿀을 넣어 마신다.

**효능**

더위를 이기게 하고 심화를 내려 가슴이 답답하고 갈증이 나며 두통이 있는 사람
에게 적합하다.

**주의사항**

비위가 허약하고 찬 사람은 주의해야 한다.

## 🌼 삼화차

**재료** : 금은화 10g, 국화 5g, 모리화 3g

**제작 및 음용**

위의 재료를 유리컵에 넣고 뜨거운 물을 부어 먹기 좋은 온도로 식혀 마신다.

**효능**

청열해독작용이 있으며 화를 내려 정신을 맑게 하고 마음을 안정시킨다.

**주의사항**

비위가 허약하고 찬 사람이나 임신부, 생리 중인 여성은 주의해야 한다.

## 🌷 로즈메리장미차

**재료** : 로즈메리 1작은술, 장미화 1개

### 제작 및 음용

위의 재료를 유리컵에 넣고 뜨거운 물을 부어 먹기 좋은 온도로 식혀 마신다.

### 효능

정신을 맑게 하고 마음을 안정시키며 기억력과 집중력을 좋게 한다. 또한 소화기의 유동운동을 활발하게 하여 속을 편하게 하며 피부미용에도 도움이 된다.

### 주의사항

꽃 알레르기가 있는 사람이나 임신부는 주의해야 한다.

## 🌷 상심원지차

**재료** : 상심자 50g, 원지 5g, 얼음설탕 적당량

### 제작 및 음용

상심자와 원지를 잘게 부숴 얼음설탕과 함께 보온병에 넣고 끓는 물을 부어 30분 정도 우린 후 조금씩 따라 마신다.

### 효능

기억력을 증진시키고 진정작용이 있으며 긴장을 풀어주고 마음을 안정시키며 음을 보하여 건조한 증상을 없앤다.

### 주의사항

위와 장이 좋지 않아 설사를 하는 사람은 주의해야 한다.

## 🌷 라벤더박하구기차

**재료** : 라벤더 1작은술, 박하잎 2장, 구기자 8개, 얼음설탕 적당량

### 제작 및 음용

위의 재료를 모두 다관에 넣고 10분 정도 우려서 마신다. 하루에 한 번만 마신다.

### 효능

박하는 청량감이 있고 폐를 윤택하게 하며 구기자는 보혈익기작용이 있는데 라벤더를 첨가하여 정신을 맑게 하고 얼굴색을 아름답게 하고 인후를 편하게 한다.

## 🌿 삼미수면차

**재료 :** 산조인 10g, 맥문동 3g, 원지 3g

### 제작 및 음용

산조인은 절구에 넣고 빻아 다른 재료와 함께 유리주전자에 넣고 물 500ml 정도를 붓고 물이 1/3로 줄어들면 불을 끄고 천천히 식혀서 따라 마신다.

### 효능

신경쇠약이나 건망증을 치료하고 불면증에도 효과가 있으며 마음을 안정시키고 수면의 질을 좋게 한다.

### 주의사항

땀을 많이 흘리고 소화가 잘 되지 않는 사람은 주의해야 한다.

## 🌿 모리용가차

**재료 :** 가시오가피 5g, 모리화 5g, 오룡차 5g

### 제작 및 음용

오가피와 모리화 다관에 먼저 넣고 끓는 물을 부어 15분 정도 우린 후 오룡차를 넣고 10분 더 우린 뒤 따라 마신다.

### 효능

몸에 있는 지방을 분해하고 다이어트에 좋으며 심신을 조절하여 안정시킨다.

### 주의사항

몸에 열이 있거나 감기로 열이 나는 사람은 주의해야 한다.

## 담죽엽녹차

**재료** : 담죽엽 10g, 녹차 2g, 연꽃 5g

### 제작 및 음용

위의 재료를 다관에 담고 뜨거운 물을 부어 5분 정도 우린 후 마신다.

### 효능

심화를 내리고 가슴이 답답하면서 열이 나는 증상을 개선하며 번뇌를 제거하고 이뇨작용이 있다. 또한 호흡기감염이나 비뇨계통감염에도 도움이 된다.

### 주의사항

소변을 자주 보는 사람에게는 좋지 않다.

# Ⅶ 폐에 유익한 차

## 🌸 나한과국화구기차

**재료** : 나한과 1개, 마른 국화·구기자 적당량

**제작 및 음용**

국화와 구기자는 물에 담가놓고 나한과는 여러 조각으로 잘라 유리주전자에 넣고 물을 부어 끓어오르면 2분 정도 끓이다 불을 끄고 국화와 구기자를 넣어 5분 정도 우린 후 걸러서 마신다.

**효능**

풍열을 제거하고 간열을 내리고 폐를 윤택하게 한다. 풍열감기에 적합하다.

**주의사항**

비위가 허약하고 찬 사람이나 임신부는 많이 마시면 안 된다.

## 🌸 방대해감초차

**재료** : 방대해 2개, 감초 6g, 길경 10g

**제작 및 음용**

감초와 길경을 잘게 잘라 방대해와 함께 다관에 넣고 끓는 물을 부어 뚜껑을 덮고 15분 정도 우린 후 따라 마신다.

**효능**

폐의 선발기능을 좋게 하며 열을 내리고 해독작용이 있으며 인후를 편하게 하고

목소리를 잘 나오게 한다. 폐에 열이 있거나 기침, 목소리가 잠길 때 효과가 좋다.

### 주의사항

방대해는 3개 이상 먹으면 안 된다.

### 🌼 백합관동화차

**재료** : 관동화 15g, 백합 40g, 얼음설탕 적당량

### 제작 및 음용

위의 재료를 모두 유리주전자에 넣고 재료가 잠길 정도의 물을 붓고 30분 정도 끓여. 걸러서 마신다.

### 효능

폐를 윤택하게 하고 기침을 멈추게 하며 기관지를 확장시켜 조직의 경련을 멈추게 한다. 따라서 어린이 만성기관지염이나 기관지천식, 가을과 겨울기침, 오래된 기침에 효과가 있다.

### 주의사항

당뇨환자나 폐에 화가 많은 사람은 주의해야 한다.

### 🌼 금연화구기차

**재료** : 금연화 3g, 구기자 3g, 옥죽 3g, 감초 3g, 얼음설탕 적당량

### 제작 및 음용

위의 재료를 모두 다관에 넣고 500ml의 끓는 물을 부어 15분 정도 우린 후 걸러서 마신다.

### 효능

인후를 부드럽게 하고 뇌를 건강하게 하며 정신을 맑게 한다. 또한 소화를 돕고 탁

한 것을 제거하며 목소리를 맑게 한다.

### 주의사항

금연화를 과량 복용하면 위를 상하게 한다.

### 🌸 선의우방도라지차

**재료** : 선의(매미 껍질) 3g, 생감초 3g, 우방자 9g, 도라지 5g

### 제작 및 음용

위의 재료를 모두 믹서에 거칠게 갈아서 티백에 담아 보온병에 넣고 끓는 물을 부어 15분 정도 우려내어 조금씩 마신다.

### 효능

풍을 소통시키고 열은 내리며 인후를 잘 통하게 하고 가래를 삭이며 기침을 멈추게 한다. 따라서 풍열감기나 인후에 통증이 있어 목소리가 잘 나오지 않는 증상에 효과가 있으며 가래가 많고 기침하는 사람에게 도움이 된다.

### 주의사항

궤양이 있는 사람은 주의해야 하며 과량 섭취하는 것도 좋지 않다.

### 🌸 옥죽오매탕

**재료** : 옥죽, 오매, 맥문동, 사삼, 석곡 각 5g

### 제작 및 음용

위의 재료를 모두 분쇄기에 넣고 거칠게 갈아 티백에 넣고 보온병에 담아 끓는 물을 부어 20분간 우린 후 따라 마신다.

### 효능

음을 보하고 폐를 윤택하게 하며 조열을 없애고 소갈병을 완화시킨다. 갈증이 나고 진액이 상하며 먹어도 쉽게 배가 고픈 폐와 위에 조열이 있는 소갈병에 효과가 있

으며 열병으로 음이 상한 사람, 인후가 마르고 갈증이 있는 사람, 병후에 오심번열이
나타나고 눈이 침침한 증상이 있는 사람에게 도움이 된다.

### 주의사항

비위가 허약하고 찬 사람이나 위에 담음이 있고 속이 항상 더부룩한 사람은 주의
해야 한다.

## 🌷 오매오미자차

**재료** : 오매 10g, 오미자 5g, 대추 3개, 녹차 2g

### 제작 및 음용

오매, 오미자, 대추를 유리주전자에 넣고 300ml의 물을 붓고 10분 정도 끓인 후
녹차를 넣은 다관에 부어 3분 정도 우려 마신다.

### 효능

폐를 윤택하게 하고 기침을 멈추게 하며 진액을 만들어주고 갈증을 해소한다. 폐
활량을 증가시키고 수면의 질을 높여준다.

### 주의사항

감기로 열이 많이 나거나 가래가 많고 기침하는 사람이나 위산과다인 사람은 주
의해야 한다.

## 🌷 신이화자소차

**재료** : 신이화 15g, 자소엽 5g, 황설탕 적당량

### 제작 및 음용

신이화를 티백에 넣고 자소엽과 함께 다관에 넣어
끓는 물을 부어 15분 정도 우린 후 걸러서 마신다.

### 효능

풍열이나 풍한사가 침습하여 일어나는 비염에 효과가 있다.

### 주의사항

신이화에는 잔털이 많아 티백에 담아 사용하는 것이 좋다. 그렇지 않으면 잔털이 인후나 식도에 닿아 자극을 줄 수 있다.

## 🌱 어성초감초차

**재료** : 어성초 30g, 감초 6g, 차전초 30g

### 제작 및 음용

위의 재료를 유리주전자에 넣고 찬물을 부어 끓어오르면 불을 끄고 약간 식으면 걸러서 마신다.

### 효능

폐의 선발기능을 좋게 하고 기의 흐름을 조절하며 열을 내리고 해독작용이 있다. 폐결핵, 급성기관지염, 가래 중에 혈액이 나오는 증상에 효과가 있다.

### 주의사항

체질이 허약하고 찬 사람이나 임신부는 주의해야 한다.

## 🌱 행인삼귀차

**재료** : 행인 15g, 당귀 10g, 인삼 10g

### 제작 및 음용

위의 재료를 유리주전자에 넣고 물을 부어 20분 정도 끓인 후 걸러서 마신다.

### 효능

기운을 아래로 내리고 폐를 윤택하게 하며 피로를 풀어주고 원기를 보한다. 기침을 개선하고 변비에 좋으며 피로를 해소하는 데 도움이 된다.

폐결핵이나 마른기침을 하고 가래가 없는 환자는 주의해야 한다.

## 옥호접백부차

**재료 :** 옥호접 3g, 백부 15g

### 제작 및 음용

위의 재료를 유리주전자에 넣고 물을 부어 5분 정도 끓인 후 천천히 식혀서 따라 마신다.

### 효능

폐를 윤택하게 하고 기침을 멈추게 하는 효능이 있어 폐가 건조하여 나타나는 기침이나 백일해기침, 폐로(肺癆)기침에 효과가 좋다.

### 주의사항

백부의 용량에 주의해야 하며 임신부도 주의해야 한다.

## 옥호접삼칠화차

**재료 :** 옥호접 5g, 삼칠화 5g

### 제작 및 음용

위의 재료를 다관에 넣고 끓는 물을 부어 10분 정도 우려낸 후 걸러서 마신다.

### 효능

폐를 윤택하게 하고 간 기운을 잘 통하게 하며 인후종통에 효과가 있고 목소리가 잘 나오지 않고 눈이 침침한 증상을 개선한다.

### 주의사항

생리 중인 여성이나 임신부는 주의해야 한다.

# VIII 비위에 유익한 차

## 🌱 산사차

**재료** : 산사 20g, 국화차 15g

### 제작 및 음용

산사와 국화를 유리주전자에 넣고 물 300ml를 부어 15분 정도 끓인 후 식혀서 하루에 2번 나눠 마신다.

### 효능

비장을 튼튼하게 하고 소화를 도우며 느끼하고 기름진 것을 제거하고 통증을 완화시킨다. 따라서 동맥경화, 고혈압, 고지혈증 환자에게 도움이 된다.

### 주의사항

비위가 허약한 사람은 주의해야 한다.

## 🌱 진피생강차

**재료** : 진피 10g, 생강 3g

### 제작 및 음용

진피와 생강을 잘게 잘라서 보온병에 넣고 끓는 물을 부어 20분 정도 우린 후 꿀을 타서 조금씩 마신다.

### 효능

감기로 인한 기침이나 소화불량이 있는 사람에게 효과가 있다.

### 주의사항

몸속에 열이 있는 사람은 주의해야 한다.

## 🌱 익위차

**재료** : 초적실 10g, 초만삼 12g, 외목향 7g, 포공영 15g, 홍차 10g

### 제작 및 음용

위의 재료를 분쇄기에 거칠게 갈아서 20g 정도씩 티백에 넣고 주전자에 물을 끓이다 티백을 넣고 5분 정도 끓인 후 우러나면 조금씩 마신다.

### 효능

비장을 튼튼하게 하고 위를 편하게 하며 기운을 잘 통하게 하고 위의 유동운동을 활발하게 한다. 비장이 허약하여 기체로 권태감이 있고 무력하며 식후에 완복부가 창만한 사람에게 효과가 있다.

### 주의사항

임신부는 주의해야 한다.

## 🌱 자소박하량차

**재료** : 박하 3g, 자소 6g, 감초 6g, 설탕 적당량

### 제작 및 음용

위의 재료를 유리주전자에 넣고 물을 부어 5분 정도 끓여 설탕을 타서 마신다.

### 효능

정신을 맑게 하며 열을 내리고 중초를 넓혀 소화를 잘 되게 한다. 유행성 감기에 효과가 있으며 소화불량에 좋고 통증을 완화시키고 구토를 멈추게 한다.

초산이 많아 장기음용은 좋지 않다.

## 🌿 육계강홍차

**재료** : 육계 3g, 생강 3g, 홍차 4g, 꿀 20g

**제작 및 음용**

육계와 생강을 잘게 잘라 물에 넣고 20분 정도 끓인 후 홍차와 꿀을 넣고 3분 정도 더 끓인 후 식으면 조금씩 따라 마신다.

**효능**

비위가 허약하고 찬 사람에게 효과가 있다. 손발이 차고 추위를 많이 타며 소화가 잘 안 되는 사람에게 적합하다.

**주의사항**

몸에 열이 많은 사람은 주의해야 한다.

## 🌿 장원차

**재료** : 홍차(티백) 1개, 누에 10개, 대추 5개, 얼음설탕 60g

**제작 및 음용**

누에를 삶아 대추와 함께 넣고 30분 정도 끓인 후 홍차와 얼음설탕을 넣고 설탕이 녹으면 찻잔에 따라 마신다.

**효능**

폐를 윤택하게 하고 간을 보하며 비위를 튼튼하게 하고 정신을 안정시키며 기분을 상쾌하게 한다.

## 🌷 창포화차

재료 : 석창포 6g, 모리화차 6g, 홍차 4g

### 제작 및 음용

위의 재료를 모두 팬에 볶은 후 절구로 부숴서 티백에 넣고 주전자에 물을 끓여 넣고 10분 정도 끓인 후 따라서 마신다.

### 효능

가슴을 넓혀주고 기운을 잘 통하게 하며 위를 편하게 하고 통증을 완화시키고 비장을 튼튼하게 하며 정신을 안정시키는 효능이 있다. 만성위염이나 식욕부진, 소화불량이 있는 사람에게 효과가 있다.

## 🌷 소창개위차

재료 : 녹차 6g, 호두 10g, 초맥아 10g, 천궁 6g, 자소 6g, 신곡 6g. 생강 6g, 설탕 적당량

### 제작 및 음용

설탕을 제외한 모든 재료를 주전자에 넣고 물을 500ml 정도를 부은 후 15분간 끓여 설탕을 타고 걸러서 조금씩 따라 마신다.

### 효능

기운을 잘 통하게 하고 위를 편하게 하며 배가 팽만하고 식욕이 없을 때 도움이 된다.

## 🌷 감초생강차

재료 : 생강 6g, 감초 4g, 홍차 2g

### 제작 및 음용

생강을 잘게 잘라 볶아서 보온병에 감초, 홍차와 함께 넣고 끓는 물을 부어 10분 정도 우린 후 조금씩 따라 마신다.

### 효능

위가 차서 아랫배가 차고 구토가 자주 나오는 사람에게 적합하다.

## 🌿 생강대추차

**재료** : 대추 25개, 생강 10g, 홍차 2g, 꿀 적당량

### 제작 및 음용

대추와 생강을 주전자에 넣고 30분간 끓인 후 홍차와 꿀을 넣고 5분 정도 우려 조금씩 따라 마신다.

### 효능

비장을 튼튼하게 하고 혈을 보하며 위를 편하게 하고 소화를 돕는다. 식욕부진이나 빈혈 또는 구토증상이 있는 사람에게 효과가 있다.

## 🌿 백출차

**재료** : 백출 10g, 오룡차 3g

### 제작 및 음용

백출을 주전자에 넣고 물 300ml를 부어 15분간 끓인 후 오룡차를 넣고 3분 정도 우려내 조금씩 따라 마신다.

### 효능

비위를 튼튼하게 하고 중초의 습을 제거하며 이뇨작용이 있다. 비위가 허약하여 운화기능이 제대로 안 되어 습이 쌓여 일어나는 권태감, 식욕부진, 설사, 수종, 소변 불리 등에 효과가 있다.

열병을 앓고 난 후 진액이 상했거나 몸이 건조한 사람은 주의해야 한다.

## 🌺 곽향강조차

**재료** : 곽향 15g, 생강 5g, 대추 3개

### 제작 및 음용

생강을 얇게 썰고 대추는 씨를 제거하여 유리주전자에 넣고 물을 부어 10분 정도 끓이다 곽향을 넣고 5분 정도 더 끓인다. 약간 식으면 걸러서 따뜻하게 마신다.

### 효능

위와 장을 편하게 하고 속을 따뜻하게 하며 소화를 돕는다. 소화불량이나 속이 차고 아랫배가 아프거나 구토나 설사에도 도움이 된다.

### 주의사항

속에 열이 많은 사람은 주의해야 한다.

## 🌺 복령우유차

**재료** : 복령가루 10g, 우유 1컵

### 제작 및 음용

복령가루를 유리컵에 넣고 약간의 찬물을 부어 잘 섞은 후 우유와 함께 끓여서 잘 저어 마신다.

### 효능

비장을 튼튼하게 하고 습을 제거하며 수액대사를 활발하게 하고 심신을 안정시켜 장수하게 한다.

# Ⅸ 간에 유익한 차

## 🌷 인진대추차

재료 : 인진쑥 5g, 감초 5g, 대추 3개, 녹차 3g, 얼음설탕 15g

### 제작 및 음용

앞의 3가지 재료를 유리주전자에 넣고 물을 부어 10분간 끓인다. 다관에 녹차와 얼음설탕을 넣고 먼저 끓인 주전자의 물을 걸러서 다관에 부어 3분 정도 우린 후 마신다.

### 효능

열을 내리고 간을 보하며 기운을 잘 소통시키고 중초를 편하게 한다. 급성B형간염이나 황달, 암 등에 도움이 된다.

## 🌷 구기결명국화차

재료 : 구기자 10g, 국화 3g, 결명자 20g

### 제작 및 음용

위의 재료를 유리주전자에 넣고 물을 부어 10분 정도 끓인 후 걸러서 마신다.

### 효능

간열을 내리고 혈압과 혈액의 지방을 낮추며 음을 보하여 눈을 밝게 한다. 간양상항형 고혈압이나 중풍후유증으로 사지가 불편한 사람, 어지럽고 눈이 침침한 사람, 얼굴이 붉고 화를 잘 내는 사람 등에게 도움이 된다.

비위가 허약하고 찬 사람은 주의해야 한다.

## 🌷 결명자감초녹차

**재료** : 결명자 10g, 감초 5g, 녹차 5g

### 제작 및 음용

결명자와 감초를 팬에 볶아 유리주전자에 넣고 물을 부어 10분 정도 끓인 후 녹차를 담은 다관에 붓고 5분 정도 우려서 마신다.

### 효능

비위가 허약해져 기운이 없고 권태감이 있고 가슴이 두근거리고 숨이 차는 등의 비위가 허약한 증상을 개선한다.

### 주의사항

비위가 허약하고 몸이 찬 사람이나 임신부는 주의해야 한다.

## 🌷 연자대추차

**재료** : 연자 20g, 대추 8개, 얼음설탕 적당량

### 제작 및 음용

위의 재료를 유리주전자에 넣고 물을 부어 30분 정도 끓여 얼음설탕을 넣고 설탕이 녹으면 마신다.

### 효능

보혈작용이 있으며 피부를 윤택하게 한다. 정신적인 소모가 많은 사람에게 효과가 있고 원기부족으로 간의 피로도가 높아 피로한 사람에게 유익하다.

주의사항

코피가 나거나 몸속에 열이 있는 사람에게는 좋지 않다.

## 🌷 삼칠삼화차

**재료** : 삼칠화 10g, 국화 10g, 회화 10g

**제작 및 음용**

위의 재료를 유리컵에 넣고 끓는 물을 부어 5분 정도 우린 후 마신다.

**효능**

열을 내리고 간 기운을 안정시키고 정신을 안정시키며 마음을 진정시킨다. 또한 고혈압에 효과가 있다.

주의사항

체질이 허약하고 몸이 찬 사람에게는 좋지 않다.

## 🌷 국화구기자차

**재료** : 국화 10g, 구기자 10개

**제작 및 음용**

국화와 구기자를 유리컵에 넣고 뜨거운 물을 부어 10분 정도 우린 후 마신다.

**효능**

간을 자양하고 눈을 밝게 하고 신장의 음을 보하여 정혈을 충족하게 한다. 체력이 허약하고 피로하며 눈이 침침한 사람에게 효과가 있다.

## 🌷 황기익모초차

**재료** : 황기 30g, 익모초 30g

### 제작 및 음용

위의 재료를 유리주전자에 넣고 물을 부어 10분 정도 끓인 후 걸러서 마신다.

### 효능

간을 보하고 기운을 만들며 체력이 허약하고 식은땀이 나는 사람이나 잠잘 때 땀이 나는 증상에 도움이 되고 특히 출산 후 체력이 떨어지는 사람에게 적합하다.

### 주의사항

음허내열(陰虛內熱)이 있는 사람은 주의해야 한다.

## 🌷 율무하사차

**재료** : 율무 10g, 생하엽 5g, 산사 5g

### 제작 및 음용

위의 재료를 팬에 넣고 약한 불에 천천히 볶아 잘 게 부숴 다관에 넣고 끓는 물을 부어 15분 정도 우 린 후 마신다.

### 효능

기운을 만들고 속을 편하게 하며 이뇨작용이 있어 수종에 좋으며 간 기운을 잘 돌 게 한다. 또한 피부의 반점을 연하게 하고 미백효과도 있다.

### 주의사항

체질이 허약하고 찬 사람은 주의해야 한다.

## 🌷 익모초차

**재료** : 익모초 4g, 산사 25g

### 제작 및 음용

위의 재료를 다관에 넣고 끓는 물을 부어 우려 마신다.

### 효능

장기적으로 복용하면 내분비계통을 조절하여 피부의 면역력을 증강시키고 피부노화를 막아준다.

# X 신장에 유익한 차

![인삼백차]

## 인삼백차

**재료** : 인삼가루 2g, 백차 3g

**제작 및 음용**

위의 재료를 다관에 넣고 뜨거운 물을 부어 우려 마신다.

**효능**

기운과 음을 보하고 신정(腎精)을 보하여 노화예방에 좋으며 폐를 튼튼하게 하고 진액을 만들어 갈증을 멈추게 한다.

**주의사항**

음허화왕(陰虛火旺)인 사람에게는 좋지 않다.

## 인삼화국구기차

**재료** : 인삼화 5g, 항국 5g, 구기자 5g

**제작 및 음용**

위 재료를 유리컵에 넣고 뜨거운 물을 부어 뚜껑을 덮고 5분 정도 우려 마신다.

**효능**

정신을 들게 하고 신장을 보하며 눈을 밝게 하고 권태감을 해소한다. 마음이 초조하고 들뜬 증상을 완화시킨다.

## 🌱 보건차

**재료** : 사삼 15g, 단삼 15g, 하수오 15g, 설탕 적당량

### 제작 및 음용

위의 재료를 주전자에 넣고 1L의 물을 넣고 15분 정도 끓여 설탕을 넣어 마신다.

### 효능

기혈을 보하며 혈액순환을 돕고 면역력을 증강시켜 질병을 예방하고 노화를 늦추며 장수하게 한다.

## 🌱 양생차

**재료** : 영지 10g, 가시오가피 8g, 음양곽 6g

### 제작 및 음용

위의 재료를 다관에 넣고 끓는 물을 부어 뚜껑을 닫고 10분 정도 우린 후 따라 마신다.

### 효능

간과 신장을 보하고 근골을 튼튼하게 하며 정신을 안정시키고 폐기능을 개선시켜 노화예방에 효과가 있다.

## 🌱 구기자잎차

**재료** : 구기자잎과 연한 줄기 말린 것 7g

### 제작 및 음용

구기자잎과 연한 줄기를 봄에 채취하여 깨끗이 씻어 데친 후 잘게 잘라 햇볕에 말려 밀봉해 둔다. 준비해 둔 구기자잎을 다관에 넣고 끓는 물을 부어 우려 마신다.

### 효능

신장의 정을 보하고 열을 내리고 갈증을 멈추게 하며 풍을 없애고 눈을 밝게 하며

장수하게 한다.

## 🌼 구기자차

**재료** : 구기자 100g

**제작 및 음용**

구기자열매를 팬에 살짝 볶아 유리주전자에 넣고 물을 붓고 30분간 끓여 수시로 찻잔에 따라 마신다.

**효능**

간과 신장을 자양하고 보하며 특히 신장의 정을 보하여 노화를 예방하는 효능이 좋으며 간혈을 보하여 눈을 밝게 한다.

## 🌼 우엉대추차

**재료** : 우엉 10편, 대추 6개

**제작 및 음용**

위의 재료를 유리주전자에 넣고 물을 부어 20분간 끓인 후 걸러서 마신다.

**효능**

열을 내리고 독소를 배출하며 신장의 기운을 잘 통하게 한다. 소변과 대변을 잘 통하게 하고 독소를 배출해 얼굴색을 아름답게 한다.

**주의사항**

감기로 열이 나거나 위산과다, 가래가 많은 기침을 하는 사람은 주의해야 한다.

## 🌼 검실산약차

**재료** : 검실 25g, 당삼 10g, 백출 10g, 복령 10g, 산약 15g, 토사자 20g, 황정 20g, 백합 15g, 비파잎 10g

### 제작 및 음용

위의 재료를 분쇄기에 넣고 거칠게 갈아 유리주전자에 넣고 물을 부어 15분간 끓여 걸러서 마신다.

### 효능

신장에 유익하고 신정이 새어나가지 않도록 하며 비장을 튼튼하게 하고 설사를 멈추게 한다. 허약한 체질을 개선하고 유정, 요실금 등 신장의 허약한 모든 증상을 개선한다.

## 🌱 삼자양생차

재료 : 구기자 15g, 결명자 15g, 토사자 15g

### 제작 및 음용

위의 재료를 팬에 볶아 유리주전자에 넣고 물 300ml 정도를 부어 20분 정도 끓인 후 걸러 마신다.

### 효능

신장을 보하고 정기를 튼튼하게 하며 간열을 내리고 눈을 밝게 하며 음양을 조화롭게 한다. 허리가 아프고 무릎이 시고 약하며 어지럽고 눈이 침침하며 변비 등의 증상을 개선한다.

### 주의사항

음허화왕(陰虛火旺)인 사람은 주의해야 한다.

## 🌱 두충상기생차

재료 : 두충 10g, 상기생 10g

### 제작 및 음용

위의 재료를 유리주전자에 넣고 물을 부어 15분 정도 끓인 후 걸러서 마신다.

간과 신장을 보하고 혈압을 낮추며 근골을 튼튼하게 하고 혈지방, 혈당을 낮추고 다이어트에 도움이 된다. 허리와 무릎이 허약한 사람에게 효과가 있으며 고혈압, 고혈당, 고지혈증에 도움이 되고 독소를 배출하고 수면의 질을 좋게 한다. 또한 면역력을 증강시키고 변비에도 효과가 있다.

## 🌷 상심쇄양차

**재료** : 쇄양 20g, 상심자 20g, 꿀 적당량

**제작 및 음용**

위의 재료를 잘게 부숴 보온병에 넣고 끓는 물을 부어 20분 정도 우린 후 꿀을 넣고 잘 저어서 따라 마신다.

**효능**

신장을 자양하고 양기를 보하며 장을 윤택하게 하고 변을 잘 나오게 한다. 정혈부족으로 인하여 허리와 다리가 무력하고 머리가 빨리 희어지고 노화가 빨리 진행되는 사람이나 불면증이나 스트레스로 인한 변비를 해소한다.

**주의사항**

신장허약으로 인해 복통 설사가 있는 사람은 주의해야 한다.

## 🌷 옥미수차전초차

**재료** : 옥미수 30g, 차전초 30g

**제작 및 음용**

위의 재료를 유리주전자에 넣고 재료가 물에 잠길 정도의 물을 붓고 5분간 끓여 천천히 식혀서 먹기 좋은 온도가 되면 걸러서 마신다.

## 효능

이뇨작용과 소염작용이 있으며 담을 잘 통하게 하고 신장을 맑게 한다. 신장이 허약하여 신장염수종이나 만성신장염, 신장종합증에 효과가 있다.

# XI 노인에게 좋은 차

## 🌷 생강자소차

재료 : 생강 15g, 자소자 10g, 황설탕 20g

### 제작 및 음용

위의 재료를 유리주전자에 넣고 물 500ml 정도를 붓고 5분 정도 끓여 설탕을 넣고 마시기 좋은 온도로 식혀 마신다.

### 효능

위를 따뜻하게 하고 한사를 제거하며 해독작용과 구토를 예방한다. 천식을 완화시키고 대변을 잘 통하게 하고 가래를 삭이고 기침을 멈추게 한다. 노인들의 속을 편하게 하고 감기예방에 도움이 된다.

### 주의사항

몸속에 열이 있는 사람은 주의해야 한다.

## 🌷 창포모리화차

재료 : 석창포 6g, 모리화 6g, 오룡차 6g

### 제작 및 음용

위의 재료를 다관에 넣어 끓는 물을 붓고 뚜껑을 덮은 후 10분 정도 우려서 걸러 마신다.

### 효능

습을 제거하고 기운을 잘 조절하며 정신을 맑게 하고 위를 편하게 한다. 배에 가스가 차고 가래가 많으며 마음이 답답하고 몸이 편하지 않으며 식욕이 없는 노인들에게 도움이 되고 가슴에 번열이 있으며 몸이 무거운 증상에 효과가 있다.

## 🌷 홍삼대추차

재료 : 홍삼 20g, 대추 5개

**제작 및 음용**

위의 재료를 유리주전자에 넣고 물을 부어 30분 정도 끓여 걸러서 마신다.

**효능**

기운을 보하고 정신을 안정시키고 음을 보하고 허약한 체질을 개선한다. 노인들의 체질을 증강시키고 면역력을 향상하며 허약체질을 개선하고 정력을 강화해 준다.

**주의사항**

고혈압환자는 주의해야 한다.

## 🌷 은행인삼차

재료 : 은행잎 3장, 진피 10g, 인삼 10g

**제작 및 음용**

위의 재료를 유리주전자에 넣고 물을 부어 15분 정도 끓여 걸러서 마신다.

**효능**

폐를 윤택하게 하고 기침을 멈추게 하며 혈액순환을 돕는다. 노인들의 치매예방에 효과가 있으며 천식을 완화시키고 동맥경화, 고혈압, 고지혈증 등에 효과가 있다.

## 🌷 산사진피차

재료 : 생산사 20g, 생무 30g, 생귤피 5g, 얼음설탕 적당량

### 제작 및 음용

위의 재료를 잘게 썰어 유리주전자에 넣고 물 500ml를 붓고 15분 정도 끓여 걸러서 마신다.

### 효능

소화를 돕고 적체되어 있는 것을 풀어주며 위액분비를 촉진시킨다. 소화가 잘 되지 않고 자주 체하며 배가 더부룩한 증상에 효과가 있고 느끼하고 기름진 음식을 먹은 뒤에 마시면 좋다.

### 주의사항

비위가 허약하고 기허로 변이 묽은 사람은 주의해야 한다.

## 🌱 사약차

**재료** : 황기 15g, 인삼 10g, 구기자 10g, 황정 10g

### 제작 및 음용

위의 재료를 유리주전자에 넣고 불을 부어 20분 정도 끓인 후 걸러서 마신다.

### 효능

기혈을 보하고 오장육부를 보하며 경락을 잘 통하게 한다. 평소 체력이 허약한 노인들의 건강을 위해 마시면 효과가 좋다.

## 🌱 익지인대추차

**재료** : 익지인 12g, 대추 10개, 황설탕 20g

### 제작 및 음용

위의 주재료를 유리주전자에 넣고 물을 부어 30분 정도 끓인 후 설탕을 넣고 걸러서 하루에 두 번 마신다.

## 효능

신장과 비장을 따뜻하게 하며 정이 새어나가지 않도록 하고 소변을 축적하며 소화를 돕고 침을 흘리지 않게 한다. 따라서 하체가 차서 나타나는 유정, 유뇨, 빈뇨에 효과가 있고 비위가 차서 나타나는 복통 설사, 침을 흘리는 증상을 개선한다. 또한 저혈압이 있는 사람에게 효과가 있다.

## 주의사항

몸에 열이 많거나 배가 더부룩하고 가스가 차는 사람은 주의해야 한다.

# XII 여성을 위한 차

### 🌼 장미홍화차

**재료** : 장미 20g, 홍화 15g

**제작 및 음용**

위의 재료를 유리컵에 넣고 뜨거운 물을 부어 5분 정도 우린 후 마신다.

**효능**

폐경이나 생리통 등 여성의 생리에 문제가 있을 때 마시면 조절하는 작용을 한다.

**주의사항**

출혈증상이 있거나 생리량이 많은 여성은 주의해야 한다.

### 🌼 홍화삼칠차

**재료** : 홍화 15g, 삼칠 4g

**제작 및 음용**

위의 재료를 섞어서 3등분하여 하루에 세 번 유리컵에 넣고 끓는 물을 부어 식을 때까지 우려 걸러서 마신다.

**효능**

혈관을 넓혀주고 혈지방과 혈압을 낮추며 혈액순환을 조절하여 준다. 심장이 허약한 여성에게 적합한 보건차이다.

임신부나 생리량이 많은 여성의 생리 중에는 마시지 않는 것이 좋다.

## 🌼 홍화청피차

**재료** : 청피 10g, 홍화 10g

**제작 및 음용**

위의 재료를 유리주전자에 넣고 30분 정도 끓여 걸러서 하루에 두 번 마신다.

**효능**

기운을 조절하고 혈액순환을 활발하게 하며 어혈을 풀어주는 효능이 있어 기가 정체되어 어혈이 나타나는 여성에게 좋다. 자궁용종이 있는 여성에게 도움이 된다.

**주의사항**

임신부나 생리량이 많은 여성의 생리 중에는 주의한다.

## 🌼 산후홍화차

**재료** : 홍화 15g, 하엽 5g, 포황 3g, 당귀 5g

**제작 및 음용**

위의 재료를 유리주전자에 넣고 15분 정도 끓여 걸러서 마신다.

**효능**

출산 후 불순물이 다 나오지 않아 복통이 있는 여성에게 도움이 된다.

## 🌼 목단장미화차

**재료** : 목단화 1개, 장미화 5g, 꿀 적당량

**제작 및 음용**

위의 재료를 컵에 넣고 뜨거운 물을 부어 5분 정도 우린 후 마신다.

### 효능

기혈을 보하고 혈액순환을 촉진시키며 피부를 아름답게 하고 얼굴색을 좋게 하며 진정작용과 혈압을 낮추는 효과도 있다.

### 🌷 장미박하감국차

**재료** : 장미 3g, 박하 3g, 감국 5g

### 제작 및 음용

위의 재료를 유리컵에 넣고 끓는 물을 부어 10분 정도 우린 후 따라 마신다.

### 효능

열을 내리고 가려움증을 제거하며 마음을 진정시키고 정신을 맑게 한다. 긴장을 많이 하거나 스트레스로 심신이 불안한 사람에게 도움이 되고 불면증이 있는 사람에게도 좋다. 여름철 벌레 물려 가려운 증상을 완화시키고 피부미용에도 효과가 있다.

### 🌷 도화백합레몬차

**재료** : 도화 3g, 백합화 3개, 레몬 1편

### 제작 및 음용

위의 재료를 유리컵에 넣고 끓는 물을 부어 10분 정도 우린 후 따라 마신다.

### 효능

혈액순환을 활발하게 하고 어혈을 풀어주며 통증을 완화시키고 마음을 안정시키며 기침에도 효과가 있다. 또한 폐를 윤택하게 하고 피부를 아름답게 한다.

### 주의사항

생리량이 많거나 임신부는 주의해야 한다.

## 익모녹차

재료 : 익모초 20g, 녹차 2g

### 제작 및 음용

위의 재료를 유리컵에 넣고 끓는 물을 부어 5분 정도 우린 후 따라 마신다.

### 효능

혈액순환을 활발하게 하고 혈액을 잘 통하게 하는 효능이 비교적 강하며 소염작용이 있다. 원발성 고혈압이 있는 사람에게 효과가 있고 생리통이 심한 사람에게 도움이 된다.

### 주의사항

임신부는 마시면 안 된다.

## 작약화차

재료 : 작약화 2개

### 제작 및 음용

위의 재료를 유리컵에 넣고 끓는 물을 부어 10분 정도 우린 후 따라 마신다.

### 효능

이 차는 비교적 맑고 담백한 방향성분으로 혈액을 맑게 하고 간기능을 부드럽게 하며 땀을 수렴하는 효능이 있다. 얼굴색을 좋게 하고 피부미용에 도움이 된다.

### 주의사항

혈액이 허약한 사람은 주의해야 한다.

## 작약계초차

재료 : 초백작 60g, 계지 20g, 감초 20g

## 제작 및 음용

위의 재료를 분쇄기에 넣고 거칠게 갈아 3등분하여 티백에 담아 보온병에 넣고 끓는 물을 부어 15분 정도 우려내어 하루 종일 조금씩 따라 마신다.

## 효능

혈액을 맑게 하고 통증을 완화시키며 출산 후 혈액과다나 아랫배가 은근하게 아프고 만지면 통증이 완화되며 분비물이 적고 색이 옅은 증상에 도움이 된다.

## 주의사항

복통이 손을 대면 더욱 심해지는 사람이나 분비물이 자색이고 어혈이 있는 사람에게는 좋지 않다.

## 🌷 작약감초차

**재료** : 초작약 20g, 구감초 9g

## 제작 및 음용

위의 재료를 분쇄기에 갈아 보온병에 넣고 끓는 물을 부어 15분 정도 우린 후 따라 마신다.

## 효능

혈액을 부드럽게 하며 음양기혈이 화합하지 못하고 간이 비장을 억압하여 나타나는 소화기 통증에 도움이 된다. 위신경통이나 위염, 소화기궤양통증 등을 완화시킨다.

## 주의사항

위나 장에 실열(實熱)이 있거나 적체되어 있는 사람은 주의해야 한다.

## 🌷 백합국화차

**재료** : 백합화 4개, 백국 5개, 꿀 적당량

### 제작 및 음용

위의 재료를 다관에 넣고 뜨거운 물 500ml를 부어 5분 정도 우린 후 꿀을 타서 마신다.

### 효능

음을 보하고 폐를 윤택하게 하며 기운을 보하고 마음을 맑게 하며 정신을 안정시킨다. 불면증이나 고혈압, 고지혈증을 개선한다.

## 🌷 장미모리화차

**재료** : 모리화 8g, 장미화 5g, 홍차 3g

### 제작 및 음용

위의 재료를 다관에 넣고 뜨거운 물을 부어 5분 정도 우린 후 따라 마신다.

### 효능

이 차는 맑은 향기가 강하며 독소를 배출하고 입안을 깨끗하게 하고 비장을 튼튼하게 하며 진액을 만들어준다.

### 주의사항

향기가 강해 향에 민감한 사람은 주의해야 한다.

## 🌷 모리화라벤더차

**재료** : 모리화 5g, 라벤더 5g, 꿀 적당량

### 제작 및 음용

위의 재료를 다관에 넣고 뜨거운 물 500ml를 넣고 5분 정도 우린 후 따라 마신다.

### 효능

기가 울결되는 것을 풀어주고 기운을 조절하며 소변과 대변을 잘 통하게 하고 독

소를 배출해 준다. 또한 다이어트에 도움이 된다.

### 주의사항

몸에 열이 많은 사람이나 저혈압환자, 임신부는 주의해야 한다.

# XIII 중년남성을 위한 차

### 🌷 사완자차

**재료** : 사완자 10g

**제작 및 음용**

사완자를 깨끗이 씻어 절구통에 넣고 빻아서 티백에 담아 유리컵에 넣고 끓는 물을 부어 10분 정도 우린 후 마신다.

**효능**

허약한 체질을 개선하고 신장의 정을 새어나가지 않게 하고 신장과 간을 보한다. 허리와 다리가 시고 아프며 유정, 양위, 잔뇨감, 조루 등이 있는 남성에게 효과가 있다.

**주의사항**

상화(相火) 즉 간과 신장에 열이 있는 사람은 주의해야 한다.

### 🌷 구채자차

**재료** : 구채자 20g, 식염 약간

**제작 및 음용**

구채자에 소금을 섞어 유리주전자에 넣고 찬물을 부어 끓인다. 끓어오르면 10분 정도 더 끓인 후 불을 끄고 식혀 걸러서 마신다.

**효능**

신장의 양기를 보하고 남성의 성기능을 강하게 하며 가슴이 답답하고 번잡한 증상을 개선하며 손발이 차고 몽정, 조루, 양위 등이 있는 사람에게 도움이 된다.

### 주의사항

음허화왕(陰虛火旺)이 있는 사람은 주의해야 한다.

### 🌼 구채자보골지차

**재료** : 구채자 20g, 보골지 20g

### 제작 및 음용

위의 재료를 유리주전자에 넣고 물 500ml를 넣고 물이 절반으로 줄 때까지 끓여 걸러서 마신다.

### 효능

신장과 간을 따뜻하게 보하고 양기를 증강시키고 기운을 튼튼하게 하며 정력을 강화시킨다. 신장의 양기가 허약하여 나타나는 요통이나 무릎이 시고 빈뇨, 유정, 양위에 효과가 있으며 여성의 냉대하가 많은 데 도움이 된다.

### 주의사항

음허화왕이나 변비, 몽유, 혈뇨가 있거나 입이 쓰고 마르며 눈이 충혈되고 배가 빨리 고픈 사람은 주의해야 한다.

### 🌼 익양차

**재료** : 구기자 12g, 산수유 9g, 음양곽 9g, 사완자 9g, 오미자 5g

### 제작 및 음용

위의 재료를 모두 분쇄기에 넣고 거칠게 갈아 티백에 담는다. 티백을 다관에 넣고 끓는 물을 부어 10분 정도 우린 후 따라 마신다.

### 효능

신장의 양기를 보하고 지력을 증강시키며 정혈을 보한다. 양허로 인해 기운이 없고 권태감이 있으며 신경쇠약, 기억력 감퇴 등의 증상을 개선한다.

너무 많은 양을 우리거나 많이 마시는 것은 좋지 않다.

## 🌷 청아차

**재료** : 호두육 5g, 두충 5g, 보골지 5g, 꿀 적당량

**제작 및 음용**

위의 재료에서 꿀을 제외한 나머지를 볶아 분쇄기에 넣고 갈아 티백에 담는다. 티백을 보온병에 넣고 끓는 물을 부어 30분 정도 우린 후 마신다. 여러 번 우려내어 마신다.

**효능**

신장이 허약하여 나타나는 요통이나 하체에 힘이 없는 증상을 개선한다. 또한 신장의 양기를 보하며 남성의 정력증강에 도움이 된다.

## 🌷 국화녹차

**재료** : 국화 10g, 녹차 5g

**제작 및 음용**

위의 재료를 유리컵에 넣고 뜨거운 물을 부어 10분 정도 우린 후 마신다.

**효능**

간열을 내리고 눈을 밝게 하며 풍열로 인해 열이 나는 증상을 개선한다. 만성간염, 고혈압 초기, 결막염, 풍열감기두통에 도움이 된다.

## 🌷 용안인삼차

**재료** : 용안육 30g, 인삼 10g, 설탕 약간

### 제작 및 음용

위의 재료를 유리주전자에 넣고 물을 부어 20분 정도 끓인 후 걸러서 마신다.

### 효능

기혈을 보하고 지력을 증진시킨다. 정신이 피로하고 기운이 없으며 가슴이 두근거리고 숨이 차는 사람이나 과로로 인해 꿈을 많이 꾸고 잠이 오지 않는 사람에게 도움이 된다. 또한 노인들의 기혈부족에도 좋다.

## 🌼 사신차

**재료** : 보골지 20g, 육두구 5g, 오수유 5g, 오미자 10g, 생강 2편, 대추 5개

### 제작 및 음용

위의 재료를 팬에 볶아 믹서에 갈아 티백에 넣고 보온병에 넣어 끓는 물을 붓고 20분 정도 우린 후 따라 마신다.

### 효능

비장과 신장을 따뜻하게 하여 설사를 멈추게 한다. 특히 노인들의 새벽에 나오는 설사에 효과가 좋다.

### 주의사항

양허로 적체가 있는 사람은 주의해야 한다.

# XIV 정신을 맑게 하고 마음을 안정시켜 주는 차

### 감맥대조차

**재료** : 감초 6g, 맥아 30g, 대추 10개

**제작 및 음용**

대추는 씨를 제거하고 위의 모든 재료를 분쇄기에 갈아 다관에 넣고 끓는 물을 부어 뚜껑을 덮고 15분 정도 우려내 마신다.

**효능**

정신을 맑게 하고 마음을 안정시키며 속을 편하게 하는 효능이 있어 초조하고 불안한 증상을 개선하며 마음을 진정시킨다.

### 용안육산조인차

**재료** : 용안육 15g, 산조인 6g

**제작 및 음용**

산조인을 볶아서 잘게 부숴 용안육과 함께 보온병에 넣고 끓는 물을 부어 15분 정도 우린 후 따라 마신다.

**효능**

혈액을 보하고 정신을 안정시키며 신경쇠약으로 인한 불면증, 심계, 기억력 감퇴 등을 개선한다.

## 🌷 감초소맥차

**재료** : 감초 5g, 소맥 25g, 대추 10개, 녹차 5g, 얼음설탕 적당량

### 제작 및 음용

앞의 3가지 재료를 유리주전자에 넣고 물 300ml를 부어 20분간 끓여 다관에 담고 녹차와 얼음설탕을 넣어 3분 정도 우린 후 찻잔에 따라 마신다.

### 효능

기혈을 보하고 보중익기(補中益氣)작용이 있으며 정신을 안정시켜 마음을 편안하게 한다.

## 🌷 모리화차

**재료** : 모리화차 1큰술, 얼음설탕 적당량

### 제작 및 음용

모리화차와 얼음설탕을 다관에 넣고 뜨거운 물을 부어 5분 정도 우려내어 마신다.

### 효능

기의 소통을 원활하게 하여 마음을 편하게 하고 심신을 안정시키는 데 도움이 된다.

## 🌷 인삼계원차

**재료** : 인삼 5g, 용안육 25g, 얼음설탕 적당량

### 제작 및 음용

인삼과 용안육을 잘게 잘라 보온병에 얼음설탕과 함께 넣고 끓는 물을 부어 15분 이상 우려내어 조금씩 따라 마신다.

### 효능

기혈을 보하여 심신을 안정시키고 정서적으로 불안한 마음을 안정시키며 초조한

마음을 가라앉게 하는 데 도움이 된다.

## 🌿 연용대조차

**재료** : 연자 10g, 대추 5개, 용안육 40g, 홍차 2g, 꿀 2큰술

### 제작 및 음용

연자와 대추, 용안육을 유리주전자에 넣고 물 500ml를 넣고 30분 정도 끓여 다관에 담아 홍차를 넣고 5분 정도 우린 후 꿀을 넣어 조금씩 마신다.

### 효능

비장을 튼튼하게 하고 신장의 정을 충분하게 자양하며 심장과 신장을 자양하여 심신을 안정시킨다.

## 🌿 라벤더박하차

**재료** : 라벤더 3g, 박하 3g, 감국 3g, 보리자 3g, 황설탕 25g

### 제작 및 음용

위의 재료를 다관에 넣고 5분 정도 우린 후 설탕을 넣고 저어서 마신다.

### 효능

열을 내리고 인후를 편하게 하며 정신을 맑게 하고 마음을 편하게 한다.

### 주의사항

비위가 허약하고 찬 사람은 주의해야 한다.

## 🌿 등심초차

**재료** : 등심초 20g

등심초를 유리주전자에 넣고 물을 부어 끓어오르면 불을 끄고 천천히 식혀 걸러서 마신다.

### 효능

심장의 열을 내리고 화를 가라앉게 한다. 속에 열이 많고 잠이 오지 않는 사람이나 가슴이 답답하고 초조하며 편하게 눕지 못하는 사람에게 적합하다.

### 주의사항

중초에 한사가 있거나 기운이 허약하여 소변을 보지 못하는 사람은 주의해야 한다.

# XV 지혜롭게 하고 두뇌를 발달시키는 차

## 🌼 계원벽라춘차

재료 : 용안육 6g, 벽라춘차 3g

### 제작 및 음용

다관에 용안육을 넣고 끓는 물을 부어 뚜껑을 덮고 5분 정도 우린 후 벽라춘차를 넣고 2분 정도 더 우려 따라 마신다.

### 효능

심장을 보하고 정신을 안정시키며 뇌를 튼튼하게 하는 효능이 있으며 정신을 영민하게 하고 기억력을 증진시켜 불면증이나 건망증을 개선하는 데 도움이 된다.

## 🌼 총명차

재료 : 가시오가피 9g, 복령 9g, 호두 9g, 모리화차 3g

### 제작 및 음용

앞의 3가지 재료를 유리주전자에 넣고 20분 정도 끓인 후 다관에 담고 모리화차를 넣고 3분 정도 우린 후 따라 마신다.

### 효능

신체를 튼튼하게 하고 뇌를 건강하게 하며 지력을 증진시키고 신체를 튼튼하게 하며 기억력을 증강시키는 효능이 있어 두뇌를 많이 쓰는 직업을 가진 사람에게 도움이 된다.

## 🌷 건뇌차

**재료** : 상엽 5g, 하수오 15g, 백질려(흰꽃남가새) 10g, 단삼 9g, 녹차 3g

### 제작 및 음용

앞의 4가지 재료를 유리주전자에 넣고 물을 붓고 20분 정도 끓인 후 다관에 담고 녹차를 넣고 3분 정도 우린 후 따라 마신다.

### 효능

뇌를 튼튼하게 하고 지력에 유익하며 어혈을 풀어 혈액순환을 활발하게 하고 청열 작용이 있으며 눈을 밝게 한다. 머리를 너무 많이 사용하여 창통이 있는 두통이나 어 지럼증, 불면증, 꿈을 많이 꾸는 증상에 도움이 된다.

## 🌷 구기용정차

**재료** : 구기자 15g, 산사육 10g, 용정차 3g

### 제작 및 음용

위의 재료를 모두 보온병에 넣고 끓는 물 250ml 를 부어 10분 정도 우려낸 후 조금씩 따라 마시고 여 러 번 반복해서 우려내 마신다.

### 효능

신장을 보하고 정을 보충하며 뇌를 튼튼하게 하고 지력을 증진시키는 효능이 있어 머리를 많이 사용하는 직업을 가진 사람에게 적합하고 기억력이 감퇴되고 정신이 흐 려진 사람에게 도움이 된다.

## 🌷 뇌청차

**재료** : 초결명자 250g, 감국 30g, 하고초 30g, 굴청 30g, 하수오 30g, 오미자 30g, 맥문동 60g, 용안육 60g, 상심자 120g

### 제작 및 음용

위의 재료를 모두 분쇄기에 곱게 갈아두고 티백에 15g씩 담아 뜨거운 물에 우려 하루에 2번씩 마신다.

### 효능

간 기능을 개선시켜 눈을 밝게 하고 뇌를 영민하게 하며 지력을 증강시키는 효능이 있어 신경쇠약인 사람에게 도움이 된다.

## 🌸 인삼오미자차

**재료** : 오미자 20g, 인삼 10g, 용안육 30g, 홍차 10g

### 제작 및 음용

인삼과 오미자를 절구에 찧어놓고 용안육은 잘게 잘라 준비한다. 이상 모든 재료와 홍차를 다관에 넣고 뜨거운 물을 부어 5분 정도 우려 여러 번 우려 마신다.

### 효능

신체를 튼튼하게 하고 기혈을 보하며 보중익기(補中益氣)작용이 있고 정신을 맑게 하고 뇌를 튼튼하게 하는 효능이 있다.

# XVI 피로회복과 신체를 튼튼하게 하는 차

### 🌷 기력회복차

**재료** : 홍차 1컵, 레몬 1편, 달걀노른자 1개, 약술
20ml, 설탕 적당량

### 제작 및 음용

뜨거운 물에 홍차를 우려내어 위의 재료를 모두
넣고 잘 저어서 조금씩 마신다.

### 효능

마시고 나면 바로 기력이 되살아난다. 기운이 없고 피로하고 모든 일에 의욕이 없
을 때 마시면 효과가 있다.

### 🌷 파인애플홍차

**재료** : 홍차(티백) 1개, 레몬 1편, 파인애플즙 20ml, 설탕 50g, 얼음 적당량

### 제작 및 음용

뜨거운 물에 홍차를 우려낸 뒤 설탕을 넣어 녹이고 레몬을 넣고 티백은 꺼내 버린
다. 차를 식힌 후 파인애플즙을 첨가하고 잘 저은 후 얼음을 넣어 마신다.

### 효능

청량함을 느끼게 하고 단맛으로 입안을 상쾌하게 하며 정신이 들게 한다. 피로가
누적되어 모든 일에 의욕이 나지 않을 때 마시면 좋다.

## 🌱 레몬녹차

재료 : 녹차(티백) 1개, 레몬 2편, 꿀 50g, 얼음 적당량

### 제작 및 음용

뜨거운 물에 녹차를 우려내 꿀을 넣고 잘 저어 녹인 후 레몬을 넣고 식혀 얼음을 넣어 시원하게 마신다.

### 효능

입안이 달고 상쾌한 느낌이 들고 정신을 맑게 한다. 피로회복에 도움이 된다.

## 🌱 우유홍차

재료 : 홍차(티백) 1개, 우유 50ml, 달걀 1개, 설탕 60g

### 제작 및 음용

그릇에 우유를 넣고 달걀과 설탕을 넣어 거품이 나도록 잘 저어준다. 홍차는 뜨거운 물에 넣고 3~5분 정도 우려낸 후 뜨거운 상태로 우유에 넣고 잘 저어 섞는다. 식힌 후 얼음을 넣고 차게 식혀서 마신다.

### 효능

영양이 풍부하고 피로회복에 좋으며 정신을 들게 하고 의욕을 일으키는 효과가 있으며 노인들의 오후음료로 적합하다.

## 🌱 강력보감차

재료 : 가시오가피 15g, 선학초 10g, 구기자 10g, 홍차 3g

### 제작 및 음용

위의 모든 재료를 유리주전자에 넣고 물 300ml를 부어 15분 정도 끓인 후 걸러서 조금씩 따라 마신다.

### 효능

신장을 보하고 근골을 튼튼하게 하며 피로를 예방하고 정신을 깨우는 효능이 있다. 신경쇠약이나 신장이 허약하여 허리가 시고 아프며 노동일을 많이 하여 피로한 사람에게 도움이 되며 운동선수나 체력을 많이 소모하는 사람에게 좋다.

### 🌷 인삼대추차

**재료** : 인삼 25g, 대추 25개, 녹차 5g

### 제작 및 음용

위의 재료를 유리주전자에 넣고 물 500ml를 부어 30분 정도 끓인 후 걸러서 수시로 마신다.

### 효능

기혈부족을 개선하고 체력을 증강시키며 원기회복에 좋다.

# XVII 스트레스로 인한 소화불량에 좋은 차

### 🌷 계원상심자산사차

재료 : 산사 3g, 용안육 3개, 상심자 3g, 얼음설탕 적당량

제작 및 음용

위의 재료를 유리주전자에 넣고 물을 부어 15분 정도 끓여 걸러서 마신다.

효능

소화를 돕고 위를 편하게 하며 정혈을 보하고 혈지방을 낮춘다. 복부에 은근한 통증이 있으며 자주 체하거나 소화가 잘 되지 않고 더부룩한 사람에게 효과가 있다.

### 🌷 용정구기산사차

재료 : 용정차 3g, 산사 10g, 구기자 15g

제작 및 음용

위의 재료를 유리주전자에 넣고 물을 부어 15분간 끓인 후 다관에 담아 찻잔에 따라 마신다.

효능

긴장을 완화시켜 주고 머리를 총명하게 하며 신장을 튼튼하게 하고 신장의 정을 보한다. 기억력이 감퇴되는 사람이나 정신적으로 노동하는 사람들과 머리가 어지럽고 집중이 되지 않는 사람에게 적합하다.

주의사항

임신부는 주의해야 한다.

## 진피라벤더차

**재료** : 진피 2g, 라벤더 1작은술

### 제작 및 음용

유리컵에 진피와 라벤더를 넣고 끓는 물을 부어 5분간 우린 후 마신다.

### 효능

스트레스를 풀어주고 숙면을 취하게 하며 습을 제거하고 가래를 삭이며 건비작용과 기운을 조절해 주는 작용이 있다. 긴장하는 직업이나 정신적으로 피로도가 높은 사람에게 적합하다.

### 주의사항

임신부에게는 좋지 않다.

## 라벤더감국차

**재료** : 라벤더 5g, 감국 5g, 꿀 적당량

### 제작 및 음용

유리컵에 위의 재료를 넣고 10분 정도 우린 후 마신다.

### 효능

마음을 진정시키고 정신을 안정시키며 심신을 편하게 하고 숙면을 취하게 한다. 야근을 하거나 숙면을 취하지 못한 사람들이나 정신적인 스트레스에 시달리는 사람에게 적합하다.

### 주의사항

임신부는 주의해야 한다.

## 🌼 국화보이차

**재료** : 국화 5개, 보이차 9g, 산사 6편, 꿀 약간

### 제작 및 음용

위의 재료를 유리주전자에 넣고 물을 부어 10분간 끓인 후 다관에 담아 찻잔에 따라 마신다.

### 효능

간열을 내리고 풍을 없애며 해독작용과 혈지방을 낮추는 효능이 있으며 눈을 밝게 하고 풍열감기를 치료하며 다이어트에 도움이 된다. 소화가 잘 되지 않고 화기가 많으며 배가 더부룩하고 변비가 있는 사람에게 적합하다.

### 주의사항

임신부나 비위가 허약하고 찬 사람에게는 좋지 않다.

## 🌼 인삼꽃레몬녹차

**재료** : 인삼화 5개, 레몬그라스 1작은술, 녹차 1작은술

### 제작 및 음용

위의 재료를 유리컵에 넣고 끓는 물을 부어 5분 정도 우린 후 마신다.

### 효능

정신을 맑게 하고 기력을 증진시키며 진액을 만들어주고 스트레스를 해소하며 혈지방을 낮추고 위장기능을 증진시키며 미용과 다이어트에 좋다. 가슴이 답답하고 스트레스를 많이 받는 사람이나 갱년기증상이 있는 사람에게 적합하다.

### 주의사항

몸이 찬 사람은 주의해야 한다.

## 🌷 하엽결명자차

**재료** : 하엽 10g, 결명자 10g

### 제작 및 음용

위의 재료를 유리주전자에 넣고 10분 정도 끓인 후 다관에 담아 찻잔에 따라 마신다.

### 효능

비장을 튼튼하게 하며 혈압과 혈지방, 혈당을 낮추고 이뇨작용이 있으며 변을 잘 통하게 한다. 현대 삼고병이 있는 사람이나 변비, 안과질환이 있는 사람에게 적합하다.

### 주의사항

임신부나 비위가 허약하고 찬 사람은 좋지 않다.

## 🌷 오룡계화차

**재료** : 오룡차 5g, 계화 5g

### 제작 및 음용

오룡차와 계화를 다관에 넣고 끓는 물을 부어 5분 정도 우린 후 찻잔에 따라 마신다.

### 효능

기혈을 조절하고 보하며 몸을 날씬하게 하고 종양을 예방하고 어혈을 제거하며 혈액순환을 활발하게 하고 소화기의 한사를 제거하고 위를 튼튼하게 한다. 장과 위가 불편한 사람이나 입 냄새가 많이 나고 인후가 건조하며 통증이 있는 사람에게 적합하다.

### 주의사항

생리 중인 여성에게는 좋지 않다.

## 🌷 보리수잎국화차

재료 : 보리수잎 3g, 감국 3g

### 제작 및 음용

위의 재료를 유리컵에 담고 뜨거운 물을 부어 5분간 우린 후에 마신다.

### 효능

신진대사를 촉진시키며 소화를 돕고 신경을 안정시키며 스트레스를 풀어주고 마음을 편하게 해준다. 평소 스트레스를 많이 받는 사람이나 장기간 불면증에 시달리는 사람에게 적합하다.

### 주의사항

임신부는 주의해야 한다.

## 🌷 라벤더보리수잎차

재료 : 라벤더 3g, 보리수잎 3g

### 제작 및 음용

위의 재료를 유리컵에 넣고 뜨거운 물을 부어 5분 정도 우린 후 마신다.

### 효능

신경을 편하게 하고 스트레스를 완화시키며 마음을 안정시키고 숙면을 돕는다. 과도한 피로를 느끼거나 잠이 들지 못하고 평소 스트레스를 많이 받는 사람에게 적합하다.

### 주의사항

임신부는 주의해야 한다.

## 🌷 장미오롱차

재료 : 장미화 3개, 오롱차 3g

### 제작 및 음용

위의 재료를 유리컵에 넣고 뜨거운 물을 부어 3분 정도 우린 후에 마신다.

### 효능

몸을 날씬하게 하고 혈액순환을 도와 얼굴색을 좋게 하며 위를 편하게 하고 간을 보한다. 컴퓨터를 오래 하고 얼굴색이 좋지 않으며 아랫배가 많이 나온 사람에게 적합하다.

### 주의사항

임신부는 주의해야 한다.

## 🌿 만삼홍탕차

**재료** : 만삼 20g, 계원 5개, 대추 3개, 홍탕 적당량

### 제작 및 음용

위의 재료를 유리주전자에 넣고 20분 정도 끓인 후 다관에 담아 찻잔에 따라 마신다.

### 효능

보중익기(補中益氣)작용이 있으며 혈액을 보하고 혈액순환을 도우며 혈관을 확장시켜 주고 스트레스를 풀어주며 면역력을 증강시키고 진액을 만들어준다. 영양이 불량하거나 얼굴색이 창백하고 빈혈이 있는 사람에게 적합하다.

### 주의사항

간화(肝火)가 성하거나 사기(邪氣)가 신체를 침범한 사람이나 정기가 허약하지 않은 사람에게는 좋지 않다.

## 🌿 계화장미차

**재료** : 계화 5g, 장미화 5개, 얼음설탕 적당량

## 제작 및 음용

위의 재료를 유리컵에 넣고 뜨거운 물을 부어 5분 정도 우린 후 마신다.

## 효능

긴장을 풀어주고 마음을 안정시키며 우울증을 해소하고 기운을 조절하며 비위기능을 좋게 하고 활혈작용과 어혈을 풀어주는 효능이 있다. 신경적으로 긴장하거나 일에 스트레스가 많고 생리 전에 가슴이 번잡한 여성에게 적합하다.

## 주의사항

임신부 또는 변비가 있는 사람은 주의해야 한다.

# XVIII 더위를 이기고 갈증을 멈추게 하는 차

## 🌷 대청엽은화차

**재료** : 대청엽 20g, 금은화 15g, 녹차 5g

**제작 및 음용**

다관에 위의 재료를 넣고 끓는 물을 부어 10분간 우린 후 따라 마신다.

**효능**

열을 내리고 해독작용이 있으며 더위를 이기게 한다.

## 🌷 생강오매차

**재료** : 생강 5g, 녹차 4g, 오매 4g, 얼음설탕 적당량

**제작 및 음용**

생강을 잘게 썰고 오매는 씨를 제거하여 잘게 부숴 녹차, 얼음설탕과 함께 다관에 넣고 끓는 물을 부어 우린 후 따라 마신다.

**효능**

열을 내리고 화를 제거하며 진액을 만들고 갈증을 멈추게 한다.

## 🌷 박하하엽차

**재료** : 모리화차 8g, 박하 12g, 하엽 30g

**제작 및 음용**

위의 재료를 팬에 살짝 볶아 잘게 부수어 다관에 넣고 뜨거운 물을 부어 5분 정도

우려내 찻잔에 따라 마신다.

### 효능

더위를 이기게 하고 몸에 있는 습열을 제거한다. 번열이 있고 가슴이 답답하며 몸이 무겁고 무력한 사람에게 적합하다.

## 🌱 수세미녹차

재료 : 수세미 120g, 녹차 3g, 소금 적당량

### 제작 및 음용

수세미를 잘게 편으로 잘라 녹차와 함께 주전자에 넣고 10분 정도 끓인 후 소금을 넣고 찻잔에 따라 마신다.

### 효능

더위를 이기게 해주고 무더운 여름 더위 먹은 증상이 있을 때 유용하다.

## 🌱 레몬녹차

재료 : 생레몬즙 12ml, 녹차 6g, 꿀 적당량

### 제작 및 음용

찻잎을 다관에 넣고 우려낸 후 컵에 따르고 레몬즙과 꿀을 넣고 잘 저어 마신다.

### 효능

여름에 너무 더워 갈증이 날 때 마시면 도움이 된다.

## 🌱 향유후박차

재료 : 향유 6g, 백편두 10g, 후박 10g, 녹차 8g

## 제작 및 음용

백편두와 후박을 주전자에 넣고 물 450ml를 부은 후 10분간 끓인 후 향유를 넣고 5분 정도 더 끓인다. 다관에 넣고 녹차를 넣어 3분 정도 우려내 찻잔에 따라 마신다.

## 효능

더위를 이기게 하고 해표작용이 있으며 정신이 맑지 못하고 사지가 무거우며 움직이기 싫고 계속 잠만 자고 싶으며 가슴이 답답하고 땀이 많이 나며 손발이 찬 증상에 좋다. 또한 찬 것을 싫어하고 구역질이 나오며 갈증은 나지만 물 마시기를 싫어하는 증상이 있을 때 도움이 된다.

# XIX 숙취해소에 좋은 차

## 🌷 갈화오매차

재료 : 갈화 5g, 오매 5개, 히비스커스 2g, 얼음
　　　 설탕 적당량

### 제작 및 음용

오매와 히비스커스, 4컵 정도의 물을 넣고 30분
정도 끓인 후 갈화와 얼음설탕을 넣고 3분 정도 더
끓여 걸러서 마신다.

### 효능

음주 후 구토증상을 없애고 속을 편하게 하며 숙취해소에 효과가 있다.

## 🌷 금귤녹차

재료 : 말린 금귤 12g, 녹차 6g, 얼음설탕 적당량

### 제작 및 음용

금귤은 잘게 잘라 녹차와 함께 다관에 넣고 뜨거운 물을 부어 마신다.

### 효능

주독을 제거하고 숙취를 해소하며 기침을 멈추게 한다.

## 🌷 모리갈화차

재료 : 모리화 3g, 홍차 2g, 갈화 9g

### 제작 및 음용

위의 재료를 다관에 넣고 뜨거운 물을 부어 2분 정도 우린 후 마신다.

### 효능

위를 편하게 하고 습을 제거하며 숙취를 해소한다.

## 🌼 사탕수수홍차

**재료** : 사탕수수 500g, 홍차 5g

### 제작 및 음용

사탕수수 껍질을 벗기고 잘게 부순 후 홍차와 함께 물을 넣고 끓여 걸러서 마신다.

### 효능

열을 내리고 진액을 만들며 숙취를 해소하고 위를 편하게 한다.

## 🌼 갈근홍차

**재료** : 홍차 20g, 석곡 5g, 갈근 10g, 향연(레몬) 5g

### 제작 및 음용

위의 재료를 모두 부수어 티백에 넣고 뜨거운 물을 부어 우려 마신다.

### 효능

숙취해소와 열을 내리고 진액을 만들며 위를 편하게 하고 소화를 잘되게 한다.

## 🌼 지구자갈화차

**재료** : 지구자 20g, 갈화 10g

### 제작 및 음용

지구자는 절구통에 넣고 잘게 부수어 갈화와 함께 보온병에 넣고 끓는 물을 부어 10분 정도 우려내어 마신다.

### 효능

비위를 편하게 하고 수액대사를 활발하게 하여 수종을 치료하고 주독을 풀어주는 효능이 있어 숙취해소에 효과가 있다.

# XX 방사능으로부터 몸을 보호하는 차

### 🌸 백국화오룡차

**재료** : 백국화 8g, 오룡차 6g, 얼음설탕 적당량

**제작 및 음용**

다관에 위의 재료를 넣고 뜨거운 물을 부어 우려내 따라 마신다.

**효능**

백국화는 독소를 배출해 주는 효능이 있어 몸안의 노폐물과 방사물질을 제거한다.

### 🌸 녹국가영지차

**재료** : 녹차 · 국화차 · 가시오가피 · 영지버섯 적당량

**제작 및 음용**

가시오가피와 영지버섯을 주전자에 끓여 다관에 붓고 국화와 녹차를 넣어 우려 마신다.

**효능**

인체의 방사선물질을 제거하고 뇌를 건강하게 하고 눈을 밝게 하며 피로를 풀어준다.

### 🌸 국화구기차

**재료** : 국화 · 구기자 적당량

**제작 및 음용**

위의 재료를 다관에 넣고 끓는 물을 부어 우려내 따라 마신다.

#### 효능

방사선물질을 제거하고 간열을 내리며 눈을 밝게 한다.

### 🌿 결명상엽차

**재료** : 결명자 · 상엽 · 구기자 · 녹차 적당량

#### 제작 및 음용

결명자는 볶아 잘게 부숴 위의 재료와 함께 다관에 넣고 끓는 물을 부어 10분 정도 우린 후 마신다.

#### 효능

방사선물질을 제거하고 피로를 풀어주며 간열을 내리고 눈을 밝게 하며 얼굴색을 좋게 한다.

**여성의 생리를 조절해 주는 차**

## 🌷 도홍사물차

**재료** : 홍화 2g, 도인 8g, 당귀 1편, 생지황 1편,
　　　 적작약 1편, 천궁 1편

### 제작 및 음용

위의 재료를 유리주전자에 넣고 30분 정도 끓인 후
다관에 담아 찻잔에 따라 마신다.

### 효능

혈액순환을 활발하게 하고 어혈을 풀어주며 생리를 조절하고 통증을 완화시키는
효능이 있으며 생리불순, 폐경, 생리통, 산후허혈, 어혈로 인한 제반증상, 생리과다,
생리불순 등이 있는 여성에게 효과가 있으며 타박상으로 인해 멍이 많이 든 사람에
게도 적합하다.

### 주의사항

임신부나 생리 중인 여성은 주의해야 한다.

## 🌷 홍화녹차

**재료** : 홍화 5g, 녹차 8g, 황설탕 적당량

### 제작 및 음용

위의 재료를 다관에 넣고 뜨거운 물을 부어 5분간 우린 후 찻잔에 따라 마신다.

### 효능

혈액순환을 활발하게 하고 어혈을 풀어주며 통증을 완화시키고 기미예방에 효과가 있다. 생리불순이나 폐경, 산후어혈이 있는 여성에게 적합하다.

### 주의사항

임신부나 생리과다 여성, 궤양, 출혈성질환이 있는 사람은 주의해야 한다.

## 🌸 설연화구기차

**재료** : 설연화 2g, 구기자 적당량

### 제작 및 음용

위의 재료를 유리컵에 넣고 끓는 물을 부은 후 뚜껑을 덮고 5분 정도 우린 후 마신다.

### 효능

경락을 잘 통하게 하고 생리를 조절하며 자궁을 따뜻하게 한다. 생리불순이나 생리통이 심한 여성, 외상으로 멍이 든 사람, 양위(陽痿), 풍습성 관절염이 있는 사람에게 도움이 된다.

### 주의사항

임신부는 주의해야 한다.

## 🌸 인삼대추차

**재료** : 인삼 1뿌리, 대추 20개

### 제작 및 음용

위의 재료를 유리주전자에 넣고 물을 부은 후 1시간 정도 끓여서 다관에 담고 작은 찻잔에 따라 마신다.

### 효능

허약한 체질을 보하고 기혈을 보하며 비장을 튼튼하게 하고 위를 편하게 하며 진액을 만든다. 생리량이 적은 여성이나 기혈이 부족한 사람에게 적합하고 갑자기 피를 많이 흘린 사람에게도 좋으며 심신이 허약하여 무기력한 사람에게 도움이 된다.

### 주의사항

비위에 습열이 쌓여 있어 설태가 지저분하고 입안이 끈적거리는 사람은 마시지 않는 것이 좋다.

## 🌼 금잔화녹차

**재료** : 금잔화 5개, 녹차 적당량

### 제작 및 음용

위의 재료를 유리컵에 넣고 끓는 물을 부어 뚜껑을 덮은 후 5분 정도 우려내어 마신다.

### 효능

간 기운을 잘 통하게 하고 생리를 조절하며 혈액순환을 돕고 열을 내리고 화를 가라앉게 하며 소화를 촉진시키는 효능이 있다. 열이 나거나 식욕부진이 있고 긴장을 하거나 소화기궤양이 있는 사람에게 적합하다.

### 주의사항

임신부는 주의해야 한다.

## 🌼 이홍차

**재료** : 홍화 3g, 홍차 5g, 감국엽 2잎

### 제작 및 음용

위의 재료를 다관에 넣고 끓는 물을 부어 5분 정도 우린 후 찻잔에 따라 마신다.

### 효능

어혈을 풀어주고 혈액순환을 활발하게 하며 생리통을 완화시키고 위를 따뜻하게 하여 소화를 돕는다. 어혈이 있고 혈액순환이 잘 되지 않으며 생리통과 생리불순이 있는 여성에게 적합하다.

### 주의사항

임신부나 생리 중인 여성은 마시지 않는 것이 좋다.

## 🌼 라벤더장미차

**재료** : 라벤더 5g, 장미화 5개

### 제작 및 음용

위의 재료를 유리컵에 넣고 뜨거운 물을 부어 5분 정도 우린 후 마신다.

### 효능

간 기운을 잘 통하게 하고 위장을 보하며 긴장을 풀어 마음을 안정시키는 효능이 있으며 혈액순환을 활발하게 하고 생리를 조절하며 발한지통(發汗止痛)작용이 있다. 스트레스로 생리에 이상이 있는 여성에게 적합하다.

### 주의사항

임신부는 마시지 않는 것이 좋다.

## 🌼 인삼화야국화차

**재료** : 인삼화 6개, 야국화 4개

### 제작 및 음용

위의 재료를 유리컵에 넣고 뜨거운 물을 부어 5분 정도 우린 후 마신다.

### 효능

간 기운을 잘 소통시키고 해독작용이 있으며 진액을 만들어주고 정신을 맑게 하고 위와 장의 기능을 조절한다. 삼고환자 및 생리불순, 갱년기종합증이 있는 여성에게 적합하다.

### 주의사항

임신부는 주의해야 한다.

### 🌸 월계장미홍화차

재료 : 월계화 5g, 장미화 5g, 홍화 3g

### 제작 및 음용

위의 재료를 유리컵에 넣고 뜨거운 물을 부어 10분 정도 우린 후 마신다.

### 효능

혈액순환을 돕고 어혈을 풀어주며 생리를 조절하고 마음을 안정시키며 생리통을 완화시킨다. 또한 열을 내리고 해독작용이 있으며 혈압을 낮추고 통증을 멈추게 하며 피부미용에 도움이 된다. 생리통이 심한 여성에게 적합하다.

### 주의사항

임신부는 주의해야 한다.

### 🌸 모리화하엽감국차

재료 : 하엽 2g, 모리화 5g, 감국 5g

### 제작 및 음용

위의 재료를 다관에 넣고 끓는 물을 부어 5분 정도 우린 후 찻잔에 따라 마신다.

### 효능

혈액순환을 촉진시키고 생리통을 완화시키며 기운을 잘 통하게 하고 항균소염작용이 있다. 또한 정신을 맑게 하고 진통작용과 이뇨작용이 있다. 신경통이나 생리통이 심한 사람이나 위나 장에 염증이 있는 사람에게 적합하다.

### 주의사항

임신부는 주의해야 한다.

## 🌷 홍화구기차

**재료** : 홍화 2g, 구기자 5g

### 제작 및 음용

위의 재료를 유리컵에 담아 뜨거운 물을 부어 10분 정도 우린 후 마신다.

### 효능

혈액을 보하고 생리를 조절하며 지혈작용과 익기안신작용이 있으며 간과 신장을 보하고 면역력을 높이는 효능이 있으며 노화를 예방한다. 생리불순이나 갱년기종합증이 있는 여성에게 적합하다.

### 주의사항

임신부는 주의해야 한다.

## 🌷 당귀도인차

**재료** : 당귀 2편, 인삼 1개, 도인 8g, 감초 1편

### 제작 및 음용

위의 재료를 유리주전자에 넣고 20분 정도 끓인 후 다관에 담아 찻잔에 따라 조금씩 마신다.

### 효능

어혈을 풀고 혈액순환을 촉진시키며 생리를 잘 통하게 하고 보혈양음과 진통작용이 있다. 생리불순이나 폐경이 나타나는 여성에게 도움이 된다.

### 주의사항

위가 차고 습이 많은 사람이나 수종이 있는 사람에게는 좋지 않다.

## 홍도차

**재료** : 홍화 3g, 도인 10g

### 제작 및 음용

위의 재료를 유리주전자에 넣고 15분간 끓인 후 거름망에 걸러 다관에 넣고 찻잔에 따라 조금씩 마신다.

### 효능

어혈을 풀어주고 혈액순환을 촉진시키며 진통작용과 소염작용이 있으며 변비에도 효과가 있다. 생리량이 적고 생리기간이 긴 여성이나 어혈이 있는 사람에게 도움이 된다.

### 주의사항

임신부는 주의해야 한다.

# XXII 미용(美容), 항노화(抗老化)에 좋은 차

인간의 가장 큰 2대 욕망은 장수하고 아름다워지고 싶은 것이다. 이 두 가지는 고대부터 인류가 부단히 노력하고 있으며 과학이 발달한 현대에도 여전히 추구하고 있는 기본적 로망이다. 이러한 목적을 달성하기 위하여 고대부터 양생학이 발달하여 왔다. 양생가들은 자신의 생활을 절제하고 운동하며 적절한 휴식과 수양을 하고 섭생을 통해 이루고자 노력해 왔다. 그러한 선조들의 노력의 결과를 참고하고 발달된 현대과학을 접목하여 노력한다면 건강한 삶과 아름다움을 동시에 이룰 수 있으리라 생각한다.

따라서 미용과 장수를 위한 식단은 큰 맥락으로 보면 매일 신선한 과일 1개 정도와 다양한 채소를 섭취하고 요리할 때 기름을 적게 넣어야 하며 단백질 섭취를 늘리고 물을 많이 마시는 것이 도움이 된다. 그리고 스트레스를 멀리하고 생활의 여유로움을 즐기며 몸에 알맞은 차를 마시는 것 또한 중요하다.

## 🌸 더덕맥동상엽차

**재료** : 더덕 5g, 맥문동 5g, 상엽 2g

### 제작 및 음용

위의 재료를 유리주전자에 넣고 10분간 끓인 후 다관에 담아 찻잔에 따라 마신다.

### 효능

진액을 만들고 위를 편하게 하며 양음윤폐(養陰潤肺)작용이 있으며 피부를 윤택하게 한다. 폐에 열이 있어 음이 부족하여 피부가 건조하고 거친 사람이나 마른기침을 하고 인후가 건조하면서 갈증이 나는 사람에게 적합하다.

## 주의사항

풍한감기로 인한 기침이나 폐나 위가 찬 사람은 주의해야 한다.

## 🌸 장미계화감국차

**재료** : 장미화 10g, 계화 10g, 감국잎 10g

### 제작 및 음용

위의 재료를 유리컵에 넣고 끓는 물을 부어 5분간 우린 후 마신다.

### 효능

피부미백효과가 있으며 입안을 깨끗하게 하고 가래를 삭이고 혈전을 제거하는 효능이 있다. 가래가 많고 기침이나 천식이 있으며 잇몸이 붓고 아프며 입냄새가 많은 사람들이나 혈변을 보는 사람에게 적합하다.

### 주의사항

임신부는 주의해야 한다.

## 🌸 미백거반차

**재료** : 천일홍 3개, 목단화 2개, 도화 6개, 레몬 1편

### 제작 및 음용

유리컵에 위의 재료를 넣고 5분간 우려 마신다.

### 효능

경락을 잘 통하게 하고 피부의 주근깨, 기미를 제거하고 소염작용이 있으며 독소를 배출하고 얼굴색을 좋게 한다. 기혈을 조절하고 노화예방에 효과가 있으며 생리불순인 여성이나 검버섯이나 기미가 많이 생기는 사람에게 적합하다.

임신부는 주의해야 한다.

## 금은화연교차

**재료** : 금은화 5g, 연교 5g

**제작 및 음용**

위의 재료를 유리주전자에 넣고 물을 부어 5분간
끓인 후 다관에 담아 찻잔에 따라 마신다.

**효능**

열을 내리고 여드름을 제거하고 피부를 아름답게 하며 해독작용이 있다. 얼굴에
여드름이 많이 나고 감기로 몸에 열이 있으며 갈증이 나고 장염이나 이질이 있는 사
람에게 적합하다.

**주의사항**

비장이 허약하고 변이 묽은 사람은 주의해야 한다.

## 장미국화구기자차

**재료** : 장미화 5개, 국화 3개, 구기자 1작은술, 꿀 적당량

**제작 및 음용**

위의 재료를 유리컵에 넣고 끓는 물을 부어 5분 정도 우린 후 마신다.

**효능**

비위를 튼튼하게 하고 미백효과와 보습작용이 있다. 얼굴색이 좋지 않고 건조하며
생리불순이 있는 여성이나 생리통이 있는 사람에게 적합하다.

가래가 많고 기침이 있는 사람이나 감기로 열이 나는 사람은 마시지 않는 게 좋다.

## 🌷 로즈메리레몬장미화차

**재료** : 로즈메리 1작은술, 레몬 1편, 장미화 5개

### 제작 및 음용

위의 재료를 유리컵에 넣고 끓는 물을 부어 8분 정도 우린 후 마신다.

### 효능

얼굴색을 좋게 하고 주름을 없애며 피로를 풀어주고 탈모를 예방하는 효과가 있으며 노화예방에도 도움이 된다. 얼굴에 주름이 많고 쉽게 피로를 느끼며 머리카락이 많이 빠지는 사람에게 적합하다.

### 주의사항

임신부는 주의해야 한다.

## 🌷 레몬그라스모리화차

**재료** : 레몬그라스, 모리화 각 1작은술

### 제작 및 음용

위의 재료를 유리컵에 넣고 끓는 물을 부어 5분 정도 우린 후 마신다.

### 효능

미백효과가 있고 보습작용이 있어 피부미용에 좋고 신체를 건장하게 만들며 배에 가스가 찬 것을 제거한다. 위와 장이 편하지 않고 생리통이 있으며 빈혈이 있는 사람에게 적합하다.

주의사항

임신부는 주의해야 한다.

## 🌱 도화구기차

**재료 :** 복숭아꽃 3g, 구기자 6개

**제작 및 음용**

위의 재료를 유리컵에 넣고 끓는 물을 부어 8분 정도 우린 후 마신다.

**효능**

기미, 검버섯, 주름 등을 예방하고 얼굴색을 깨끗하게 한다. 얼굴색이 어둡거나 주름이 많고 잡티가 많이 나타나는 사람에게 적합하다.

**주의사항**

임신부는 주의해야 한다.

## 🌱 국화녹차

**재료 :** 녹차 4g, 국화 12g, 얼음설탕 적당량

**제작 및 음용**

위의 재료를 다관에 넣고 5분 정도 우린 후 찻잔에 따라 마신다.

**효능**

눈을 맑게 한다. 간화로 인해 몸에 열이 나고 눈이 자주 충혈되는 것을 예방한다.

## 🌱 결명구기국화차

**재료 :** 결명자 10g, 구기자 10g, 감국 5g

### 제작 및 음용

결명자를 유리주전자에 넣고 물 1L를 부어 5분 정도 끓이다 국화와 구기자를 넣고 10분 정도 더 끓인 후 찻잔에 따라 마신다.

### 효능

간기능을 개선하고 눈을 맑게 하며 면역력을 증강시킨다. 또한 혈지방과 혈압을 내리고 긴장을 풀어준다.

## 🌷 쌍화여드름제거차

**재료** : 연교 10g, 금은화 6g, 국화 6g

### 제작 및 음용

위의 재료를 유리주전자에 넣고 600ml 정도의 물을 넣고 5분 정도 끓인 후 걸러서 마신다.

### 효능

열을 내리고 해독작용이 있으며 여드름을 제거한다.

### 주의사항

비위가 허약하고 차며 기허로 인해 종기가 곪은 사람은 주의해야 한다.

## 🌷 쌍인상기차

**재료** : 도인 5g, 동과인 5g, 상기생 10g

### 제작 및 음용

위의 재료를 잘게 부숴 유리주전자에 넣고 물을 부어 10분 정도 끓인 후 따라 마신다.

### 효능

얼굴에 검버섯이 생기는 것을 제거하고 예방한다.

## 🌸 모리맥문동차

**재료** : 모리화 4개, 맥문동 1g, 산사 2g, 녹차 2g

### 제작 및 음용

위의 재료를 유리주전자에 넣고 10분 정도 끓인 후 걸러서 마신다.

### 효능

폐를 윤택하게 하여 피부를 아름답게 하며 얼굴에 나는 기미를 제거하며 건조한 피부를 촉촉하게 한다.

## 🌸 거반호면차

**재료** : 국화 5g, 단삼 10g, 결명자 20g, 산사 10g, 연꽃수술 5g

### 제작 및 음용

위의 재료를 유리주전자에 넣고 10분 정도 끓인 후 걸러서 마신다.

### 효능

화를 내리고 간 기능을 개선하며 눈을 맑게 하고 기미를 없애고 피부를 윤택하게 한다.

## 🌸 이산천지차

**재료** : 산수유 10g, 산약 15g, 천문동 10g, 생지황 10g, 홍차 6g, 화차 5g

### 제작 및 음용

앞의 4가지 재료를 유리주전자에 넣고 물을 500ml 정도 부어 15분간 끓인 후 뒤의 2가지 재료를 넣고 5분 정도 우린 후 걸러 마신다.

### 효능

간과 신장을 자양하는 효능이 있어 나이 들면서 얼굴에 검은 반점이 나타나는 사람에게 적합하다.

### 🌺 오룡장미화차

**재료** : 오룡차 5g, 율무 15g, 장미화 5g

**제작 및 음용**

위의 재료를 절구통에 갈아 티백에 담아 뜨거운
물에 우려 마신다.

**효능**

세포를 활성화시켜 주름을 제거하고 피부를 건강하게 하며 광택이 나게 한다.

**주의사항**

임신부는 주의해야 한다.

### 🌺 기삼구기자차

**재료** : 황기 6g, 만삼 6g, 구기자 10g

**제작 및 음용**

황기와 만삼을 유리주전자에 넣고 물 500ml를 부어 15분 정도 끓이다 구기자를 넣
고 10분 정도 더 끓인 후 걸러서 마신다.

**효능**

피부의 탄력을 강하게 하고 세포를 활성화하여 얼굴의 주름을 제거하고 피부를 윤
택하게 한다.

### 🌺 양부차

**재료** : 감잎 10g, 율무 15g, 자초 10g

### 제작 및 음용

위의 재료를 유리주전자에 넣고 약한 불로 20분 정도 끓인 후 걸러서 마신다.

### 효능

비장을 튼튼하게 하고 습을 제거하며 열을 내리고 피부를 윤택하게 한다. 혈관의 탄성을 좋게 하고 주름을 개선한다. 얼굴에 반점이 많이 나타나는 만성 피부질환자에게 도움이 된다.

### 주의사항

비위가 차고 변이 묽은 사람은 주의해야 한다.

### 🌿 용안불로방차

재료 : 생강 500g, 대추 250g, 침향 25g, 정향 25g, 회향 200g, 소금 30g, 감초 150g

### 제작 및 음용

위의 재료를 모두 분쇄기에 넣고 거칠게 갈아 준비한다. 티백에 10g씩 담아 뜨거운 물에 우려 마신다.

### 효능

주름을 개선하고 피부 노화를 예방한다.

### 🌿 옥죽윤부탕

재료 : 옥죽 15g, 백출 9g, 토사자 15g

### 제작 및 음용

위의 재료를 유리주전자에 넣고 350ml를 부어 15분 정도 끓인 후 따라 마신다.

### 효능

피부를 탄력 있게 하고 광택을 좋게 하며 건강하게 한다.

### 승마백지차

재료 : 승마 9g, 백지 9g, 백작약 1g, 창출 1g, 황기 3g, 인삼 3g, 갈근 12g, 감초
　　　 1g, 생강 3g, 대추 3g

#### 제작 및 음용

위의 재료를 유리주전자에 넣고 물 500ml을 부어 300ml 정도로 줄 때까지 끓여
걸러서 마신다.

#### 효능

보중익기작용이 있으며 풍과 습을 제거하고 얼굴색을 윤기 있게 하고 주름을 개선
하며 기미, 주근깨를 예방한다.

### 장미꿀차

재료 : 장미화 6개, 홍차티백 1개, 꿀 1큰술, 레몬 1편

#### 제작 및 음용

위의 재료를 유리컵에 넣고 뜨거운 물을 부어 우려 마신다.

#### 효능

기혈을 조절하고 혈액순환을 촉진시켜 얼굴색을 좋게 하고 상처를 잘 아물게 하
고 피로를 풀어준다.

### 보이모리화차

재료 : 보이차 5g, 모리화차 3g

#### 제작 및 음용

위의 재료를 다관에 담아 뜨거운 물을 부어 우려 마신다.

### 효능

피부를 윤택하게 하고 건강하게 한다.

### 🌱 영지차

재료 : 영지 10g, 녹차 3g

### 제작 및 음용

영지를 잘게 잘라 유리주전자에 넣고 물 300ml 정도 넣고 15분 정도 끓인 후 다관에 담아 녹차를 넣고 우려 마신다.

### 효능

보중익기작용이 있어 근골을 튼튼하게 하고 피부를 부드럽고 젊음을 유지하게 한다.

### 🌱 궁정미용차

재료 : 구기자 2g, 용안육 2g, 산사 2g, 국화 2g, 오룡차 3g, 청과(감람) 2개

### 제작 및 음용

위의 재료를 유리주전자에 넣고 물 300ml를 부어 끓여 마시고 감람은 씨를 빼고 먹는다.

### 효능

혈액을 만들어주고 음을 자양하며 피부미용에 효과가 있다.

### 🌱 용안구녹차

재료 : 용안육 3g, 구기자 3g, 녹차 2g, 얼음설탕 적당량

### 제작 및 음용

용안육과 구기자를 유리주전자에 넣고 300ml 정도의 물을 부어 끓인 후 다관에 담아 녹차와 얼음설탕을 넣고 5분 정도 우린 후 마신다.

### 효능

음을 자양하고 혈액을 보하며 얼굴색이 누렇고 마른 형의 여성에게 좋으며 1개월 정도 연속해서 마시면 효과가 있다.

### 🌷 장미인삼차

**재료** : 장미화 10g, 인삼 5g

### 제작 및 음용

인삼을 거칠게 분쇄하여 장미화와 함께 다관에 넣고 뜨거운 물을 부어 10분 정도 우린 후 마신다.

### 효능

피부를 부드럽게 하고 광택이 나게 하며 노화예방에도 도움이 된다.

### 🌷 박하장미차

**재료** : 박하 3g, 장미화 5g, 꿀 적당량

### 제작 및 음용

위의 재료를 다관에 담아 뜨거운 물을 부어 5분 정도 우린 후 꿀을 타서 마신다.

### 효능

신진대사를 활발하게 하여 피부를 부드럽고 아름답게 한다.

### 🌷 라벤더감국차

**재료** : 라벤더 5g, 감국 5g, 꿀 적당량

### 제작 및 음용

위의 재료를 다관에 넣고 10분 정도 우린 후 마신다.

### 효능

독소를 배출시키고 화를 내리는 효능이 있어 몸을 정화시켜 피부를 깨끗하게 한다.

## 🌿 산사진피차

**재료** : 산사 10g, 진피 10g, 장미화 5g, 꿀 적당량

### 제작 및 음용

위의 재료를 보온병에 넣고 뜨거운 물을 부어 휴대하고 다니면서 마신다.

### 효능

혈액순환을 돕고 소화를 촉진시키며 체내 독을 배출해 피부를 아름답게 한다.

# XXIII 다이어트에 좋은 차

## (1) 다이어트의 분류

현대과학이 발전하면서 육체적인 활동은 적어지고 앉아서 업무를 보는 시간은 길어지고 복잡해진 사회생활과 경쟁 속에 여러 가지 스트레스를 받고 있다. 또한 사람과의 관계에서도 스트레스를 많이 받는 생활이 이어지고 있다. 이러한 스트레스를 해소하고 건강한 신체를 유지하기 위해서는 신진대사를 활발하게 하기 위해 물을 많이 마시고 스트레스의 압박에서 벗어나기 위한 마음의 수양을 하며 스트레스를 해소할 만한 적당한 취미생활이 도움이 된다. 또한 기름지고 칼로리가 높은 음식을 많이 접하게 되고 식욕을 억제하기 어려워 비만이나 생활습관병으로 고생하게 된다. 질병은 치료보다는 예방이 우선되어야 건강하고 즐거운 생활을 할 수 있으므로 아래 여러 처방 중에서 각자에 맞는 것을 골라 실천한다면 많은 도움이 될 것이다. 여러 가지 다이어트식품이 넘쳐나고 있고 몇 가지 실천해 보았으나 효과를 보지 못하고 포기하는 경우가 많고 도리어 건강을 해치는 경우를 흔하게 볼 수 있다. 시중에 나와 있는 다이어트식품은 소화를 잘되게 하고 흡수기능에 손상을 입혀 먹으면 먹을수록 몸이 허약해지는 예가 많다. 자기 체질이나 몸상태를 정확히 파악하고 거기에 알맞은 처방을 선택해야 효과를 볼 수 있다.

동양의학에서는 크게 4가지 형으로 구별하는데 위장에 열과 습이 쌓여 있는 형, 비장이 허약하여 습이 쌓이는 형, 간 기운이 뭉쳐 나타나는 기체(氣滯)형, 간과 신장의 음이 허약한 형이다. 내 체질을 살펴서 아래 기술한 내용을 참고로 한 가지 또는 두 가지 이상을 선택하여 배합하면 많은 도움이 될 것이다.

### 1) 청열형

일반적으로 30세 이하 화이트칼라층에 많으며 고기를 좋아하고 기름진 음식을 많이 먹으며 운동량은 적고 업무에 스트레스를 많이 받는 사람에게 흔하게 나타난다. 입이 쓰고 냄새가 많이 나며 쉽게 배가 고프고 마음이 초조하고 소변은 노랗게 나오며 변비가 자주 발생하는 증상이 있다. 이런 사람은 지방을 제거하고 소변을 잘 나오게 하는 효능 외에 위장의 열을 내리는 것이 관건이다.

### 🍃 알맞은 대표적인 재료

**결명자차** : 성질이 차서 열을 내리고 혈지방과 혈압을 내리고 통변작용이 있어 청열형에 알맞다. 단 체질이 차고 복통 설사나 위통이 있는 사람에게는 맞지 않으므로 주의해야 한다.

**녹　　차** : 성질이 차고 지방을 제거해 주고 소화를 돕는 효능이 있다. 단 녹차는 발효차가 아니므로 위를 깎아 내리기 쉬우므로 장과 위가 좋지 않은 사람은 주의해야 한다.

## 2) 건비형

평소에 기운이 없고 비만한 사람에게 해당되며 비장의 운화기능을 튼튼하게 해야 한다. 기가 부족하여 정상적인 대사가 일어나지 않고 몸에 습이 쌓여 자주 붓는 형으로 비장의 기능을 튼튼하게 하면서 습을 제거해 주는 것이 관건이다.

### 🍃 알맞은 대표적인 재료

**율무** : 성질은 평하고 습을 제거하는 효능이 있다. 특징은 비교적 온화하고 효과가 빠르지는 않지만 다른 약재와 배합하여 사용하거나 장기적으로 복용하면 효과를 볼 수 있다.

**황기** : 보중익기작용과 수액대사를 활발하게 하여 수종을 치료하는 효능이 있다. 황기는 지방을 낮춰주는 효능은 없지만 기운을 보하여 대사율을 높이는 효과가 있고 면역력을 증강시켜 주는 효능이 있어 다른 재료와 배합해서 사용하면 유익하다.

**복령** : 비장을 튼튼하게 하고 습을 제거하는 효능이 있으며 혈당을 낮추고 진정작용

이 있고 기운을 보하고 면역력을 증강시키는 효능이 있다. 비장이 허약하고 수종이 자주 발생하고 설사를 자주 하며 불면증이나 가슴이 자주 두근거리는 사람에게 적합하다.

### 3) 이기(理氣)형

이기는 기운을 조절하여 잘 소통되게 하는 것으로 기운을 잘 소통시키는 장기는 간이다. 간기가 울결되면 비장이 힘들어지는데 그렇게 되면 자연히 비만으로 연결되기 쉽다. 주로 젊은 여성에게 많이 발생하며 증상으로는 가슴이 답답하고 복부가 팽만하며 정서적으로 불안하고 생리불순이 오기 쉽다.

#### 알맞은 대표적인 재료

진　피 : 소화를 돕고 담을 제거하며 기의 흐름을 조절하는 효능이 있으며 단독으로 사용하면 다이어트효과는 별로 없으므로 다른 재료와 배합하여 사용한다.
장미화 : 기운을 조절하여 잘 통하게 하고 소화를 도우며 피부미용에 효과가 있으며 부작용이 적어 다른 재료와 배합하여 사용하면 효과가 좋다.

### 4) 자음형

노인성 비만에 흔하게 나타나며 음을 자양하는 데 중점을 둬야 한다. 머리가 자주 어지럽고 수면 질이 좋지 않으며 허리가 시고 입이 마른 증상이 나타난다. 이런 사람은 보혈작용과 혈액순환에 집중해야 한다.

#### 알맞은 대표적인 재료

하수오 : 혈액의 지방을 낮추고 정혈을 보하며 머리를 검게 하고 장을 윤택하게 하여 변을 잘 통하게 하여 노인성 비만에 적합하다. 다른 재료와 배합하여 사용하면 효과가 좋다.

단　삼 : 혈액순환을 활발하게 하고 어혈을 풀어주며 여성의 생리를 조절하며 정신
　　　 을 안정시키는 효능이 있어 콜레스테롤을 낮추고 혈액의 지방을 제거하는
　　　 효과가 있다. 동맥경화나 심장병을 개선시키는 효능도 있다.

## (2) 차의 다이어트 효과

① 녹　차 : 찻잎 속에 들어 있는 방향성분은 지방을 용해하고 탁하고 느끼한 것을
　　　　 제거하며 지방이 몸에 쌓이는 것을 막아준다. 녹차에 들어 있는 비타
　　　　 민 $B_1$, 비타민 C와 카페인은 위액분비를 촉진시키고 소화를 돕는다.
　　　　 또한 녹차는 신진대사를 촉진시키고 혈액순환을 강화시켜 지방이 쌓
　　　　 이는 것을 예방하여 다이어트에 도움이 된다.

② 홍　차 : 홍차는 소화를 돕고 식욕을 증진시키며 이뇨작용이 있어 수종을 제거
　　　　 하고 심장기능을 강화한다. 또한 혈관을 확장시키고 혈지방을 낮추는
　　　　 효능이 있으며 콜레스테롤을 양화(氧化)시키고 혈관에 쌓이는 것을 막
　　　　 아주는 효과가 있다. 따라서 심장병이나 중풍을 예방하는 효과가 있고
　　　　 다이어트에도 도움이 많이 된다. 홍차는 다른 재료와도 잘 어울려 배
　　　　 합하여 사용하면 좋다.

③ 오룡차 : 오룡차는 반발효차로 지방을 용해하는 효능이 가장 좋은 것으로 알려
　　　　 져 있다. 풍부한 광물질이 들어 있으며 소화효소나 지방분해효소를 함
　　　　 유하고 있어 식사 전이나 식후에 마시면 지방분해효소가 작용하여 지
　　　　 방의 축적을 막고 체외로 배출시켜 비만이 되는 것을 막아준다. 실험
　　　　 에 의해 매일 1L의 오룡차를 마시면 콜레스테롤 증가를 확실하게 억
　　　　 제하는 것으로 나타났다. 따라서 기름진 음식을 많이 먹는 중국 사람
　　　　 들이 가장 선호한다.

④ 보이차 : 비만은 대부분 인체 지방대사의 실조로 나타나는데 보이차의 다이어
　　　　 트 효과는 폴리페놀성분, 엽록소, 비타민 등 유효성분의 종합적인 작

용으로 이루어진다. 인체의 콜레스테롤이나 중성지방의 함량을 억제하고 배출을 촉진하여 모세혈관벽의 탄성을 좋게 하고 동맥경화, 고혈압, 비만을 억제하는 데 중요한 역할을 한다. 또한 보이차는 부작용이 거의 없어 여러 가지 보건효과와 함께 다이어트를 하는 데 유익하다.

⑤ 흑　차 : 흑차는 복부지방을 제거해 주는 효과가 가장 좋다고 알려져 있다. 흑차는 흑곡균의 작용에 의해 발효되어 만들어진 차를 말하며 발효과정 중에서 많이 발생하는 폴리페놀성분은 지방퇴적을 막아주는 효과가 있다. 따라서 다이어트 작용이 있는데 막 우려낸 진한 차가 좋다고 한다. 일반적으로 하루에 1.5L 정도를 마시는데 식사 전후로 1잔씩 마시고 장기적으로 마시면 다이어트에 효과가 있다.

⑥ 화　차 : 화차는 고대에는 약물 대용으로 건강을 지키는 차였다. 화차는 일반적으로 마시는 찻잎이나 커피처럼 카페인이 들어 있지 않고 풍부한 미량원소들을 함유하고 있다. 예를 들면 라벤더는 마음을 편하게 해주는 작용이 있지만 수면을 도와주는 효능도 있다. 화차들은 독특한 자기만의 향을 가지고 있어 정신을 안정시키고 기운의 소통을 잘 시켜주는 효능이 있어 다이어트에 일정한 효과가 있다. 예를 들면 장미화, 국화, 모리화, 금은화, 대대화, 낙선화 등이 있다.

⑦ 하엽차 : 하엽은 연잎을 말하는데 옛날부터 다이어트 비약으로 알려져 있다. 하엽으로 다이어트를 하기 위해서는 지켜야 할 몇 가지가 있다. 첫째, 처음에 진하게 우려내야 한다. 두 번째 우려낸 것은 효과가 별로 없다. 둘째, 하루에 6번으로 나눠 마셔야 한다. 만약 변비를 해소하기 위해서는 4번 정도 마시면 효과를 볼 수 있다. 셋째, 공복에 음용하는 것이다. 공복에 계속해서 마시다 보면 자연스럽게 느끼하고 기름진 음식은 싫어하게 된다. 따라서 다이어트에 성공할 확률이 높다.

## (3) 다이어트에 좋은 차

### 🌷 감비난신차

재료 : 산사 5g, 생맥아 5g, 진피 10g, 하엽 15g

**제작 및 음용**

위의 재료를 유리주전자에 모두 넣고 20분 정도 끓인 후 다관에 담아 찻잔에 따라 마신다.

**효능**

비장을 튼튼하게 하고 지방을 제거하여 다이어트에 좋으며 몸을 따뜻하게 한다. 지방이 몸에 많이 쌓여 비만인 사람들이나 손발이 찬 사람에게 적합하다.

**주의사항**

위산과다인 사람은 주의해야 한다.

### 🌷 녹차배합방

재료 : 녹차, 하엽, 결명자, 청피, 수세미, 목향 각 적당량

**제작 및 음용**

위의 재료를 모두 팬에 볶아 분쇄기에 거칠게 갈아 20g씩 티백에 담아 주전자에 물을 끓여 넣고 5분 정도 끓인 후 매일 저녁에 마신다.

**효능**

몸안에 쌓여 있는 것을 제거하고 경락과 기운을 잘 통하게 하며 대변과 소변이 잘 소통되도록 한다.

### 🌷 이산강지차

재료 : 결명자 12g, 산사 12g, 산약 12g, 홍차 6g

### 제작 및 음용

앞의 3가지 재료를 주전자에 넣고 물 300ml를 부어 15분간 끓인 후 홍차를 넣고 5분간 우려 따라 마신다.

### 효능

혈액의 지방을 낮추고 소화를 도우며 적체된 것을 풀어주고 입냄새를 제거하고 대소변을 잘 통하게 하는 효능이 있어 다이어트에 도움이 된다.

### 주의사항

비위가 허약하고 적체된 것이 없으며 위산과다인 사람은 주의해야 한다.

## 🌷 수오감비차

**재료** : 하수오 30g, 산사 20g, 동과피 20g, 하엽 20g, 오룡차 5g

### 제작 및 음용

앞의 4가지 재료를 주전자에 넣고 물을 부어 15분간 끓인 후 오룡차를 넣고 3분 정도 우려내 걸러서 찻잔에 따라 마신다.

### 효능

몸속의 지방을 제거하고 살을 빠지게 하며 대소변을 잘 통하게 한다.

### 주의사항

변이 묽은 사람은 주의해야 한다.

## 🌷 장미오룡차

**재료** : 오룡차 5g, 장미 5g

### 제작 및 음용

위의 재료를 다관에 넣고 뜨거운 물을 부어 우려내 마신다.

### 효능

혈을 보하고 피부미용에 좋으며 위를 편하게 하고 간기능을 좋게 하며 다이어트 효과가 있다.

> *참고 : 오룡차만 마셔도 다이어트 효과가 있으며 오룡차에 다이어트에 좋은 하엽, 산사, 옥수수수염, 국화 등 한두 가지를 같이 넣어 차로 마시면 효과가 더 좋다.

## 🌼 미역율무차

재료 : 마른 미역 20g, 율무 30g, 진피 10g, 오룡차 5g

### 제작 및 음용

위의 재료를 팬에 살짝 볶아 믹서에 갈아서 다관에 넣고 뜨거운 물을 부어 우려내어 마신다.

### 효능

비장을 튼튼하게 하고 수액대사를 활발하게 하며 느끼한 기름을 제거하여 다이어트에 효과가 있다.

## 🌼 보이국화차

재료 : 보이차 5g, 국화 5개

### 제작 및 음용

위의 재료를 다관에 넣고 뜨거운 물을 부어 5분 정도 우려내 마시고 뜨거운 물을 보충하여 여러 번 우려내 마신다.

### 효능

비장을 튼튼하게 하고 소화를 도우며 간기능을 개선하고 기름지고 느끼한 것을 제거하여 다이어트에 도움이 된다.

> *참고 : 보이차 단독으로 사용해도 다이어트작용이 있으며 장미화를 함께해도 좋은 효과가 있다.

## 산국은화차

**재료** : 국화 10g, 산사 10g, 금은화 10g

### 제작 및 음용

산사를 잘게 부숴 국화와 금은화를 주전자에 넣고 물을 부어 끓으면 바로 불을 끄고 걸러서 찻잔에 따라 마신다.

### 효능

산사는 어혈을 풀고 지방을 제거하며 오래 복용하면 콜레스테롤이나 중성지방을 제거하는 효과가 있으며 금은화는 기가 정체되어 혈어(血瘀)가 되는 비만자에게 효과가 좋고 국화는 간 기운의 소통을 개선시켜 인체 내부의 기운이 잘 통하게 하여 다이어트를 돕는다.

### 주의사항

몸이 찬 사람이나 위와 장의 기능이 많이 좋지 않은 사람은 주의해야 한다.

## 산결감비차

**재료** : 산사 10g, 결명자 15g, 진피 10g, 감초 10g

### 제작 및 음용

위의 재료를 잘게 부숴 주전자에 넣고 10분 정도 약한 불에서 끓인 후 걸러서 마신다.

### 효능

지방을 제거하는 효능이 강하여 다이어트에 많은 도움이 된다.

### 주의사항

위통이 자주 발생하는 사람이나 복통 설사가 있는 사람은 주의해야 한다.

## 삼화천하엽차

**재료** : 장미화 5g, 모리화 5g, 대대화(탱자꽃) 5g, 천궁 6g, 하엽 10g

### 제작 및 음용

위의 재료를 잘게 부숴 티백에 10g 정도씩 넣고 한 봉지를 끓는 물에 우려 차 대용으로 마신다.

### 효능

중초를 넓게 하여 기운이 잘 통하게 하고 담을 없애고 수액대사를 활발하게 하여 수종을 제거하며 혈액순환을 돕고 정신을 맑게 하며 다이어트에 도움이 된다.

## 감지차

**재료** : 금화차 1송이, 산사 5g, 하엽 5g

### 제작 및 음용

산사와 하엽을 잘게 부숴서 주전자에 넣고 물을 부어 10분 정도 끓인 후 걸러서 유리컵에 담아 금화차를 넣고 우려내 마신다.

### 효능

지방을 제거하여 다이어트에 도움이 되고 동맥경화, 고지혈증 등에도 효과가 있다.

> ***참고** : 위의 재료를 만들 때 많이 만들어 한번에 10g 정도를 티백에 넣고 우려 마시면 편리하다.

## 하엽차

**재료** : 하엽 5g, 산사 10g, 율무 10g, 진피 5g

## 제작 및 음용

위의 재료를 보온병에 넣고 끓는 물을 부어 하루 종일 가지고 다니면서 우려 마신다.

## 효능

비장을 튼튼하게 하고 습을 제거하여 다이어트에 도움이 된다.

## 🌸 건미감비차

재료 : 산사 · 맥아 · 진피 · 복령 · 택사 · 신곡 · 하고초 · 백편 · 나복자 · 결명자 · 곽향 · 찻잎 등 각 적당량

## 제작 및 음용

위의 재료를 모두 적당한 양으로 혼합하여 분쇄기에 거칠게 갈아 티백에 6~12g 정도씩 담아 하루에 1~2봉지씩 뜨거운 물에 우려 마신다.

## 효능

이뇨작용이 있고 습을 제거하며 지방을 없애고 혈압을 낮추는 효능이 있다. 비만, 고지혈증, 고혈압에 도움이 된다.

## 🌸 쌍화산사차

재료 : 금은화 60g, 국화 40g, 산사 45g, 꿀 50g

## 제작 및 음용

위의 재료를 잘게 잘라 주전자에 넣고 물 2,000ml 정도를 붓고 40분 이상 약한 불에서 끓여 걸러서 꿀을 넣고 하루에 3번으로 나눠 마신다.

## 효능

비장을 튼튼하게 하고 습을 제거하며 더위를 이기면서 다이어트하는 데 도움이 된다.

주의사항

몸이 찬 사람은 주의해야 한다.

### 장미모리하엽차

**재료** : 장미화 5개, 모리화 5개, 하엽 1g

**제작 및 음용**

위의 재료를 유리컵에 담고 끓는 물을 부어 10분 정도 우린 후 마신다.

**효능**

다이어트작용이 있고 간 기운을 안정시키며 혈액순환을 돕는다. 정신을 안정시키며 마음을 진정시킨다. 출산 후 몸이 빠지지 않고 비만이 된 여성에게 적합하다.

**주의사항**

임신부는 주의해야 한다.

### 대맥산사차

**재료** : 대맥 15g, 산사 10g, 결명자 10g, 진피 5g

**제작 및 음용**

위의 재료를 유리주전자에 담아 물을 붓고 10분 정도 끓인 후 다관에 담아 찻잔에 따라 마신다.

**효능**

비장을 튼튼하게 하고 더위를 이기게 하며 수액대사를 활발하게 하고 변을 잘 통하게 하며 간열을 내려 눈을 밝게 하고 몸속의 지방을 제거하므로 다이어트에도 도움이 된다. 변비가 있으면서 비만인 사람에게 적합하다.

**주의사항**

비위가 허약하고 찬 사람에게는 좋지 않다.

## 🌷 산사하엽진피감초차

**재료** : 결명자 15g, 산사 10g, 하엽 5g, 진피 5g, 감초 2g

### 제작 및 음용

위의 재료를 유리주전자에 넣고 물을 부어 30분 정도 끓인 후 다관에 담아 찻잔에 따라 마신다.

### 효능

청열해독(淸熱解毒)작용이 있으며 몸속의 지방을 제거하고 다이어트에 좋으며 혈압을 낮추어준다. 장기적으로 숙면을 취하지 못한 사람이나 얼굴색이 좋지 않고 비만한 사람에게 적합하다.

### 주의사항

임신부나 생리 중인 여성에게는 좋지 않다.

## 🌷 금은화다이어트차

**재료** : 금은화 5g, 산사 3편, 국화 3개

### 제작 및 음용

위의 재료를 유리컵에 넣고 끓는 물을 부어 8분간 우린 후 마신다.

### 효능

몸속의 지방을 제거하고 지방분해를 촉진시키며 다이어트에 효과가 있다. 조열(燥熱)체질이나 소화가 잘 되지 않고 육식을 좋아하면서 비만인 사람에게 적합하다.

### 주의사항

임신부는 주의해야 한다.

제 6 장

계절에
알맞은
차

차의 모든 것

제 6 장

# 계절에 알맞은 차

## 계절별 배합차

　인체는 자연과 분리될 수 없는 유기적인 관계를 갖고 있다. 자연 없이는 인체가 생존해 갈 수 없기 때문에 자연에 순응하면서 건강관리를 해야 한다.

　차는 인체에 여러 가지 영향을 끼치며 유익한 역할을 한다. 따라서 계절에 맞는 차를 선택하여 마시는 것도 건강관리를 위한 중요한 방법 중 하나다. 물론 체질이나 여러 가지 신체환경을 고려하여 선택하는 것이 좋다.

　동양의학이론에 의하면 찻잎으로 만든 차는 봄에는 화차가 좋고, 여름에는 백차 또는 녹차가 좋으며, 가을에는 오룡차나 홍차, 겨울에는 흑차가 가장 좋다고 할 수 있다. 다만 거주환경이나 개인의 체질, 또는 직업 등에 따라 다를 수 있다.

# Ⅰ 봄

　봄은 입춘에서 시작하여 입하까지를 말하며 입춘, 우수, 경칩, 춘분, 청명, 곡우 여섯 절기를 말한다. 한랭한 기후가 점점 물러가고 따뜻한 봄바람이 불어오며 초목이 발아하고 만물이 다시 살아나며 일파만상이 생기를 얻고 왕성해지는 계절이다. 또한 봄은 시작과 부활의 의미를 지니고 있으며 계절의 시작이며 한 해의 시작이고 또한 농사 준비의 시작으로 자연계의 양기가 생성되고 발달하는 시기로 인체의 양기 또한 위로, 밖으로 나오기 시작하는 계절이다. 또한 봄에는 겨우내 움츠리고 있었던 인체에 양기가 돌며 활동을 늘리는 기간으로 양간리담(養肝利膽), 강건사지(強健四肢), 소통경맥(疏通經脈)이 잘 되어야 한다.

　봄에는 고혈압이 자주 발생하는 계절이며 어지럽거나 불면증 등이 자주 나타나고 정신병이 쉽게 발생하기 때문에 정서적인 조절을 잘해야 하는 계절이다. 일 년 중 자살하는 비율이 가장 높은 달이 3월에서 5월이라는 것은 그만큼 정서적인 변화가 큰 계절이라는 뜻이기도 하다. 따라서 화초차를 많이 마시는 것이 좋은데 장미화차, 국화차, 모리화차, 라벤더꿀차, 박하차, 회향차 등이 있다.

## 1. 춘곤증을 이기는 차

### 구기국화차

**재료** : 구기자 10g, 국화 8개

**제작 및 음용**

다관에 위의 재료를 넣고 끓는 물을 300ml 정도 부어 3분 정도 우러내 마신다.

### 효능

정신활동을 활발하게 하고 피로를 풀어주며 춘곤증을 해소한다.

### 🌷 국화수삼차

**재료** : 수삼편 3~4개, 국화 2~3개

**제작 및 음용**

수삼편을 유리냄비에 담아 물에 넣고 10분간 끓인 후 다관에 국화를 넣고 수삼 끓인 물을 부어 뚜껑을 덮고 5분 정도 우려 마신다. 수삼편은 건져 먹는다.

### 효능

기력을 보충하고 정신을 조절하며 피로를 풀어주고 춘곤증을 해소한다.

### 주의사항

고혈압이 있거나 열이 많은 사람은 주의해야 한다.

### 🌷 셀러리대추차

**재료** : 대추 10개, 셀러리 250g

**제작 및 음용**

셀러리를 잘게 다지고 대추는 깨끗이 씻어 유리냄비에 넣고 물을 부어 20분 정도 끓여 마신다.

### 효능

소화기를 튼튼하게 하고 기운을 보하며 습을 제거하고 풍을 가라앉게 한다. 또한 간의 기운을 안정시켜 두통을 완화시키고 춘곤증 해소에 좋다.

비위가 너무 차거나 혈압이 낮은 사람은 주의해야 한다.

## 🌼 바나나껍질차

**재료** : 말린 바나나껍질 1개, 장미화 3개, 박하잎 2개, 회향 3개, 감국화 1개

### 제작 및 음용

바나나껍질을 물에 넣고 10분 정도 끓인 후 다른 재료를 다관에 넣고 바나나 끓인 물을 부어 뚜껑을 닫은 후 10분 정도 우려 마신다.

### 효능

기혈을 잘 순환시키며 혈액 맑게 하여 고혈압, 동맥경화, 중풍을 예방하고 진액을 만들고 정신을 맑게 하며 숙면에 좋고 피부미용과 다이어트에 도움이 된다. 또한 당뇨환자에게도 좋다.

### 주의사항

① 변비가 잦고 몸에 열이 많으며 음허화왕인 체질은 주의해야 한다.

② 바나나껍질은 농약을 제거하기 위해 베이킹소다, 식초를 넣은 물에 담가 깨끗이 씻은 후에 말린다.

## 🌼 장국박하차

**재료** : 장미 · 박하 · 국화 각 5g씩, 꿀 적당량

### 제작 및 음용

장미, 박하, 국화를 다관에 넣고 뜨거운 물을 붓고 뚜껑을 닫고 2분간 우려 꿀을 타서 마신다.

### 효능

정신을 맑게 하고 기운을 잘 통하게 하며 열을 내리고 혈액순환을 잘 시키며 어혈을

풀고 우울증을 해소하며 가슴이 답답한 증상을 개선한다.

### 주의사항

임신부나 어린이 또는 체력이 허약한 사람은 주의해야 한다.

## 🌸 백합삼구죽엽차

**재료** : 백합꽃 5개, 구기자 3g, 수삼 1g, 죽엽 1개

### 제작 및 음용

위의 재료를 다관에 넣고 끓는 물을 부어 뚜껑을 닫고 10분 정도 우린 후 마신다.

### 효능

열을 내리고 폐를 윤택하게 하며 기운을 보하고 심장을 튼튼하게 하며 정신을 안정시키고 얼굴색을 좋게 하며 노화예방에도 도움이 된다.

### 주의사항

가래가 있으며 기침을 하고 침을 흘리며 수종이 있는 사람은 주의해야 한다.

## 2. 기혈을 보하는 차

## 🌸 보혈차

**재료** : 황기 30g, 당귀 3g

### 제작 및 음용

위의 재료를 물에 넣고 30분 이상 끓인 후 다관에 넣고 찻잔에 따라 마신다.

### 효능

기혈을 보하고 경락을 잘 통하게 하며 면역력을 증강시킨다. 빈혈이 있는 사람이나 얼굴에 핏기가 없고 기력이 약한 사람이나 생리량이 적은 여성이 마시면 좋다.

### 주의사항

생리량이 많은 여성이나 출혈증상이 자주 나타나는 사람은 많이 마시면 좋지 않다.

## ❀ 대추구기자차

**재료** : 대추 5개, 구기자 5g

### 제작 및 음용

위의 재료를 넣고 물 500ml 정도를 부어 10분 정도 끓인 후 다관에 담아 마신다.

### 효능

조혈기능이 향상되고 신진대사가 활발해지며 기혈을 보하고 봄철 나른한 체력에 활기를 준다. 특히 출혈과다, 생리과다로 인해 빈혈이 있는 여성에게 효과가 좋다.

### 주의사항

고혈압환자, 감기로 인해 열이 있는 사람, 염증이 있는 사람, 복통 설사를 하는 사람, 성정이 급한 사람은 주의해야 한다.

## ❀ 인삼대추차

**재료** : 수삼 1뿌리, 대추 10개, 황설탕 약간

### 제작 및 음용

위의 재료를 유리냄비에 담아 물을 붓고 30분 정도 끓인 후 다관에 담아 따라 마신다.

### 효능

체력이 허약하고 기운이 없으며 권태감이 있는 사람에게 활력을 주는 차로 기혈을 보하여 체력을 증강시키고 혈액순환을 도우며 얼굴색도 좋게 한다.

### 주의사항

여성의 생리기간에는 적게 마시는 것이 좋다.

## 🌱 두충오미차

**재료** : 두충 5g, 오미자 5g

### 제작 및 음용

두충과 오미자를 깨끗이 씻어 두충을 먼저 물에 붓고 1시간 정도 끓여 다관에 담고 오미자를 나중에 다관에 넣어 10분 정도 우린 후 찻잔에 따라 마신다.

### 효능

경락을 잘 통하게 하고 간과 신장을 보하며 정신을 안정시키고 기운과 진액을 만들며 혈압을 조절해 주는 효과가 있다. 피로가 심하거나 기운이 없는 노인에게 적합한 차다.

### 주의사항

음허화왕인 사람은 많이 마시지 않는 것이 좋다.

## 🌱 대추계원호두차

**재료** : 대추 6개, 호두 6개, 계원 6개

### 제작 및 음용

위의 재료를 냄비에 모두 넣고 물을 부어 30분 정도 끓인 후 다관에 담아 따라 마신다.

### 효능

기혈을 보하고 피로를 풀어주는 차로 뇌를 튼튼하게 하고 심장과 비장이 허약하여 얼굴색이 좋지 않은 사람이나 기혈이 부족한 사람에게 효과가 있으며 정신을 안정시키고 허약한 체력을 튼튼하게 한다. 또한 산후빈혈이 있거나 생리통이 있는 여성이나 체력이 허약한 노인이 마시면 좋다.

### 주의사항

내열이 많고 감기에 자주 걸리거나 기침을 하는 사람이나 음이 허약한 체질은 주의해야 한다.

## 🌷 기혈생진차

**재료** : 생감초 3g, 태자삼 3g, 오매 1개, 얼음설탕 약간

### 제작 및 음용

위의 재료를 물에 넣고 10분 정도 끓인 후 다관에 담아 찻잔에 따라 마신다.

### 효능

기운을 보하고 진액을 만들어주며 폐와 비장을 튼튼하게 하는 차로 수렴작용과 생진 작용이 있으며 기혈을 보충하고 비장과 폐를 튼튼하게 한다. 식은땀을 많이 흘리며 식욕이 없고 권태감이 있는 사람에게 효과가 좋다.

### 주의사항

감기에 걸린 사람에게는 좋지 않다.

## 🌷 호두계원대추차

**재료** : 호두 6개, 용안육 6개, 대추 6개

### 제작 및 음용

위의 재료를 물에 넣고 30분 정도 끓인 후 다관에 담아 찻잔에 따라 마신다.

### 효능

기혈을 보하고 피로를 풀어주며 뇌를 건강하게 하는 차로 심장과 비장을 튼튼하게 한다. 따라서 심장이 자주 두근거리고 기운이 없고 얼굴이 창백한 사람에게 효과가 있으며 빈혈이나 생리통이 있는 여성이나 체력이 허약한 노인에게 좋은 차다.

### 주의사항

내열이 자주 나타나고 감기로 인한 열이 있거나 기침하는 사람은 많이 마시지 않는 것이 좋다.

## 3. 간을 보호하는 차

### 🌷 상심구기국화차

**재료** : 구기자 10개, 상심자 6개, 국화 5개, 얼음설탕 적당량

**제작 및 음용**

위의 재료를 물에 넣고 5분 정도 끓여 다관에 담아 찻잔에 따라 마신다.

**효능**

간을 튼튼하게 하고 신장에 유익하며 혈액의 지방을 안정시키는 차로 자음양혈작용이 있으며 간과 신장을 보하고 신체를 튼튼하게 한다. 체력이 허약하고 간과 신장이 약해 이명현상이 있거나 초조하고 불면증이 있으며 눈물이 부족해 눈이 까칠한 증상이 있고 피로감이 있는 사람이 마시면 좋다.

**주의사항**

비위가 허약하며 차고 변이 묽게 나오는 사람은 주의해야 한다.

### 🌷 국화나한과차

**재료** : 국화 3개, 나한과 1/4개

**제작 및 음용**

국화와 나한과를 다관에 넣고 끓는 물을 부어 5분 정도 뚜껑을 덮어 우려 마신다.

**효능**

간열과 폐열을 내리는 작용이 있으며 눈을 밝게 하고 폐와 장을 윤택하게 하며 변비를 예방하는 효능이 있다. 몸에 열이 나고 눈앞이 침침하며 기침을 하거나 변비가 있는 사람에게 유익한 차다.

임신부나 생리 중인 여성 그리고 비위가 차고 허약한 사람은 마시지 않는 것이 좋다.

## 🌱 상기오미차

**재료** : 상심자 20g, 구기자 5g, 오미자 3g

### 제작 및 음용

위의 재료를 다관에 넣고 끓는 물을 부어 15분 정도 우린 후 따라 마신다.

### 효능

간을 보하고 신장에 유익한 차로 간과 신장을 보하고 원발성 녹내장 보조치료제로 적합하다. 간과 신장이 허약한 여러 가지 증상이 나타나거나 시력이 떨어지고 눈이 부으며 병원에서 원발성 녹내장 진단을 받은 사람이 마시면 도움이 된다.

### 주의사항

어린이나 당뇨병환자 또는 비장이 허약하여 변이 묽은 사람은 주의해야 한다.

## 🌱 양간명목차

**재료** : 국화 2개, 구기자 5g, 용안육 6개, 대추 1개

### 제작 및 음용

위의 재료를 냄비에 넣고 20분 정도 끓여 다관에 담아 따라 마신다.

### 효능

간혈을 보하고 눈의 피로를 풀어주는 차로 보혈작용이 있으며 혈열(血熱)을 내리는 작용이 있다. 눈물이 부족해 눈이 가칠하고 자주 충혈되며 눈이 피로한 사람에게 효과가 있으며 직업적으로 눈을 많이 사용하는 사람에게 도움이 된다.

외사의 침입으로 열이 많은 사람이나 비장이 허약하여 습이 많고 변이 묽은 사람은 주의해야 한다.

## 🌱 국명차

**재료** : 산사 5g, 국화 5g, 결명자 10g

**제작 및 음용**

위의 재료를 냄비에 넣고 물을 부어 10분 정도 끓인 후 다관에 담아 따라 마신다.

**효능**

간 기운을 잘 통하게 하여 간열과 혈압을 내리고 정신을 맑게 하며 장을 윤택하게 하여 변비를 해소하는 작용이 있다. 따라서 고혈압환자나 생활습관성 변비가 있는 사람이 마시면 좋다.

**주의사항**

임신부나 위산과다인 사람은 주의해야 한다.

## 🌱 자소엽생강차

**재료** : 자소엽 5g, 생강즙 1큰술

**제작 및 음용**

다관에 자소엽을 넣고 5분 정도 우려낸 후 생강즙을 타서 마신다.

**효능**

몸에 찬 기운을 없애고 기운을 조절하며 위를 편하게 하는 차로 해표산한(解表散寒), 행기화위(行氣和胃)작용이 있으며 몸을 따뜻하게 하고 구토를 멈추게 하고 해독작용과 안태(安胎)작용이 있다. 임신으로 구역질이나 구토가 잦은 사람들이 마시면 좋고 해산물을 먹고 중독되어 복통 설사를 하는 사람에게 유용한 차다.

주의사항

온병환자나 기가 허약한 사람은 주의해야 한다.


## 4. 비위를 조절해 주는 차

### 🌱 보리생강차

**재료** : 보리차 50g, 생강 1개, 꿀 적당량

**제작 및 음용**

보리차와 생강을 냄비에 넣고 30분 정도 끓여 다관에 담고 꿀을 넣은 후 찻잔에 따라 마신다.

**효능**

비위를 튼튼하게 하고 소화를 도우며 소변을 잘 통하게 하고 혈지방을 내린다. 소화가 잘 안 되거나 소변이 잘 나오지 않고 통증이 있는 사람이 마시면 증상이 완화된다.

### 🌱 감초건비차

**재료** : 생감초 6g, 오매 2개, 꿀 적당량

**제작 및 음용**

감초와 오매를 냄비에 넣고 20분 정도 끓인 후 꿀을 넣고 다관에 담아 찻잔에 따라 마신다.

**효능**

비장을 튼튼하게 하고 폐에도 유익하며 기운을 보하고 진액을 만들어주며 노화를 예방한다. 체질이 허약하여 기운이 없고 가슴이 자주 두근거리며 목이 마르고 폐가 허약하여 기침하는 사람에게 유익한 차다.

### 주의사항

감기나 사기의 침입으로 인한 실증에는 좋지 않다.

## 🌱 계원황기차

**재료** : 생황기 50g, 계원 10개, 구기자 30g

### 제작 및 음용

위의 재료를 모두 유리냄비에 넣고 물을 부어 30분 정도 끓인 후 다관에 담아 찻잔에 따라 마신다.

### 효능

비위를 튼튼하게 하고 심장의 혈액을 보하고 체력을 강하게 하고 피부를 윤택하고 아름답게 한다. 빈혈이 있는 사람이나 생리가 막 끝난 여성이 마시면 좋고 체력이 허약한 사람에게 좋은 차다.

### 주의사항

담이 있는 사람이나 목에 끈적끈적한 가래가 있는 사람은 마시지 않는 것이 좋다.

## 🌱 진피감초차

**재료** : 진피 6g, 감초 5g

### 제작 및 음용

위의 재료를 유리냄비에 넣고 20분 정도 끓인 후 다관에 담아 찻잔에 따라 마신다.

### 효능

건비익기작용이 있으며 소화불량을 예방하고 청열해독작용이 있으며 습을 제거하고 가래를 삭이는 효능이 있다. 소화가 잘 되지 않고 배가 더부룩하며 가래가 있고 기침하는 사람이나 뇌혈관 동맥경화가 있는 사람 또는 콜레스테롤이 높은 사람에게 적합하다.

기(氣)가 허약하고 몸이 건조하며 음허로 인한 마른기침환자는 주의해야 한다.

## 레몬홍차

**재료** : 레몬 3쪽, 홍차 5g, 설탕 약간

### 제작 및 음용

다관에 홍차와 레몬을 넣고 5분 정도 우려낸 후 설탕을 넣고 저어 찻잔에 따라 마신다.

### 효능

위를 편하게 하고 기운을 조절하며 진액을 만들어 갈증을 멈추게 하고 소염작용이 있으며 혈액의 점도를 낮춘다. 사무실에서 일하며 운동량이 적은 사람에게 적합한 차로 정신을 맑게 하고 마음을 안정시키며 속을 편하게 한다.

### 주의사항

위산과다 환자는 마시지 않는 것이 좋다.

## 박하감초레몬차

**재료** : 박하 5g, 생감초 2쪽, 레몬 2편

### 제작 및 음용

감초를 냄비에 넣고 10분 정도 끓인 후 다관에 박하, 레몬과 함께 넣고 10분 정도 우려내어 찻잔에 따라 마신다.

### 효능

위와 장의 유동운동을 활발하게 하고 몸속의 노폐물을 제거하며 정신을 맑게 하고 입 안을 상쾌하게 하며 위와 장을 튼튼하게 한다. 비위가 허약하여 식욕이 없고 음식을 많이 먹지 못하며 가슴이 자주 두근거리고 기운이 없으며 약이나 음식으로 중독된 사람에게 좋으며 인후종통이나 감기 후 열이 많은 사람에게 적합한 차다.

임신부는 마시지 않는 것이 좋다.

## 🌱 삼출건비차

**재료** : 만삼, 백출, 진피, 맥아 각 20g

**제작 및 음용**

위의 재료를 냄비에 담고 물을 부어 20분 정도 끓인 후 다관에 담아 찻잔에 따라 마신다.

### 효능

비위를 튼튼하게 하고 소화기능을 높이며 기운을 만들고 이뇨작용이 있으며 습을 제거한다. 비위가 허약하여 식욕이 없고 소화불량증상이 있는 사람이나 손발이 자주 붓고 자고 나면 눈 주위가 부어 있는 사람이 마시면 효과가 있고 피로가 쌓여 무기력한 사람이 마시면 좋다.

### 주의사항

상한 음식을 먹었거나 식체한 사람은 마시지 않는 것이 좋다.

## 🌱 영지산사차

**재료** : 영지버섯 4편, 산사 6편

**제작 및 음용**

위의 재료를 냄비에 넣고 10분 정도 끓인 후 다관에 담아 찻잔에 따라 마신다.

### 효능

신체를 조절하고 소화를 촉진시키며 기운을 잘 통하게 하고 가래를 삭이며 기억력을 증강시킨다. 현대 성인병인 고혈압, 고혈당, 고지혈증 즉 현대 3고병이 있는 사람에게 효과가 있으며 비만이나 피부미용에도 도움이 된다.

영지에 알레르기가 있거나 출혈을 많이 한 사람에게는 좋지 않다.

## 🌷 삼칠화레몬차

**재료** : 삼칠화 10g, 레몬 2쪽

### 제작 및 음용

삼칠화와 레몬을 다관에 넣고 끓는 물을 부어 5분
정도 우려내어 찻잔에 따라 마신다.

### 효능

기혈을 보하고 비위를 튼튼하게 하며 혈액순환을 잘 되게 하고 내분비를 조절한다.
심혈관질환이 있는 사람이나 갱년기여성에게 적합한 차다.

### 주의사항

위산과다환자나 임신부는 주의해야 한다.

## 🌷 곽향생강대추차

**재료** : 곽향 20g, 생강 30g, 대추 6개

### 제작 및 음용

생강대추를 30분 정도 끓여 곽향과 함께 다관에 넣고 뚜껑을 덮고 15분 정도 우려
낸 후 찻잔에 따라 마신다.

### 효능

위를 따뜻하게 하고 소화를 도우며 위경련을 완화시키고 습하고 탁한 기운을 없애고
감기예방에도 효과가 있다. 식욕부진이나 토사곽란이 있는 사람에게 효과가 있으며 설
사를 멈추게 하고 식중독이나 상한 음식을 먹고 난 후 속이 불편한 사람이 마시면 좋다.

음허화왕체질은 마시지 않는 것이 좋다.

## 구기계원차

**재료** : 구기자 6g, 계원 5개

### 제작 및 음용

계원과 구기자를 다관에 넣고 끓는 물을 부어 10분 정도 우려낸 후 찻잔에 따라 마신다.

### 효능

폐를 윤택하게 하고 위를 따뜻하게 하며 한사를 없애고 심장과 비장을 보하며 자양 작용이 있고 피부를 윤택하게 한다. 따라서 얼굴색이 어둡고 거칠하며 피부가 건조한 사람에게 좋으며 정신을 안정시키는 효능도 있다.

### 주의사항

한사가 침범하여 기침을 하며 열이 나는 사람은 마시지 않는 것이 좋다.

# Ⅱ 여름

여름은 입하에서 시작하여 소만, 망종, 하지, 소서, 대서 6절기를 말한다. 기후특징은 무덥고 찌는 계절이며 만물이 무성하고 양기가 왕성한 때이므로 천중가절(天中佳節)이라 하며 자연계 생물의 성장, 발육, 번식이 최고조에 이르는 시기다.

여름에는 일반적으로 더위로 인해 식욕이 없어지고 영양유실이 많은 계절이다. 사람들 중 일부는 더위를 먹거나 "상화"가 올라와 치통이나 인후통이 나타나기도 하고 가슴이 답답한 증상이 있어 사회생활에 불편을 주기도 한다. 이러한 작은 증상들은 일상생활에서 차를 만들어 마심으로써 해결할 수 있다.

동양의학에서는 봄과 여름에는 양기를 보하고 가을과 겨울에는 음기를 보양하라고 했다. 따라서 음식은 양기가 상하지 않도록 찬 음식은 적당히 먹어야 하고 몸이 허약하고 찬 사람은 여름에 온열요법을 사용하여 장부가 따뜻하도록 해야 한다.

또한 여름에 치료법은 "청법(淸法)"인데 청법으로는 첫 번째 정서적 안정이 중요하다. 마음이 초조하고 불안하면 답답한 열이 올라오며 마음이 편안하면 열은 내려간다. 두 번째는 담백하고 청량한 음식을 먹는다. 이러한 담백하고 청량한 음식은 몸의 열을 내려준다. 세 번째는 생활환경을 시원하게 해주는 것이다.

그리고 더운 여름 장마철에 들어서면 습하고 더운 기온으로 바이러스나 세균의 번식이 용이하여 곰팡이가 쉽게 자라는데 위생관리가 소홀하면 식중독, 장염 등의 질병에 걸리기 쉽다. 또한 몸에 습이 많으면서 느끼한 음식을 좋아하고 운동을 싫어하는 사람은 습으로 인한 질병으로 몸이 무겁고 무기력하게 된다. 이런 사람은 독을 배출할 수 있는 음식이 적합한데 평소 담백하고 신선하며 깨끗한 맛의 음식을 먹고 개인위생을 철저하게 해야 하며 음식을 냉장고에 오래 보관하지 말고 신선한 채소나 과일을 제외한 음식은 항상 가열해서 먹어야 하며 냉음료는 적당히 마셔야 한다.

또한 단백질과 비타민을 충분하게 섭취해야 하고 충분한 수분과 무기염을 보충해야 하며 더위를 예방하고 열을 내리며 가슴의 답답함을 풀고 갈증을 해결하며 소화가 잘 되고 살균효과가 있는 차를 마시는 것이 좋다. 예를 들면 녹차, 청초차, 박하차, 여주차 등이 있다.

## 1. 더위를 이기게 하는 차

### 제호차(醍醐茶)

**재료** : 오매 100g, 백단향 8g, 사인 4g, 초과 10g, 박하 6g, 꿀 적당량

**제작 및 음용**

오매, 백단향, 초과를 넣고 물 1L를 부어 40분 정도 끓이다 초과와 박하를 넣고 15분 더 끓여 다관에 담아 꿀을 넣고 찻잔에 따라 마신다.

* 동의보감에는 제호탕으로 나오며 오매 400g, 백단향 32g, 사인 16g, 초과 12g을 곱게 가루 내어 꿀 2kg에 재어 중탕한 후 물에 타서 여름철 음료로 마신다. 주로 단오절에 왕실에서 더위를 이기기 위해 마셨다고 한다.

**효능**

더위를 이기게 하고 갈증을 멈추게 하며 위장을 튼튼하게 하고 장의 기능도 왕성하게 하여 설사를 멈추게 한다. 수렴작용이 있어 땀을 적게 흘리게 하고 해독작용이 있으며 진통, 흥분작용이 있어 여름철에 더위를 심하게 타는 사람이나 땀을 많이 흘리고 속이 불편하여 식사를 제대로 하지 못하거나 소화를 잘 시키지 못하는 사람에게 적합한 차다.

**주의사항**

임신부는 마시지 않는 것이 좋다.

## 🌷 감초오매차

**재료** : 오매 8개, 생감초 2편, 산사 6편, 장미화 5개

### 제작 및 음용

위의 재료를 냄비에 넣고 30분 정도 끓인 후 다관에 담아 찻잔에 따라 꿀을 적당하게 타서 마신다.

### 효능

진액을 만들고 갈증을 멈추게 하며 기운을 조절하고 우울증을 해소시키며 더위를 이기게 하고 폐기운을 수렴하는 효능이 있다. 여름철 복통 설사가 잦고 위와 장이 좋지 않은 사람에게 적합한 차다.

## 🌷 레몬고과차

**재료** : 말린 고과 6편, 말린 하엽 5g, 레몬 2쪽

### 제작 및 음용

모든 재료를 다관에 넣고 끓는 물을 부어 15분간 우린 후 찻잔에 따라 마신다.

### 효능

열을 내리고 해독작용이 있으며 더위를 견디게 하며 혈당과 혈압을 내리는 효능이 있으며 이뇨작용도 있다. 더운 여름철 음료로 마시면 좋은 차로 당뇨환자나 고혈압환자에게 유익하고 수종이 있는 사람에게도 좋으며 비만인 사람들의 다이어트 차로 일정한 효과가 있다.

### 주의사항

위산과다인 사람이나 비위가 허약하고 찬 사람은 마시지 않는 것이 좋다.

## 🌸 딸기녹차

**재료** : 딸기 6개, 녹차 3g

### 제작 및 음용

딸기를 편으로 썰어 냄비에 넣고 물을 부어 5분 정도 끓여 다관에 넣고 녹차를 넣어 3분 정도 우린 후 찻잔에 따라 마신다.

### 효능

입안의 느끼한 맛을 제거하고 열을 내리며 진액을 만들고 갈증을 멈추게 하며 정신을 맑게 하고 더위를 이기게 한다. 여름철 번열이 있거나 입안이 텁텁하고 풍열로 인한 기침이 있는 사람에게 유용하며 복통 설사를 하거나 현대 삼고병(고혈압, 고혈당, 고지혈증)이 있는 사람이 마시면 좋다.

### 주의사항

임신부, 어린이, 변비, 신경쇠약자는 많이 마시지 않는 것이 좋다.

## 🌸 연자심감초차

**재료** : 연자심 3g, 감초 1편

### 제작 및 음용

연자심과 감초를 다관에 넣고 끓는 물을 부어 10분 정도 우린 후 찻잔에 따라 마신다.

### 효능

열을 내리고 심장을 강하게 하며 정신을 안정시키는 효능이 있으며 여름철 잠이 오지 않고 가슴이 두근거리며 열이 올라오며 답답할 때 마시면 효과가 있으며 정신적 스트레스가 많은 사람에게도 효과가 있다. 자주 마시면 기억력 증진에도 도움이 된다.

### 주의사항

비장이 허약하여 변이 묽게 나오는 사람은 먹지 않는 것이 좋다.

## 🌱 산사오매차

**재료** : 산사 15g, 오매 20g, 꿀 적당량

### 제작 및 음용

위의 재료를 냄비에 넣고 물을 부어 10분간 끓인 후 다관에 넣고 찻잔에 따라 꿀을 타서 마신다.

### 효능

몸의 열기를 내리며 소화를 돕고 혈액순환을 활발하게 하고 어혈을 풀어주며 허열로 인한 답답한 갈증을 완화해 준다. 더위로 가슴이 답답하고 안절부절못하는 사람이나 식욕부진으로 식사량이 적고 소화를 잘 시키지 못하는 사람에게 좋은 차다.

### 주의사항

임신부는 마시지 않는 것이 좋다.

## 🌱 오매량차

**재료** : 오매 3개, 녹차 6g

### 제작 및 음용

녹차와 오매를 다관에 넣고 끓는 물을 부어 5분 정도 우려낸 후 찻잔에 따라 마신다.

### 효능

더위를 이기고 몸을 시원하게 하며 진액을 만들고 갈증을 멈추게 한다. 복통 설사를 하는 사람이나 변비, 허열로 인해 가슴이 답답한 증상에 좋으며 기침을 오래한 사람이나 임신구토에도 효과가 있다.

### 주의사항

감기로 발열이 있거나 가래가 많은 기침에는 마시지 않는 것이 좋다.

## 🌷 청서화차

**재료 :** 야국화 2g, 모리화 3g

**제작 및 음용**

야국화와 모리화를 다관에 넣고 뜨거운 물을 부어 5분 정도 우려내어 찻잔에 따라 마신다.

**효능**

열을 내리고 위의 유동운동을 촉진시키며 정신을 맑게 하고 오관을 잘 통하게 한다. 더위로 열이 나고 답답한 증상이 있거나 피로하고 권태감이 있는 사람에게 적합하다.

**주의사항**

비위가 허약하고 찬 사람이나 임신부는 마시지 않는 것이 좋다.

## 🌷 모근청열차

**재료 :** 백모근 5g, 등심초 3g, 녹차 3g

**제작 및 음용**

위의 재료를 다관에 넣고 끓는 물을 부어 5분 정도 우린 후 찻잔에 따라 마신다.

**효능**

열을 내리고 이뇨작용이 있어 소변이 잘 나오지 않거나 소변색이 노랗고 통증이 있는 사람이나 수종이 있는 사람에게 적합하고 더위로 가슴이 답답한 사람이 마시면 좋은 차다.

**주의사항**

비위가 차고 허약한 사람이나 복통 설사를 하거나 변이 묽은 사람은 주의해야 한다.

## 🌿 동과하엽하고초차

**재료** : 동과 300g, 하엽 20g, 하고초 20g

### 제작 및 음용

위의 재료를 유리냄비에 넣고 30분 정도 끓인 후 다관에 담아 찻잔에 따라 마신다.

### 효능

열을 내리고 뭉친 것을 풀어주며 간열을 내려 눈을 밝게 하고 이뇨작용과 소화작용이 있으며 노폐물을 제거하고 허열로 인해 가슴이 답답한 증상을 개선한다. 더위로 몸에 습열이 많고 수종이 있는 사람이나 갈증이 많이 나는 사람에게 적합하고 고혈압환자에게도 좋다.

### 주의사항

비위가 허약하고 찬 사람은 마시지 않는 것이 좋다.

## 🌿 모리하엽곽향차

**재료** : 모리화 5g, 하엽 5g, 곽향 3g

### 제작 및 음용

위의 재료를 다관에 넣고 끓는 물을 부어 5분 정도 우린 후 찻잔에 따라 마신다.

### 효능

더위를 이기고 열을 내리며 항균작용과 소염작용이 있으며 정신을 안정시키고 위를 편하게 하고 구토를 멈추게 한다. 습열로 인한 감기증상이 있는 사람이나 약하게 더위를 먹어 속이 불편하고 답답하며 구토설사를 하는 사람에게 적합하고 여름철 유행성질환 예방에도 도움이 된다.

### 주의사항

임신 중이거나 생리 중인 여성은 마시지 않는 것이 좋다.

## 🌸 율무하엽산사차

**재료** : 볶은 율무 · 하엽 · 산사 각 5g

### 제작 및 음용

위의 재료를 다관에 넣고 끓는 물을 부어 8분 정도 우려낸 후 찻잔에 따라 마신다.

### 효능

더위를 이기게 하고 비장을 튼튼하게 하며 습을 제거하는 효능이 있으며 이뇨작용이 있어 수종을 치료하며 기미를 엷게 만든다. 더위를 먹어 설사하는 사람이나 단순성 비만자들이 마시면 효과가 좋고 피부미용에도 효과가 있으며 습을 제거하는 작용이 있어 몸을 가볍게 한다.

### 주의사항

기혈이 부족하고 허약한 사람은 마시지 않는 것이 좋다.

## 🌸 금귤대추홍차

**재료** : 금귤 2개, 대추 3개, 홍차 적당량

### 제작 및 음용

물에 대추를 넣고 30분 이상 끓인 후 다관에 홍차와 금귤을 편으로 잘라 넣고 대추 끓인 물을 부어 5분 정도 우린 후 찻잔에 따라 마신다.

### 효능

열을 내리고 더위를 식히며 소화를 돕고 혈액의 지방을 낮추는 효능이 있으며 미용과 다이어트에 효과가 있다. 가슴이 답답하고 뭉친 것 같으며 고혈압환자나 간염환자에 도움이 되고 숙취해소에도 좋은 차다.

### 주의사항

몸이 마르고 기운이 없는 사람이나 당뇨환자, 잇몸이 부은 사람은 먹지 않는 것이 좋다.

## 하엽감초차

**재료** : 하엽 2g, 감초 3g. 얼음설탕 적당량

### 제작 및 음용

하엽과 감초를 유리주전자에 넣고 20분 정도 끓여 다관에 담는다. 다관에 얼음설탕을 넣고 설탕이 녹으면 찻잔에 따라 마신다.

### 효능

더위를 식히고 습을 제거하며 이뇨작용이 있고 갈증을 해소한다. 또한 양기를 위로 올려 발산시키는 작용이 있다. 신체가 허약하고 더위를 먹어 두통, 어지럼증상이 있는 사람에게 적합한 차다.

### 주의사항

기운이 없고 풍한으로 인한 감기에 걸린 사람이나 임신부, 생리 중인 여성에게는 좋지 않다.

## 비파죽엽차

**재료** : 비파엽 2g, 담죽엽 1g

### 제작 및 음용

유리주전자에 비파잎과 담죽엽을 넣고 5분 정도 끓인 후 다관에 담아 찻잔에 따라 마신다.

### 효능

열을 내리고 폐를 윤택하게 하며 기침을 멈추게 하고 가래를 삭이며 더위를 없애고 천식을 안정시키는 효능이 있다. 기침을 하면서 열이 심하고 갈증을 느끼는 사람에게 좋고 가래가 끈적하고 잘 나오지 않는 사람에게도 적합하다.

주의사항

풍한감기로 오한(惡寒)이 심한 사람은 마시지 않는 것이 좋다.

## 🌷 산사하엽차

**재료** : 산사 5g, 하엽 5g

제작 및 음용

유리주전자에 위의 재료를 넣고 물을 부은 후 10분 정도 끓여 걸러서 마신다.

효능

더위를 견디게 하고 습을 제거하며 양기를 위로 올려 발산하고 지혈작용이 있으며 소화를 돕고 소변을 잘 나오게 한다.

주의사항

기운이 없고 풍한으로 인한 감기에 걸린 사람이나 임신부, 생리 중인 여성에게는 좋지 않다.

## 2. 심신(心神)을 안정시키는 차

## 🌷 레몬백합화차

**재료** : 레몬 2쪽, 백합화 3개

제작 및 음용

다관에 위의 재료를 넣고 5분 정도 우려 찻잔에 따라 마신다.

효능

심장의 열을 내리고 정신을 맑게 하며 폐를 윤택하게 하여 기침을 멈추게 하고 혈압을 낮춘다. 더위로 인해 가슴이 답답하고 열이 올라오며 가슴이 두근거리고 잠이 오지 않는 사람에게 효과가 있다.

### 주의사항
임신부나 몸이 찬 사람에게는 좋지 않다.

## 🌱 등심초죽엽차

**재료** : 등심초 3g, 죽엽 3g

### 제작 및 음용
등심초와 죽엽을 유리냄비에 넣고 5분 정도 끓인 후 다관에 담아 찻잔에 따라 마신다.

### 효능
화를 내리고 습을 제거하며 가슴의 답답한 증상을 개선하고 진액을 만들며 이뇨작용이 있다. 정신을 안정시키는 효능이 있으며 초조하고 가슴이 답답하며 불면증이 있는 사람이나 입안이나 혀가 자주 허는 사람에게 적합하다.

### 주의사항
비위가 허약하고 차며 요실금이 있는 사람에게는 좋지 않다.

## 🌱 박하녹차

**재료** : 박하잎 2g, 녹차 3g, 얼음설탕 적당량

### 제작 및 음용
위의 재료를 다관에 넣고 5분 정도 우려내어 찻잔에 따라 마신다.

### 효능
풍열을 없애며 목을 편하게 하고 간 기운을 잘 통하게 하며 가려움증을 없앤다. 배에 가스가 차고 소화가 잘 되지 않으며 두통이 있거나 더위를 견디기 힘들고 갈증이 나며 답답한 열이 올라오는 사람에게 효과가 있다.

주의사항

임신부나 산모, 유아에게는 좋지 않다.

## 🌸 로즈메리라벤더차

**재료** : 로즈메리 3g, 라벤더 3g

### 제작 및 음용

다관에 위의 재료를 넣고 끓는 물을 부어 15분 정도 우려내어 찻잔에 따라 마신다.

### 효능

혈액순환을 촉진시키고 정신을 맑게 하며 정신을 집중시켜 준다. 머리가 어지럽고 긴장성 두통이 있으며 풍습병으로 인한 산통(酸痛 : 근육통)에 효과가 있다.

### 주의사항

고혈압환자나 임신부는 마시지 않는 것이 좋다. 또한 불면증이 올 수 있으므로 잠자기 전에는 마시지 않는 것이 좋다.

## 🌸 건뇌차

**재료** : 백국화 3g, 맥문동 5g, 꿀 적당량

### 제작 및 음용

맥문동을 유리냄비에 넣고 5분 정도 끓여 백국화를 담은 다관에 부어 찻잔에 따라 꿀을 넣고 저어 마신다.

### 효능

심장의 열을 내리고 폐를 윤택하게 하며 진액을 만들어주고 음을 보하며 정신을 맑게 한다. 더위로 속이 답답하고 피부가 건조하며 고온환경에서 작업하는 사람에게 적합한 차다.

## 주의사항

비위가 허약하고 찬 사람이나 체질이 허약하고 찬 사람은 주의해야 한다.

## 🌺 오미이동차

**재료** : 오미자 3g, 천문동 5g, 맥문동 5g

### 제작 및 음용

천문동과 맥문동을 유리주전자에 넣고 5분 정도 끓인 후 오미자를 담은 다관에 부어 5분 정도 우린 후 찻잔에 따라 마신다.

### 효능

심장을 안정시키고 신장을 보하며 기운이 나게 한다. 진액을 만들고 폐를 윤택하게 하며 음을 보한다. 습한 더위에 지쳐 가슴이 답답하고 입안이 마르고 갈증이 나며 복통 설사를 하는 사람에게 적합하다.

### 주의사항

몸이 허약하고 차면서 설사하는 사람이나 풍한으로 기침하는 사람에게는 좋지 않다.

## 🌺 백합배숙차

**재료** : 배 1/2개, 백합 15g, 얼음설탕 적당량

### 제작 및 음용

유리냄비에 배와 백합을 넣고 물을 부어 10분 정도 끓인 후 얼음설탕을 담은 다관에 부어 찻잔에 따라 마신다.

### 효능

열을 내리고 가래를 삭이며 진액을 만들고 몸을 윤택하게 하며 기침을 멈추게 하고 정신을 안정시킨다. 고혈압환자나 간염, 간경화 환자에게도 적합하다.

비위가 허약하고 찬 사람이나 복부가 차고 냉통이 있거나 혈액이 허약한 사람은 많이 마시면 좋지 않다.

## 연자심감국잎차

**재료** : 연자심 2g, 감국잎 1개

**제작 및 음용**

다관에 위의 재료를 넣고 끓는 물을 부어 5분 정도 우려낸 후 찻잔에 따라 마신다.

**효능**

열을 내리고 화를 가라앉게 하며 혈압을 조절하고 정신을 안정시키며 소화를 돕는다. 고혈압환자나 당뇨환자에게 좋으며 가슴이 두근거리고 불면증이 있는 사람에게 적합하다.

**주의사항**

변비가 있거나 복부가 장만한 사람은 많이 마시지 않는 것이 좋다.

## 박하잎모리화레몬차

**재료** : 박하잎 3개, 모리화 1큰술, 레몬 1편

**제작 및 음용**

위의 재료를 다관에 넣고 끓는 물을 부어 3분 정도 우린 후 찻잔에 따라 마신다.

**효능**

열을 내리고 해독작용이 있으며 정신을 맑게 하고 우울증을 해소하며 더위를 이기게 하고 갈증을 멈추게 한다. 풍열감기나 가슴과 복부가 답답하고 입안이나 혀가 헌 사람에게 적합하다.

체질이 허약하여 땀이 많이 나는 사람이나 임신부에게는 좋지 않다.

## 🌿 백합구기자차

**재료** : 백합 5g, 구기자 3g

### 제작 및 음용

유리냄비에 넣고 물을 부어 5분 정도 끓인 후 다관에 담아 찻잔에 따라 마신다.

### 효능

심장의 열을 내리고 정신을 안정시키며 간을 보해 눈을 밝게 하고 폐를 윤택하게 하여 기침을 멈추게 한다. 더위에 가슴이 답답하고 두근거리며 불면증이 있고 쉽게 피로한 사람에게 적합하다.

### 주의사항

비위가 허약한 사람은 많이 마시지 않는 것이 좋다.

## 3. 습독(濕毒)을 배출하는 차

### 🌿 레몬정화차

**재료** : 레몬그라스 5g, 레몬 1쪽, 감국잎 1개

### 제작 및 음용

다관에 위의 재료를 모두 넣고 끓는 물을 부어 3분 정도 우린 후 찻잔에 따라 마신다.

### 효능

혈관에 쌓인 지방을 제거하고 체내독소를 배출하며 신체에 활력을 주며 정신을 안정시키고 맑게 한다. 또한 급성장염, 위염이 있거나 만성복통 설사를 하는 사람, 소화가

잘 안 되는 사람에게 적합하다.

### 주의사항

임신부나 위산과다인 사람에게는 좋지 않다.

## 🌷 라벤더자소차

**재료** : 라벤더 3g, 자소 2g, 건포도 10g, 진피 2g, 얼음설탕 적당량

### 제작 및 음용

위의 재료를 모두 다관에 넣고 끓는 물을 부어 5분 정도 우린 후 찻잔에 따라 마신다.

### 효능

정신을 맑게 하고 사고력을 키우며 기분을 상쾌하게 하고 몸안의 독소를 배출하여 몸을 가볍게 한다. 습열로 가슴이 답답하고 쉽게 피로하며 풍한감기에 적합하다.

### 주의사항

임신부는 마시지 않는 것이 좋다.

## 🌷 금은감초차

**재료** : 금은화 30g, 감초 10g

### 제작 및 음용

금은화와 감초를 유리냄비에 넣고 물을 부어 10분 정도 끓인 후 다관에 담아 찻잔에 따라 마신다.

### 효능

열을 내리고 해독작용이 있으며 비위를 보호한다. 더위로 가슴이 답답하고 풍열감기로 몸에 열이 많은 사람에게 적합하고 소화불량인 사람에게도 좋은 차다.

비위가 허약하고 차며 수종이 있는 사람은 마시지 않는 것이 좋다. 또한 목을 많이 사용하는 강사, 연기자 등은 많이 마시면 목과 입이 건조해지기 쉬우므로 주의해야 한다.

## 🌼 금은방대해국화차

**재료** : 방대해 1개, 금은화 3g, 국화 3개

### 제작 및 음용

위의 재료를 유리주전자에 넣고 끓는 물을 부어 5분 정도 우린 후 찻잔에 따라 마신다.

### 효능

인후를 부드럽게 하고 해독작용이 있으며 열을 내리고 폐를 윤택하게 한다. 그리고 장을 윤택하게 하여 변을 잘 나오게 하고 경락을 잘 통하게 하는 효능이 있다. 감기로 몸에 열이 많이 나는 사람이나 만성장염, 편도선염이 있는 사람에게 적합하다.

### 주의사항

비위가 허약하고 찬 사람은 주의해야 한다. 또한 방대해는 너무 많이 자주 마시는 것은 좋지 않다. 가슴이 답답하거나 대변이 너무 묽게 나올 수 있다.

## 🌼 박하죽엽차

**재료** : 박하 2g, 죽엽 2g, 차전초 3g

### 제작 및 음용

위의 재료를 다관에 넣고 5분 정도 우린 후 찻잔에 따라 마신다.

### 효능

눈을 밝게 하고 담을 없애며 열을 내리고 습을 제거한다. 더위를 견디게 하며 이뇨작용이 있다. 여름철 목이 마르고 입안이 건조하며 땀띠가 난 사람에게 적합하다.

주의사항

음허로 혈액이 건조하고 간양상항(肝陽上亢)이 있는 사람이나 표허한다(表虛汗多)
인 사람은 주의해야 한다.

### 🌼 죽엽백모근차

**재료** : 죽엽 · 백모근 각 3g

제작 및 음용

유리냄비에 위의 재료를 넣고 물을 부어 5분 정도 끓인 후 다관에 담아 찻잔에 따라
마신다.

효능

보중익기(補中益氣)작용이 있으며 서열(暑熱)을 제거하고 습독을 배출하는 효능이
있다. 더위를 먹은 사람이나 갈증이 나며 가슴이 답답하고 정신이 없으며 몸이 허약하
고 마른 사람에게 적합하다.

주의사항

비위가 허약하고 찬 사람과 복통 설사가 잦고 변이 묽게 나오는 사람은 주의해야 한다.

### 🌼 야국화고과차

**재료** : 야국화 6개, 마른 고과편 4개

제작 및 음용

위의 재료를 다관에 담아 끓는 물을 부어 3분 정도
우린 후 찻잔에 따라 마신다.

효능

열을 내리고 해독작용이 있으며 간 기운을 잘 소통시키고 안정시키며 경락에 있는
화를 내린다. 더위를 먹어 속이 답답하고 갈증이 나며 이질이 있는 환자에게 적합하다.

비위가 허약하고 찬 사람이나 복통 설사가 잦은 마시지 않는 것이 좋다.

## 방대해산사차

**재료** : 방대해 1개, 산사 5편

### 제작 및 음용

유리주전자에 위의 재료를 넣고 끓는 물을 부어 10분 정도 우려낸 후 찻잔에 따라 마신다.

### 효능

인후를 잘 통하게 하고 해독작용이 있으며 열을 내리고 폐를 윤택하게 하며 장을 윤택하게 하여 변을 잘 나오게 하고 소화를 돕는다. 육식을 좋아하고 자주 체하며 복부가 장만하고 딱딱하며 열결변비(熱結便秘)가 있는 사람에게 적합하다.

### 주의사항

임신부나 비위가 허약하고 찬 사람은 주의해야 한다.

## 레몬금연화차

**재료** : 레몬 2편, 금연화 3g

### 제작 및 음용

유리주전자에 위의 재료를 넣고 10분 정도 우려낸 후 찻잔에 따라 마신다.

### 효능

체내의 독소를 배출하고 중이염을 예방하며 입안에서 나는 입냄새를 제거한다. 더운 여름 가슴이 답답하고 입냄새가 심한 사람이 마시면 좋다.

### 주의사항

위산과다인 사람은 마시지 않는 것이 좋다.

## 🌷 알로에레몬차

재료 : 알로에 10g, 레몬 2쪽

### 제작 및 음용

다관에 위의 재료를 넣고 끓는 물을 부어 15분 정도
우려낸 후 찻잔에 따라 마신다.

### 효능

신체의 독소배출을 돕고 영양을 보충하며 인체 면역력을 증강시키는 효능이 있다.
더위로 인해 입안이 마르고 갈증이 나며 소화가 잘 되지 않고 가슴이 답답하며 잇몸이
붓는 사람에게 적합하다.

### 주의사항

위산과다인 사람이나 당뇨병환자는 마시지 않는 것이 좋다.

## 🌷 진피박하차

재료 : 건하엽 · 율무 · 진피 각 10g, 얼음설탕 적당량

### 제작 및 음용

하엽, 율무, 진피를 유리냄비에 넣고 물을 부어 5분 정도 끓인 후 다관에 담고 얼음
설탕을 넣고 찻잔에 따라 마신다.

### 효능

열을 내리고 독소를 배출하며 비장을 튼튼하게 하고 기운을 조절하며 습을 제거하는
효능이 있으며 소화를 돕는다. 비만하고 혈지방이 높은 사람에게 적합하다.

### 주의사항

임신부는 주의해야 한다.

## 🌼 박하곽향녹차

**재료** : 박하 2g, 곽향 3g, 녹차 5g

### 제작 및 음용

위의 재료를 다관에 담고 끓는 물을 부어 5분 정도 우린 후 찻잔에 따라 마신다.

### 효능

습을 제거하고 기운을 조절하며 정신을 맑게 하고 더위를 이기게 한다. 습하고 더운 계절에 습온(濕溫)질병 초기에 마시면 좋다.

### 주의사항

음허화왕, 열병, 온병 환자에게는 좋지 않다.

## 🌼 녹두백합차

**재료** : 녹두 300g, 백합 100g

### 제작 및 음용

녹두와 백합을 물에 30분 정도 담가두었다 약한 불에 천천히 끓여 녹두가 벌어지면 거름망에 걸러 찻잔에 담아 마신다.

### 효능

열을 내리고 이뇨작용이 있으며 진액을 만들고 갈증을 멈추게 하며 더위를 없애고 가슴의 답답한 증상을 개선하고 해독작용이 있다. 더위로 갈증을 느끼고 가슴이 답답하며 입안이 건조하고 주종이 있거나 배가 더부룩한 사람에게 적합하다.

### 주의사항

비위가 허약하고 차며 복통 설사를 하는 사람에게는 좋지 않다.

# Ⅲ 가을

가을은 풍요와 결실의 계절이다. 입추에서 시작하여 입동까지를 말하며 입추, 처서, 백로, 추분, 한로, 상강을 포함하고 있다. 가을은 양이 적어지고 음이 많아지기 시작하는 시기로 햇볕이 많고 기온이 내려가기 시작하며 과실이 익어가고 만물이 성숙해지는 계절이다. 또한 천고마비의 계절로 공기가 깨끗하고 맑아 폐의 주기(主氣)기능과 호흡 기능에 유리하다.

하지만 추분이 지나면서 기후가 점점 내려가 건조한 기운이 풍과 합해져 폐에 들어와 건조해지면 피부나 코, 인후를 건조하게 만든다. 더구나 폐는 윤택한 것을 좋아하고 건조한 것을 싫어한다. 그러므로 물을 자주 마시는 것 외에 폐를 윤택하게 해주는 음료를 마시는 것이 건강을 지키는 게 된다.

『황제내경』에서는 "가을과 겨울에는 음을 키워야 한다."고 했다. 따라서 가을에는 정을 소모하거나 음기를 상하면 안 된다. 건조한 기후로 음을 보하는 특히 폐음(肺陰)을 보하는 차로 지해화담(止咳化痰), 윤폐양음(潤肺養陰)작용이 있는 차가 좋다. 예를 들면 오룡차, 사탕수수차, 맥문동차, 백합차, 나한과차, 방대해차 등이 좋다.

민담에 의하면 "봄에는 피곤하고 여름에는 졸리며 가을에는 기운이 없다."라는 말이 있는데 가을에 기운이 없고 권태감이 나타나는 것은 여름을 거치면서 많은 땀을 흘리고 장과 위의 기능이 약해져 심혈관계통에 부담을 주어 기운이 부족한 현상이 나타난 것이다. 또한 기온이 하강하면서 인체는 휴식단계에 접어드는 시기로 피로감이 나타나는 것은 자연현상이다. 따라서 정상적인 생활을 영위하기 위해서는 햇볕을 많이 쬐고 수면을 한 시간 정도 늘리며 피로회복에 좋은 음료를 마시고 느끼하고 매운 음식은 적게 먹고 질 좋은 단백질 섭취를 늘려야 한다.

## 1. 조사를 제거하고 노곤함을 풀어주는 차

### 🌸 모리화녹차

**재료** : 모리화 10g, 녹차 5g

**제작 및 음용**

위의 재료를 다관에 넣고 뜨거운 물을 부어 우려
마신다.

**효능**

속을 따뜻하게 하고 위를 편하게 하며 부기를 가라앉게 하고 해독작용이 있으며 다
이어트에 도움이 되며 노화예방에도 좋다. 입안이 건조하고 시력이 침침하며 고지혈증
이 있는 사람에게 적합한 차다.

**주의사항**

정서적으로 흥분상태에 있거나 신체가 허약한 사람은 많이 마시지 않는 것이 좋다.

### 🌸 연자심녹차

**재료** : 연자심 · 녹차 · 감초 각 3g

**제작 및 음용**

위의 재료를 다관에 넣고 끓는 물을 부어 5분 정도 우린 후 찻잔에 따라 마신다.

**효능**

심장의 열을 내리고 해독작용이 있으며 진액을 만들고 몸이 건조해지는 것을 예방하
며 몸에 화를 제거한다. 음식의 맛을 느끼지 못하고 손발에 열이 많으며 갈증이 심하고
인후가 건조하고 혓바늘이 돋거나 입안이 허는 사람에게 적합한 차다.

**주의사항**

대변이 건조하거나 복부가 장만한 사람은 먹지 않는 것이 좋다. 또한 일반인들도 장

기적으로 마시는 것은 좋지 않다.

## 🌸 구기백합안신(安神)차

**재료** : 구기자 10g, 백합 10g, 용안육 10g, 얼음설탕 적당량

### 제작 및 음용

위의 재료를 보온병에 넣고 끓는 물을 부어 15분 이상 우려 조금씩 마신다.

### 효능

폐를 윤택하게 하고 신장의 음을 보하며 보혈작용이 있어 마른기침을 하는 사람이나 피부가 건조하고 거칠어진 사람에게 효과가 있다.

## 🌸 은화백합화국화차

**재료** : 백합화 3g, 국화 2g, 금은화 2g, 박하 2g, 녹차 2g

### 제작 및 음용

위의 재료를 다관에 담고 뜨거운 물을 부어 3분 정도 우린 후 찻잔에 따라 마신다.

### 효능

간열은 내리고 눈을 밝게 하며 인후를 잘 통하게 하고 부기를 가라앉게 하며 정신을 맑게 하고 마음을 안정시킨다. 인후종통이 있는 사람이나 속에 열이 많고 간열이 있으며 눈이 충혈되고 통증이 있는 사람에게 적합하다.

### 주의사항

비위가 허약하고 찬 사람이나 풍한감기에 걸린 사람, 복통 설사를 하는 사람은 주의해야 한다.

## 단삼백국차

**재료** : 단삼 9g, 백국 5개

### 제작 및 음용

단삼과 백국을 다관에 넣고 끓는 물을 부어 5분 정
도 우린 후 찻잔에 따라 마신다.

### 효능

정신을 맑게 하고 화를 내리며 정신을 고양시키고 신체의 불편한 증상을 개선시킨
다. 혈액순환을 활발하게 하고 혈전을 제거하는 효능이 있다. 몸에 혈전이 많아 불편한
사람에게 적합한 차다.

### 주의사항

임신부는 마시면 안 된다.

## 행인계화차

**재료** : 첨행인 15g, 계화 10g

### 제작 및 음용

행인을 부숴서 계화와 함께 유리주전자에 넣고 물을 부어 20분 정도 끓인 후 다관에
담아 찻잔에 따라 마신다.

### 효능

폐기운을 잘 통하게 하고 담을 삭이며 혈전을 풀어주고 건조한 것을 윤택하게 하며
통증을 없애고 변비를 해소한다. 허로로 인한 기침이나 장이 건조하여 나타나는 변비
가 있는 사람에게 적합하다.

### 주의사항

임신부는 주의해야 한다. 행인에는 첨행인과 고행인이 있으며 차에는 첨행인을 쓰

는 것이 좋다.

## 🌷 보리수잎박하차

**재료** : 보리수잎 5g, 박하잎 3g

### 제작 및 음용

보리수잎을 먼저 다관에 넣고 10분 정도 우린 후 박하잎을 넣고 3분 정도 더 우려 찻잔에 따라 마신다.

### 효능

마음을 안정시키고 열과 화를 내리며 두통이나 어지럼증을 개선한다. 눈이 충혈되고 두통이 있으며 인후종통이 있거나 수면조절이 안 되는 사람에게 적합하다. 자주 날을 새고 규칙적인 생활을 못하여 비만인 사람이 마시면 효과가 있다.

### 주의사항

음허로 혈액이 건조하고 간양상항이 있는 사람은 마시면 좋지 않다.

## 🌷 삼기율무차

**재료** : 만삼 · 황기 · 율무 각 3g, 대추 2개, 생강 2편

### 제작 및 음용

위의 재료를 유리주전자에 넣고 물을 부어 20분 정도 끓인 후 다관에 담고 찻잔에 따라 마신다.

### 효능

비장을 튼튼하게 하고 습을 제거하며 이뇨작용이 있어 부기를 빼주고 기운을 보하며 면역력을 증강시킨다. 기허(氣虛)인 사람이나 음허(陰虛)로 내열이 있는 사람, 비위가 조화를 이루지 못한 사람, 허로로 인한 마른기침이 있는 사람, 식욕부진이 있는 사람에게 적합하다.

주의사항

기혈이 왕성한 사람이나 열이 나면서 가슴이 답답하고 대변이 건조한 사람은 마시지 않는 것이 좋다.

## 🌷 은이모첨차

**재료** : 은이버섯 20g, 모첨차 5g, 구기자 5g, 설탕 적당량

**제작 및 음용**

유리주전자에 은이버섯과 설탕을 넣고 30분 정도 끓인 후 다관에 담고 찻잎을 넣어 3분 정도 우린 후 찻잔에 따라 마신다.

**효능**

피부를 윤택하게 하고 얼굴색을 좋게 하며 보중익기작용이 있고 진액을 만들어주며 위를 편하게 한다. 입안이 마르고 피부가 건조하며 가슴이 답답하고 기운이 없는 증상이 있거나 위기(胃氣)가 손상된 사람에게 효과가 좋다.

**주의사항**

변혈이나 토혈을 하는 환자는 마시면 좋지 않다.

## 🌷 사삼대추차

**재료** : 사삼 15g, 대추 5개

**제작 및 음용**

사삼과 대추를 유리주전자에 넣고 30분 이상 끓인 후 다관에 담아 찻잔에 따라 마신다.

**효능**

기운과 진액을 만들어주고 폐와 위를 윤택하게 하며 기침을 멈추게 하고 가래를 삭이며 비위를 튼튼하게 한다. 가을에 건조한 기운으로 불편한 여러 증상에 도움이 된다.

주의사항

풍한감기나 담습체질인 사람은 마시지 않는 것이 좋다.


## 2. 폐를 윤택하게 하는 차

### 🌷 자소만삼차

**재료** : 자소엽 3g, 만삼 2g

**제작 및 음용**

만삼과 자소엽을 유리주전자에 넣고 물을 부어 5분 정도 끓인 후 다관에 담아 찻잔에 따라 마신다.

**효능**

기침, 가래, 천식을 멈추게 하고 기운을 조절하며 한사(寒邪)를 없애는 효능이 있다. 풍한감기 예방에 효과가 있으며 오한과 발열이 교차하는 사람에게 적합하다.

**주의사항**

기침을 하며 가래가 노랗고 진하며 열이 많은 사람은 마시지 않는 것이 좋다.

### 🌷 행리차

**재료** : 행인 3g, 배 1/2개, 얼음설탕 적당량

**제작 및 음용**

행인과 배를 유리주전자에 넣고 물을 부어 20분 정도 끓인 후 다관에 담고 얼음설탕을 넣어 녹으면 찻잔에 따라 마신다.

**효능**

폐의 선발(宣發)기능을 좋게 하고 천식을 가라앉게 하며 장을 윤택하게 하여 변을

잘 통하게 하고 열을 내리며 숙취를 제거한다. 조열(燥熱)형 급성기관지염이나 마른기침환자에게 효과가 좋다.

### 주의사항

당뇨환자나 위가 차고 혈당이 높은 사람은 주의해야 한다.

## 황정구기차

**재료** : 황정 3g, 구기자 5g

### 제작 및 음용

황정과 구기자를 유리주전자에 넣고 5분 정도 끓인 후 다관에 담아 찻잔에 따라 마신다.

### 효능

기와 음을 보하고 비장을 튼튼하게 하며 폐를 윤택하게 한다. 또한 중초를 보하고 신장을 자윤하는 효능이 있다. 신장이 허약하여 허리와 다리가 시고 아프며 어지럽고 이명현상이 나타나거나 머리카락이 빨리 나오는 등의 증상이 있으며 마른기침을 하는 사람에게 적합하다.

### 주의사항

배가 차고 설사하거나 담습이 뭉쳐 있으며 기체증상이 있는 사람은 주의해야 한다.

## 은이대추차

**재료** : 마른 은이 2g, 대추 10개, 얼음설탕 적당량

### 제작 및 음용

은이와 대추를 유리주전자에 넣고 물을 부어 30분 이상 끓인 후 다관에 담고 얼음설탕을 넣은 후 찻잔에 따라 마신다.

### 효능

폐를 윤택하게 하고 진액을 만들어주며 자양(滋養)작용이 있어 기운을 만들어주고 정신을 안정시키며 뇌를 보한다. 야근을 하는 사람이나 불규칙한 생활을 하는 사람이나 몸이 건조하고 마른 사람에게 적합하다.

### 주의사항

풍한감기에 걸린 사람은 마시지 않는 것이 좋다.

## 🌱 구기오미자차

**재료** : 구기자 3g, 오미자 3g, 얼음설탕 적당량

### 제작 및 음용

위의 재료를 다관에 넣고 끓는 물을 부어 5분 정도 우려낸 후 얼음설탕을 넣고 찻잔에 따라 마신다.

### 효능

자음작용이 있으며 허약한 체질을 보하고 진액을 만들어주며 오장을 윤택하게 하고 수명을 연장시키는 효능이 있다. 음허환자나 골다공증이 있는 사람에게 적합하다.

### 주의사항

몸이 찬 체질이나 염증이 있는 사람에게는 좋지 않다.

## 🌱 이동차(맥문동, 천문동)

**재료** : 천문동 · 맥문동 각 3g

### 제작 및 음용

위의 재료를 유리주전자에 넣고 물을 부어 10분 정도 끓인 후 다관에 담아 찻잔에 따라 마신다.

### 효능

폐열을 내리고 폐를 윤택하게 하며 건조한 모든 증상을 없애며 진액을 만들고 갈증을 없애는 효능이 있다. 폐가 건조하여 마른기침을 하는 사람이나 열병을 앓고 난 후 몸에 진액이 마른 사람, 갈증이 자주 나는 사람, 소갈병이 있는 사람에게 적합하다.

### 주의사항

신체가 허약하고 찬 사람이나 풍한감기로 기침하는 사람에게는 좋지 않다.

## 3. 열을 제거하고 인후를 편하게 하는 차

### 🌺 금은모리국화차

**재료** : 금은화 5g, 모리화 5g, 국화 5g

### 제작 및 음용

다관에 위의 재료를 넣고 뜨거운 물을 부어 10분간 우려낸 후 찻잔에 따라 마신다.

### 효능

풍열을 없애고 간 기운을 안정시키며 눈을 밝게 하고 가을의 건조한 증상을 개선시키는 효능이 있다. 가을이 되면 몸이 건조하고 입과 인후가 마르는 사람에게 적합하다.

### 주의사항

비위가 차고 허약한 사람이나 임신부는 마시지 않는 것이 좋다.

### 🌺 오매올리브차

**재료** : 오매 2개, 올리브 2개

### 제작 및 음용

유리주전자에 오매와 올리브를 넣고 물을 부어 20분 정도 끓인 후 다관에 담아 찻잔에 따라 마신다.

### 효능

폐를 윤택하게 하고 진액을 만들어주며 열을 내리고 인후를 부드럽게 하며 입안이 마르는 증상을 개선시킨다. 강의를 많이 하거나 인후와 입안이 건조한 사람에게 적합하다.

### 주의사항

감기에 걸려 열이 나는 사람이나 기침을 하고 가래가 많은 사람에게는 좋지 않다.

## 🌷 백합아교차

**재료** : 백합 10g, 아교 10g, 도라지 5g, 맥문동 5g, 상엽 3g

### 제작 및 음용

위의 재료를 유리주전자에 넣고 15분 정도 끓인 후 다관에 담아 찻잔에 따라 마신다.

### 효능

진액을 만들고 갈증을 해소하며 기침을 멈추게 하고 가래를 삭인다. 폐를 윤택하게 하고 건조한 증상을 개선하며 신진대사를 촉진시키는 효능이 있다. 폐결핵이나 만성기관지염환자에게 적합하다.

### 주의사항

음허로 오래 기침을 하거나 구역질이나 각혈이 있는 사람에게는 좋지 않다.

## 🌷 산사리연차

**재료** : 산사 3g, 하고초 1개, 단삼 1편

### 제작 및 음용

위의 재료를 유리주전자에 넣고 5분 정도 끓인 후 다관에 담아 찻잔에 따라 마신다.

### 효능

열을 내리고 인후를 편하게 하며 혈액순환을 돕고 뭉친 것을 풀어주며 혈압을 내린다. 만성인후염으로 임파선이 붓는 사람에게 적합하다.

### 주의사항

임신부에게는 좋지 않다.

## 🌷 박하대해차

**재료** : 박하잎 2g, 방대해 1개

### 제작 및 음용

유리잔에 위의 재료를 넣고 뜨거운 물을 부어 10분 정도 우린 후 천천히 마신다.

### 효능

열을 내리고 폐의 선발(宣發)기능을 개선시키며 인후를 편하게 하고 윤택하게 한다. 급성인후염환자나 목소리가 쉬어 잘 나오지 않는 사람에게 적합하다.

### 주의사항

비위가 차고 풍한감기환자, 고혈압, 당뇨가 있는 사람에게는 좋지 않다.

## 🌷 은맥차

**재료** : 금은화 5g, 맥문동 8g, 감초 3g

### 제작 및 음용

위의 재료를 유리주전자에 넣고 물을 부어 10분 정도 끓인 후 다관에 담아 찻잔에 따라 마신다.

### 효능

폐를 윤택히게 하고 얼을 내리며 가래를 삭이고 인후를 편하게 한다. 입안이 마르고 인후가 붓고 아프며 가래가 많이 나오며 기침하는 사람에게 적합하다.

### 주의사항

비위가 허약하고 찬 사람은 좋지 않다.

### 🌷 백합비파엽차

**재료** : 백합 15g, 비파잎 10g

### 제작 및 음용

백합과 비파잎을 유리잔에 넣고 끓는 물을 부은 후 뚜껑을 덮고 10분 정도 우린 후
마신다.

### 효능

양음윤폐(養陰潤肺)작용이 있으며 기운을 아래로 내려가게 하고 가래를 삭인다. 보
혈안신(補血安神)작용과 건뇌익지(健腦益智)작용이 있으며 심장과 비장을 보하며 혈
어증상이 있을 때 효과가 있다. 폐열이 있고 가래가 많으며 기침과 구토증상이 있는 사
람에게 적합하다.

### 주의사항

양허로 추위를 심하게 타고 체질이 허약하고 몸이 찬 사람에게는 좋지 않다.

### 🌷 도라지맥문동차

**재료** : 도라지 15g, 맥문동 10g, 감초 3g

### 제작 및 음용

위의 재료를 유리주전자에 넣고 물을 부어 10분 정도 끓인 뒤 다관에 담아 찻잔에
따라 마신다.

### 효능

폐의 기운이 잘 내려가도록 하고 기침을 멈추게 하며 가래를 삭이고 간열과 화를 내

리고 부기를 가라앉게 하며 진액을 만들고 폐를 윤택하게 한다. 입안이 건조하고 갈증이 자주 생기며 인후가 붓고 아픈 사람이나 가래가 많은 기침을 하는 사람에게 적합하다.

### 주의사항
비위가 허약하고 찬 사람은 좋지 않다.

## 🌿 행인배숙차

**재료 :** 행인 5g, 배 1/2개, 얼음설탕 적당량

### 제작 및 음용
행인은 잘게 부수고 배는 적당한 크기로 잘라 유리주전자에 넣고 물을 부어 10분 정도 끓인 후 다관에 담고 얼음설탕을 넣은 다음 찻잔에 따라 마신다.

### 효능
폐를 윤택하게 하고 폐의 기운이 잘 흐르게 도우며 가래를 삭이고 기침을 멈추게 하며 천식을 완화시킨다. 그리고 심장의 열을 내리고 진액을 만들어주기도 한다. 인후가 건조하고 자주 부으며 마른기침을 하는 사람에게 도움이 된다.

### 주의사항
체질이 허약하고 호흡기질환을 자주 앓는 사람은 장기 복용하는 것이 좋지 않다. 또한 임신부도 주의해야 한다.

# Ⅳ 겨울

　겨울은 입동에서 시작하여 소설, 대설, 동지, 소한, 대한 6절기를 말하며 만물을 저장하는 계절이며 날씨가 추워 활동이 적고 밤이 긴 계절이다. 겨울은 가장 추운 계절로 일 년 중 양기가 가장 약하고 음기가 가장 강해지는 시기로 만물이 잠복하고 저장되는 계절이며 사람은 상대적으로 활동이 적으며 밤이 길고 낮이 짧아 일찍 자고 일찍 일어난다. 주로 풍한으로 인한 질병이 많으며 인체는 양기가 수장(收藏)되고 기혈이 안으로 들어가며 피부가 치밀하고 수습이 체표로 나오지 못하고 신장과 방광에 질병이 발병하기 쉽다. 또한 비타민 결핍이 일어나기 쉬운 계절이므로 결핍되지 않도록 식생활에 주의해야 한다.

　오행학설에서 수에 속하고 장기로는 신장에 해당한다. 또한 폐장(閉藏)의 계절이며 이 시기는 신장을 키우고 한사를 방어해야 한다. 동지를 전후로 기후는 건조하고 추우며 양기는 저장수렴상태가 된다. 따라서 인체의 신진대사가 완만하게 진행되고 한사가 쉽게 인체를 침범하게 되므로 한사로 인한 질병이 많아진다. 따라서 열량이 높고 따뜻한 성질의 음식으로 움츠러드는 우리 몸의 신진대사를 활발하게 하고 면역력을 강하게 하여야 한다. 그리고 겨울은 신장이 손상되기 쉬운 계절이므로 신장을 보하는 음식을 많이 먹어야 한다. 겨울에는 음료는 신장을 보하고 한사를 방어하며 간이 울결되지 않고 잘 소통되게 하는 차를 마시는 것이 좋다.

　겨울철에 좋은 차로는 흑차나 홍차가 좋으며 약차류는 녹용, 아교, 황기, 대추, 검인, 율무, 땅콩, 호두육, 흑깨, 연자, 산약, 편두, 산사, 용안육, 육종용, 엿당, 인삼, 두충, 생강, 계피 등이 좋다.

## 1. 한기를 없애고 몸을 따뜻하게 하는 차

### 🌷 감국계원차

**재료** : 감국잎 1개, 생강 1편, 계원 5개

#### 제작 및 음용

위의 재료를 다관에 넣고 끓는 물을 부어 10분 정도 우린 후 찻잔에 따라 마신다.

#### 효능

혈액을 보하고 정신을 안정시키며 폐를 따뜻하게 하고 한기를 없애준다. 손발이 차고 추위를 많이 타며 식탐이 강한 사람에게 적합하다.

#### 주의사항

몸에 열이 많거나 화가 많은 사람은 주의해야 한다.

### 🌷 장국금활혈차

**재료** : 장미화 5개, 감국 3g, 금잔화 3개

#### 제작 및 음용

다관이나 유리컵에 위의 재료를 넣고 뜨거운 물을 부어 10분 정도 우린 후 찻잔에 따라 마신다.

#### 효능

기혈을 보충하고 몸을 따뜻하게 하며 간 기운을 잘 소통되게 하고 생리를 조절하며 혈액순환을 돕는다. 생리기간에 정신적으로 초조하고 불안한 여성에게 적합하고 불면증이 있는 사람에게도 도움이 된다.

#### 주의사항

생리량이 많은 사람에게는 좋지 않다.

## 🌸 자소생강차

**재료** : 자소엽 10g, 생강 5편, 황설탕 적당량

### 제작 및 음용

자소엽과 생강을 다관에 넣고 5분 정도 우린 후 설탕을 넣고 찻잔에 따라 마신다.

### 효능

몸을 따뜻하게 하고 혈을 보하며 한사를 없애고 감기를 예방한다. 풍한감기에 걸렸거나 두통이 있으며 구역질이 나고 구토증상이 있는 사람에게 적합하다.

### 주의사항

온병(溫病)이나 기허로 인한 감기에는 적합하지 않다.

## 🌸 황기대추차

**재료** : 황기 1뿌리, 대추 5개, 설탕 적당량

### 제작 및 음용

황기와 대추를 유리주전자에 넣고 물을 부어 30분 이상 끓인 후 다관에 담아 찻잔에 따라 마신다.

### 효능

기혈을 보하고 면역력을 증강시키며 몸을 따뜻하게 하고 한사를 제거하며 이뇨작용이 있어 부기를 가라앉게 한다. 기혈이 약하고 신체가 차고 허약하며 맥박이 느린 사람에게 적합하다.

### 주의사항

음허양항(陰虛陽亢), 표실사성(表實邪盛), 기체습조(氣滯隰阻)인 사람이나 식체가 잦은 사람에게는 적합하지 않다.

## 🌸 하수오계원대추차

**재료** : 하수오 20g, 계원 15g, 대추 10개

### 제작 및 음용

위의 재료를 유리주전자에 넣고 물을 부어 30분 이상 끓인 후 다관에 담아 찻잔에 따라 마신다.

### 효능

정혈을 보하고 근골을 튼튼하게 하며 한사를 없애고 간과 신장을 튼튼하게 한다. 쉽게 피로하고 얼굴색이 좋지 않으며 건망증과 불면증이 있으며 어지럽고 몸이 허약하며 수족이 찬 사람에게 적합하다.

### 주의사항

담화울결(痰火鬱結)인 사람이나 가래가 진하고 끈적거리며 기침하는 사람에게는 좋지 않다.

## 🌸 대추산사당귀차

**재료** : 대추 5개, 산사 10g, 당귀 1편

### 제작 및 음용

위의 재료를 유리주전자에 담고 물을 부어 30분 이상 끓여 다관에 담은 후 찻잔에 따라 마신다.

### 효능

보혈작용과 활혈작용이 있으며 장을 윤택하게 하여 변을 잘 나오게 하고 중초를 따뜻하게 하고 몸도 따뜻하게 한다. 양허형(陽虛型) 고혈압환자에게 적합하다.

### 주의사항

임신부에게는 좋지 않다.

## 🌷 대추생강차

**재료** : 대추 10개, 생강 5편, 황설탕 적당량

**제작 및 음용**

생강과 대추를 유리주전자에 넣고 물을 부어 30분 정도 끓인 후 다관에 넣고 황설탕을 넣은 후 찻잔에 따라 마신다.

**효능**

보중익기작용과 온중산한작용이 있으며 기혈을 조양하고 체표를 튼튼하게 하며 심장을 보하는 효능이 있다. 생리통이 있는 여성이나 소변을 자주 보는 사람에게 적합하다.

**주의사항**

음허내열이 있는 사람이나 실열증환자는 주의해야 한다.

## 🌷 강조진피차

**재료** : 진피 5g, 녹차 5g, 생강 5편, 대추 10개

**제작 및 음용**

위의 재료를 유리주전자에 모두 넣고 20분 정도 끓인 후 다관에 담아 찻잔에 따라 마신다.

**효능**

속을 따뜻하게 하고 기운을 조절하며 한사를 없애고 감기를 예방하며 얼굴을 아름답게 한다. 겨울에 감기에 자주 걸리거나 위가 장만하고 찬 사람에게 적합하다.

**주의사항**

기운이 허약한 사람이나 음허로 마른기침을 하는 사람, 속에 실열이 있는 사람은 주의해야 한다.

## 🌸 회향무화과차

**재료** : 회향 9g, 무화과 6개

**제작 및 음용**

위의 재료를 유리주전자에 넣고 물을 부어 20분 정도 끓인 후 다관에 담아 찻잔에 따라 마신다.

**효능**

복부를 따뜻하게 하고 기혈순환을 도우며 식욕을 증진시키고 소화를 잘 되게 하며 탈장을 예방한다. 탈장이 있거나 생식이나 찬 음식을 먹어 복통 설사를 하는 사람에게 적합하다.

**주의사항**

지방간이 있거나 변비환자는 주의해야 한다.

## 🌸 고수생강진피차

**재료** : 고수 5줄기, 생강 5편, 진피 10g

**제작 및 음용**

위의 재료를 유리주전자에 담아 물을 넣고 5분 정도 끓인 후 다관에 담아 찻잔에 따라 마신다.

**효능**

한사를 없애고 위를 따뜻하게 하며 장이나 위장에 있는 독소를 제거한다. 장과 위장으로 인한 감기에 걸린 사람에게 적합하다.

**주의사항**

과민성이 있는 사람은 주의해야 한다.

## 🌷 아교계원대추차

**재료** : 계원 10g, 아교 5g, 대추 2개

### 제작 및 음용

위의 재료를 유리주전자에 넣고 20분 정도 끓인 후 다관에 담아 찻잔에 따라 마신다.

### 효능

혈을 보하고 기운을 만들며 비장을 튼튼하게 하고 정신을 안정시키며 피부미용에도 좋다. 겨울철 손발이 차고 몸이 허약한 사람에게 적합하다.

### 주의사항

당뇨환자나 감기환자는 주의해야 한다.

## 🌷 진피생강감초차

**재료** : 진피 10g, 생강 2편, 감초 6g

### 제작 및 음용

위의 재료를 유리주전자에 넣고 물을 부어 10분간 끓인 후 다관에 담아 찻잔에 따라 마신다.

### 효능

중초를 따뜻하게 하고 기운을 조절하며 한사를 없애고 감기예방에 좋으며 가래를 삭이고 기침을 멈추게 한다. 겨울에 감기기운이 있거나 배가 더부룩하고 불편한 사람에게 적합하다.

### 주의사항

기가 허약하고 몸이 건조하며 음허로 마른기침을 하는 사람이나 토혈, 속에 실열이 있는 사람은 주의해야 한다.

## 🌱 땅콩껍질대추차

**재료** : 땅콩껍질 5g, 대추 2개, 황설탕 적당량

### 제작 및 음용

땅콩껍질과 대추를 유리주전자에 넣고 물을 부어 20분 정도 끓인 후 다관에 담아 찻잔에 따라 마신다.

### 효능

기혈을 보하고 신체를 따뜻하게 하며 면역력을 증강시킨다. 생리통이 있거나 소변을 자주 보는 사람에게 적합하다.

### 주의사항

음허내열이 있거나 실열증 환자는 마시지 않는 것이 좋다.

## 🌱 청무홍차

**재료** : 청무 100g, 홍차 적당량

### 제작 및 음용

청무를 잘게 썰어 유리주전자에 담고 물을 부어 20분 정도 끓인 후 다관에 담고 홍차를 넣고 뚜껑을 덮어 5분 정도 우린 후 찻잔에 따라 마신다.

### 효능

기운을 조절하고 위를 편하게 하며 소화를 돕고 열을 내리며 화를 제거하는 효과가 있다. 겨울철 머리에 비듬이 많으며 가렵고 코피를 자주 흘리는 사람에게 적합하다.

### 주의사항

체질이 약하거나 비위가 허약하고 찬 사람에게는 좋지 않다.

## 2. 음을 보하고 신장을 튼튼하게 하는 차

### 🌷 계원모리화차

**재료 :** 계원 15g, 모리화차 10g

**제작 및 음용**

다관에 계원과 모리화차를 넣고 뜨거운 물을 부어 10분 정도 우린 후 찻잔에 따라 마신다.

**효능**

혈액을 보하고 정신을 안정시키며 심장을 튼튼하게 하고 기운을 강하게 하며 이뇨작용이 있어 부종을 치료한다. 기혈이 부족하고 불면증이나 건망증이 있는 사람이나 병후 체력이 허약하고 기운이 없으며 권태감이 있는 사람에게 적합하다.

**주의사항**

임신부나 당뇨환자에게는 좋지 않다.

### 🌷 상심옥죽차

**재료 :** 옥죽 15g, 상심자 15g, 대추 3개

**제작 및 음용**

위의 재료를 유리주전자에 넣고 20분 정도 끓인 후 다관에 담아 찻잔에 따라 마신다.

**효능**

자음작용이 있으며 기운과 혈액을 보하고 풍열을 제거하며 정신을 안정시키는 효능이 있다. 기혈부족으로 얼굴색이 누렇고 힘이 없으며 대변이 건조하고 잘 나오지 않으며 입안과 인후가 건조하고 불편한 사람에게 적합하다.

**주의사항**

비위가 허약하고 차며 대변이 묽게 나오는 사람에게는 좋지 않다.

## 🌷 인삼백합차

**재료** : 인삼 10g, 백합 10g

### 제작 및 음용

인삼과 백합을 유리주전자에 넣고 물을 부어 10분 정도 끓인 후 다관에 담아 찻잔에 따라 마신다.

### 효능

자음작용이 있으며 정신을 안정시키고 기운을 보하며 면역력을 증강시키고 해독작용이 있으며 인후를 편하게 한다. 머리가 어지럽고 눈이 침침하며 불면증이 있고 이명이 있는 사람에게 적합하다.

### 주의사항

실열증 환자에게는 좋지 않다.

## 🌷 당삼구기차

**재료** : 만삼 10g, 구기 10g, 진피 15g, 황기 30g

### 제작 및 음용

위의 재료를 유리주전자에 넣고 30분 정도 끓인 후 다관에 담아 찻잔에 따라 마신다.

### 효능

보중익기(補中益氣)작용이 있으며 비장을 튼튼하게 하고 폐를 도우며 자음작용과 간을 보하는 작용이 있다. 중기(中氣)가 부족한 사람에게 적합하다.

### 주의사항

기체나 화가 성한 사람에게는 좋지 않다.

## 🌷 계원인삼차

재료 : 계원 5개, 인삼 10g

제작 및 음용

계원과 인삼을 유리주전자에 넣고 10분 정도 끓인 후 다관에 담아 찻잔에 따라 마신다.

효능

기운을 보하고 양음(養陰)작용이 있으며 진액을 만들어주고 익지안신(益智安神)작용이 있다. 기혈부족으로 기력이 없으며 자주 야근을 하고 숙면을 취하기 어려운 사람에게 적합하다.

주의사항

습사가 침범했거나 담음으로 배가 창만한 사람에게는 좋지 않다.

## 🌷 계원땅콩대추차

재료 : 계원 3개, 땅콩 10개, 대추 2개

제작 및 음용

위의 재료를 유리주전자에 넣고 물을 부어 20분 정도 끓인 후 유리잔에 담아 마시고 알맹이도 먹는다.

효능

기혈을 보충하고 비장과 심장을 보하며 뇌세포 발육을 촉진시키고 노화예방에 좋다. 나이 드신 분이나 어린이가 마시면 좋고 스트레스를 많이 받는 사람에게도 적합하다.

주의사항

임신부는 주의해야 한다.

## 황기인삼차

**재료** : 황기 10g, 인삼 10g, 꿀 적당량

### 제작 및 음용

유리주전자에 황기와 인삼을 넣고 물을 부어 20분 정도 끓인 후 다관에 담고 꿀을 넣어 찻잔에 따라 마신다.

### 효능

기운을 보하고 면역력을 증강시키며 수액대사를 활발하게 하고 부종을 없애며 양기를 보하고 정신을 안정시킨다. 기력이 약한 사람에게 적합하다.

### 주의사항

음허양항(陰虛陽亢), 표실사성(表實邪盛)인 사람이나 식체가 잦은 사람에게는 좋지 않다.

## 오미자대추차

**재료** : 오미자 10g, 대추 3개

### 제작 및 음용

대추를 유리주전자에 넣고 물을 부어 30분 정도 끓인 후 다관에 담고 오미자를 넣어 10분 정도 우린 후 찻잔에 따라 마신다.

### 효능

기운과 진액을 만들어주고 신장과 심장을 보하는 효능이 있으며 수렴작용이 있어 신정을 보하고 폐를 수렴하여 땀을 막아주며 오래된 설사를 멈추게 한다. 기침천식이 있는 사람이나 목이 자주 마른 사람, 식은땀을 흘리고 마른기침이나 천식이 있는 사람, 비위가 허약하고 가슴이 자주 두근거리는 사람에게 적합하다.

당뇨환자에게는 좋지 않다.

## 흑두배차

재료 : 검은콩 30g, 배 1/2개

### 제작 및 음용

유리주전자에 검은콩과 배를 넣고 약한 불에 1시간 정도 끓인 후 다관에 담아 찻잔에 따라 마신다. 검은 콩과 배를 믹서에 넣고 갈아 마시기도 한다.

### 효능

간과 신장을 자양하고 정혈을 보하며 진액을 만들어주고 폐와 피부를 윤택하게 하며 수액대사를 활발하게 하여 부종을 치료하고 습을 제거한다. 권태감이 있고 쉽게 감기에 걸리며 머리가 빨리 하얗게 세고 노화가 빨리 오는 사람에게 적합하다.

### 주의사항

복통 설사가 잦은 사람은 주의해야 한다.

## 목이검은깨차

재료 : 목이버섯 5g, 검은깨 10g, 설탕 적당량

### 제작 및 음용

목이버섯과 검은깨를 냄비에 넣고 1시간 정도 끓인 후 믹서에 갈아 다관에 담고 설탕을 넣은 후 찻잔에 따라 마신다.

### 효능

간과 신장을 보하고 머리카락을 검게 하며 노화예방에 좋다. 신장이 허약하여 노화가 일찍 오는 사람에게 적합하다.

복통 설사를 하는 사람은 좋지 않다.

## 구기지황차

**재료** : 구기자 10g, 생지황 10g

### 제작 및 음용

위의 재료를 유리주전자에 넣고 물을 부어 20분 정도 끓인 후 다관에 담아 찻잔에 따라 마신다.

### 효능

간과 신장을 보하고 열을 내리며 정혈을 보해 눈을 밝게 한다. 노동으로 인해 허리가 아프고 열이 나며 갈증이 많은 사람이나 눈이 침침한 사람에게 적합하다.

### 주의사항

비위가 허약하고 흉곽에 담이 많은 사람은 주의해야 한다.

## 토사자상심차

**재료** : 토사자 10g, 상심자 15g, 만삼 10g

### 제작 및 음용

위의 재료를 유리주전자에 넣고 물을 부어 20분 정도 끓인 후 거름망에 걸러 다관에 담아 찻잔에 따라 마신다.

### 효능

정혈을 보하고 간과 신장을 튼튼하게 하고 심장을 보하며 지력에 도움이 된다. 간과 신장이 허약하여 허리가 아프고 다리가 시며 근골이 허약한 사람에게 적합하다.

## 주의사항

기혈이 왕성한 사람에게는 좋지 않다.

### 🌺 토사자녹차

**재료** : 토사자 10g, 녹차 5g, 설탕 적당량

#### 제작 및 음용

토사자를 유리주전자에 넣고 물을 부어 20분 정도 끓인 후 걸러 녹차, 설탕과 함께 다관에 담아 5분 정도 우려낸 후 찻잔에 따라 마신다.

#### 효능

간과 신장을 보하고 눈을 밝게 하며 근골을 튼튼하게 하고 정력을 강화시킨다. 나이가 들면서 무기력해지고 몸이 나른하며 소변을 자주 보고 설사가 잦은 사람에게 적합하다.

#### 주의사항

염증이 있거나 신장의 양기가 강한 사람, 변비가 있는 사람에게는 좋지 않다.

### 🌺 기국맥동차

**재료** : 구기자 5g, 국화 5개, 맥문동 5개

#### 제작 및 음용

위의 재료를 유리주전자에 넣고 물을 부어 10분 정도 끓인 후 다관에 담아 찻잔에 따라 마신다.

#### 효능

자음작용이 있으며 간과 신장을 보하고 폐를 윤택하게 하며 진액을 만들어주고 열을 내린다. 도한이 있는 사람이나 인후가 건조한 사람에게 적합하다.

비위가 허약하고 차며 설사를 하는 사람에게는 좋지 않다.

## 🌱 산약두충차

**재료** : 산약 10g, 두충 12g

### 제작 및 음용

산약과 두충을 유리주전자에 넣고 물을 부어 15분간 끓인 후 다관에 담아 찻잔에 따라 마신다.

### 효능

간과 신장을 보하고 폐와 비장을 튼튼하게 하며 자음작용이 있고 뼈를 튼튼하게 하며 허리통증을 완화시킨다. 평소 허리가 아프고 입안이 마르고 꿈이 많으며 노화가 빨리 오는 사람에게 적합하다.

### 주의사항

음허화왕(陰虛火旺)인 사람에게는 좋지 않다.

## 🌱 장구국오매차

**재료** : 장미화 5개, 구기자 10개, 국화 3개, 오매 3개

### 제작 및 음용

유리주전자에 오매와 구기자를 넣고 물을 부어 끓인 후 다관에 국화, 장미화를 넣고 끓인 물을 부어 5분 정도 우린 후 찻잔에 따라 마신다.

### 효능

비장을 튼튼하게 하며 신장을 보하고 간 기운을 안정시켜 눈을 밝게 하며 진액을 만들고 갈증을 없애준다. 풍열감기에 걸렸거나 몸에 열이 나면서 두통이 있는 사람에게 적합하다.

### 주의사항

가래가 많으며 기침하는 사람에게는 좋지 않다.

## 3. 간을 튼튼하게 하여 눈을 밝게 하는 차

### 🌺 보간차

**재료** : 구기자 10개, 산사 5개, 복령 5g, 결명자 3g, 감초 1편

### 제작 및 음용

위의 재료를 유리주전자에 넣고 물을 부어 10분 정도 끓인 후 다관에 담아 찻잔에 따라 마신다.

### 효능

자음작용이 있으며 간화를 내리고 입냄새를 제거해 준다. 간화가 왕성하여 눈이 자주 충혈되고 화가 나며 눈이 침침하고 입에서 냄새가 나는 사람에게 적합하다.

### 주의사항

임신부에게는 좋지 않다.

### 🌺 합환화국화차

**재료** : 합환화 5g, 국화 5개

### 제작 및 음용

유리컵에 위의 재료를 담고 뜨거운 물을 붓고 뚜껑을 덮어 5분 정도 우린 후 마신다.

### 효능

간열을 내리고 눈을 밝게 하며 눈의 염증을 예방하고 청열해독작용이 있으며 우울증을 완화시키고 정신을 안정시킨다. 장기간 컴퓨터나 전자기기를 사용하여 눈이 피로하

고 우울증이 있는 사람에게 적합하다.

### 주의사항

비위가 차고 허약한 사람에게는 좋지 않다.

## 🌺 원기상국차

**재료** : 상엽 10g, 국화 6개, 녹차 10g

### 제작 및 음용

위의 재료를 다관에 담고 뜨거운 물을 부어 5분 정도 우려낸 후 찻잔에 따라 마신다.

### 효능

정신을 맑게 하고 눈을 밝게 하며 눈의 피로를 풀어주고 간의 열과 화를 내리며 풍열감기를 예방한다. 눈이 건조하고 가려운 사람이나 간화왕성(肝火旺盛)인 사람에게 적합하다.

### 주의사항

과민성 결막염환자는 주의해야 한다.

## 🌺 고과박하차

**재료** : 고과 5편, 박하잎 5개

### 제작 및 음용

고과와 박하잎을 유리잔에 넣고 끓는 물을 부어 뚜껑을 덮은 후 5분 정도 우려 마신다.

### 효능

열을 내리고 화를 가라앉게 하며 정신을 맑게 하고 우울증을 해소하며 두통을 완화시킨다. 풍열감기나 눈이 충혈되고 통증이 있는 사람에게 적합하다.

### 주의사항

체질이 허약하여 식은땀을 많이 흘리는 사람이나 복통 설사를 하는 사람에게는 좋지 않으며 임신부에게도 좋지 않다.

## 🌼 국화결명자차

**재료** : 국화 5개, 결명자 5g

### 제작 및 음용

결명자를 유리주전자에 넣고 10분 정도 끓인 후 다관에 국화와 함께 넣어 10분 정도 우린 후 찻잔에 따라 마신다.

### 효능

간열을 내리고 눈을 밝게 하며 변을 잘 나오게 하고 독소배출을 돕는다. 또한 혈당과 혈압, 혈액의 지방을 낮추는 효능이 있다. 각종 안과질환이나 고혈압, 고지혈증, 당뇨병 등 현대 성인병이 있는 사람에게 적합하다.

### 주의사항

임신부, 저혈압환자나 비위가 차고 허약한 사람에게는 좋지 않다.

## 🌼 진피차전초차

**재료** : 진피 3g, 차전초 3g, 녹차 3g

### 제작 및 음용

위의 재료를 다관에 담고 끓는 물을 부어 5분 정도 우린 후 찻잔에 따라 마신다.

### 효능

화를 가라앉게 하고 눈을 밝게 하며 비장을 튼튼하게 하고 기의 흐름을 조절하여 소화를 돕고 이뇨작용이 있어 부종을 제거하며 정신을 맑게 하고 다이어트에 좋다. 간열로 눈이 자주 충혈되고 소변이 잘 나오지 않으며 인후가 붓고 아프고 폐열이 있으며 기침이 나오는 사람에게 적합하다.

주의사항
정이 고정되지 못하고 새어나오는 사람에게는 좋지 않다.

## 🌼 국화진피차

**재료** : 진피 5g, 국화 5개, 금잔화 3개

### 제작 및 음용

위의 재료를 유리컵에 넣고 뜨거운 물을 부어 뚜껑을 덮고 5분 정도 우려낸 후 마신다.

### 효능

간 기운을 안정시키며 풍을 없애고 해독작용이 있으며 비장을 튼튼하게 하고 기운을 조절하며 담을 없애고 독소를 배출하고 피부미용에도 좋다. 식욕이 좋지 않고 배가 더부룩하며 권태감으로 무기력한 사람에게 적합하다.

### 주의사항

기허위한(氣虛胃寒)이나 복통 설사, 음허내열이 있는 사람에게는 좋지 않다.

## 🌼 용정국화차

**재료** : 용정차 10g, 국화 15g

### 제작 및 음용

용정차와 국화를 유리컵에 넣고 뜨거운 물을 부어 10분 정도 우려낸 후에 마신다.

### 효능

간을 보하고 열을 내리며 눈을 밝게 하고 간경화를 예방하며 살균작용이 있고 인체 저항력을 증강시킨다. 급성각막염환자에게 적합하다.

### 주의사항

위가 찬 사람이나 만성복통 설사가 있는 사람은 주의해야 한다.

## 🌿 상국황두차

**재료** : 상엽 10g, 황두 30g, 국화 8g, 설탕 적당량

### 제작 및 음용

위의 재료를 유리주전자에 넣고 30분 정도 끓인 후 다관에 담아 설탕을 넣고 찻잔에 따라 마신다.

### 효능

간열을 내리고 눈을 밝게 하며 소염작용이 있으며 눈이 충혈되는 것을 치료한다. 급성결막염환자에게 적합하다.

### 주의사항

풍한으로 기침을 하거나 위가 찬 사람, 복통 설사를 하는 사람은 주의해야 한다.

## 🌿 구기양간오룡차

**재료** : 구기자 10개, 국화 6개, 오룡차 5g

### 제작 및 음용

위의 재료를 유리컵에 넣고 끓는 물을 부어 뚜껑을 덮은 후 5분 정도 우린 후 마신다.

### 효능

기혈을 조절하고 신진대사를 촉진시키며 간을 보하고 지방을 제거한다. 또한 간화를 내리고 눈을 밝게 하며 양음(養陰)작용이 있다. 간화왕성인 사람이나 혈액의 지방이 높은 사람에게 적합하다.

실열이 있거나 비장이 허약하고 습이 많으며 설사하는 사람에게는 좋지 않다.

## 상국구기자차

**재료** : 상심자 6개, 구기자 10개, 국화 5개, 얼음설탕 적당량

### 제작 및 음용

위의 재료를 유리컵에 담고 끓는 물을 부어 뚜껑을 덮고 10분 정도 우린 후 마신다.

### 효능

간과 신장을 보하고 혈액의 지방을 낮추며 자음양혈작용이 있고 진액을 만들고 변을 잘 통하게 한다. 가슴이 자주 두근거리고 이명현상이 나타나며 가슴이 답답하고 불면증이 있으며 눈에 눈물이 적어 가칠거리고 피로한 사람에게 적합하다.

### 주의사항

비위가 차고 허약한 사람이나 대변이 묽은 사람에게는 좋지 않다.

## 매화장미레몬차

**재료** : 매화 5개, 장미 5개, 레몬 1편, 꿀 적당량

### 제작 및 음용

위의 재료를 유리컵에 담고 끓는 물을 부어 뚜껑을 덮고 5분 정도 우린 후 마신다.

### 효능

항균소염작용이 있으며 간 기운을 잘 소통시키고 기운을 조절하며 우울증을 풀어주고 간 기운을 안정시킨다. 가슴이 답답하고 우울증이 있으며 간기가 올라오며 소화가 잘 안 되는 사람에게 적합하다.

주의사항

변비가 있거나 임신부는 좋지 않다.

## 🌸 국화구기나한과차

**재료** : 국화 6개, 구기자 20개, 나한과 1개

### 제작 및 음용

나한과는 반으로 잘라 유리주전자에 국화, 구기자와 함께 넣고 물을 부어 5분 정도 끓인 후 다관에 담아 찻잔에 따라 마신다.

### 효능

간의 열과 화를 내리고 눈을 밝게 하며 폐를 윤택하게 하고 변비를 예방한다. 자주 야근을 하며 스트레스를 받고 화가 쌓여 있으며 기침까지 하는 사람에게 적합하다.

### 주의사항

임신부나 생리 중인 여성, 비위가 차고 허약한 사람에게는 좋지 않다.

## 🌸 진피상엽반란근차

**재료** : 진피 5g, 상엽 3g, 반란근 2g, 얼음설탕 적당량

### 제작 및 음용

위의 재료를 유리주전자에 넣고 물을 부어 20분 정도 끓인 후 다관에 담아 빙탕을 넣고 찻잔에 따라 마신다.

### 효능

간음을 보하고 화를 내리며 혈액순환을 촉진시키며 기침을 멈추게 하고 가려움증을 해소한다. 간화왕성(肝火旺盛)이면서 기침을 하는 사람에게 적합하다.

수유기의 산모나 생리 중인 여성에게는 좋지 않다.


## 4. 우울증을 풀고 정신을 맑게 하는 차

### 🌷 장미보이차

**재료** : 장미화 6개, 보이차 10g, 꿀 적당량

**제작 및 음용**

장미화와 보이차를 다관에 넣고 뜨거운 물을 부은 후 8분 정도 우려 꿀을 넣고 찻잔에 따라 마신다.

**효능**

가슴이 답답한 증상을 개선하고 뭉친 것을 풀어주며 생리를 조절하고 이뇨작용이 있다. 또한 장과 위장의 신경을 완화시키는 효능이 있다. 생리 중인 여성이나 장과 위장의 기능이 원활하지 못한 사람에게 적합하다.

**주의사항**

임신부는 주의해야 한다.

### 🌷 향부산조인차

**재료** : 향부 3g, 산조인 5g

**제작 및 음용**

산조인은 절구통에 넣고 부숴서 향부자와 함께 유리주전자에 넣고 물을 부어 10분간 끓인 후 다관에 담아 찻잔에 따라 마신다.

## 효능

기운을 조절하고 우울증을 해소하며 심장을 편하게 하고 정신을 안정시키며 간을 보하고 땀을 수렴시킨다. 만성간염환자나 기분이 좋지 않고 기운이 뭉치며 가슴과 옆구리가 답답하고 욱신거리는 증상이 있는 사람에게 적합하다.

## 주의사항

사기(邪氣)가 침범하여 열화(熱火)가 있는 사람이나 음허혈열(陰虛血熱)인 사람에게는 좋지 않다.

## 🌿 백합국화레몬그라스차

**재료** : 백합화 3개, 국화 3개, 레몬그라스 3g

## 제작 및 음용

위의 재료를 유리컵에 넣고 끓는 물을 부어 5분 정도 우려낸 후 천천히 마신다.

## 효능

간 기운이 잘 소통되게 하고 기운을 조절하며 우울증을 예방하고 심신을 편하게 하며 정신을 맑게 한다. 스트레스로 인하여 우울하고 정신적인 압박을 많이 받는 직장인에게 적합하다.

## 주의사항

비위가 허약하고 찬 사람은 주의해야 한다.

## 🌿 정서차(情緒茶)

**재료** : 감국 3개, 모리화 8개, 장미화 4개, 레몬그라스 3g

## 제작 및 음용

유리컵에 위의 재료를 넣고 뜨거운 물을 부어 8분 정도 우려낸 후 천천히 마신다.

### 효능

가슴이 답답하고 기분이 우울하며 정서적으로 스트레스를 많이 받는 직업이나 스트레스받는 일이 생겼을 때 마시면 좋은 차로 혈액순환을 활발하게 하고 피부를 윤택하고 아름답게 하며 손발이 찬 사람에게도 효과가 있으며 소화를 돕는다.

### 주의사항

임신부에게는 좋지 않다.

## 🌷 매화장미레몬그라스차

**재료** : 매화 3개, 장미화 3개, 레몬그라스 3g

### 제작 및 음용

위의 재료를 유리컵에 넣고 뜨거운 물을 부어 5분 정도 우린 후 천천히 마신다.

### 효능

간 기운을 잘 소통시키고 기운을 조절하며 스트레스를 풀어주고 정신을 안정시키며 마음을 편하게 한다. 스트레스를 많이 받거나 쉽게 피로하고 얼굴피부가 건조한 사람에게 적합하다.

### 주의사항

임신부에게는 좋지 않다.

## 🌷 라벤더박하국화차

**재료** : 라벤더 1작은술, 박하잎 2개, 국화 3개

### 제작 및 음용

위의 재료를 유리컵에 넣고 뜨거운 물을 부어 3분 정도 우려낸 후 마신다.

### 효능

정신을 맑게 하고 심신을 편하게 하며 간 기운을 안정시키고 눈을 밝게 하며 청열해독(清熱解毒)작용이 있으며 스트레스를 풀어주고 마음을 안정시킨다. 정신적으로 스트레스를 많이 받는 사람이나 쉽게 피로를 느끼는 사람, 그리고 잇몸이 붓고 아픈 사람에게 적합하다.

### 주의사항

체질이 허약하고 땀을 많이 흘리는 사람은 많이 마시지 않는 것이 좋다.

## 🌼 천일홍장미계원차

**재료** : 천일홍 3개, 계원 2개, 장미화 2개

### 제작 및 음용

위의 재료를 유리컵에 넣고 끓는 물을 부어 10분 정도 우린 후 마신다.

### 효능

간 기운을 잘 소통되게 하고 내분비계통을 원활하게 하며 우울증을 해소하고 기침천식에도 효과가 있으며 노화예방에도 도움이 된다. 스트레스가 많은 사람이나 내분비기능이 실조되는 사람에게 효과가 있다.

### 주의사항

임신부나 열성체질인 사람은 많이 마시지 않는 것이 좋다.

## 🌼 연자죽엽차

**재료** : 연자심 2g, 담죽엽 2g

### 제작 및 음용

연자심과 담죽엽을 유리컵에 넣고 끓는 물을 부어 5분간 우린 후에 마신다.

### 효능

정신을 안정시키고 소염작용과 혈압을 내리며 열로 인한 정신질환이나 가슴이 답답한 증상을 개선하고 정서적인 스트레스를 많이 받는 사람에게 적합하다.

### 주의사항

비장이 허약하고 변이 묽은 사람에게는 좋지 않다.

## 🌿 라벤더모리감국차

**재료** : 라벤더 10g, 모리화 10g. 감국 6g, 꿀 적당량

### 제작 및 음용

유리컵에 위의 재료를 넣고 15분 정도 우려낸 후 천천히 마신다.

### 효능

스트레스를 풀어주고 근심걱정을 덜어주며 우울한 마음을 진정시키는 효과가 있다. 정서적으로 스트레스를 많이 받는 사람들이나 직장인에게 적합하다.

### 주의사항

임신부에게는 좋지 않다.

## 🌿 장미은행차

**재료** : 장미화 5개, 은행잎 3개, 꿀 적당량

### 제작 및 음용

위의 재료를 유리컵에 넣고 끓는 물을 부어 20분 정도 우려낸 후 마신다.

### 효능

가슴이 답답한 증상을 개선하고 간 기운을 잘 소통되게 하여 우울한 마음을 풀어준다. 관상동맥성 심장병이나 심교통환자, 폐가 허약하여 기침하는 사람에게 효과가 있다.

### 주의사항

임신부나 사기로 인한 질병이 있는 사람에게는 좋지 않다.

### 🌼 합환화산사차

**재료** : 합환화 30g, 산사 10g

**제작 및 음용**

위의 재료를 유리주전자에 넣고 15분간 끓인 후 다관에 담아 찻잔에 따라 마신다.

**효능**

기운을 조절하고 우울증을 해소하며 혈액순환을 활발하게 하고 몸속의 지방을 제거하며 소화를 돕는다. 지방간환자나 생리 중인 여성에게 적합하다.

**주의사항**

임신부는 주의해야 한다.

### 🌼 감맥안신차

**재료** : 구감초 10g, 합환화 10g, 산조인 15g, 준소백(생) 30g

**제작 및 음용**

산조인을 절구통에 부숴서 다른 재료와 함께 유리주전자에 넣고 물을 부어 15분간 끓인 후 다관에 담아 찻잔에 따라 마신다.

**효능**

간 기운을 잘 소통시키고 정신을 안정시키며 우울증을 해소하고 스트레스를 풀어주며 수면을 좋게 한다. 마음이 복잡하고 번잡하여 불면증이 있는 사람이나 꿈이 많은 사람에게 적합하며 가슴이 두근거리고 도한이 있는 사람에게도 효과가 있다.

습이 성하여 복부가 장만하거나 부종이 있는 사람에게는 좋지 않다.

## 🌷 장미밀조차

**재료** : 장미화 2개, 꿀에 절인 대추 5개

### 제작 및 음용

꿀에 절인 대추를 유리주전자에 넣고 물을 부어 30분간 끓인 후 다관에 담고 장미화를 넣어 5분간 우린 후 찻잔에 따라 마신다.

### 효능

간 기운을 잘 소통시키고 생리를 잘 통하게 하며 장을 윤택하게 하여 변을 잘 나오게 하고 다이어트에도 도움이 된다. 비만인 사람이나 변비가 있는 사람에게 적합하다.

### 주의사항

임신부는 주의해야 한다.

## 🌷 장미화땅콩우유차

**재료** : 장미화 5개, 땅콩 15g, 우유 1잔

### 제작 및 음용

땅콩을 믹서에 갈아 장미화와 함께 우유에 넣고 유리주전자에 담아 끓인 후 우유가 끓으면 컵에 담아 마신다.

### 효능

기혈을 보하고 정신을 안정시키며 피부미용에 도움이 되고 마음을 편하게 한다. 몸이 허약하면서 스트레스를 받는 일에 종사하는 사람에게 적합하다.

### 주의사항

임신부는 주의해야 한다.

제 . 7 장

# 각종 질병에
# 좋은 차

차의 모든 것

차 의 모 든 것

제 7 장

# 각종 질병에 좋은 차

## I 혈액순환계통 질환

### 1. 고혈압에 좋은 차

#### 🌸 기국결명자차

**재료 :** 구기자 10g, 국화 3g, 결명자 20g

**제작 및 음용**

결명자를 볶아 다른 재료와 함께 유리주전자에 넣고 400ml 정도의 물을 부어 5분 정도 끓인 후 불을 끄고 10분 정도 우린 후 따라 하루에 두 번으로 나눠 마신다.

**효능**

간열을 내리고 화를 가라앉게 하며 혈압과 혈액의 지방을 낮추고 눈을 밝게 한다. 따라서 간화가 위로 올라와서 어지럽거나 화가 나며 고혈압이 나타나고 눈이 자주 충혈되는 사람에게 효과가 있으며 중풍 후유증에도 도움이 된다.

저혈압이 있거나 비위가 차서 복통 설사를 하는 사람은 주의해야 한다.

## 하고차전초차

**재료** : 하고초 10g, 차전초 12g

### 제작 및 음용

위의 재료를 깨끗이 씻어 다관에 넣은 후 끓는 물을 부어 10분 정도 우려내어 차처럼 하루에 2~3번 마신다.

### 효능

열을 내리고 이뇨작용이 있으며 혈압을 낮추는 효능이 있어 고혈압환자나 머리가 어지럽고 눈이 침침하며 두통이 있는 사람에게 적합하다.

### 주의사항

비위가 찬 사람들이나 설사가 잦은 사람, 위통이나 소변을 자주 보는 사람에게는 좋지 않으며 임신부도 주의해야 한다.

## 국사결명차

**재료** : 결명자 5g, 국화 10g, 생산사 10g, 얼음설탕 25g

### 제작 및 음용

결명자를 팬에 볶아서 다른 재료와 함께 보온병에 넣고 끓는 물을 부어 30분 정도 우려낸 후 따라 마신다.

### 효능

간열을 내리고 화를 가라앉게 하며 눈을 밝게 하고 혈압과 혈액의 지방을 내린다. 간양상항으로 인한 고혈압환자로 머리가 어지럽고 눈이 침침하며 꿈을 많이 꾸고 불면증이 있는 사람에게 적합하다.

### 주의사항

비위가 찬 사람이나 설사가 잦은 사람은 주의해야 한다.

## 🌱 결명녹차

**재료** : 결명자 5g, 녹차 5g

### 제작 및 음용

결명자를 팬에 볶아 유리주전자에 담아 물을 붓고 10분 정도 끓인다. 다관에 녹차를 넣고 한 번 헹군 후 결명자물을 부어 따라 마신다.

### 효능

열을 내리고 간 기운을 안정시키며 눈을 밝게 하고 혈액의 지방과 혈압을 낮춘다. 간 양상항으로 인해 눈이 자주 충혈되고 어지러우며 눈이 침침한 사람에게 효과가 있다.

### 주의사항

비위가 찬 사람은 주의해야 하고 너무 장기적으로 마시면 장에 병을 일으키거나 변비가 나타날 수 있으므로 주의해야 한다.

## 🌱 연자심차

**재료** : 연자심 3g, 금화차 1g

### 제작 및 음용

유리잔에 위의 재료를 넣고 5분 정도 우린 후 조금씩 마신다. 위의 분량으로 하루에 여러 번 우려 나눠 마신다.

### 효능

열을 내리고 심장을 안정시키며 고혈압환자에게 좋다.

### 주의사항

비위가 찬 사람이나 심장에 한사가 있는 사람은 주의해야 한다.

## 🌷 맥아산사차

**재료** : 맥아 25g, 산사 25g, 녹차 2g

### 제작 및 음용

맥아와 산사를 20분 정도 끓인 후 걸러 녹차를 넣고 2~3분 우린 후 조금씩 나눠 마신다.

### 효능

혈액순환을 돕고 혈압을 낮추며 심장기능을 강화시킨다.

### 주의사항

기운이 허약하거나 당뇨환자, 위궤양, 위산과다가 있는 사람에게는 좋지 않으며 임신부도 주의해야 한다.

## 🌷 은국차

**재료** : 국화 25g, 금은화 30g

### 제작 및 음용

위의 재료를 다관에 넣고 뜨거운 물을 부어 우려 마신다.

### 효능

소염항균작용이 있으며 혈압은 낮추고 관상동맥경화증에도 도움이 된다.

### 주의사항

비위가 차고 복통 설사가 잦은 사람은 많이 마시면 좋지 않다.

## 🌷 하엽차

**재료** : 하엽 10g

**제작 및 음용**

유리찻주전자에 하엽을 넣고 5분 정도 끓인 후 찻잔에 따라 마신다.

**효능**

혈압과 혈액의 지방을 낮추고 다이어트작용이 있으며 간양상항(肝陽上亢) 또는 간화상염(肝火上炎)형 고혈압환자에게 적합하다. 어지럽고 눈이 침침하며 두통, 이명 등 증상이 있는 사람에게 좋고 여름철 더위를 잘 견디게 한다.

**주의사항**

몸이 허약하거나 기혈이 부족한 사람은 많이 마시면 좋지 않다.

## 🌷 하국차

**재료** : 하고초 10g, 야국화 10g

**제작 및 음용**

위의 재료를 다관에 넣고 끓는 물을 부어 10분 정도 우린 후 조금씩 따라 마신다.

**효능**

열을 내리고 간 기운을 안정시키며 뭉친 기운을 풀어주고 머리와 눈을 맑게 하며 혈압을 낮추는 효능이 있다. 간양상항, 간화편왕형 고혈압환자에게 적합하고 관상동맥을 확장시켜 혈류량을 높이는 효과가 있어 고혈압과 동시에 관상동맥경화가 있는 사람에게도 도움이 된다.

**주의사항**

비위가 찬 사람은 주의해야 한다.

## 🌷 옥죽차

**재료** : 옥죽 15g, 녹차 2g

### 제작 및 음용

옥죽을 얇게 썰어 녹차와 함께 다관에 넣고 끓는 물을 부어 20분 정도 우린 후 조금씩 나눠 마신다.

### 효능

갈증을 멈추게 하고 진액을 만들어주며 음액을 자양하고 해표청열(解表淸熱)작용이 있다. 간신음허(肝腎陰虛)형 고혈압환자에게 적합하다.


## 2. 고지혈증에 좋은 차

### 🌷 감국보이차

**재료** : 감국잎 2개, 보이차 5g, 레몬 1편

### 제작 및 음용

위의 재료를 다관에 담아 뜨거운 물을 부어 5분 정도 우린 후 찻잔에 따라 마신다.

### 효능

위를 따뜻하게 하고 혈액의 지방을 내려주며 동맥경화를 예방하고 혈압을 낮춘다. 고혈압, 고지혈증, 고혈당 등 현대 삼고병이 있는 사람에게 적합하다.

### 주의사항

체질이 허약하고 찬 사람은 많이 마시는 것이 좋지 않다.

### 🌷 구기홍차

**재료** : 구기자 8g, 홍차 5g

### 제작 및 음용

위의 재료를 다관에 넣고 끓는 물을 부어 10분 정도 우린 후 조금씩 마신다.

### 효능

혈액의 지방을 낮추고 간신(肝腎)을 보하여 눈이 침침한 증상을 개선하고 노화예방에 도움이 된다.

## 🌼 금잔화고정차

**재료** : 금잔화 5개, 고정차 5g

### 제작 및 음용

위의 재료를 유리컵에 넣고 뜨거운 물을 부어 5분간 우린 후 마신다.

### 효능

혈압과 혈액의 지방을 내려주고 심뇌혈관을 보호하며 다이어트에 도움이 된다. 심뇌혈관질환자나 복부가 장만하고 음식이 잘 내려가지 않는 사람에게 적합하다.

### 주의사항

생리 중인 여성이나 체질이 허약하고 비위가 허약하고 찬 사람은 좋지 않다.

## 🌼 하엽산사대추차

**재료** : 하엽 3g, 산사 3g, 대추 3개

### 제작 및 음용

위의 재료를 유리주전자에 넣고 물을 부어 20분 정도 끓인 후 다관에 담아 찻잔에 따라 마신다.

### 효능

비장을 튼튼하게 하고 혈압을 조절하며 습을 제거하고 더위를 잘 견디게 하며 소화를 돕는다. 삼고병이 있는 사람이나 단순성 비만인 사람, 변비가 있는 사람에게 적합하다.

### 주의사항
임신부는 주의해야 한다.

## 🌼 삼보차

**재료** : 나한과 1/4개, 보이차 6g, 국화 5개

### 제작 및 음용
위의 재료를 다관에 담아 뜨거운 물을 부어 5분간 우린 후 찻잔에 따라 마신다.

### 효능
머리를 맑게 하고 풍을 없애며 혈압과 혈액의 지방을 조절한다. 고혈압, 고지혈증이 있는 사람이나 잘 체하고 변비가 있는 사람에게 적합하다.

### 주의사항
비위가 허약하고 찬 사람은 주의해야 한다.

## 🌼 모리장미녹차

**재료** : 녹차 10g, 장미화 5g, 모리화 5g

### 제작 및 음용
유리컵에 위의 재료를 넣고 뜨거운 물을 부어 10분 정도 우린 후 작은 잔에 따라 마신다.

### 효능
활혈작용이 있어 혈액순환을 돕고 혈액의 지방과 혈압을 낮추는 효능이 있으며 정신을 맑게 한다.

### 주의사항
비위가 찬 사람이나 가슴 두근거림이 있는 사람, 하혈을 하는 여성 또는 임신부는 주

의해야 한다.

## 🌸 목단장미화차

**재료** : 목단화 2개, 장미화 5개, 꿀 적당량

### 제작 및 음용

위의 재료를 유리컵에 넣고 뜨거운 물을 부어 5분 정도 우린 후 마신다.

### 효능

혈액을 보하고 어혈을 없애며 혈압을 낮추고 간을 편하게 하며 울결된 것을 풀어준다. 생리기간의 여성에게 적합하다.

### 주의사항

임신부는 주의해야 한다.

## 🌸 장미국화빙탕차

**재료** : 장미화 5개, 국화 6개, 얼음설탕 적당량

### 제작 및 음용

위의 재료를 유리컵에 넣고 뜨거운 물을 부어 10분 정도 우린 후 마신다.

### 효능

간열과 화를 내리고 혈압과 혈액의 지방을 낮추며 마음을 진정시키고 우울증을 해소하며 신경을 완화시킨다. 스트레스를 많이 받거나 긴장하면서 일해야 하는 사람 또는 생리기간에 마음이 번잡한 여성에게 적합하다.

### 주의사항

몸이 약하고 찬 사람이나 수족이 쉽게 차지는 사람은 많이 마시면 좋지 않다.

## 🌷 고정결명자차

**재료** : 고정차 10g, 결명자 5g

### 제작 및 음용

위의 재료를 유리컵에 담고 뜨거운 물을 부어 5분 정도 우려낸 후 마신다.

### 효능

장을 윤택하게 하고 독소를 배출시키며 소화를 돕고 가래를 삭이며 혈압이나 혈액의 지방을 낮추는 효능이 있다. 변비환자나 고혈압, 고지혈증이 있는 사람에게 적합하다.

### 주의사항

비위가 허약하고 찬 사람은 많이 마시면 좋지 않다.

## 🌷 율무산사차

**재료** : 율무 25g, 산사 15g, 얼음설탕 적당량

### 제작 및 음용

위의 재료를 팬에 볶아 갈색이 나면 유리주전자에 넣고 30분 이상 끓인 후 다관에 담아 작은 잔에 따라 마신다.

### 효능

열을 내리고 해독작용이 있으며 고지혈증과 고혈압증상을 개선한다.

## 🌷 산사결명자차

**재료** : 산사 5편, 결명자 5g

### 제작 및 음용

위의 재료를 유리주전자에 넣고 15분간 끓인 후 다관에 담아 찻잔에 따라 마신다.

### 효능

간열을 내리고 눈을 밝게 하며 지방을 용해하고 독소를 배출하며 고혈압을 치료하고 장을 윤택하게 하여 변을 잘 통하게 하며 장과 위의 유동운동을 활발하게 한다. 음식이 소화되지 않고 적체되어 있는 사람이나 가슴과 복부가 비만(痞滿)하고 고혈압과 고지혈증이 있는 사람에게 적합하다.

### 주의사항

비장이 허약하고 변이 묽게 나오는 사람이나 임신부는 좋지 않다.

## 🌷 진피오룽차

**재료** : 진피 5g, 오룽차 5g

### 제작 및 음용

위의 차를 유리컵에 넣고 끓는 물을 부어 5분 정도 우린 후 마신다.

### 효능

기름지고 느끼한 것을 없애고 혈액의 지방을 조절하며 피부보습효과가 있다. 하루 종일 앉아서 일하는 사람이나 비만인 사람에게 적합하다.

### 주의사항

기가 허하여 몸이 건조한 사람이나 음허로 마른기침을 하는 사람, 토혈을 하거나 속에 실열이 있는 사람은 많이 마시지 않는 것이 좋다.

## 🌷 삼칠국화계화차

**재료** : 삼칠화 3개, 국화 3개, 계화 3g

### 제작 및 음용

위의 재료를 유리컵에 넣고 뜨거운 물을 부어 5분 정도 우린 후 마신다.

### 효능

어혈을 풀어주고 부종을 없애며 활혈지혈작용이 있고 혈압을 안정시켜 주며 몸을 청량하게 한다. 스트레스가 많은 사람이나 고혈압환자에게 적합하다.

### 주의사항

임신부, 생리 중인 여성, 풍한감기에 걸린 사람, 체질이 허약하고 찬 사람에게는 좋지 않다.

## 🌱 오룡결명하엽차

**재료** : 오룡차 6g, 하엽 6g, 결명자 2g

### 제작 및 음용

결명자를 볶아 하엽, 오룡차와 함께 다관에 넣고 10분 정도 우린 후 잔에 따라 마신다.

### 효능

열을 내리고 지방을 분해하며 눈을 밝게 하고 혈압을 낮추는 효능이 있어 고지혈증이 있는 사람이나 고혈압이 있고 몸에 열이 많은 사람에게 적합하다.

### 주의사항

비위가 차고 몸이 허약한 사람이나 임신부는 주의해야 한다.

## 🌱 산사국화차

**재료** : 산사 15g, 국화 15g, 결명자 15g

### 제작 및 음용

위의 재료를 유리주전자 넣고 20분 정도 끓인 후 다관에 부어 찻잔에 따라 마신다.

### 효능

간기능을 개선시키고 열을 내리며 소화를 돕고 식체를 풀어주며 혈액 속의 지방을 제거하는 효능이 있어 고지혈증이나 간에 열이 많아 눈이 자주 충혈되는 사람에게 적합하다.

### 주의사항

비위가 허약하여 손발이 찬 사람이나 임신부는 주의해야 한다.

## 3. 동맥경화에 좋은 차

### 🌿 감잎녹차

**재료** : 감잎 10g, 녹차 2g

### 제작 및 음용

위의 재료를 다관에 넣고 뜨거운 물을 부어 5분 정도 우린 후 마신다.

### 효능

혈액의 지방을 내리고 수렴지혈작용이 있으며 항균소염작용이 있다. 관상동맥성 심장질환, 동맥경화, 고혈압, 기관지염에 효과가 있다.

### 주의사항

비위가 허약하고 몸이 찬 사람은 주의해야 한다.

### 🌿 하수오국화차

**재료** : 하수오 12g, 국화 9g

### 제작 및 음용

위의 재료를 유리주전자에 넣고 물을 부어 15분간 끓인 후 찻잔에 따라 마신다.

### 효능

정혈을 보하고 열을 내리며 간 기운을 안정시키고 눈을 밝게 하며 혈압을 낮추고 혈전 형성을 감소시킨다. 관상동맥성 질환이 있는 사람이나 고혈압환자에게 도움이 된다.

### 주의사항

담습이 많은 사람이나 위가 차고 위통이 있거나 만성복통 설사가 있는 사람은 주의해야 한다.

## 🌺 용국화차

**재료** : 항국화 10g, 용정차 2g

### 제작 및 음용

위의 재료를 다관에 넣고 끓는 물을 부어 5분 정도 우린 후 조금씩 여러 번 우려 마신다.

### 효능

간기능을 개선하고 눈을 밝게 하며 콜레스테롤과 혈압을 낮추고 혈관의 탄력을 높여 동맥경화를 예방하는 효능이 있다. 특히 간양상항형 고혈압에 효과가 좋다.

### 주의사항

찻잎을 너무 많이 넣으면 심장박동이 빨라지고 수면장애가 올 수 있다.

## 🌺 귀리우유차

**재료** : 귀리 50g(오트밀, 압착한 것), 우유 500g

### 제작 및 음용

귀리를 우유에 넣고 서서히 저어가면서 30분 정도 끓인다. (양식의 아침식사 시리얼과 같다.)

### 효능

위장운동을 촉진시키고 소화를 도우며 변비를 예방하고 관상동맥성 질환을 개선한다. 변비나 관상동맥성 질환이 있는 사람에게 도움이 된다.

### 주의사항

우유에 알레르기가 있는 사람이나 철결핍성 빈혈환자는 주의해야 한다.

## ❀ 결명산사차

**재료** : 결명자 10g, 산사 10g

### 제작 및 음용

위의 재료를 유리주전자에 넣고 10분 정도 끓인 후 다관에 담아 찻잔에 따라 마신다.

### 효능

간열을 내리고 눈을 밝게 하며 수액대사를 활발하게 하며 변비를 해소하고 콜레스테롤을 낮추며 기운을 잘 통하게 하고 어혈을 풀어주는 효능이 있어 고지혈증, 동맥경화, 관상동맥경화가 있는 사람에게 적합하다.

### 주의사항

기운이 약한 사람이나 당뇨, 궤양, 위산과다가 있는 사람이나 임신부는 주의해야 한다.

## 4. 심장병에 좋은 차

## ❀ 단삼맥문동차

**재료** : 단삼 10g, 맥문동 10g

### 제작 및 음용

위의 재료를 유리주전자에 넣고 20분간 끓인 후 다관에 담아 찻잔에 따라 마신다.

### 효능

심장을 튼튼하게 하고 폐를 윤택하게 하며 혈액순환을 활발하게 하고 자음작용이 있다. 따라서 관상동맥질환에 효과가 있으며 심장병으로 인해 가슴이 두근거리고 호흡이 가쁘며 가슴이 답답하고 입이 자주 마르는 사람에게 적합하다.

### 주의사항

비위가 차고 변이 묽게 나오는 사람이나 임신부는 주의해야 한다.

## 🌷 홍삼맥감오녹차

**재료** : 홍삼 10g, 감초 8g, 맥문동 10개, 오미자 5g, 녹차 2g

### 제작 및 음용

위의 재료를 유리주전자에 넣고 물을 부어 30분 정도 끓인 후 걸러서 조금씩 따라 마신다.

### 효능

심장을 편하게 하고 폐를 윤택하게 하며 갈증을 멈추게 하고 기운을 보한다. 진액이 부족하고 입이 자주 마르며 불면증이 있는 사람이나 급성심장병으로 심력이 쇠약한 사람에게 적합하다.

### 주의사항

음허화왕인 사람은 주의해야 한다.

## 🌷 은행잎차

**재료** : 은행잎 10g

### 제작 및 음용

은행잎 말린 것을 잘게 부숴 보온병에 넣고 끓는 물을 부어 30분 정도 우린 후 마신다.

### 효능

은행잎은 폐기운을 수렴하고 천식을 개선시키며 어혈을 풀어주고 혈액순환을 잘 되게 하며 통증을 완화시키는 효능이 있다. 또한 습을 제거하고 설사를 멈추게 한다. 죽양관상동맥질환이나 심교통, 고혈압의 지방을 개선한다.

### 주의사항

임신부는 주의해야 한다.

## 🌺 산사홍화차

**재료** : 산사 10g, 홍화 5g

### 제작 및 음용

산사와 홍화를 유리주전자에 넣고 물을 부어 10분 정도 끓인 후 다관에 담아 찻잔에 따라 마신다.

### 효능

혈액의 지방을 내리고 혈압을 안정시키며 혈액순환을 활발하게 하고 혈전을 풀어준다. 심장병이 있거나 중풍으로 인해 후유증을 앓고 있는 사람에게 도움이 되며 어혈이 있어 생리통이 있거나 혈액순환이 잘 되지 않는 사람에게도 효과가 좋다.

### 주의사항

임신부나 생리량이 많은 여성은 주의해야 한다.

## 🌺 산사도인차

**재료** : 산사 20g, 도인 6g, 홍화 5g, 단삼 10g, 설탕 적당량

### 제작 및 음용

위의 4가지 재료를 유리주전자에 넣고 15분 정도 끓인 후 걸러서 다관에 담고 설탕을 넣어 찻잔에 따라 마신다.

### 효능

어혈을 제거하고 혈액순환을 활발하게 하며 혈압을 내리고 심근경색을 예방하는 효능이 있어 고혈압환자나 심근경색이 있는 사람에게 적합하다.

### 주의사항

임신부는 주의해야 한다.

## 🌷 홍화삼칠차

재료 : 홍화 5g, 삼칠화 2g

### 제작 및 음용

홍화와 삼칠화를 다관에 넣고 5분 정도 우린 후 찻잔에 따라 마신다.

### 효능

혈액순환을 돕고 생리를 잘 통하게 하며 생리통을 완화시키고 혈액의 지방과 혈압을 낮추며 여기저기 불편한 몸을 개선시킨다. 어지럽거나 눈이 침침하고 불면증이 있는 사람이나 심장병 및 고혈압환자에게 적합하다.

### 주의사항

생리량이 많은 사람이나 임신부는 주의해야 한다.

## 🌷 삼화차

재료 : 라벤더 3g, 감국 3g, 보리수꽃 5g, 얼음설탕 적당량

### 제작 및 음용

유리컵에 위의 재료를 넣고 뜨거운 물을 부어 뚜껑을 덮은 후 5분 정도 우려 마신다.

### 효능

정신을 맑게 하고 긴장을 풀어주며 혈액순환을 돕고 스트레스를 없애고 마음을 안정시킨다. 또한 피부를 아름답게 하고 얼굴색을 좋게 한다. 가슴이 답답하고 어지러우며 두통이 있고 대변이 건조하게 나오는 사람에게 적합하다.

### 주의사항

임신부는 주의해야 한다.

## 🌱 산사상심자차

**재료** : 산사 5g, 건상심자 10g

### 제작 및 음용

위의 재료를 유리컵에 넣고 뚜껑을 덮어 10분간 우려낸 후 마신다.

### 효능

간과 신장을 보하고 심장을 튼튼하게 하며 진액을 만들어 갈증을 멈추게 한다. 혈관을 부드럽게 만들어주고 신체를 건강하게 한다. 몸이 허약하면서 심뇌혈관질환이 있는 사람에게 유용하다.

### 주의사항

임신부는 주의해야 한다.

## 🌱 수면보조차

**재료** : 산조인 3g, 용안육 3개

### 제작 및 음용

산조인을 절구로 빻아 용안육과 함께 다관에 넣고 끓는 물을 부어 10분간 우려낸 후 마신다.

### 효능

간을 보하고 정신을 안정시키며 가슴의 두근거림이나 꿈이 많은 증상을 개선하고 불면증에 도움이 된다. 신경쇠약이나 수면상태가 좋지 않은 사람에게 적합하다.

### 주의사항

실사(實邪)가 침범한 울화증이 있는 사람이나 설사가 심한 사람은 주의해야 한다.

## 🌱 보익맥문동차

**재료** : 생지황 5, 맥문동 5개

### 제작 및 음용

위의 재료를 유리주전자에 넣고 물을 부어 10분간 끓인 후 다관에 담아 찻잔에 따라 마신다.

### 효능

기혈을 보하고 심장의 열을 내리며 이뇨작용이 있고 가슴이 답답한 증상이나 심교통(心絞痛)을 완화시키는 효능이 있다. 가슴이 답답하고 열이 나며 불면증이 있고 초조하고 변비가 있으며 마른기침을 하는 사람에게 적합하다.

### 주의사항

풍한감기로 인한 기침을 하는 사람이나 비위가 차고 허약한 사람, 복통 설사를 하는 사람에게는 좋지 않다.

## 🌱 구기용정차

**재료** : 구기자 3g, 산사 3g, 용정차 5g

### 제작 및 음용

유리컵에 위의 재료를 넣고 뜨거운 물을 부어 뚜껑을 덮은 후 5분 정도 우려내 마신다.

### 효능

뇌를 튼튼하게 하고 지력을 높여주며 기억력 감퇴를 예방한다. 정신적 노동을 많이 하는 직업을 가진 사람에게 적합하다.

### 주의사항

임신부는 주의해야 한다.

## 🌸 감잎금은화차

**재료** : 감잎차 8g, 금은화 6g, 녹차 3g

### 제작 및 음용

위의 재료를 다관에 넣고 뜨거운 물을 부어 5분 정도 우린 후 찻잔에 따라 마신다.

### 효능

혈액순환을 활발하게 하고 심장을 튼튼하게 하며 각종 염증을 치료하고 혈관을 튼튼하게 하는 효능이 있어 고혈압환자나 관상동맥질환이 있는 사람에게 적합하다.

### 주의사항

비위가 허약하고 몸이 찬 사람이나 변비가 있는 사람은 주의해야 한다.

## 🌸 감잎산사차

**재료** : 감잎 10g, 산사 12g, 녹차 3g

### 제작 및 음용

감잎과 산사를 유리주전자에 넣고 5분 정도 끓인 후 다관에 넣고 녹차를 넣어 우린 후 걸러서 찻잔에 따라 마신다.

### 효능

혈액순환을 활발하게 하고 어혈을 제거하며 혈액의 지방과 혈압을 낮추는 효능이 있어 어혈로 인해 심장이 답답하고 자통(刺痛)이 있는 사람에게 예방효과가 있다.

### 주의사항

비위가 허약하고 몸이 찬 사람들이나 변비가 있는 사람은 주의해야 한다.

## 🌼 단삼녹차

**재료** : 단삼 9g, 녹차 3g

### 제작 및 음용

단삼은 잘게 부숴 유리주전자에 넣고 5분 정도 끓인 후 다관에 넣고 녹차를 넣어 우린 후 걸러서 찻잔에 따라 마신다.

### 효능

어혈을 제거하고 혈액순환을 도우며 통증을 없애고 번열을 가라앉게 하는 효능이 있으며 관상동맥질환이나 심교통 등을 예방하는 효과가 있다.

### 주의사항

비위가 차고 변이 묽게 나오는 사람이나 임신부는 주의해야 한다.

## 🌼 삼조차

**재료** : 홍삼 6g, 대추 6개, 감초 3g, 계지 6g, 당귀 3g, 설탕 20g

### 제작 및 음용

대추는 씨를 빼고 홍삼, 감초, 당귀는 가늘게 썰어 모든 재료와 함께 유리주전자에 넣고 물을 부어 40분 정도 약한 불로 끓여 걸러서 다관에 담아 찻잔에 따라 마신다.

### 효능

한사(寒邪)를 제거하고 혈액을 보하는 효능이 있어 혈액이 부족하고 한사가 심장을 침범한 관상동맥질환에 효과가 있다.

주의사항

몸에 열이 많은 사람은 주의해야 한다.

## 🌱 석창포모리화차

재료 : 모리화 6g, 석창포 6g, 녹차 10g

제작 및 음용

위의 재료를 잘게 부숴 다관에 넣고 끓는 물을 부어 10분 정도 우린 후 걸러서 찻잔에 따라 마신다.

효능

습담을 없애고 정신을 맑게 하며 기억력을 증진시키는 등 뇌를 건강하게 하며 기운을 잘 통하게 하고 마음을 안정시키며 불면증, 우울증, 건망증을 개선하는 효과가 있다. 또한 혈전을 제거하고 다이어트효과도 있으며 관상동맥질환이나 심교통(心絞痛)이 있는 사람에게도 적합하다.

주의사항

빈혈이 있거나 속쓰림이 있는 사람, 음허화왕으로 진액이 부족한 사람은 주의해야 한다.

## 5. 중풍에 좋은 차

## 🌱 석구천우치자차

재료 : 석결명 60g, 조구등 10g, 천마 10g, 우슬 10g, 치자 10g, 녹차 6g

제작 및 음용

먼저 석결명을 잘게 부숴서 유리주전자에 넣고 물 600L 정도를 붓고 20분 정도 끓인 후 다음의 4가지 약재를 넣고 15분 정도 더 끓인다. 고운 천으로 걸러 다관에 넣고 녹차를 넣어 우린 뒤 찻잔에 따라 마신다.

### 효능

열을 내리고 간 기운을 안정시키는 효능이 있으며 간양폭항(肝陽暴亢)형 중풍에 효과가 있다. 반신불수, 구완와사, 두통, 어지럼증이 있는 사람이나 눈이 충혈되고 쉽게 화가 나며 입안이 쓰고 인후가 건조하며 변비, 소변이 노랗게 나오는 등의 증상이 있는 사람에게 적합하다.

### 주의사항

비위가 허약하고 찬 사람이나 몸이 차고 소화력이 약한 사람, 구토, 수족냉증, 양기 부족인 사람은 주의해야 한다.

## 🌼 강력보감차

**재료** : 오가피 15g, 선학초 10g, 구기자 10g, 홍차 3g

### 제작 및 음용

위의 재료를 유리주전자에 넣고 물을 부은 후 15분 정도 끓여 걸러서 마신다.

### 효능

신장을 보하고 근골을 튼튼하게 하며 피로를 예방해 준다. 따라서 신경쇠약이나 신장이 허약해 허리가 아프고 무릎에 힘이 없으며 피로가 과중한 사람에게 효과가 있고 중풍 예방에도 도움이 된다. 그리고 운동선수나 체력소모가 많은 일을 하는 사람에게 좋다.

## 🌼 상심수오차

**재료** : 상심자 30g, 하수오 30g

### 제작 및 음용

위의 재료를 깨끗이 씻어 유리주전자에 넣고 물을 부어 10분간 불린 후 15분 정도 끓여 걸러서 마신다.

## 효능

간과 신장을 튼튼하게 하고 정혈을 보한다. 중풍 후유증으로 체력이 허약한 사람의 음료로 효과가 있으며 신장이 허약한 어르신에게도 도움이 된다.

## 제신차

재료 : 하수오 25g, 낙석등(마삭줄) 15g, 합환피 15g

### 제작 및 음용

위의 재료를 유리주전자에 넣고 물을 부어 15분 정도 끓여 걸러서 마신다.

### 효능

간과 신장을 보하고 뇌를 자양하여 정신을 맑게 하는 효능이 있어 신경쇠약이 있는 사람에게 효과가 있고 중풍을 예방하는 데도 도움이 된다.

## 홍국회화차

재료 : 홍화 20g, 회화 15g, 국화 20g

### 제작 및 음용

위의 재료를 유리주전자에 넣고 물을 부어 5분 정도 끓인 후 걸러서 마신다.

### 효능

어혈을 풀어주고 혈액순환을 활발하게 하며 혈액의 지방을 낮춘다. 중풍 후유증이 있으며 혈액의 지방이 높은 사람에게 유용하다.

### 주의사항

임신부는 주의해야 하며 일반인도 너무 오래 복용하는 것은 좋지 않다.

## 진구단삼차

재료 : 진구 6g, 단삼 10g

### 제작 및 음용

위의 재료를 믹서에 넣고 가루를 만들어 다관에 담고 끓는 물을 부어 뚜껑을 덮고 15분 정도 우린 후 걸러서 마신다.

### 효능

풍을 없애고 경락을 잘 통하게 하며 혈액을 보하고 혈액순환을 활발하게 한다. 수족마비나 피부가 얼얼한 증상이 있는 중풍환자에게 도움이 된다.

### 주의사항

약재 중 진구의 양을 많이 사용하면 좋지 않으므로 주의해야 한다.

# II 소화기 및 간 계통 질환

## 1. 위통에 좋은 차

### 🌷 향부진강차

**재료** : 향부자 10g, 진피 5g, 생강편 10g, 홍차 3g

**제작 및 음용**

법제한 향부자와 진피, 생강을 유리주전자에 넣고 400ml의 물을 부어 10분 정도 끓인 후 다관에 넣고 홍차를 넣어 3분 정도 우린 후 걸러서 찻잔에 따라 마신다.

**효능**

한사를 없애고 위장의 통증을 완화시키는 효과가 있어 위가 차고 통증이 심하며 구토하면 맑은 물이 나오고 입안에 침이 많이 고이며 찬 것을 싫어하고 따뜻한 것이 좋으며 갈증이 나지 않는 등의 증상이 있는 사람에게 적합하다.

**주의사항**

몸에 종기가 자주 나거나 속에 열이 많은 사람은 주의해야 한다.

### 🌷 산신내진차

**재료** : 산사 10g, 신곡 10g, 내복자 6g, 진피 6g, 홍차 5g

**제작 및 음용**

앞의 4가지 재료를 유리주전자에 넣고 물 450ml 정도를 부어 20분 정도 끓인 후 다관에 담고 홍차를 넣어 3분 정도 우린 후 걸러서 찻잔에 따라 마신다.

### 효능

소화를 돕고 위를 편하게 하며 식체로 인한 위완통에 효과가 있다. 위가 장만하고 입 안에서 시고 부패한 냄새가 나거나 소화되지 않은 음식이 넘어오고 토하고 나면 조금 편해지는 증상이 있는 사람에게 적합하다.

### 주의사항

부작용은 없으나 기운이 많이 부족한 사람은 주의해야 한다.

## 🌷 석련작초차

**재료** : 석곡 12g, 천연자 6g, 백작약 15g, 감초 6g, 녹차 3g

### 제작 및 음용

앞의 4가지 재료를 유리주전자에 담고 450ml 정도의 물을 넣어 15분간 끓여 다관 에 넣고 홍차를 넣어 3분 정도 우린 후 걸러서 찻잔에 따라 마신다.

### 효능

위음(胃陰)을 보하고 위에 유익한 효능이 있으며 위음이 부족하여 위완통이 있는 사 람에게 적합하다. 위가 은근하게 아프며 속이 쓰리고 열이 나는 느낌이 있으며 입이 마 르고 음식을 많이 먹지 못하고 대변이 건조한 증상이 있는 사람에게 도움이 된다.

### 주의사항

비위가 차고 허약한 사람이나 복통 설사를 하는 사람은 주의해야 한다.

## 🌷 기강진복홍차

**재료** : 황기 15g, 생강 10g, 진피 5g, 복령 10g, 홍차 3g

### 제작 및 음용

유리주전자에 앞의 4가지 재료를 넣고 물 450ml 정도를 부어 15분 정도 끓인 후 다관에 넣고 홍차를 넣어 3분 정도 더 우린 후 걸러서 찻잔에 따라 마신다.

### 효능

위를 따뜻하게 하고 비장을 튼튼하게 하며 습을 제거하는 효능이 있어 비위허한(脾胃虛寒)형 위완통에 효과가 있다. 위가 은근하게 아프고 공복이 되면 통증이 심해지고 음식을 먹으면 조금 나아지며 따뜻한 것을 좋아하고 배를 만져주면 나아지는 증상이 있고 수족이 차고 대변이 묽게 나오며 기운이 없고 권태감이 있는 사람에게 적합하다.

### 주의사항

음허(陰虛)로 인해 위에 열이 나고 배가 더부룩하며 급성전염병이나 염증이 있는 사람은 주의해야 한다.

## 귤화차

재료 : 귤화 5g, 홍차 4g

### 제작 및 음용

위의 재료를 다관에 넣고 10분 정도 우린 후 걸러서 마신다.

### 효능

중초를 따뜻하게 하고 기운을 조절하며 위를 편하게 하고 통증을 완화시킨다. 위가 허약하고 차서 나타나는 위통이나 소화를 잘 시키지 못하는 사람에게 적합하다.

### 주의사항

위에 열이 많이 나는 사람은 주의해야 한다.

## 유자피녹차

재료 : 유자껍질 10g, 생강 2편, 녹차 6g

### 제작 및 음용

유자껍질과 생강을 유리주전자에 넣고 15분간 끓인 후 다관에 담아 녹차를 넣고 3분간 우린 후 걸러서 찻잔에 따라 마신다.

### 효능

가슴을 넓혀 기운이 잘 통하게 하고 소염항균작용이 있으며 소화를 돕고 급성위장염에 효과가 있으며 복부창만증, 구역질 등에 도움이 된다.

### 주의사항

체력이 허약한 사람은 많이 먹지 말아야 하며 비장이 허약하여 변이 묽은 사람도 주의해야 한다.

## 🌺 후추대추차

**재료** : 후추 10개, 대추 5개

### 제작 및 음용

대추는 씨를 제거하여 잘게 썰고 후추는 부숴서 유리주전자에 넣고 물을 부어 20분 정도 끓인 후 다관에 담아 걸러 찻잔에 따라 마신다.

### 효능

한사를 제거하고 혈액을 보하며 위를 튼튼하게 한다. 허한성위통(虛寒性胃痛)에 적합하다.

### 주의사항

위에 열이 많이 나는 사람은 주의해야 한다.

## 🌺 울금향부차

**재료** : 울금 10g, 향부자 30g, 감초 15g

### 제작 및 음용

위의 재료를 유리주전자에 넣고 20분 정도 끓인 후 걸러서 마신다.

효능

기운을 잘 통하게 하고 울결된 것을 풀어주는 효능이 있으며 허한성위통(虛寒性胃痛)에 적합하다.

주의사항

위에 열이 많이 나는 사람은 주의해야 한다.

## 백매화청차

**재료** : 백매화 5g, 청차 5g

제작 및 음용

위의 재료를 다관에 담아 뜨거운 물을 부어 5분 정도 우린 후 걸러서 마신다.

효능

기운을 잘 통하게 하고 울결된 것을 풀어주는 효능이 있으며 복부에 가스가 차고 장만하며 음식을 먹으면 위가 불편한 증상이 있는 사람에게 적합하다.

주의사항

기운이 부족하고 몸이 너무 마른 사람은 주의해야 한다.

## 불수화차

**재료** : 불수 10g, 장미화 6g

제작 및 음용

위의 재료를 유리컵에 담고 뜨거운 물을 부어 5분 정도 우린 후 천천히 따라 마신다.

효능

기운을 조절하고 뭉친 것을 풀어주며 위를 편하게 하고 통증을 완화시킨다. 간과 위가 조화롭지 못하고 복부와 옆구리가 창만하며 위완통이 있고 트림을 자주 하며 음식을 잘 먹지 못하고 간기가 울결되어 소화가 잘 되지 않는 사람에게 적합하다.

### 주의사항

음허내열(陰虛內熱)이 있으며 체력이 허약하고 건조종합증이 있는 사람은 주의해야 한다.

## 2. 구토에 좋은 차

### 🌷 생강초탕차

**재료** : 생강 60g, 식초 · 설탕 적당량

### 제작 및 음용

먼저 생강을 얇게 편으로 잘라 식초에 하룻밤을 재워둔다. 재워둔 생강과 설탕을 다관에 넣고 끓는 물을 부어 5분 정도 우린 후 걸러 찻잔에 따라 마신다.

### 효능

속을 따뜻하게 하고 구토를 멈추게 하며 기운을 아래로 내리고 위를 편하게 한다. 허한위통이나 식욕부진, 구토증상에 효과가 있다.

### 주의사항

위에 열이 있거나 음허로 도한이 있는 사람은 주의해야 한다.

### 🌷 맥아산사차

**재료** : 초맥아 10g, 초산사 3g, 황설탕 적당량

### 제작 및 음용

위의 재료를 유리주전자에 담아 300ml의 물을 붓고 10분 정도 끓여 다관에 담아 걸러 찻잔에 따라 마신다.

### 효능

소화를 돕고 적채를 해소하며 상한 음식을 먹고 토하거나 복부가 창만하고 트림을 자주 하고 신물이 나오며 구토하고 소화가 되지 않는 음식이 나오는 증상에 적합하다.

### 삼맥석죽산사차

**재료** : 태자삼 15g, 맥문동 10g, 석곡 10g, 죽여 10g, 산사 10g, 녹차 5g

### 제작 및 음용

앞의 5가지 재료를 유리주전자에 넣고 물 500ml 정도를 부은 후 15분 정도 끓인 후에 걸러서 다관에 담고 녹차를 넣고 3분 정도 우린 후 찻잔에 따라 마신다.

### 효능

위를 편하게 하고 음을 보하며 구토를 멈추게 한다. 위음이 부족하여 나타나는 구토 증상이나 때때로 구역질을 하며 구토물은 적고 끈끈한 점액질이 나오며 반복해서 발작을 하고 배는 고프나 식욕은 없고 입이 건조하며 대변이 건조하게 나오는 사람에게 적합하다.

### 주의사항

복부와 손발이 차고 특히 위가 찬 사람은 주의해야 한다.

### 삼출강하차

**재료** : 당삼 10g, 백출 10g, 생강 10g, 강반하 10g, 홍차 6g

### 제작 및 음용

앞의 4가지 재료를 유리주전자에 담고 물 450ml를 부어 20분 정도 끓인 후 다관에 담아 홍차를 넣고 5분 정도 더 우려내어 걸러서 찻잔에 따라 마신다.

### 효능

중초를 따뜻하게 하고 위를 편안하게 하며 구토를 멈추게 한다. 비위가 차서 나타나는 구토증상에 효과가 있으며 오랫동안 구토가 반복되고 권태감이 있으며 피로하고 따뜻한 것을 좋아하고 찬 것을 싫어하는 사람에게 적합하다.

### 주의사항

위에 열이 있는 사람은 주의해야 한다.

### 🌱 곽진하강차

**재료**: 곽향 10g, 진피 6g, 강반하 10g, 생강편 6g, 홍차 6g

### 제작 및 음용

강반하와 진피를 먼저 유리주전자에 넣고 물 450ml 정도를 부어 15분 정도 끓인 후 곽향을 넣고 5분을 더 끓인다. 끓인 물을 다관에 넣고 홍차를 넣어 5분 정도 우린 후 걸러 찻잔에 따라 마신다.

### 효능

한사를 제거하고 위를 편하게 하며 구토를 멈추게 한다. 한사가 위장을 침범하여 나타나는 위통과 구토에 적합하며 구토물이 많고 가슴과 위완부가 꽉 차 있는 증상의 구토에 적합하다.

### 주의사항

풍한(風寒)사가 침범하지 않도록 주의해야 하고 차고 생것은 먹지 않아야 한다.

## 3. 담낭염에 좋은 차

### 🌱 천연자연호색차

**재료**: 천연자 10g, 연호색 10g, 설탕 적당량

### 제작 및 음용

천연자와 연호색을 유리주전자에 넣고 물을 부어 20분 정도 끓인 후 다관에 담아 걸

러서 하루에 두 번 정도 마신다.

### 효능

간열을 내리고 담즙을 잘 통하게 한다. 주로 기체형 담낭염으로 오른쪽 옆구리가 묵직하거나 막히고 통증이 있으며 어깨와 등으로 당기는 느낌이 들며 입이 쓰고 인후가 마르는 증상 등이 있는 사람에게 적합하다.

### 주의사항

비위가 허약하고 찬 사람은 주의해야 하며 천연자에는 독이 있어 오래 복용하는 것은 좋지 않다.

## 포공영옥미수차

**재료** : 포공영 30g, 옥미수 100g, 오매 15g, 산사 15g

### 제작 및 음용

위의 재료를 유리주전자에 넣고 물 1L 정도를 부어 30분 정도 끓인 후 걸러서 다관에 담아 찻잔에 따라 마신다.

### 효능

열을 내리고 습을 제거하며 담즙을 잘 통하게 하고 적체되어 있는 물질을 제거하며 특히 담낭염이 있는 사람에게 적합하다.

### 주의사항

비위가 허약하고 찬 사람은 주의해야 한다.

## 인진쑥차

**재료** : 인진쑥 30g, 설탕 적당량

### 제작 및 음용

유리주전자에 인진쑥을 넣고 물을 부어 15분 정도 끓인 후 걸러서 찻잔에 따라 마신다.

## 효능

열을 내리고 담즙을 잘 통하게 하며 만성담낭염의 발작기나 황달형간염, 만성간염 등에 적합하다.

## 🌺 청열리담차

**재료** : 옥미수 30g, 포공영 30g. 인진쑥 30g, 설탕 적당량

### 제작 및 음용

위의 재료를 1L 정도의 물을 넣고 유리주전자에 담아 30분 정도 끓인 후 걸러서 찻잔에 따라 마신다.

### 효능

해독작용이 있고 열을 내리며 습을 제거하고 담즙을 잘 통하게 하며 담낭염에 효과가 있다. 습열이 안에 쌓여서 나타나는 만성담낭염에 적합하다.

### 주의사항

과량을 사용하면 좋지 않으며 비위가 허약하고 찬 사람은 주의해야 한다.

## 🌺 금옥매현차

**재료** : 금전초 50g, 옥미수 50g, 오매 10g, 마치현 25g

### 제작 및 음용

위의 재료를 물 1L 정도를 넣고 끓여 걸러서 찻잔에 따라 마신다.

### 효능

열을 내리고 해독작용이 있으며 습을 제거하고 담즙을 잘 통하게 하며 담낭염이 있는 사람에게 적합하다.

## 4. 담결석에 좋은 차

### 🌷 삼금소석차

**재료** : 계내금 10g, 금전초 10g, 울금 5g

**제작 및 음용**

위의 재료를 믹서에 넣고 갈아서 티백에 넣어 보온병에 담는다. 끓는 물을 부어 15분 정도 우려 마신다.

**효능**

간 기운을 잘 소통시키고 담을 잘 통하게 하며 돌이 정체되어 있는 것을 제거한다. 따라서 만성담낭염이나 담결석증에 도움이 된다. 오른쪽 상복부에 반복해서 통증이 있고 느끼한 음식을 먹으면 더욱 심해지는 증상이 있으며 검사에서 작은 담결석이 형성되었을 때 적합하다.

**주의사항**

몸에 실증증상이 없는 사람은 복용하지 않는 것이 좋다.

### 🌷 소담석차

**재료** : 금전초 20g, 지실 10g, 대황 5g

**제작 및 음용**

위의 재료를 믹서에 갈아 티백에 넣고 보온병에 담아 끓는 물을 부어 뚜껑을 닫고 15분 정도 우린 후 마신다.

**효능**

열을 내리면서 육부를 잘 통하게 하며 담을 소통시켜 담석을 제거한다. 담낭염이나 담결석으로 인해 오른쪽 상복부가 반복해서 통증이 있고 대변이 건조하고 입이 쓰고 마른 증상이 있을 때 적합하다.

위궤양이나 십이지장궤양이 있는 사람은 주의해야 한다.

## 🌱 금전호장차

**재료** : 금전초 15g, 호장 10g

**제작 및 음용**

위의 재료를 믹서에 갈아 티백에 넣고 보온병에 담아 끓는 물을 부어 뚜껑을 닫고 15분 정도 우린 후 마신다.

**효능**

염증을 없애고 담을 잘 통하게 하며 담석을 배출하고 통증을 완화시킨다. 급성담낭염이나 담결석증에 적합하다.

**주의사항**

비위가 허약하고 대변이 묽은 사람을 주의해야 한다.

## 🌱 로즈메리금전차

**재료** : 로즈메리 15g, 금전초 10g, 녹차 8g

**제작 및 음용**

위의 재료를 모두 보온병에 넣고 끓는 물을 부어 20분 정도 우린 후 조금씩 따라 마신다.

**효능**

이뇨작용이 강하며 담석을 배출시키므로 담결석이 있는 사람에게 유용하다.

**주의사항**

비위가 허약하고 찬 사람은 주의해야 한다.

## 5. 황달에 좋은 차

### 🌷 거황차

**재료** : 금전초 30g, 인진호 30g, 치자 15g

**제작 및 음용**

위의 재료를 유리주전자에 넣고 2L의 찬물을 부어 한번 끓어오르면 불을 끄고 식혀서 걸러 마신다.

**효능**

열을 내리고 습을 제거하며 담을 잘 통하게 하여 황달을 없앤다. 간염환자가 황달이 나타날 때 적합하다.

**주의사항**

비위가 차고 허약한 사람이나 혈허로 위황(萎黃)이 있는 사람은 주의해야 한다.

### 🌷 울금감초차

**재료** : 울금 6g, 구감초 5g, 녹차 1g, 꿀 25g

**제작 및 음용**

울금을 식초에 볶은 후 유리주전자에 구감초와 함께 넣고 물을 부어 10분 정도 끓인 후 걸러 다관에 담고 녹차와 꿀을 넣어 찻잔에 따라 마신다.

**효능**

열을 내리고 습을 제거하며 황달을 없애는 효능이 있어 황달형간염에 효과가 있다.

**주의사항**

임신부나 기체어혈이 있는 사람은 주의해야 한다.

## 🌷 인진녹차

**재료** : 인진쑥 10g, 대황 10g, 녹차 3g

### 제작 및 음용

위의 재료를 잘게 갈아 차주머니에 담아 뜨거운 물에 우려 마신다.

### 효능

열을 내리고 습을 제거하며 육부를 잘 통하게 하고 황달을 개선시키는 효능이 있어 급성황달형간염에 적합하다. 온몸과 눈이 선명하게 노란색을 띠고 소변이 노란색이며 혀태도 노랗게 지저분하게 나타나는 증상에 도움이 된다.

### 주의사항

비위가 허약하고 찬 사람과 혈액이 허약하여 나타나는 위황(萎黃)이 있는 사람은 주의해야 한다.

## 🌷 인치금황차

**재료** : 인진쑥 16g, 치자 10g, 울금 10g, 대황 5g, 녹차 10g

### 제작 및 음용

인진쑥, 치자, 울금을 유리주전자에 넣고 물 500ml 정도를 붓고 15분 정도 끓인 후 대황과 녹차를 넣고 2분을 더 끓여 걸러서 찻잔에 따라 마신다.

### 효능

열을 내리고 습을 제거하며 황달을 없애는 효능이 있어 간담습열형 황달에 효과가 있다. 몸과 눈에 황달이 있으며 색이 선명하고 열이 나며 갈증이 나고 가슴이 답답하며 입이 쓰고 구역질이 나며 옆구리가 창만하고 변비가 있는 증상에 좋다.

### 주의사항

비위가 허약하고 찬 사람과 혈액이 허약하여 나타나는 위황(萎黃)이 있는 사람은 주의해야 한다.

## 🌱 반란근차

**재료** : 반란근 30g, 대청엽 30g, 녹차 15g

**제작 및 음용**

위의 재료를 유리주전자에 넣고 물을 부어 10분 정도 끓인 후 걸러서 따라 마신다.

**효능**

청열해독작용이 있으며 습을 제거하고 황달을 물러나게 한다. 급성황달성간염에 적합하다.

**주의사항**

비위가 허약하고 찬 사람은 주의해야 하며 열독이 없는 사람이 오래 복용하는 것은 좋지 않다.

## 🌱 황화채대추차

**재료** : 황화채 10g, 생감초 8g, 오미자 5g, 대추 50g

**제작 및 음용**

위의 재료를 유리주전자에 넣고 30분 정도 끓인 후 걸러서 찻잔에 따라 마신다.

**효능**

기운을 만들어주고 비장을 튼튼하게 하며 열을 내리고 해독작용이 있어 만성활동성 간염이나 황달형간염에 도움이 된다.

## 6. 간염에 좋은 차

### 🌺 화어(化瘀)양간차

**재료** : 산사 25g, 단삼 50g, 구기자 25g, 얼음설탕 10g, 꿀 100g

#### 제작 및 음용

산사, 단삼, 구기자를 유리주전자에 넣고 물을 부어 20분 정도 끓인 후 걸러서 다시 유리주전자에 넣고 꿀과 얼음설탕을 넣고 5분 정도 약한 불에 끓여 하루에 3번 정도 나눠 마신다.

#### 효능

간과 신장을 자양하고 어혈을 없애고 혈액순환을 돕는다. 간염환자나 간 섬유질화가 진행되는 사람, 어혈이 많은 간염환자에게 도움이 된다.

#### 주의사항

위장의 기운이 허약한 사람은 마시는 양을 반으로 줄이고 산사를 절반만 넣는다.

### 🌺 불수감(佛手柑)차

**재료** : 불수감 15g, 녹차 3g, 설탕 적당량

#### 제작 및 음용

위의 재료를 유리컵에 넣고 뜨거운 물을 부어 10분 정도 우린 후 걸러서 찻잔에 따라 마신다.

#### 효능

비장을 튼튼하게 하고 위를 보하며 기운을 조절하고 통증을 없애는 효능이 있어 만성간염에 적합하다.

## 북오미자차

**재료** : 북오미자 5g, 녹차 2g, 꿀 25g

### 제작 및 음용

북오미자를 약한 불에 진한 갈색이 되도록 볶아 녹차와 함께 다관에 넣고 5분 정도 우린 후 꿀을 넣고 저어서 찻잔에 따라 마신다.

### 효능

정신을 맑게 하고 신장과 간을 보하는 효능이 있어 다리에 힘이 없고 이명현상이 있으며 정신이 흐린 노인질환이나 만성간염, 간이 좋지 않아 눈이 흐리고 시력이 약해지는 증상에 도움이 된다.

### 주의사항

속에 열이 많은 사람이나 궤양이 있는 사람 또는 초기감기환자나 기침환자가 많이 마시는 것은 좋지 않다.

## 울금청간차

**재료** : 울금 10g, 구감초 5g, 녹차 2g, 꿀 25g

### 제작 및 음용

울금을 식초에 법제하여 구감초, 녹차와 함께 유리주전자에 넣고 물 500ml 정도를 부어 10분간 끓인 후 걸러서 꿀을 타서 마신다.

### 효능

간 기운을 잘 통하게 하고 울결된 것을 제거하며 습을 없애고 어혈을 풀어주는 효능이 있어 간염, 간경변, 지방간, 간암 등에 도움이 된다.

## 🌷 구기자차

재료 : 구기자 10g, 홍차 2g

### 제작 및 음용

유리주전자에 구기자를 넣고 물 500ml 정도를 부어 5분 정도 끓인 후 다관에 홍차와 함께 담아 걸러서 찻잔에 따라 마신다.

### 효능

간을 보하고 눈을 밝게 하며 폐를 윤택하게 하고 신장을 튼튼하게 하며 혈을 보하는 효능이 있어 간염, 간경화환자가 시력감퇴와 빈혈증상이 동반되어 나타날 때 도움이 된다.

## 🌷 영지감초차

재료 : 영지 6g, 감초 5g

### 제작 및 음용

위의 재료를 유리주전자에 넣고 물을 부어 15분 정도 끓인 후 보온병이나 다관에 담아 찻잔에 따라 마신다.

### 효능

간기능을 개선하고 보호하며 신체를 튼튼하게 하고 만성간염에 도움이 된다.

## 7. 지방간에 좋은 차

## 🌷 하고초수세미차

재료 : 하고초 30g, 수세미 10g(생것은 50g), 얼
      음설탕 적당량

### 제작 및 음용

앞의 두 가지 재료를 유리주전자에 넣고 물 500ml를 부은 후 물이 200ml 정도가 될 때까지 끓인 후 걸러서 얼음설탕을 넣고 녹여 마신다.

### 효능

열을 내리고 혈액을 식히며 어혈과 담을 제거한다. 술을 많이 마시는 사람이나 당뇨로 인해 지방간이 있는 사람에게 적합하다.

### 주의사항

몸이 찬 사람에게는 좋지 않다.

## 🌱 강지익간차

재료 : 시호 2g, 단삼 2g, 산사육 2g, 백작 2g, 지각 2g, 안계철관음차 40g

### 제작 및 음용

위의 재료를 모두 깨끗이 씻어 믹서에 갈아 차주머니에 10g씩 담아 뜨거운 물에 하나씩 우려 마신다.

### 효능

간 기운을 잘 통하게 하고 비장을 튼튼하게 하며 기운을 조절하고 어혈을 없애며 면역력을 증강시키고 지방간과 고지혈증에 도움이 된다.

## 🌱 하엽차

재료 : 마른 하엽 1/2장(생것은 1장)

### 제작 및 음용

하엽을 잘게 잘라 유리주전자에 넣고 물을 적당하게 부은 후 20분 정도 끓여 걸러서 마신다.

### 효능

양기를 위로 올리고 습을 잘 통하게 하며 지방을 없애고 다이어트에 도움이 된다. 지방간이 있는 사람이 여름철에 마시면 좋다.

### 주의사항

비위가 허약하고 찬 사람은 주의해야 한다.


## 8. 변비에 좋은 차

### 🌷 삼기진밀차

**재료** : 태자삼 20g, 황기 20g, 진피 5g, 보이차
　　　　6g, 꿀 적당량

### 제작 및 음용

앞의 3가지 재료를 유리주전자에 넣고 물 500ml 정도를 부어 20분 정도 끓인 후 다관에 담아 꿀과 보이차를 넣고 3분 정도 우린 후 찻잔에 따라 마신다.

### 효능

비장을 튼튼하게 하고 기운을 만들어주며 변비를 해소한다. 비장이 허약하여 기운이 부족한 형태의 변비에 효과가 있으며 변이 건조하여 밤처럼 나오거나 용변 시 기운이 없어 힘을 쓰지 못하는 증상, 식은땀이 나고 호흡이 짧으며 몸이 피로한 사람에게 적합하다.

### 🌷 통변차

**재료** : 백자인 10g, 하수오 10g, 당귀 1편

### 제작 및 음용

위의 재료를 유리주전자에 넣고 30분 이상 끓인 후 걸러서 다관에 담아 찻잔에 따라 마신다.

### 효능

장을 윤택하게 하여 변이 잘 통하게 하고 장과 위를 조절하며 수면상태를 개선시켜 준다. 중노년의 변비에 적합하다.

### 주의사항

복통 설사, 복부팽만, 식욕부진, 습이 많고 화가 왕성하며 음이 허한 사람에게는 좋지 않다.

## 맥아산사차

**재료** : 맥아 3g, 산사 3편

### 제작 및 음용

다관에 위의 재료를 넣고 10분 정도 우려낸 후 찻잔에 따라 마신다.

### 효능

비위를 튼튼하게 하고 소화를 도우며 복부의 팽만감을 없애고 체내 가스를 배출하여 속을 편하게 한다. 복통 설사를 하거나 이질이 있는 사람에게 도움이 된다.

## 방대해생지황차

**재료** : 방대해 1개, 생지황 1편

### 제작 및 음용

컵에 방대해와 생지황을 넣고 끓는 물을 부어 10분 정도 우린 후 따뜻하게 마신다.

### 효능

자음작용이 있으며 진액을 만들어주고 변이 뭉쳐 건조해진 것을 해소하며 폐열을 내리고 인후를 부드럽게 한다. 폐음부족으로 만성인후염이나 변비가 있는 사람에게 도움이 된다.

### 주의사항

변이 묽거나 비장이 허약하여 습이 뭉친 사람에게는 좋지 않다.

## 🌸 쌍화밀차

**재료** : 산사 3개, 국화 3개, 금은화 2g

### 제작 및 음용

위의 재료를 다관에 넣고 끓는 물을 부어 10분 정도 우린 후 찻잔에 따라 마신다.

### 효능

간화를 내리고 비위를 보하며 변비를 예방한다. 또한 인후를 부드럽게 해주며 소화를 돕는다. 복부가 팽만하고 변비가 있으며 소화가 잘 되지 않고 수종으로 복부가 장만한 사람에게 도움이 된다.

### 주의사항

비위가 허약하고 찬 사람은 주의해야 한다.

## 🌸 지마핵도장미차

**재료** : 검은깨 10g, 호두 15g, 장미화 8g, 녹차 5g, 꿀 적당량

### 제작 및 음용

검은깨와 호두는 믹서에 갈아서 준비하고 장미화와 녹차를 다관에 담아 15분 정도 우린 후 거름망으로 걸러 컵에 담고 갈아놓은 검은깨, 호두, 꿀을 넣고 잘 저어서 마신다.

### 효능

건조한 신체를 윤택하게 하고 폐를 따뜻하게 하며 변을 잘 통하게 하고 허약한 신체를 튼튼하게 한다. 신장이 허약한 사람으로 허리와 무릎이 시고 아프며 피로감으로 무력하고 변비가 있는 사람에게 적합하다.

### 주의사항

복통 설사를 하는 사람이나 임신부는 주의해야 한다.

## 🌿 화마인차

**재료** : 화마인 15g, 꿀 10g

### 제작 및 음용

화마인을 팬에 넣고 볶은 후 믹서에 곱게 갈아 컵에 넣고 뜨거운 물을 부어 꿀을 타서 잘 저어 마신다.

### 효능

장을 윤택하게 하여 변이 잘 통하게 한다. 노인이나 어린이, 임신부에게 적합하다.

### 주의사항

급성설사를 하는 사람은 주의해야 한다.

## 🌿 마편초계화차

**재료** : 마편초 9g, 계화 7g, 녹차 5g, 꿀 적당량

### 제작 및 음용

위의 재료를 다관에 넣고 뜨거운 물을 부어 10분 정도 우린 후 찻잔에 따라 마신다.

### 효능

장을 윤택하게 하고 변을 잘 통하게 하며 피부를 탄력 있게 하고 미백효과가 있으며

해독작용과 장에 있는 가스를 제거한다. 복통이나 가래로 인한 기침, 두통이 있는 사람에게 적합하다.

### 주의사항

비위에 습열이 있는 사람이나 임신부에게는 좋지 않다.

## 🌼 모리화로즈메리차

**재료** : 모리화 15g, 로즈메리 10g, 감국 10g, 녹차 5g

### 제작 및 음용

위의 재료를 다관에 넣고 끓는 물을 부어 20분 정도 우린 후 거름망에 거르고 다관에 담아 꿀을 타서 마신다.

### 효능

장을 윤택하게 하여 변비를 개선시키고 이뇨작용이 있어 부종을 가라앉게 하며 다이어트에 효과가 좋고 장에 가스를 제거한다. 수종형비만인 사람이나 장에 가스가 자주 차며 변비가 있는 사람에게 적합하다.

### 주의사항

임신부는 주의해야 한다.

## 🌼 장미대추차

**재료** : 장미화 5g, 대추 3개

### 제작 및 음용

유리주전자에 대추를 넣고 30분 정도 끓인 후 다관에 따르고 장미화를 넣어 10분 정도 더 우린 후 찻잔에 따라 마신다.

### 효능

보중익기작용이 있으며 심장과 비장에도 유익하고 경락을 잘 통하게 하며 변비해소에도 효과가 있다. 비위기허(脾胃氣虛)자나 허리와 등이 시고 아픈 여성이나 변비가 있는 사람에게 적합하다.

### 주의사항

임신부가 많이 마시는 것은 좋지 않다.

## 🌱 생지하엽차

**재료** : 생지황 30g, 하엽 1/2장

### 제작 및 음용

위의 재료를 다관에 넣고 끓는 물을 부어 20분 정도 우린 후 찻잔에 따라 마신다.

### 효능

혈액을 식히고 지혈작용이 있으며 변비를 개선하고 음을 강하게 하고 진액을 만들며 더위와 갈증 그리고 번열을 해소한다. 혈액에 열이 있고 변혈이 나오거나 여름철 코피가 자주 터지는 사람에게 적합하다.

### 주의사항

임신부나 생리 중인 여성에게는 좋지 않다.

## 🌱 원기행인차

**재료** : 행인 15g, 검은깨 20g, 인삼 20g, 꿀 · 우유 적당량

### 제작 및 음용

행인, 깨, 인삼은 갈아서 다관에 담고 끓는 물을 부어 10분간 우린 후 걸러서 컵에 담고 우유와 꿀을 타서 마신다.

### 효능

장을 윤택하게 하여 변을 잘 통하게 하고 기침과 천식을 멈추게 하며 노화예방에 도움이 된다. 체질이 허약하여 무기력하고 변비가 있는 사람에게 적합하다.

### 주의사항

만성장염이나 가래가 없는 마른기침을 하는 사람은 많이 마시지 않는 것이 좋다.

### 🌸 우용귀계차

**재료** : 우슬 10g, 육종용 10g, 당귀 6g, 육계 10g, 홍차 6g

### 제작 및 음용

우슬, 육종용, 당귀를 편으로 썰어 유리주전자에 넣고 물 500ml 정도를 붓고 10분 정도 끓이다 육계를 첨가해 5분 정도 더 끓인다. 끓인 차를 다관에 담고 홍차를 넣어 5분 정도 우린 후 찻잔에 따라 마신다.

### 효능

양기를 보하고 변을 잘 통하게 하는 효능이 있으며 비장과 신장의 양기가 부족해 변비가 나타나는 사람에게 적합하다. 증상은 얼굴색이 누렇게 뜨고 가끔씩 어지러우며 가슴이 두근거리고 아랫배가 차며 소변이 맑고 길게 나온다.

### 🌸 상심자차

**재료** : 상심자 40g, 얼음설탕 20g

### 제작 및 음용

상심자와 얼음설탕을 다관에 넣고 끓는 물을 부어 10분 정도 우린 후 찻잔에 따라 마신다.

### 효능

진액을 보충하고 장을 윤택하게 하며 변이 잘 나오도록 한다. 허열이 있어 장이 진액 부족으로 건조하여 나타나는 변비에 효과가 있다.

## 🌼 쌍화결명차

**재료** : 결명자 20g, 국화 · 금은화 각 10g, 구기자 8g

**제작 및 음용**

결명자를 주전자에 넣고 5분 정도 끓인 후 구기자, 국화, 금은화를 넣어 5분 정도 더 우린 후 찻잔에 따라 마신다.

**효능**

열을 내리고 해독작용이 있으며 장을 윤택하게 하여 배변이 잘 되도록 한다.

**주의사항**

비위가 허약하고 찬 사람은 주의해야 한다.

## 🌼 청장박하차

**재료** : 감초 3편, 대황 5g, 박하 6g

**제작 및 음용**

유리주전자에 감초와 대황을 넣고 250ml 정도의 물을 붓고 5분 이내로 끓인 후 박하를 넣고 1분 정도 더 끓여 걸러서 찻잔에 따라 마신다.

**효능**

장과 위를 깨끗하게 하며 화를 제거하고 변이 잘 나오게 한다.

**주의사항**

비위가 허약하고 찬 사람은 주의해야 한다.

## 9. 설사에 좋은 차

### 🌸 지사차

**재료** : 맥아 30g, 계내금 10g, 쌀 30g, 오룡차 5g

#### 제작 및 음용

위의 재료를 팬에 넣고 약한 불에 연한 갈색이 되도록 볶아 믹서에 갈아 티백에 넣는다. 티백을 다관에 넣고 끓는 물을 부어 20분 정도 우린 후 따라 마신다.

#### 효능

장을 수렴하여 설사를 멈추게 한다. 음식을 잘 못 먹었거나 하여 복통이 있고 난 후 바로 설사하는 증상에 적합하다.

#### 주의사항

수유기의 산모는 주의해야 한다.

### 🌸 이출령박차

**재료** : 창출 · 백출 · 복령 · 후박 · 홍차 각 10g

#### 제작 및 음용

앞의 4가지 약재를 유리주전자에 넣고 물 500ml 정도를 붓고 15분 정도 끓인 후 홍차를 넣고 3분 정도 더 끓인 후 다관에 담아 찻잔에 따라 마신다.

#### 효능

비장을 튼튼하게 하고 한습을 따뜻하게 변화시켜 설사를 멈추게 하는 효능이 있다. 한습곤비형 설사에 좋으며 대변은 물과 같이 맑고 무르게 나오며 복통이 있고 장에서 소리가 나며 찬 음식을 싫어하는 사람이 마시면 도움이 된다.

## 🌸 사곡나진차

**재료** : 산사 10g, 신곡 10g, 나복자 6g, 진피 6g, 녹차 10g

### 제작 및 음용

앞의 4가지 재료를 유리주전자에 담고 물 500ml정도를 부은 후 15분 정도 끓여 다관에 담고 녹차를 넣어 2분 정도 우려 걸러서 찻잔에 따라 마신다.

### 효능

소화를 잘 되게 하여 체증을 해소하고 설사를 멈추게 한다. 식체가 위나 장에 생겨 나타나는 설사에 효과가 있으며 복부가 창만하고 통증이 있으며 대변에서 냄새가 심하고 설사 후에는 통증이 감소되는 증상이 있으며 입에서 냄새가 심하고 신물이 자주 넘어오는 증상에 도움이 된다.

## 🌸 출작불방차

**재료** : 백출 10g, 백작약 10g, 불수 6g, 방풍 6g, 꽃차 6g

### 제작 및 음용

앞의 4가지 약재를 유리주전자에 넣고 물 500ml를 부은 후 15분 정도 끓여 다관에 담고 꽃차를 넣어 2분 정도 우린 후 찻잔에 따라 마신다.

### 효능

간 기운을 잘 통하게 하고 비장을 조절하여 설사를 멈추게 한다. 간기울결로 인해 나타나는 설사를 치료하며 복통과 장에서 소리가 나고 설사를 하며 스트레스를 받으면 심해지고 설사한 후에는 조금 나아지는 증상에 적합하다.

## 🌸 삼령이출차

**재료** : 만삼 15g, 복령 10g, 백출 10g, 창출 6g, 홍차 6g

### 제작 및 음용

앞의 4가지 약재를 유리주전자에 넣고 물 500ml를 부은 후 15분 정도 끓여 다관에 담고 홍차를 넣어 2분 정도 우린 후 찻잔에 따라 마신다.

### 효능

비장을 튼튼하게 하고 기운을 만들며 설사를 멈추게 한다. 비장의 기운이 허약하여 나타나는 설사에 효과가 있으며 변이 묽고 소화 안 된 물질이 나오며 느끼하고 기름기 있는 음식이 들어가면 변을 자주 보고 권태감이 있는 사람에게 적합하다.

## 🌱 보중차

**재료** : 산약 25g, 백출 25g, 용안육 25g

### 제작 및 음용

위의 재료를 유리주전자에 넣고 물 600ml 정도를 넣고 30분 정도 끓인 후 다관에 담아 걸러서 찻잔에 따라 마신다.

### 효능

비장을 보하고 위장을 튼튼하게 하며 기운을 만들어주고 설사를 멈추게 한다. 오래된 설사에 효과가 있으며 기혈이 모두 허약하고 몸이 마르고 음식을 많이 먹지 못하며 가슴이 두근거리고 허약한 사람에게 적합하다.

### 주의사항

실증이 있는 사람으로 배에 가스가 차고 트림이 나오며 신물이 넘어오면서 대변이 잘 나오지 않는 사람은 주의해야 한다.

## 🌱 초미삼차

**재료** : 쌀 50g, 만삼 25g

### 제작 및 음용

쌀을 씻어 팬에 갈색이 나도록 볶는다. 볶은 쌀과 만삼을 유리주전자에 넣고 20분 정도 끓인 후 다관에 담아 걸러서 찻잔에 따라 마신다.

### 효능

보중익기작용이 있으며 설사를 멈추게 하고 속이 답답한 증상을 개선한다. 비장이 허약하여 나타나는 설사에 효과가 있으며 만성위염에도 도움이 된다.

## 🌿 차전자차

**재료** : 차전자 10g, 홍차 3g

### 제작 및 음용

차전자를 팬에 볶아 홍차와 함께 다관에 넣고 끓는 물을 부어 10분 정도 우린 후 걸러서 찻잔에 따라 마신다.

### 효능

비장을 튼튼하게 하며 이뇨작용이 있고 항균소염작용이 있으며 장을 수렴하여 설사를 멈추게 하는 효능이 있다. 비장이 허약하여 물처럼 설사하는 증상이나 위장염에 도움이 된다.

## 🌿 석류피생강차

**재료** : 석류피 9g, 녹차 6g, 생강 2편

### 제작 및 음용

석류피와 생강을 유리주전자에 넣고 10분 정도 끓여 다관에 담고 녹차를 넣어 2분 정도 우린 후 걸러서 찻잔에 따라 마신다.

### 효능

열을 내리고 해독작용이 있으며 기운을 아래로 내려 설사를 멈추게 하며 급성장염에 도움이 된다.

### 주의사항

이질 초기에 복용하는 것은 좋지 않다.

## 🌸 건강차

**재료** : 건강(마른 생강) 6g, 홍차 6g

### 제작 및 음용

마른 생강을 실처럼 가늘게 썰어 녹차와 함께 다관에 담고 뜨거운 물을 부어 우려내어 걸러서 찻잔에 따라 마신다.

### 효능

열을 내리고 해독작용이 있으며 습을 제거하고 위를 편하게 하며 급성장염으로 복부가 꼬이듯이 아프고 대변이 급박하게 폭포처럼 쏟아지는 증상에 도움이 된다.

### 주의사항

배에 가스가 차고 변이 끈적거리는 사람은 주의해야 한다.

## 🌸 금화차

**재료** : 금은화 10g, 모리화차 5g, 설탕 적당량

### 제작 및 음용

위의 재료를 다관에 넣고 끓는 물 1컵을 부어 10분 정도 우린 후 걸러서 찻잔에 따라 마신다.

### 효능

청열해독작용이 있으며 풍열감기로 열이 심하게 나거나, 장염, 이질, 설사, 홍역, 이하선염에 도움이 되고 더위를 이기는 데도 효과가 있다.

주의사항

비위가 허약하고 찬 사람은 주의해야 한다.

## 10. 궤양에 좋은 차

### 🌼 조귤차

**재료** : 대추 10개, 진피 10g

**제작 및 음용**

대추를 팬에 진한 갈색이 나도록 볶는다. 진피는 잘게 부숴 볶은 대추와 함께 다관에 담아 끓는 물을 붓고 뚜껑을 덮어 15분 정도 우린 후 걸러서 찻잔에 따라 마신다.

**효능**

기운과 중초를 조절하고 담을 삭이며 습을 제거하고 소화성궤양이나 위완통에 도움이 된다.

### 🌼 당밀홍차

**재료** : 홍차 10g, 황설탕 1큰술, 꿀 1큰술

**제작 및 음용**

위의 재료를 유리컵에 넣고 끓는 물을 부어 10분 정도 우린 후 걸러 찻잔에 따라 마신다.

**효능**

급한 위통을 완화시키고 위를 편하게 한다. 위궤양이나 십이지장궤양에 도움이 된다.

**주의사항**

당뇨환자는 금해야 한다.

# Ⅲ 호흡기계통 질환

## 1. 감기에 좋은 차

### 🌱 도라지배숙-환절기 감기예방

**재료** : 도라지 2뿌리, 수세미 5g, 배 1개

**제작 및 음용**

위의 재료를 유리주전자에 넣고 30분 정도 끓인 후 걸러서 다관에 담아 찻잔에 따라 마신다.

**효능**

감기를 예방하고 인후를 편하게 하며 기침을 멈추게 하고 가래를 삭인다. 특히 어린이들의 감기예방에 효과가 있으며 환절기에 자주 마시면 좋다.

### 🌱 레몬꿀차-감기예방

**재료** : 레몬 1쪽, 꿀 적당량

**제작 및 음용**

유리컵에 레몬 1쪽을 썰어 꿀과 함께 넣고 15분 정도 우린 후 마신다.

**효능**

화를 가라앉게 하고 독소를 배출하며 감기를 예방하고 피부미용과 미백작용이 있으며 장을 윤택하게 한다. 활동이 적은 사무실에서 근무하는 사람이나 변비가 있는 사람, 감기기운이 있는 사람, 잇몸에서 피가 나는 사람에게 도움이 된다.

위산과다가 있거나 당뇨가 있는 사람은 주의해야 한다.

## 🌱 형방강궁차-몸살감기

**재료** : 형개 5g, 방풍 5g, 강황 5g, 천궁 3g, 홍차 6g, 황설탕 10g

### 제작 및 음용

앞의 4가지 약재에 200ml의 물을 넣고 10분간 끓인 후 다관에 담아 홍차와 설탕을 넣고 5분 정도 우린 뒤 걸러서 찻잔에 따라 마신다.

### 효능

풍한을 발산시키는 효능이 있으며 풍한감기로 오한, 발열, 두통, 몸살 등의 증상이 나타나고 땀이 나지 않으며 코가 막히거나 콧물이 흐르고 재채기가 자주 나오는 증상이 있을 때 도움이 된다.

### 주의사항

음혈이 많이 부족하거나 열병이 있는 사람은 주의해야 한다.

## 🌱 소강차-풍한감기

**재료** : 자소엽 10g, 강활 10g, 녹차 1g

### 제작 및 음용

위의 재료를 잘게 부숴 다관에 담아 뜨거운 물을 부어 10분 정도 우려내어 걸러서 찻잔에 따라 마신다.

### 효능

발한해표작용이 있으며 풍한감기로 두통이 있고 땀이 나지 않으며 가벼운 몸살기가 있는 사람에게 도움이 된다.

풍열감기환자는 주의해야 한다.

## 🌱 생강차-초기 풍한감기

**재료** : 생강 10편, 홍차 10g, 황설탕 15g

### 제작 및 음용

생강을 잘게 썰어 홍차, 황설탕과 함께 다관에 담아 끓는 물을 넣은 후 10분 정도 뚜껑을 덮고 우려내어 걸러서 찻잔에 따라 마신다.

### 효능

감기 초기증상이나 가벼운 증상에 효과가 있으며 약한 몸살에도 도움이 되고 중초를 따뜻하게 하여 구토를 멈추게 하고 폐를 따뜻하게 하여 풍한으로 인한 기침을 멈추게 한다.

### 주의사항

화를 도와 음을 상하게 하기 때문에 열이 심하거나 음허내열이 있는 사람은 주의해야 한다.

## 🌱 신이화차-코감기

**재료** : 신이화 · 천궁 각 5g, 녹차 10g, 박하 3g

### 제작 및 음용

위의 재료를 다관에 담고 뜨거운 물을 붓고 우려내어 걸러서 찻잔에 따라 마신다.

### 효능

신온해표작용이 있으며 풍한감기에 도움이 된다. 과민성비염이나 코가 자주 막히고 기침을 하는 증상에도 효과가 있다.

## 주의사항

음허화왕(陰虛火旺)으로 인한 비염, 축농증 등에는 사용을 금한다.

## 🌸 창이자차-풍한감기, 두통

**재료** : 창이자 12g, 신이 15g, 백지 30g, 박하 2g, 녹차 2g

### 제작 및 음용

위의 재료를 모두 믹서에 갈아 티백주머니에 10g 정도 넣어 하루에 2~3번 뜨거운 물에 우려내 마신다.

### 효능

신온통규(辛溫通竅)작용이 있어 풍한감기로 코가 막히고 두통이 있는 증상에 적합하다.

### 주의사항

너무 많이 마시면 독성이 있어 좋지 않으며 음이 허약한 사람도 주의해야 한다.

## 🌸 상국차-풍열감기

**재료** : 상국 3g, 국화 3g, 박하 3g, 노근 3g, 연교 3g, 녹차 3g

### 제작 및 음용

위의 재료를 모두 보온병에 넣고 끓는 물을 부어 뚜껑을 닫고 10분 정도 우린 후 마신다.

### 효능

풍을 소통시키고 열을 내리며 감기를 완화시킨다. 풍열감기로 두통이나 인후통이 있고 코가 막히며 열이 많이 나는 사람에게 적합하다.

### 주의사항

풍한감기환자는 주의해야 한다.

## 🌷 감모차-풍열감기

**재료** : 녹차 10g, 장미화 3g, 박하 5g, 국화 5g

### 제작 및 음용

위의 재료를 다관에 넣고 뜨거운 물을 부어 5분 정도 우린 후 걸러서 찻잔에 따라 마신다.

### 효능

신량해표(辛涼解表)작용이 있으며 열을 내리고 갈증을 해소한다. 풍열로 두통이 있고 기침을 하며 입이 마른 증상에 적합하다.

### 주의사항

풍한감기 초기에는 주의해야 한다.

## 🌷 감로차-몸살감기

**재료** : 산사 · 신곡 · 맥아 · 방풍 · 진피 · 오약 · 후박 · 지각 · 보이차 각 3g

### 제작 및 음용

위의 재료를 유리주전자에 넣고 물을 부어 10분 정도 끓여 걸러서 찻잔에 따라 마신다.

### 효능

거풍해열작용과 습을 제거하고 정체된 것을 풀어주는 작용이 있으며 사계절 모든 감기 몸살에 도움이 된다. 두통, 코막힘, 재채기, 식욕부진 등의 증상이 있을 때 효과가 있다.

## 🌷 총강탕차-풍한감기

**재료** : 파뿌리 5개, 생강 5편, 황설탕 10g, 홍차 5g

### 제작 및 음용

위의 재료를 다관에 넣고 끓는 물 200ml 정도를 부어 10분 정도 우린 후 걸러서 찻잔에 따라 마신다.

### 효능

소풍산한작용이 있으며 풍한감기 초기에 코가 막히거나 콧물이 흐르고 재채기를 하고 찬바람을 싫어하는 증상이 있을 때 도움이 된다.

### 주의사항

열이 많은 사람은 주의해야 한다.

## 🌸 항국보이차-풍열감기

**재료** : 항국 6g, 보이차 9g

### 제작 및 음용

위의 재료를 다관에 넣고 끓는 물 200ml 정도를 부어 5분 정도 우린 후 걸러서 찻잔에 따라 마시고 여러 번 우려 마신다.

### 효능

소풍청열해독작용이 있으며 눈을 밝게 하고 갈증을 멈추게 하며 감기 초기에 도움이 되며 육식을 하고 소화가 잘 안 되거나 결막염, 음주 후 목이 마를 때도 도움이 된다.

## 🌸 곽자향차-여름감기

**재료** : 곽향 · 자소 · 향유 · 홍차 각 5g

### 제작 및 음용

위의 재료를 다관에 넣고 뜨거운 물을 부어 5분 정도 우린 후 찻잔에 따라 마신다.

### 효능

풍한감기를 해결하고 비장을 튼튼하게 하며 위를 편하게 하고 담을 제거하고 습을 제거하는 효능이 있다. 여름철 냉방시설에 의한 풍한감기, 식체복통, 구토설사, 흉만복장, 이질 등의 질병에 효과가 있다.

### 주의사항

임신부는 주의해야 한다.

### 🌸 향유은곽차-여름감기

**재료** : 향유 6g, 금은화 10g, 곽향 6g, 녹차 8g

### 제작 및 음용

위의 재료를 다관에 넣고 뜨거운 물을 부어 5분 정도 우린 후 찻잔에 따라 마신다.

### 효능

더위와 습이 겸해서 나타나는 여름감기에 적합하며 풍열감기 외에 몸이 무겁고 몸을 움직이기 싫어하며 설태는 노랗고 지저분하게 나타나는 증상에 효과가 있다.

### 주의사항

임신부는 주의해야 한다.

### 🌸 은교박지차-풍열감기

**재료** : 금은화 5g, 연교 5g, 두지 5g, 박하 3g, 녹차 8g

### 제작 및 음용

앞의 3가지 재료는 유리주전자에 넣고 물 200ml 정도를 붓고 10분 정도 끓인 후 다관에 담고 박하와 녹차를 넣어 2분 정도 우린 후 걸러서 찻잔에 따라 마신다.

### 효능

풍열감기에 적합하며 발열, 악풍, 두통, 코막힘, 누런 콧물, 인후통, 기침 등의 증상이 있을 때 도움이 된다.

### 주의사항

비위가 허약하여 손발이 차고 속이 찬 사람은 주의해야 한다.

## 🌱 상행사삼차-풍조감기

**재료** : 상엽 10g, 행인 10g, 사삼 10g, 얼음설탕 10g, 녹차 8g

### 제작 및 음용

앞의 3가지 재료는 유리주전자에 넣고 물 500ml 정도를 붓고 15분 정도 끓인 후 다관에 담고 얼음설탕과 녹차를 넣어 2분 정도 우린 후 걸러서 찻잔에 따라 마신다.

### 효능

풍을 잘 통하게 하고 조사(燥邪)를 제거하는 효능이 있어 가을감기에 조사가 겸해서 오는 경우에 적합하다. 피부와 인후가 건조하고 입이 마르며 마른기침과 같은 증상을 동반한다.

## 🌱 기출방풍차-기허감기

**재료** : 황기 12g, 백출 10g, 방풍 6g, 홍차 5g

### 제작 및 음용

황기, 백출, 방풍을 유리주전자에 넣고 400ml 정도의 물을 붓고 15분간 끓인 후 다관으로 옮겨 담고 홍차를 넣어 5분 정도 우린 후 찻잔에 따라 마신다.

### 효능

익기거풍작용이 있어 기허로 인해 풍이 침범하여 나타나는 감기 즉 기허상풍감기에 효과가 있다. 기허감기는 평소에 권태감이 있고 식은땀을 자주 흘리는 증상을 동반한다.

## 🌼 유행성감기차

**재료** : 대청엽 20g, 반란근 20g, 관중 20g, 녹차 12g, 얼음설탕 15g

### 제작 및 음용

앞의 3가지 약재를 유리주전자에 넣고 500ml의 물을 붓고 15분간 끓인다. 끓인 물을 다관에 담고 녹차와 얼음설탕을 넣어 3분 정도 우려 걸러서 찻잔에 따라 마신다.

### 효능

열을 내리고 풍을 제거하며 해독작용과 인후를 편하게 해주는 효능이 있어 유행성감기를 치료하고 예방한다. 풍열감기와 비슷하며 증상이 조금 더 중하고 바이러스에 의한 감염으로 감기가 유행할 때 적합하다.

### 주의사항

비위가 허약하고 찬 사람은 주의해야 한다.

## 🌼 감기예방차

**재료** : 반란근 3g, 대청엽 3g, 야국화 2g, 금은화 2g

### 제작 및 음용

위의 재료를 다관에 넣고 끓는 물을 부어 5분 정도 우린 후 찻잔에 따라 마신다.

### 효능

청열해독작용이 있으며 유행성감기를 예방하고 소염작용이 있어 뇌염이나 간염에도 도움이 된다. 유행성감기에 걸린 사람이나 호흡기질환에 염증이 있는 사람에게 적합하다.

### 주의사항

비위가 허약하고 찬 사람은 주의해야 한다.

## 🌷 백모노근차-풍열감기

**재료** : 백모근 10g, 노근 10g

### 제작 및 음용

위의 재료를 유리주전자에 넣고 물을 부어 약 10분간 끓인 후 걸러서 다관에 담아 찻잔에 따라 마신다.

### 효능

청열작용이 있으며 특히 폐열을 내리고 진액을 만들며 혈액을 식히고 이뇨통임작용이 있다. 그리고 감기로 인해 열이 발생하거나 구토증상이 있을 때 효과가 있다. 몸에 열이 많으며 수종이나 황달이 있는 사람에게 도움이 된다.

### 주의사항

임신부나 생리 중인 여성, 비위가 허약하고 찬 사람, 복통 설사를 하는 사람은 주의해야 한다.

## 🌷 생강상엽차

**재료** : 생강 3편, 상엽 9g

### 제작 및 음용

유리주전자에 생강과 상엽을 넣고 물을 부어 20분 정도 끓인 후 거름망에 걸러 다관에 담아 조금씩 마신다.

### 효능

바람을 잘 통하게 하여 열을 내리고 어린이들의 풍열감기나 인후종통을 완화시키며 코막힘을 해소시켜 준다.

### 주의사항

풍한감기인 사람이나 내열이 중한 사람은 주의해야 한다.

## 🌼 죽엽량차-풍열감기

**재료** : 죽엽 10g, 노근 10g, 국화 6g, 박하 3g

### 제작 및 음용

위의 재료를 다관에 넣고 끓는 물을 부어 5분 정도 우린 후 찻잔에 따라 마신다.

### 효능

열을 내리고 화를 제거하며 자음작용이 있어 눈을 밝게 하고 비장은 튼튼하게 하며 더위를 이기게 한다. 풍열감기나 발열로 인한 두통에 효과가 있고 급성결막염에도 도움이 되며 비교적 중한 감기에 마시면 효과가 있다.

### 주의사항

풍한감기에는 마시지 않는 것이 좋다.

## 🌼 상국용차-풍열감기

**재료** : 상엽 · 국화 각 10g, 감초 2g, 용정차 6g

### 제작 및 음용

앞의 3가지 재료를 유리주전자에 넣고 5분 정도 끓인 후 다관에 담고 용정차를 넣어 2분 정도 우려내 걸러서 찻잔에 따라 마신다.

### 효능

열을 내리고 풍을 제거하며 인후를 부드럽게 하고 감기를 치료한다. 풍열감기로 인후통, 두통, 눈이 붓고 충혈된 증상에 적합하다.

### 주의사항

풍한감기에는 주의해야 한다.

## 🌷 삼화차-풍열감기

**재료** : 금은화 15g, 국화 10g, 모리화 3g

### 제작 및 음용

컵에 위의 세 가지 재료를 넣고 뜨거운 물을 부어 5분 정도 우려내 마신다. 3번 정도 다시 우려내 마실 수 있다.

### 효능

청열해독작용이 있으며 풍열감기로 열이 나고 풍한은 약하며 땀이 나고 코가 막히고 인후가 붓고 통증이 있는 증상이 있을 때 적합하다.

### 주의사항

풍한감기에는 주의해야 한다.

## 🌷 삼두차-풍열감기 후기

**재료** : 녹두 30g, 팥 30g, 검은콩 30g

### 제작 및 음용

위의 3가지 콩을 넣고 물러질 때까지 삶아서 믹서에 갈아 마신다.

### 효능

열을 내리고 비장을 튼튼하게 하며 더위를 이기게 하고 감기로 인한 열을 내리며 땀띠를 예방하는 데 도움이 된다.

### 주의사항

소변량이 많고 자주 보는 사람에게는 좋지 않다.

## 🌷 기타 단방차

국화녹차, 금은화녹차, 박하녹차, 녹두녹차, 포공영용정차, 고추후추차, 창이자신이

차, 관중반란근녹차, 파뿌리차 등

## 2. 기침에 좋은 차

### 🌱 소강길감차

**재료** : 자소 10g, 생강 6g, 길경 6g, 감초 3g, 홍차 6g

**제작 및 음용**

앞의 4가지 재료를 유리주전자에 넣고 물 450ml 정도를 부은 후 10분 정도 끓여 다관에 담는다. 다관에 홍차를 넣고 5분 정도 우려내 걸러서 찻잔에 따라 마신다.

**효능**

풍한사(風寒邪)를 제거하고 담을 삭이고 기침을 멈추게 한다. 풍한사가 폐를 침범하여 기침하는 증상, 즉 기침소리가 무겁고 가래는 희고 엷으며 오한이 들거나 열이 나고 땀이 나지 않는 증상에 적합하다.

**주의사항**

몸에 열이 많은 사람은 주의해야 한다.

### 🌱 상국길감차

**재료** : 상엽 10g, 국화 10g, 길경 6g, 감초 5g, 녹차 6g

**제작 및 음용**

앞의 4가지 재료를 유리주전자에 넣고 물 500ml 정도를 부은 후 10분 정도 끓여 다관에 담는다. 다관에 녹차를 넣고 3분 정도 우려내어 걸러서 찻잔에 따라 마신다.

**효능**

열을 내리고 풍을 제거하고 담을 삭이고 기침을 멈추게 하는 효능이 있다. 풍열이 폐를 침범하여 나타나는 기침으로 기침소리가 거칠고 가래는 노란색 또는 흰색으로 끈적거리며 인후에 통증이 있다. 열이 나며 오한이 약간 남아 있고 목이 마르고 설태가 흰색 또는 노란색일 때 도움이 된다.

### 주의사항

비위가 허약하고 차거나 풍한기침을 하는 사람은 주의해야 한다.

## 🌿 상행사맥차

재료 : 상엽 10g, 행인 10g, 사삼 10g, 맥문동 10g, 녹차 5g

### 제작 및 음용

앞의 4가지 재료를 유리주전자에 넣고 물 600ml를 부어 15분간 끓인 후 다관에 담아 녹차를 넣고 3분 정도 우려내어 걸러서 찻잔에 따라 마신다.

### 효능

폐열을 내리고 건조한 것을 윤택하게 하며 기침을 멈추게 한다. 조사가 폐를 침범하여 나타나는 기침으로 마른기침을 하고 가래는 적으며 잘 나오지 않고 코와 인후가 건조한 사람에게 적합하다.

### 주의사항

풍한기침을 하는 사람은 주의해야 한다.

## 🌿 청폐지소차

재료 : 현삼 5g, 맥문동 5g, 길경 5g, 오매 3g, 생감초 3g

### 제작 및 음용

위의 재료를 깨끗이 씻어 다관에 넣고 끓는 물을 부어 20분 정도 우린 후 따라 마신다.

### 효능

음을 보하고 폐를 수렴하며 열을 내리고 기침을 멈추게 한다. 오랫동안 기침이 멈추지 않고 폐음이 부족한 사람에게 적합하며 인후가 건조하고 마른기침을 하며 가래는 많지 않고 열이 많이 나는 사람에게 도움이 된다.

### 주의사항

풍한기침을 하는 사람에게는 좋지 않다.

## 🌼 천패나복차

**재료** : 천패모 10g, 나복자 10g

### 제작 및 음용

위의 재료를 거칠게 갈아 보온병에 넣고 뜨거운 물을 부어 우린 후 하루에 세 번으로 나눠 조금씩 마신다.

### 효능

천패모는 열을 내리고 폐를 윤택하게 하며 가래를 삭이고 기침을 멈추게 하는 효능이 있으며 나복자는 기운을 아래로 보내고 가래를 삭이며 천식을 완화하고 소화를 돕는 효능이 있다. 따라서 오랫동안 가래가 있으며 기침을 하는 사람이나 천식기가 있는 폐렴이나 기관지염에 도움이 된다.

### 주의사항

음이 허약하여 마른기침을 하는 사람에게는 좋지 않다.

## 🌼 노어과금차

**재료** : 노근 15g, 어성초 15g, 과루 10g, 황금 10g, 녹차 6g

### 제작 및 음용

앞의 4가지 재료를 유리주전자에 넣고 물 500ml를 부어 15분간 끓여 다관에 담고 녹차를 넣고 3분 정도 우린 후 걸러서 찻잔에 따라 마신다.

### 효능

폐열을 내리고 가래를 삭이며 기침을 멈추게 한다. 담열이 폐에 쌓여 나타나는 기침으로 기침소리가 거칠고 가래가 많으며 노란색으로 끈적이며 번열이 있고 입이 마르고 혀는 붉고 설태는 노랗고 지저분한 경우에 적합하다.

### 주의사항

비위가 허약하고 몸이 찬 사람은 주의해야 한다.

## 🌷 용치상패차

**재료** : 용담초 6g, 치자 10g, 상백피 10g, 패모 10g, 녹차 6g

### 제작 및 음용

앞의 4가지 재료를 유리주전자에 넣고 물 500ml를 부어 15분간 끓여 다관에 담고 녹차를 넣고 3분 정도 우린 후 걸러서 찻잔에 따라 마신다.

### 효능

간열을 내리고 화를 제거하며 가래를 삭이고 기침을 멈추게 한다. 간화가 폐를 침범해 나타나는 기침으로 기가 위로 받치면서 심한 기침을 하고 기침을 할 때 옆구리 쪽으로 당겨지는 통증이 나타나며 혀는 홍색이고 설태는 얇고 노란 경우에 적합하다.

### 주의사항

비위가 허약하고 몸이 찬 사람은 주의해야 한다.

## 🌷 상백맥지차

**재료** : 백합 10g, 백부 10g, 맥문동 10g, 지골피 10g, 녹차 5g

### 제작 및 음용

앞의 4가지 재료를 유리주전자에 담아 물 500ml를 넣고 15분 정도 끓인 후 다관에 담아 녹차를 넣고 3분 정도 우려내어 걸러서 찻잔에 따라 마신다.

### 효능

폐를 윤택하게 하고 음을 자양하며 기침을 멈추게 한다. 폐음이 부족해 나타나는 기침에 적합하다.

### 주의사항

가래가 많은 기침을 하는 사람에게는 좋지 않다.

## 🌸 삼산오호차

**재료** : 만삼 10g, 산약 20g, 오미자 10g, 호두 10g, 홍차 5g

### 제작 및 음용

앞의 4가지 재료를 유리주전자에 담아 물 500ml를 넣고 15분 정도 끓인 후 다관에 담아 홍차를 넣고 5분 정도 우려내어 걸러서 찻잔에 따라 마신다.

### 효능

기운을 보하고 폐를 수렴하여 기침을 멈추게 한다. 폐기가 부족하여 나타나는 기침으로 오래 병을 앓고 난 후에 약한 기침이 나오고 약한 천식이 동반된다. 또한 가래는 맑고 희며 음식을 많이 먹지 못하고 숨이 차며 가슴이 답답하고 권태감이 있는 증상에 적합하다.

## 🌸 관동화차

**재료** : 관동화 9g, 자완(개미취) 5g, 구감초 5g, 녹차 1g, 꿀 25g

### 제작 및 음용

앞의 3가지 재료를 유리주전자에 담아 물 400ml 정도를 붓고 5분 정도 끓인 후 다관에 담아 녹차와 꿀을 넣어 3분 정도 우려내어 걸러서 찻잔에 따라 마신다.

### 효능

가래를 삭이고 기침을 멈추게 하며 기운을 아래로 내리고 폐를 윤택하게 한다. 여러 가지 만성기침이나 천식 또는 폐가 약해 나타나는 오래된 기침에 적합하다.

## 진피차

**재료** : 진피 2g, 녹차 2g

### 제작 및 음용

위의 재료를 컵에 넣고 뜨거운 물을 부어 10분 정도 우려내어 마신다.

### 효능

기침을 누르고 가래를 삭이며 비장과 위장을 튼튼하게 한다. 세기관지염으로 나오는 기침을 완화하고 소화불량에 적합하다.

## 곶감차

**재료** : 곶감 6개, 얼음설탕 15g, 녹차 5g

### 제작 및 음용

곶감과 얼음설탕을 유리주전자에 넣고 물 800ml를 붓고 곶감이 물러지도록 약한 불에 천천히 끓인다. 끓인 곶감을 다관에 넣고 녹차를 넣은 후 3분 정도 우려내 찻잔에 따라 마신다.

### 효능

폐를 윤택하게 하고 가래를 삭인다. 폐가 허약하여 기침이 나오고 가래가 많이 나오는 증상에 효과가 있다.

## 은이차

**재료** : 은이버섯 20g, 녹차 5g, 얼음설탕 20g

### 제작 및 음용

먼저 냄비에 은이버섯과 얼음설탕을 넣고 끓인다. 은이버섯이 퍼지면 녹차티백을 넣고 3분 정도 우려낸 후 차를 따라 마시고 은이버섯도 함께 먹는다.

### 효능

자음작용이 있으며 화를 내리고 폐를 윤택하게 하여 기침을 멈추게 한다. 폐음부족으로 인한 기침에 효과가 있으며 마른기침을 하고 입과 코가 마르고 건조한 증상에 적합하다.

## 윤폐지해차

**재료** : 현삼·맥문동 각 50g, 오매 25g, 길경 30g, 감초 15g

### 제작 및 음용

위의 재료를 모두 갈아서 티백에 15g 정도씩 담는다. 하루에 두 번 한 봉지씩 뜨거운 물에 우려 마신다.

### 효능

폐를 윤택하게 하고 기침을 멈추게 한다. 노인성 마른기침으로 가래가 적고 기침이 힘들게 나오며 목소리가 잘 나오지 않고 각혈이나 기역(氣逆)증상이 나타날 때 도움이 된다.

### 주의사항

가래가 많은 기침에는 주의해야 한다.

## 방대해차

**재료** : 용정차 5g, 방대해 6개

### 제작 및 음용

위의 재료를 유리그릇에 넣고 600ml 정도의 뜨거운 물 부은 후 뚜껑을 덮고 30분 정도 우려내어 걸러서 찻잔에 따라 마신다.

### 효능

열을 내리고 해독작용이 있으며 인후를 잘 통하게 하고 기침을 멈추게 한다. 가래

없이 마른기침을 하고 목소리가 잘 나오지 않으며 인후가 건조하고 통증이 있는 증상에 적합하다.

## 🌿 만삼은화차

**재료** : 만삼 10g, 금은화 10g, 오미자 10g

**제작 및 음용**

위의 재료를 유리주전자에 넣고 물 400ml를 부어 15분 정도 끓여 걸러서 찻잔에 따라 마신다.

**효능**

기운을 보하고 음을 자양하며 폐열을 내린다. 노인성으로 폐음이 허약하여 허열이 나며 기침을 하는 증상에 효과가 있다.

## 🌿 지수차

**재료** : 패모 6g, 전호 6g, 행인 8g, 박하 4g, 감초 3g

**제작 및 음용**

위의 재료를 믹서기에 거칠게 갈아 다관에 넣고 끓는 물을 부어 15분 정도 우려내어 걸러서 찻잔에 따라 마신다.

**효능**

폐의 선발기능을 좋게 하고 해표작용이 있으며 가래를 삭이고 기침을 멈추게 한다. 풍사의 침범으로 인한 기침으로 가래가 많고 오한을 동반한 증상에 적합하다.

## 🌿 수세미꽃밀차

**재료** : 수세미꽃 20g(건조꽃 6g), 꿀 10g

### 제작 및 음용

수세미꽃을 유리잔에 넣고 뜨거운 물을 부어 뚜껑을 덮고 15분 정도 우려내 꿀을 타서 찻잔에 따라 마신다.

### 효능

폐열을 내리고 가래를 삭이며 기침을 멈추게 한다. 폐에 열이 많아 나오는 기침으로 천식을 동반하기도 하고 가래가 노랗고 끈적이며 잘 나오지 않는 증상에 적합하다.

## 🌸 차전자귤피차

**재료** : 차전자 12g, 귤피 8g, 꿀 20g

### 제작 및 음용

차전자를 팬에 약간 갈색이 나도록 볶고 귤피는 가늘게 채썰어 다관에 넣거나 티백에 담아 뜨거운 물에 15분 정도 우려내 걸러서 찻잔에 따라 마신다.

### 효능

가래를 삭이고 기침을 멈추게 하며 소변을 잘 나오게 한다. 가슴과 복부가 답답하면서 기침을 어렵게 하는 증상에 적합하며 소변이 잘 나오지 않는 증상에도 도움이 된다.

### 주의사항

비장이 허약하여 설사하는 사람은 주의해야 한다.

## 🌸 유자피차

**재료** : 유자피 10g, 얼음설탕 적당량

### 제작 및 음용

유자피를 잘게 부숴 다관에 얼음설탕과 함께 넣고 뜨거운 물을 부어 10분 정도 우려내어 걸러서 찻잔에 따라 마신다.

### 효능

가래를 삭이고 기침을 멈추게 한다. 가래가 많은 기침을 하며 가슴과 복부가 더부룩하고 식욕이 없으며 소화가 잘 되지 않는 증상에 적합하다.

## 🌿 삼백차

**재료** : 상백피 15g, 백부 15g, 백작약 15g, 녹차 10g, 얼음설탕 20g

### 제작 및 음용

앞의 4가지 재료를 유리주전자에 넣고 물 400ml 정도를 붓고 20분간 끓여 다관에 넣고 녹차와 얼음설탕을 넣어 3분 정도 우린 후 걸러서 찻잔에 따라 마신다.

### 효능

폐열을 내리고 폐를 윤택하게 하고 기운을 아래로 내리며 가래를 삭인다. 어린이들의 백일해기침에 적합하다.

## 3. 천식에 좋은 차

## 🌿 선인장차

**재료** : 선인장 60g, 꿀 40g

### 제작 및 음용

선인장의 껍질을 제거하고 채썰어 보온병에 담아 끓는 물을 부어 15분 정도 우린 후 컵에 따라 꿀을 타서 마신다.

### 효능

열을 내리고 해독작용이 있으며 기침을 멈추게 하고 천식을 안정시킨다. 열이 있는 기관지천식으로 호흡을 할 때 가래 끓는 소리가 나고 똑바로 눕지 못하고 가래가 노랗고 끈끈하며 입이 마르고 혀가 붉은 사람에게 도움이 된다.

## 주의사항

증상이 없어지면 먹지 말아야 하며 비장과 폐가 허약하고 차며 위가 차서 변이 묽은 사람은 주의해야 한다.

## 🌷 천일홍차

**재료** : 천일홍 5개, 얼음설탕 적당량

### 제작 및 음용

유리컵에 천일홍을 넣고 뜨거운 물을 부어 5분 정도 우린 후 얼음설탕을 넣고 녹으면 천천히 마신다.

### 효능

기침을 멈추게 하고 천식을 완화시키며 간 기운을 안정시키고 눈을 밝게 한다. 천식이나 백일해, 이질에 효과가 있다.

### 주의사항

너무 오래 복용하는 것은 좋지 않다.

## 🌷 귤복생강차

**재료** : 귤홍 5g, 복령 5g, 생강 5g

### 제작 및 음용

위의 재료를 잘게 부숴 보온병에 넣고 끓는 물을 부어 15분 정도 우린 후 따라 마신다.

### 효능

기운을 조절하여 중초를 편하게 하고 가래를 삭여 기침을 멈추게 한다. 담습이 쌓여 나타나는 기침이나 천식에 효과가 있으며 기침소리가 무겁고 탁하며 가래가 많고 끈끈한 사람에게 도움이 된다.

풍열기침이나 입이 마르고 혀가 붉은 사람은 주의해야 한다.

## 🌷 소자행인차

**재료** : 자소자 10g, 행인 10g, 귤피 5g, 꿀 10g

### 제작 및 음용

앞의 세 가지 재료를 믹서기에 넣고 거칠게 갈아 티백에 담아 보온병에 넣고 끓는 물을 부어 15분 정도 우린 후 따라 마신다.

### 효능

폐를 윤택하게 하고 기침을 멈추게 하며 가래를 삭이고 기를 아래로 내리는 효능이 있다. 만성기침이나 가래가 많고 인후는 건조한 기침이나 천식에 도움이 된다.

### 주의사항

한습담음이 있거나 비장이 허약하여 설사가 잦은 사람에게는 좋지 않다.

## 4. 기관지염에 좋은 차

## 🌷 소염차

**재료** : 녹차 5g, 고수 5g, 패모 5g, 배껍질 20g, 동과씨 10g

### 제작 및 음용

위의 재료를 모두 잘게 부숴 다관에 넣고 끓는 물을 부어 5분 정도 우려내어 걸러서 찻잔에 따라 마신다.

### 효능

만성기관지염으로 기침을 하고 가래가 적으며 입이 마르고 인후에 통증이 있는 증상에 적합하다.

## 🌷 관동화차

**재료** : 관동화 3g, 녹차 3g

### 제작 및 음용

위의 재료를 컵에 넣고 뜨거운 물을 부어 5분 정도 우려 마신다.

### 효능

소염작용이 있으며 천식을 완화시키고 기관지염에 도움이 된다.

## 🌷 패모차

**재료** : 천패모 3g, 녹차 3g, 얼음설탕 10g

### 제작 및 음용

위의 재료를 잘게 부숴 컵에 담아 뜨거운 물을 붓고 우려내어 얼음설탕을 넣고 건더기째 마신다.

### 효능

폐를 윤택하게 하고 기침을 멈추게 하며 폐음부족으로 인한 만성기관지염에 적합하다.

### 주의사항

비위가 허약하고 차거나 습담이 있는 사람은 주의해야 한다.

## 🌷 영지반하후박차

**재료** : 영지 6g, 반하 5g, 소엽 5g, 후박 3g, 복령 9g, 얼음설탕 적당량

### 제작 및 음용

앞의 5가지 재료를 유리주전자에 넣고 10분 정도 끓인 후 다관에 담아 얼음설탕을 넣고 걸러서 찻잔에 따라 마신다.

## 효능

면역력을 높이고 폐를 보하며 알레르기천식이나 천식성 기관지염에 도움이 된다.

## 주의사항

담열로 인한 천식에는 사용하면 안 된다.

## 🌷 상행하금차

**재료 :** 상백피 10g, 행인 10g, 법반하 10g, 황금 10g, 녹차 6g

## 제작 및 음용

앞의 4가지 재료를 유리주전자에 넣고 물 500ml를 부은 후 15분간 끓여 다관에 담고 녹차를 넣어 3분 정도 우려낸 후 걸러서 찻잔에 따라 마신다.

## 효능

폐열을 내리고 가래를 삭이며 천식을 완화시키는 효능이 있으며 혈이 있는 천식에 도움이 된다. 인후에서 소리가 나고 호흡이 거칠며 가슴이 답답하고 가래는 노랗고 진하며 발열, 심번열, 입이 마르는 증상이 동반하는 증상에 적합하다.

## 🌷 마하세강차

**재료 :** 구마황 6g, 법반하 10g, 세신 3g, 생강 6g, 홍차 6g

## 제작 및 음용

앞의 3가지 재료를 유리주전자에 넣고 물 400ml를 넣은 후 10분 정도 끓인다. 생강은 얇고 가늘게 썰어 홍차와 함께 다관에 넣고 앞의 끓인 물을 부어 5분 정도 우려내어 걸러서 찻잔에 따라 마신다.

## 효능

폐를 따뜻하게 하고 가래를 삭이며 천식을 멈추게 하는 효능이 있다. 폐에 찬 기운이 있으며 인후에서 효명소리가 들리며 가슴이 답답하고 가래는 희고 묽게 나올 때 적합하다.

### 주의사항

몸에 열이 있거나 열담이 있는 사람은 주의해야 한다.

### 🌼 기출방풍차

**재료** : 황기 10g, 백출 6g, 방풍 6g, 녹차 5g

### 제작 및 음용

앞의 3가지 재료를 유리주전자에 넣고 물 400ml를 부어 15분 정도 끓인 후 다관에 담고 녹차를 넣어 3분 정도 우려내어 걸러서 찻잔에 따라 마신다.

### 효능

기운을 만들고 체표를 튼튼하게 한다. 폐기가 허약하여 나타나는 천식에 도움이 되며 증상은 평소 식은땀을 자주 흘리고 바람을 무서워하고 감기에 자주 걸리며 발병 전에 재채기를 많이 하며 코가 막히고 콧물이 많이 생기며 설태는 흰 경우에 적합하다.

### 🌼 삼출복진하차

**재료** : 만삼 10g, 백출 6g, 복령 6g, 진피 3g, 법반하 6g, 홍차 5g

### 제작 및 음용

앞의 5가지 재료를 유리주전자에 넣고 물을 450ml 부어 15분간 끓여 다관에 담고 홍차를 넣어 5분 정도 우려내어 걸러서 찻잔에 따라 마신다.

### 효능

비장을 튼튼하게 하고 가래를 삭인다. 비장의 기운이 약해 나타나는 천식이나 점점 좋아지는 단계의 천식에 도움이 된다. 평소 가래가 많이 나오고 권태감이 있으며 식욕이 없고 변이 묽게 나오는 증상에 도움이 된다.

## 5. 인후염에 좋은 차

### 🌸 대해생지차

**재료** : 방대해 5개, 생지황 12g, 녹차 3g, 얼음설탕 30g

#### 제작 및 음용

생지황을 잘게 부숴 방대해와 함께 다관에 담고 끓는 물을 부어 뚜껑을 덮어 10분 정도 우린 후 녹차와 얼음설탕을 넣고 5분 정도 더 우린 후 걸러서 찻잔에 따라 마신다.

#### 효능

폐를 맑게 하고 인후를 잘 통하게 하며 폐음을 자양하고 진액을 만든다. 폐음부족으로 인한 인후염에 효과가 있으며 목소리가 잘 쉬고 인후가 가렵고 건조하며 마른기침이 나오기도 하는 증상에 도움이 된다.

### 🌸 감람해밀차

**재료** : 감람 3개, 방대해 3개, 녹차 3g, 꿀 1큰술

#### 제작 및 음용

먼저 감람을 유리주전자에 넣고 물 250ml 정도를 넣고 10분간 끓여 다관에 담고 방대해와 녹차를 넣고 5분 정도 우린 후 꿀을 넣고 걸러서 찻잔에 따라 마신다.

#### 효능

청열해독작용이 있으며 인후를 편하게 하고 윤택하게 한다. 음허로 조열이 있는 만성인후염이 있는 사람에게 적합하며 인후가 건조하고 불편하며 목소리가 자주 잠기는 사람에게 도움이 된다.

#### 주의사항

비위가 허약하고 찬 사람은 주의해야 한다.

## 🌸 상국행인차

**재료** : 상엽 10g, 국화 10g, 행인 10g, 얼음설탕 적당량

### 제작 및 음용

행인을 잘게 부숴 상엽, 국화, 얼음설탕과 함께 보온병에 담아 끓는 물을 붓고 15분 정도 우린 후 걸러서 따라 마신다.

### 효능

열을 내리고 풍을 소통시키며 가래를 삭이고 인후를 편하게 한다. 만성인후염이나 인후가 건조하고 불편한 사람에게 적합하다.

### 주의사항

비위가 허약하고 찬 사람은 주의해야 한다.

## 🌸 쌍근대해차

**재료** : 반란근 15g, 산두근 10g, 감초 10g, 방대해 3개

### 제작 및 음용

위의 재료를 모두 보온병에 담고 끓는 물을 넣어 20분 정도 우린 후 걸러서 찻잔에 따라 마신다.

### 효능

열을 내리고 해독작용을 하며 인후를 편하게 한다. 만성인후염으로 통증이 심한 사람에게 적합하다.

### 주의사항

체질이 허약하고 화열독이 없는 사람이나 비위가 허약하고 찬 사람은 주의해야 한다.

### 🌷 곶감청인차

**재료** : 곶감 1개, 나한과 10g(1/2개), 방대해 1개

**제작 및 음용**

도자기그릇에 곶감을 넣고 찜통에 올려 15분 정도 찐다. 유리잔이나 큰 찻잔에 곶감을 넣고 그 위에 나 한과를 잘게 부숴 방대해와 함께 넣고 뜨거운 물을 부어 5분 정도 우린 후 걸러서 찻잔에 따라 마신다.

**효능**

인후의 열을 내리고 통증을 완화시키며 부기를 가라앉게 한다. 인후염, 인후통, 기침, 쉰 목소리, 변비 등을 치료하는 데 도움이 된다.

### 🌷 감람녹차

**재료** : 감람 2개, 녹차 1g

**제작 및 음용**

감람은 반이나 1/4로 쪼개서 다관에 녹차와 함께 넣고 뜨거운 물을 부어 5분 정도 우린 후 걸러서 찻잔에 따라 마신다.

**효능**

폐열을 내리고 인후를 윤택하게 한다. 만성인후염이나 인후부에 이물감이 있을 때 도움이 된다.

### 🌷 이삼백상오미차

**재료** : 사삼 10g, 현삼 10g, 백합 10g, 상엽 10g, 오미자 10g, 녹차 5g

### 제작 및 음용

앞의 5가지 재료는 유리주전자에 넣고 물을 500ml 넣고 15분간 끓여 다관에 담고 녹차를 넣어 3분 정도 우린 후 걸러서 찻잔에 따라 마신다.

### 효능

폐음을 보하고 윤택하게 하며 폐가 건조해서 나타나는 인후염에 적합하다. 인후가 건조하고 통증이 있으며 타는 것 같은 열이 나고 말을 많이 하면 증상이 심해지며 가래는 없고 물을 자주 마시게 되며 오후나 해질 무렵 증상이 뚜렷해지는 사람에게 적합하다.

## 🌷 수세미차

**재료** : 수세미 10g, 녹차 5g, 소금 약간

### 제작 및 음용

위의 재료를 다관에 넣고 뜨거운 물을 부어 5분 정도 우려내 걸러서 찻잔에 따라 마신다.

### 효능

청열해독작용이 있으며 경락을 잘 통하게 하고 기침을 멈추게 하며 가래를 삭이고 인후를 편하게 한다. 급만성인후염에 효과가 있으며 목이 가렵고 편하지 않으며 편도선염, 기관지염, 기침에도 도움이 된다.

## 🌷 연화차

**재료** : 금연화 6g, 녹차 6g

### 제작 및 음용

유리컵에 위의 재료를 넣고 뜨거운 물을 부어 5분 정도 우린 후 걸러서 찻잔에 따라 마신다.

### 효능

청열해독작용이 있으며 만성인후염이나 편도선염에 효과가 있다.

## 주의사항

비위가 허약하고 찬 사람은 주의해야 한다.

### 🌼 녹합해탕차

**재료** : 녹차 3g, 합환화 3g, 방대해 2개, 얼음설탕 적당량

**제작 및 음용**

유리컵에 위의 재료를 넣고 뜨거운 물을 부어 8분 정도 우린 후 걸러서 찻잔에 따라 마신다.

**효능**

폐열은 내리고 폐를 윤택하게 하며 인후염이나 목소리가 잠기는 증상에 도움이 된다.

**주의사항**

임신부는 주의해야 한다.

### 🌼 국화맥동차

**재료** : 국화 10g, 맥문동 10g, 금은화 10g

**제작 및 음용**

유리컵에 위의 재료를 넣고 뜨거운 물을 부어 5분 정도 우린 후 걸러서 찻잔에 따라 마신다.

**효능**

청열해독작용과 해갈작용이 있으며 인후의 통증을 완화하고 염증을 개선한다.

**주의사항**

비위가 허약하고 찬 사람은 주의해야 한다.

## 금은화감초차

재료 : 금은화 6g, 감초 6g

### 제작 및 음용

금은화와 감초를 물에 잠시 담가두었다 유리주전자에 넣고 물을 부어 10분 정도 끓여 걸러서 찻잔에 따라 마신다.

### 효능

청열해독작용이 있으며 인후통증과 염증을 완화시킨다.

### 주의사항

비위가 허약하고 찬 사람은 주의해야 한다.

## 감죽매차

재료 : 감람 5개, 죽엽 5g, 오매 2개, 녹차 5g, 설탕 10g

### 제작 및 음용

위의 재료를 모두 유리주전자에 넣고 물 250ml를 부어 20분간 끓여 걸러서 찻잔에 따라 마신다.

### 효능

폐열을 내리고 윤택하게 하며 만성인후염 또는 오랜 기침이나 피로가 쌓여 목이 잠기거나 목소리가 나오지 않을 때 도움이 된다.

### 주의사항

비위가 허약하고 찬 사람은 주의해야 한다.

## 금은화차

재료 : 금은화 10g, 국화 5g, 녹차 3g

### 제작 및 음용

유리컵에 위의 재료를 넣고 뜨거운 물을 부어 5분 정도 우린 후 걸러서 찻잔에 따라 마신다.

### 효능

청열해독작용이 있으며 진액을 만들어주고 갈증을 해소한다. 인후가 건조하고 통증이 있으며 인후부의 가래가 잘 배출될 수 있도록 돕고 풍열감기에도 도움이 된다.

### 주의사항

비위가 허약하고 찬 사람은 주의해야 한다.

## 청열리인차

**재료** : 맥문동 6g, 금은화 6g, 야국화 6g, 방대해 2개, 생감초 3g, 현삼 6g

### 제작 및 음용

위의 재료를 모두 믹서에 갈아 티백에 5g씩 담아 컵에 뜨거운 물을 붓고 담가 우려내 마신다.

### 효능

청열해독작용이 있으며 인후를 편하고 윤택하게 하며 급, 만성인후염에 도움이 된다.

### 주의사항

비위가 허약하고 찬 사람은 주의해야 한다.

# Ⅳ 비뇨계통 질환

## 1. 신장질환에 좋은 차

### 🌷 동과피잠두각차

**재료** : 동과피 50g, 잠두각 20g, 홍차 20g

**제작 및 음용**

위의 재료를 유리주전자에 넣고 3컵의 물을 붓고 한 컵 정도가 될 때까지 끓여 걸러서 찻잔에 따라 마신다.

**효능**

열을 내리고 이뇨작용과 혈압을 내리는 작용이 있으며 신염수종과 심장병수종에 효과가 있다.

**주의사항**

비위가 허약하고 찬 사람은 주의해야 한다.

### 🌷 노근박하차

**재료** : 노근 30g, 박하 5g

**제작 및 음용**

노근을 잘게 잘라내어 유리주전자에 넣고 물 250ml를 부어 10분간 끓인 후 박하를 넣고 5분 정도 더 끓여 걸러서 찻잔에 따라 마신다.

**효능**

열을 내리고 해표작용이 있으며 이수소종(利水消腫)작용이 있다. 급만성신염수종이나 인후종통, 기침 등에 도움이 된다.

### 주의사항

체질이 허약하여 땀을 많이 흘리고 음허로 진액이 적은 사람은 주의해야 한다.

## 황기양신차

**재료 :** 황기 15g, 단삼 10g, 산사 10g, 보이차 10g

### 제작 및 음용

위의 재료를 유리주전자에 넣고 물을 부어 10분 정도 끓인 후 보온병에 담아 조금씩 따라 마시고 뜨거운 물을 부어 다시 우려 마신다.

### 효능

기운을 만들고 부기를 가라앉게 하며 어혈을 풀어주고 혈액순환을 돕는다. 만성신장 기능 쇠퇴로 생긴 가벼운 증상에 도움이 된다.

## 육미지황차

**재료 :** 숙지황 24g, 산수유 12g, 산약 12g, 택사 9g, 복령피 9g

### 제작 및 음용

위의 재료를 유리주전자에 넣고 물을 600ml 정도를 넣고 30분 이상 끓여 보온병에 담아 한번에 1컵씩 하루에 3번으로 나눠 마신다.

### 효능

신장과 간의 음을 보한다. 고혈압이 있는 만성신장염환자에게 도움이 되며 음이 부족하여 허열이 올라오며 체력이 허약한 노인에게 적합하다.

## 🌸 누에고치동과피차

**재료** : 누에고치 10마리, 동과피 60g

**제작 및 음용**

위의 재료를 보온병에 넣고 끓는 물을 부어 30분 이상 우려내 조금씩 마신다.

**효능**

이뇨작용이 있어 수종을 치료하고 신장염에 도움이 된다.


## 2. 요로결석에 좋은 차

## 🌸 금옥차

**재료** : 녹차 5g, 금전초 50g, 옥미수 50g

**제작 및 음용**

위의 재료를 유리주전자에 넣고 재료가 잠길 정도의 물을 부어 10분 정도 끓여 물을 따라 다관에 담고 다시 물을 부어 한 번 더 끓여 걸러서 다관에 함께 넣고 녹차를 넣어 3분 정도 우린 후 걸러서 찻잔에 따라 마신다.

**효능**

열을 내리고 습을 제거하며 이뇨작용과 배설작용이 있다. 요로결석, 신장결석, 담결석 등에 도움이 된다.

**주의사항**

비위가 허약하고 찬 사람은 주의해야 한다.

## 🌸 금씨우계차

**재료** : 계내금 10g, 황기 20g, 우슬 10g, 육계 6g, 홍차 5g

### 제작 및 음용

앞의 3가지 재료를 유리주전자에 넣고 물 500ml를 부은 후 15분 정도 끓이다 육계를 넣고 5분 정도 더 끓여 다관에 홍차와 함께 담아 걸러서 찻잔에 따라 마신다.

### 효능

신장을 보하고 기운을 만들어주며 신장의 기운이 부족하여 생긴 요로결석, 신장결석에 도움이 된다. 허리와 복부가 은근히 아프고 소변에 힘이 없으며 아랫배가 내려앉는 느낌이 들며 기운이 없고 얼굴색이 뜨는 증상을 동반하는 사람에게 좋다.

### 주의사항

임신부는 주의해야 한다.

## 🌱 지백금우맥동차

**재료** : 지모 10g, 황백 10g, 계내금 10g, 우슬 10g, 맥문동 10g, 녹차 5g

### 제작 및 음용

앞의 5가지 재료를 유리주전자에 넣고 물을 500ml 부어 15분간 끓인 후 다관에 담아 녹차를 넣고 3분 정도 우려내어 걸러서 찻잔에 따라 마신다.

### 효능

음을 보하고 신장을 튼튼하게 하며 신장의 음이 부족하여 나타나는 결석으로 어지럽고 눈이 흐리며 이명현상이 있고 가슴이 번잡하고 허리와 다리에 힘이 없고 신 증상을 동반하는 사람에게 효과가 있다.

### 주의사항

비위가 허약하고 몸이 찬 사람은 주의해야 한다.

## 3. 전립선염에 좋은 차

### 🌸 냉이백모근차

**재료** : 냉이 100g, 생백모근 100g

**제작 및 음용**

위의 재료를 물에 넣고 삶아 즙을 짜서 다관에 담아 찻잔에 따라 마신다. 2~3주 연속으로 마신다.

**효능**

열을 내리고 이뇨작용이 있으며 혈액의 열을 내리고 지혈작용이 있으며 습을 제거하고 탁한 것을 없앤다. 전립선염에 효과가 있으며 소변이 짧게 나오고 붉으며 잔뇨감이 있고 소변 후에도 조금씩 떨어지며 입이 쓰고 갈증이 나며 대변도 끈적거리는 등 습열이 안에 쌓여 있는 증상을 동반하는 사람에게 좋다.

**주의사항**

비위가 허약하고 몸이 찬 사람이나 임신부는 주의해야 한다.

### 🌸 생우모근차

**재료** : 생연근 80g, 생모근 30g

**제작 및 음용**

위의 재료를 깨끗이 씻어 유리주전자에 넣고 물을 적당히 부어 익을 때까지 끓여 즙을 짜서 마신다.

**효능**

음을 자양하고 이뇨작용과 지혈작용이 있다. 혈액에 열이 많은 전립선염에 효과가 있다.

**주의사항**

비위가 허약하고 찬 사람은 주의해야 한다.

## 청도귀우귤핵차

**재료** : 청피 6g, 도인 10g, 당귀 10g, 우슬 10g, 귤씨 10g, 황화채 10g

### 제작 및 음용

위의 재료를 유리주전자에 담고 물 500ml를 부어 15분 정도 끓인 후 다관에 담아 걸러서 찻잔에 따라 마신다. 하루에 여러 번 나눠 마신다.

### 효능

기운을 잘 통하게 하고 혈액순환을 도우며 어혈을 풀어주는 효능이 있다. 기체어혈로 인한 전립선염에 효과가 있으며 아랫배에서 회음 쪽으로 당기는 듯한 불편한 증상이 있는 사람에게 도움이 된다.

### 주의사항

임신부는 주의해야 한다.

## 오미차

**재료** : 삼지구엽초 20g, 우슬 10g, 비해 10g, 상기생 10g, 두충 10g, 홍차 5g

### 제작 및 음용

앞의 5가지 재료를 유리주전자에 담고 물 500ml를 부어 15분 정도 끓여 다관에 담고 홍차를 넣어 5분 정도 우린 후 걸러서 찻잔에 따라 마신다.

### 효능

신장을 따뜻하게 하고 신장의 양기를 보한다. 신장의 양기가 부족하여 나타나는 전립선염에 적합하며 어지럽고 정신이 맑지 못하며 허리와 다리가 시고 힘이 없으며 양위, 조설 등의 증상이 동반되는 사람에게 좋다.

### 주의사항

음이 허약하여 허열이 있는 사람은 주의해야 한다.

## 🌱 통초차

**재료** : 통초 8g, 소맥 25g, 녹차 2g

### 제작 및 음용

앞의 두 가지 재료를 유리주전자에 넣고 350ml의 물을 부어 15분간 끓인 뒤 다관에 담고 녹차를 넣어 3분 정도 우려내어 걸러서 찻잔에 따라 마신다.

### 효능

수액대사를 활발하게 하고 소변을 잘 통하게 한다. 전립선염이나 비뇨기감염, 수종에 도움이 된다.

### 주의사항

임신부는 주의해야 한다.

## 🌱 차전팥차

**재료** : 팥 60g, 차전초 150g

### 제작 및 음용

팥을 물에 불려서 차전초와 함께 유리주전자에 넣어 물을 붓고 끓여 익으면 체에 걸러 즙을 짜서 마신다.

### 효능

청열해독작용이 있으며 이뇨작용이 있고 부기를 가라앉게 한다. 전립선염이 있는 사람에게 도움이 된다.

### 주의사항

영양불량으로 몸이 붓는 사람이나 비위가 허약하고 찬 사람은 주의해야 한다.

## 4. 양위(陽痿)에 좋은 차

### 🌼 오자연종차

**재료** : 구기자 240g, 토사자 240g, 복분자 120g,
초차전자 60g, 오미자 30g

**제작 및 음용**

위의 재료를 모두 갈아서 하루에 50g 정도를 티백
에 담아 보온병에 넣고 끓는 물을 부어 우러나오면 조
금씩 찻잔에 따라 마신다. 하루 종일 끓는 물을 보충해 가며 조금씩 마신다.

**효능**

신장을 보하고 신정(腎精)에 유익하며 신장의 기운을 튼튼하게 한다. 신장이 허약하
여 나타나는 양위(陽痿), 유정(遺精), 조설(早泄) 등의 증상을 개선한다.

### 🌼 선구두우산수차

**재료** : 삼지구엽초 15g, 부추씨 10g, 두충 10g, 우슬 10g, 산수유 10g, 홍차 5g

**제작 및 음용**

앞의 5가지 재료를 유리주전자에 넣고 물 500ml를 부어 15분간 끓여 다관에 담은
뒤 홍차를 넣고 5분 정도 우려내어 걸러서 찻잔에 따라 마신다.

**효능**

하원(下元)을 따뜻하게 하고 보하는 효능이 있으며 명문의 화가 부족하여 나타나는
양위를 개선한다. 어지럽고 눈이 흐리며 정신이 맑지 않고 허리와 다리에 힘이 없고 찬
것을 싫어하고 손발이 찬 증상을 동반하는 사람에게 좋다.

**주의사항**

음이 허약하여 허열이 있는 사람은 주의해야 한다.

### 귀기계초진피차

**재료** : 당귀 10g, 황기 20g, 용안육 20g, 구감초 10g, 진피 5g, 홍차 3g

**제작 및 음용**

앞의 5가지 재료를 유리주전자에 넣고 물 500ml를 부어 15분간 끓인 후 다관에 담아 홍차를 넣고 5분 정도 우려내어 걸러서 찻잔에 따라 마신다.

**효능**

심장과 비장을 보하는 차로 심장과 비장이 모두 허약하여 나타나는 양위에 효과가 있다. 즉 정신이 부족하고 건망증이 심하고 불면증과 무서움증이 있으며 가슴이 두근거리고 식은땀이 나며 음식을 많이 먹지 못하고 얼굴색에 빛이 없는 증상이 있는 사람에게 좋다.

### 토사자구기차

**재료** : 토사자 10g, 구기자 10g, 황설탕 적당량

**제작 및 음용**

토사자를 절구에 빻아 구기자와 설탕을 보온병에 넣고 끓는 물을 부어 10분 정도 우린 후 따라 마신다.

**효능**

신장을 보하고 정을 새어나가지 않게 하고 간을 보해 눈을 밝게 한다. 양위를 치료하고 허리가 시고 등이 아프며 얼굴색이 창백한 사람에게 좋다.

### 녹용오룡차

**재료** : 녹용 0.5g, 오룡차 5g

### 제작 및 음용

녹용과 오룡차를 보온병에 넣고 끓는 물을 부어 5분 이상 우린 후 따라 마신다.

### 효능

신장을 따뜻하게 하고 양기를 보하여 양허로 사지가 차고 양위가 있는 사람에게 도움이 된다.

## 5. 유정(遺精)에 좋은 차

### 🌱 익선고정차

**재료** : 산수유 10g, 숙지황 10g, 파극천 5g, 택사 5g

### 제작 및 음용

위의 재료를 잘게 부숴서 보온병에 넣고 끓는 물을 부어 15분 정도 우린 후 마신다.

### 효능

신장을 이롭게 하고 정을 새어나가지 않게 하며 신장이 허약하여 나타나는 허리와 등의 통증이나 다리가 왜소해지고 어지러우며 양위, 유정, 이명 등의 증상이 있는 사람에게 좋다.

### 주의사항

음허로 인해 내열이 있거나 꿈이 많고 불면증이 있으며 오심번열이 있는 사람은 주의해야 한다.

### 🌱 오준초피연자차

**재료** : 오미자 10g, 산약 20g, 구감초 5g, 진피 5g, 연자 10g, 홍차 3g

### 제작 및 음용

앞의 5가지 재료를 유리주전자에 넣고 물 500ml를 부어 15분간 끓인 후 다관에 담아 홍차를 넣고 5분 정도 우려내어 걸러서 찻잔에 따라 마신다.

### 효능

심장과 비장을 튼튼하게 하고 보하는 효능이 있어 심비양허형 유정에 효과가 있다. 생각이 많고 피로할 때 자주 일어나며 불면증이 있고 가슴이 두근거리며 건망증이 심하고 음식을 많이 먹지 못하고 변이 묽게 나오는 증상이 동반되는 사람에게 좋다.

## 연수심차

**재료** : 연꽃의 수술 3g, 연자심 5g, 얼음설탕 적당량

### 제작 및 음용

연수와 연자심을 유리컵에 넣고 뜨거운 물을 붓고 뚜껑을 덮어 10분 정도 우려낸 후에 조금씩 마신다. 여러 번 우려내서 마신다.

### 효능

심장의 열을 내리고 정신을 안정시키며 신장에 유익하고 정을 보한다. 유정이나 가슴에 번열이 있고 불면증이 있는 사람에게 적합하다.

### 주의사항

연수는 지황, 대파, 마늘과 동시에 마시면 안 되고 소변이 잘 안 나오는 사람이나 비위가 차고 허약하며 손발이 찬 사람도 주의해야 한다.

## 사완연자차

**재료** : 초사완자 10g, 연자 15g, 검인 12g, 얼음설탕 적당량

### 제작 및 음용

위의 3가지 재료를 유리주전자에 넣고 물을 부어 30분간 끓인 후에 얼음설탕을 넣은 다관에 담아 걸러서 찻잔에 따라 마신다.

### 효능

신장의 정을 튼실하게 하고 간을 보하여 눈을 밝게 하며 심장을 튼튼하게 하여 정신을 안정시킨다. 신장이 허약해서 나타나는 유정(遺精)과 조설(부泄)에 효과가 있으며 가슴이 두근거리고 불면증이 있는 사람에게 효과가 있다.

### 주의사항

음허화왕(陰虛火旺)으로 소변이 잘 나오지 않고 대변이 건조하며 변비가 있는 사람은 좋지 않다.

## 쇄양상심차

**재료** : 쇄양 15g, 상심자 15g, 꿀 15g

위의 재료를 잘게 부숴 보온병에 넣고 끓는 물을 부어 15분 정도 우린 후 꿀을 넣고 따라 마신다.

### 효능

신장을 따뜻하게 하고 보하며 신정에 유익하고 장을 윤택하게 하여 변을 잘 통하게 한다. 신정부족이나 양위, 허리와 다리가 무력하고 신장의 음이 부족하여 발생하는 노인성 변비에도 도움이 된다.

### 주의사항

신장의 양이 허약하여 대변이 묽게 나오는 사람은 주의해야 한다.

# Ⅴ 오관계통 질환

## 1. 안질에 좋은 차

### 🌷 포공영국화차

**재료 :** 포공영 25g, 국화 15g, 감초 3g, 녹차 15g, 꿀 15g

**제작 및 음용**

앞의 3가지 재료를 유리주전자에 넣고 물 500ml를 부어 10분간 끓여 다관에 넣고 녹차와 꿀을 넣어 3분 정도 더 우려내어 걸러서 찻잔에 따라 마신다.

**효능**

열을 내리고 해독작용이 있으며 풍을 제거하고 눈을 밝게 하는 효능이 있으며 급성 결막염환자에게 도움이 된다.

**주의사항**

한꺼번에 너무 많은 양을 사용하면 설사를 할 수 있으니 주의해야 한다.

### 🌷 결명하고차

**재료 :** 결명자 15g, 하고초 9g, 녹차 6g

**제작 및 음용**

결명자는 팬에 볶아 부수고 하고초는 잘게 잘라 다관에 넣고 끓는 물을 부어 5분 정도 우린 후 녹차를 넣고 3분을 더 우린 뒤에 걸러서 찻잔에 따라 마신다.

**효능**

간열을 내리고 눈을 밝게 하며 변을 잘 통하게 한다. 급성결막염, 각막궤양, 녹내장,

변비 등에 도움이 된다.

### 주의사항

비위가 허약하고 변이 묽게 나오고 기운이 부족한 증상이 있는 사람은 주의해야 한다.

## 🌼 국화용정차

**재료** : 국화 10g, 용정차 3g

### 제작 및 음용

위의 두 가지 재료를 유리잔에 넣고 뜨거운 물을 부어 3분 정도 우려 마신다.

### 효능

풍열을 제거하고 간열을 내리며 눈을 밝게 한다. 급성결막염이나 유행성각막결막염에 걸렸을 때 도움이 된다.

## 🌼 청간명목차

**재료** : 초결명자 20g, 야국화 10g, 목적초 9g, 만형자 6g

### 제작 및 음용

결명자는 볶아 부숴서 준비하고 목적초는 잘게 잘라 야국화, 만형자와 함께 보온병에 넣는다. 뜨거운 물을 부어 15분 후에 조금씩 마시고 여러 번 우려 마신다.

### 효능

간열을 내리고 눈을 밝게 하며 풍을 제거하고 해독작용이 있다. 눈이 붓고 아프고 충혈되는 증상에 도움이 되며 눈이 부시고 눈물이 많이 나오는 증상에 효과가 있다.

### 주의사항

비위가 허약하고 손발이 차며 변이 묽은 사람은 주의해야 한다.

## 🌷 회화차

**재료** : 회화 6g, 국화 6g, 녹차 3g

### 제작 및 음용

위의 세 가지 재료를 유리주전자에 넣고 물 300ml 정도를 부어 물이 끓으면 바로 불을 끄고 다관에 담아 걸러서 찻잔에 따라 마신다.

### 효능

간열은 내리고 혈액의 열을 내리는 효능이 있으며 간화와 혈액의 열로 인한 녹내장 초기나 치료 후에 마시면 도움이 된다.

### 주의사항

비위가 허약하고 손발이 차며 변이 묽은 사람이나 실화(實火)가 없는 사람은 주의해야 한다.

## 🌷 은국화작대청차

**재료** : 금은화 10g, 국화 10g, 하고초 10g, 적작약 10g, 대청엽 10g, 녹차 6g

### 제작 및 음용

앞의 5가지 재료는 유리주전자에 넣고 물 500ml를 부어 15분간 끓여 다관에 담고 녹차를 넣어 3분 정도 우려내어 걸러서 마신다.

### 효능

열을 내리고 풍을 제거하는 효능이 있으며 풍열사가 침입하여 발생하는 유행성눈병에 도움이 된다. 눈 흰자위가 붉고 모래가 들어 있는 것 같으며 눈이 부시고 눈물이 많이 나며 앞이마에 통증이 있는 사람에게 효과가 있다.

### 주의사항

비위가 허약하고 변이 묽게 나오고 손발이 찬 사람은 주의해야 한다.

## 🌼 금연국화차

**재료** : 금연화 4개, 국화 2개, 감초 4g

**제작 및 음용**

위의 재료를 유리주전자에 넣고 물 500ml를 부어 물이 끓고 3분 정도 되면 다관에 담아 걸러서 찻잔에 따라 마신다.

**효능**

청열해독작용이 있으며 안구결막염을 개선한다.

**주의사항**

비위가 허약하고 변이 묽게 나오고 기운이 부족한 증상이 있는 사람은 주의해야 한다.

## 🌼 결명자차

**재료** : 결명자 100g, 녹차 5g

**제작 및 음용**

결명자를 볶아서 절구통이나 믹서에서 부숴 녹차와 섞어 15g을 일회용 티백에 담아 유리잔에 하나 넣고 뜨거운 물을 부어 우려 마신다. 하루에 3번 정도 마신다.

**효능**

풍을 없애고 간열을 내리며 통증을 완화시키고 눈을 밝게 한다. 눈이 자주 충혈되고 풍열두통에 도움이 된다.

## 2. 비염에 좋은 차

## 🌼 신창금연율무차

**재료** : 신이 5g, 창이자 5g, 황금 10g, 황연 3g, 생율무 15g, 녹차 5g

### 제작 및 음용

앞의 5가지 재료를 모두 유리주전자에 넣고 물 500ml를 부어 15분간 끓인 후 다관에 담아 녹차를 넣고 3분 정도 우린 후 걸러서 찻잔에 따라 마신다.

### 효능

열을 내리고 습을 제거하는 효능이 있으며 비위에 열이 많아 나타나는 축농증에 도움이 된다. 일반적으로 급성축농증 후반에 나타나는 코막힘, 눈물이 흐르며 머리가 어지럽고 식욕이 없으며 대변이 묽게 나오는 등의 증상에 도움이 된다.

### 주의사항

비위가 허약하고 몸과 손발이 찬 사람이나 혈액이 허약하여 발생하는 두통이 있는 사람은 주의해야 한다.

## ❀ 신아방풍이육차

재료 : 신이화 6g, 아불식초 6g, 방풍 6g, 호두육 10g, 육계 6g, 홍차 5g

### 제작 및 음용

앞의 4가지 재료를 유리주전자에 넣고 물 500ml를 부은 후 10분간 끓인다. 육계를 넣고 5분 정도 더 끓이다 다관에 담아 홍차를 넣고 5분 정도 우려내 걸러서 찻잔에 따라 마신다.

### 효능

신장을 따뜻하게 하고 양기를 잘 통하게 하는 효능이 있어 신양부족으로 인한 비염에 효과가 있다. 증상으로는 코가 막히고 콧물이 흐르며 가렵고 재채기를 하며 찬바람을 만나면 발작하고 찬 것을 싫어하는 증상에 효과가 있다.

## ❀ 기방신아오매차

재료 : 황기 15g, 방풍 10g, 신이화 5g, 아불식초 8g, 오매 5g, 홍차 5g

### 제작 및 음용

앞의 5가지 재료를 유리주전자에 넣고 물 600ml를 부은 후 15분간 끓인다. 다관에 담아 홍차를 넣고 5분 정도 우려내 걸러서 찻잔에 따라 마신다.

### 효능

폐를 튼튼하게 하여 한사를 제거하는 효능이 있어 폐가 허약해서 한사가 침범하여 나타나는 비염에 효과가 있다. 찬바람을 맞으면 심하고 풍한을 싫어하며 얼굴색이 희고 숨이 차며 기침을 하고 가래는 흰색인 증상이 동반되는 사람에게 좋다.

## 🌱 지백이삼백합차

**재료** : 지모 10g, 황백 10g, 태자삼 15g, 사삼 15g, 백합 10g, 녹차 5g

### 제작 및 음용

앞의 5가지 재료를 유리주전자에 넣고 물 600ml를 부은 후 20분간 끓인다. 다관에 담아 녹차를 넣고 3분 정도 우려내 걸러서 찻잔에 따라 마신다.

### 효능

폐를 윤택하게 하고 열을 내리는 효능이 있으며 폐음부족으로 인한 위축성비염에 적합하며 코가 건조하고 코딱지가 많으며 코가 막히고 냄새를 맡지 못하며 오후에 조열이 나고 도한, 어지럼증, 수족심열 등의 증상이 있을 때 도움이 된다.

### 주의사항

비위가 허약하고 손발이 찬 사람은 주의해야 한다.

## 🌱 삼산령진갈근차

**재료** : 태자삼 15g, 산약 15g, 복령 10g, 진피 10g, 갈근 10g, 홍차 5g

### 제작 및 음용

앞의 5가지 재료를 유리주전자에 넣고 물 500ml를 부은 후 15분간 끓인다. 다관에 담아 홍차를 넣고 5분 정도 우려내 걸러서 찻잔에 따라 마신다.

### 효능

비장을 튼튼하게 하고 기운을 만드는 효능이 있으며 폐비기허형 위축성비염에 적합하다. 즉 코가 건조하고 콧물은 적게 나오며 어지럽고 기운이 없으며 목소리도 약하고 음식을 적게 먹고 변이 묽게 나오는 증상에 좋다.

## 🌷 신이홍차

**재료** : 신이화 3g, 홍차 2g, 황설탕 15g

### 제작 및 음용

신이화는 바짝 말려서 홍차와 함께 유리잔에 넣고 끓는 물을 부어 뚜껑을 덮고 15분 정도 우려내 설탕을 타서 마신다. 2~3번 더 우려내 마신다.

### 효능

풍을 잠재우고 한사를 제거하는 효능이 있으며 풍한사가 침범하여 나타나는 단순성 비염에 적합하다.

## 🌷 창이자차

**재료** : 창이자 12g, 신이화 15g, 백지 30g, 박하 2g, 녹차 2g

### 제작 및 음용

위의 재료를 모두 갈아서 햇볕에 말려 티백에 6g씩 담아 찻잔에 뜨거운 물을 넣고 우려 마신다. 하루에 2~3번씩 마신다.

### 효능

기운을 만들고 코가 잘 통하게 하는 효능이 있어 부비강염, 비염, 코막힘, 콧물이 멈추지 않는 증상이 있을 때 도움이 된다.

주의사항

비위가 허약하고 몸과 손발이 찬 사람이나 혈액이 허약하여 발생하는 두통이 있는 사람은 주의해야 한다.

## 🌷 신이차

**재료** : 신이화 22g, 창이자 15g, 백지 10g, 감초 4g, 보이차 5g

### 제작 및 음용

위의 모든 재료를 유리주전자에 넣고 물 500ml를 넣어 15분간 끓인 후 걸러서 찻잔에 따라 하루에 두 번으로 나눠 마신다.

### 효능

풍을 제거하고 통증을 완화시키는 효능이 있으며 부비강염에 효과가 있다.

### 주의사항

비위가 허약하고 몸과 손발이 찬 사람이나 혈액이 허약하여 발생하는 두통이 있는 사람은 주의해야 한다.

## 🌷 축농증차

**재료** : 녹차 5g, 박하 5g, 국화 5g, 상엽 5g, 신이 10g

### 제작 및 음용

위의 재료를 다관에 넣고 끓는 물을 부어 10분 정도 우려내어 걸러서 찻잔에 따라 마신다.

### 효능

열을 내리고 풍을 제거하며 해표작용과 코를 뚫어주는 효능이 있어 급만성축농증에 도움이 된다.

### 🌼 오화차

**재료** : 신이화 · 금은화 · 장미화 · 국화 각 10g, 갈
화 6g, 맥문동 12g, 황기 12g, 생지황 15g,
백작약 15g, 승마 2g, 시호 2g

**제작 및 음용**

유리주전자에 위의 재료를 모두 넣고 15분 정도 끓
여 걸러서 찻잔에 따라 마신다. 6개월 정도 연속해서 마신다.

**효능**

풍한을 제거하고 코를 뚫어주며 위축성비염에 효과가 있다.

## 3. 귓병(중이염, 이명)에 좋은 차

### 🌼 창궁차

**재료** : 석창포 3g, 녹차 3g, 단피 5g, 천궁 5g

**제작 및 음용**

위의 재료를 모두 갈아 티백에 담아 유리컵에 넣고 뜨거운 물을 부어 15분 정도 우
려내어 마신다.

**효능**

해독작용과 혈액순환을 활발하게 하는 효능이 있으며 중이염에 도움이 된다.

**주의사항**

혈이 허하거나 생리과다인 사람 그리고 임신부는 주의해야 한다.

## 🌼 황백창이차

**재료** : 황백 9g, 창이자 10g, 녹차 3g

### 제작 및 음용

황백과 창이자를 유리주전자에 넣고 물 200ml를 넣고 10분 정도 끓여 다관에 담아 녹차를 넣고 3분 정도 우려내어 걸러서 찻잔에 따라 마신다.

### 효능

열을 내리고 습을 제거하며 농을 배출하고 해독작용이 있으며 귓속을 잘 통하게 하는 효능이 있으며 중이염에 도움이 된다.

### 주의사항

비위가 허약하고 몸이 찬 사람이나 혈허두통이 있는 사람은 주의해야 한다.

## 🌼 천마이명차

**재료** : 천마 5g, 녹차 1g

### 제작 및 음용

천마를 얇게 썰어 말려서 유리컵에 녹차와 넣고 끓는 물을 1/2 정도 부어 뚜껑을 덮고 5분 정도 우려내어 마신다. 여러 번 반복하여 우려 마신다.

### 효능

청열해독작용이 있으며 간 기운을 안정시키는 효능이 있어 어지럼증을 동반한 이명현상을 완화시키는 데 도움이 된다.

## 🌼 창미삼차

**재료** : 미삼 3g, 석창포 3g, 녹차 3g

### 제작 및 음용

위의 재료를 잘게 부숴 티백에 넣은 뒤 찻잔에 넣고 뜨거운 물을 부어 뚜껑을 닫고 5분 정도 우려내어 마신다. 반복해서 여러 번 우려내어 마신다.

### 효능

해독작용이 있으며 혈액순환을 활발하게 하고 기운을 만드는 효능이 있으며 체력이 허약해서 나타나는 청력저하나 이명현상에 도움이 된다.


## 4. 충치, 잇몸에 좋은 차

### 🌷 견치차

**재료** : 녹차 · 홍차 · 오룽차 각 3g

### 제작 및 음용

다관에 찻잎을 넣고 뜨거운 물을 부어 우린 후 찻잔에 따라 마신다. 차 종류에 따라 시간과 물의 온도를 조절한다.

### 효능

치아의 부패를 방지하고 충치를 예방한다.

### 주의사항

차의 특성에 따라 조절해야 한다.

### 🌷 치통구강차

**재료** : 사삼 30g, 세신 3g

### 제작 및 음용

위의 재료를 잘게 부숴 티백에 담아 유리컵에 넣고 뚜껑을 덮어 15분간 우려낸 후 조금씩 자주 마신다.

### 효능

열을 내리고 음을 보하며 화를 제거하여 치통을 완화시켜 준다. 위음부족으로 인해 화가 위로 올라와 치통이나 구강염이 나타나는 증상에 도움이 된다.

### 주의사항

비위가 허약하고 찬 사람이나 신양부족으로 화가 위로 떠서 치통이나 구강염을 일으키는 증상에는 주의해야 한다.

## 🌼 계화홍차

재료 : 계화 3g, 홍차 1g

### 제작 및 음용

계화를 주전자에 넣고 물을 200ml를 붓고 끓으면 바로 불을 꺼서 다관에 담아 홍차를 넣고 5분 정도 우린 후 걸러서 찻잔에 따라 마신다.

### 효능

어혈을 풀어주고 통증을 완화시키며 해독작용이 있어 치통, 구취, 이질에 도움이 된다.

## 🌼 지백이산구기차

재료 : 지모 10g, 황백 10g, 산수유 10g, 산약 15g, 구기자 10g, 녹차 5g

### 제작 및 음용

앞의 5가지 재료를 유리주전자에 넣고 물 500ml를 부어 15분간 끓여 다관에 담고 녹차를 넣어 3분 정도 우려내 걸러서 찻잔에 따라 마신다.

### 효능

신음을 보하고 신체를 자양하는 효능이 있어 신음부족으로 인해 이가 흔들리고 잇몸이 축소된 증상이나 어지럼증, 이명, 허리다리가 약하고 시며 통증이 있는 증상에 도움이 된다.

### 주의사항

비위가 허약하고 몸이 찬 사람은 주의해야 한다.

### 🌸 기귀숙감진피차

**재료** : 황기 20g, 당귀 6g, 숙지황 10g, 구감초 6g, 진피 5g, 녹차 5g

### 제작 및 음용

앞의 5가지 재료를 유리주전자에 넣고 물 600ml를 부어 15분간 끓여 다관에 담고 녹차를 넣어 3분 정도 우려내 걸러서 찻잔에 따라 마신다.

### 효능

익기보혈작용이 있어 기혈이 부족하여 나타나는 치아가 흔들리거나 잇몸이 축소되고 피가 나오며 저작운동에 힘이 없고 얼굴색이 창백하고 권태감을 동반한 증상에 도움이 된다.

### 🌸 염차

**재료** : 찻잎 3g, 식염 1g

### 제작 및 음용

차를 우려내는 방법과 동일하며 식염만 첨가한 것으로 마실 때 입에 머금고 있다가 넘긴다.

### 효능

화를 내리고 담을 삭이며 해독작용이 있고 인후를 편하게 하는 효능이 있으며 풍화(風火)로 인해 치통이 나타나거나 위화(胃火) 치통, 치주통, 급만성인후염 등에 도움이 된다.

## 5. 구강염, 구취에 좋은 차

### 🌷 하초녹차

**재료** : 박하 15g, 감초 3g, 녹차 5g, 꿀 25g

#### 제작 및 음용

감초를 유리주전자에 넣고 물을 부어 10분 정도 끓이다 박하를 넣고 2분 후에 불을 끈다. 다관에 찻잎을 넣고 앞의 물을 부은 후 3분 정도 우려내어 꿀을 타서 마신다.

#### 효능

열을 내리고 풍을 소통시키며 인후를 잘 통하게 하는 효능이 있으며 구취를 잡아준다.

#### 주의사항

간양편항이나 허약한 땀을 많이 흘리는 사람은 주의해야 한다.

### 🌷 죽지치황천화차

**재료** : 담죽엽 10g, 생지황 10g, 치자 10g, 황연 6g, 천화분 10g, 녹차 6g

#### 제작 및 음용

앞의 5가지 재료를 유리주전자에 넣고 물 600ml를 부어 15분간 끓여 다관에 담고 녹차를 넣어 3분 정도 우려내 걸러서 찻잔에 따라 마신다.

#### 효능

심장과 비장의 열을 내리는 작용이 있고 음을 보하는 작용이 있으며 심비에 열이 쌓여 구강에 나타나는 상처, 피부궤양 등에 효과가 있다. 통증을 완화하고 입이 마르고 냄새가 나는 증상을 개선한다.

주의사항

비위가 허약하고 찬 사람은 주의해야 한다.

## 지백현맥단피차

**재료** : 지모 10g, 황백 10g, 현삼 10g, 맥문동 10g, 단피 10g, 녹차 6g

### 제작 및 음용

앞의 5가지 재료를 유리주전자에 넣고 물 600ml를 부어 15분간 끓여 다관에 담고 녹차를 넣어 3분 정도 우려내 걸러서 찻잔에 따라 마신다.

### 효능

자음작용이 있으며 화를 내리는 효능이 있어 음허화왕으로 구강 안의 상처, 궤양, 통증을 완화시키고 수족심열, 입마름, 권태감 등의 증상을 동반한 사람에게 도움이 된다.

### 주의사항

비위가 허약하고 찬 사람은 주의해야 한다.

## 기귀령초율무차

**재료** : 황기 15g, 당귀 6g, 복령 10g, 구감초 5g, 율무 15g, 홍차 5g

### 제작 및 음용

앞의 5가지 재료를 유리주전자에 넣고 물 500ml를 부어 15분간 끓여 다관에 담고 녹차를 넣어 3분 정도 우려내 걸러서 찻잔에 따라 마신다.

### 효능

기혈을 보하는 차로 기혈이 부족하여 나타나는 구강 내의 상처, 궤양, 통증 등을 완화한다. 입이 마르지 않고 찬 것을 싫어하며 변이 묽은 등의 증상이 동반되는 사람에게 도움이 된다.

## 🌼 국화감초차

**재료** : 국화 10g, 감초 6g, 얼음설탕 적당량

### 제작 및 음용

국화와 감초를 보온병에 넣고 끓는 물을 부어 15분 정도 우린 후 얼음설탕을 넣어 녹으면 마신다.

### 효능

청열해독작용이 있어 위의 열을 내려 구취를 없앤다.

### 주의사항

위가 차서 위통이 있거나 변이 묽게 나오는 사람, 몸에 습이 많은 사람, 구토나 수종이 있는 사람은 주의해야 한다.

## 🌼 죽엽고정차

**재료** : 죽엽 10g, 고정차 6g, 감초 3g

### 제작 및 음용

위의 재료를 보온병에 넣고 끓는 물을 부어 뚜껑을 닫고 20분 정도 우려내어 조금씩 따라 마신다.

### 효능

풍을 제거하고 해독작용이 있으며 심장의 열을 내리는 효능이 있어 심장에 열이 많아 입안에 황백색의 콩모양 궤양이 나타나고 통증이 심하며 풍치가 생기고 잇몸이 붓는 등의 증상에 효과가 있다. 몸에 열이 나고 입안이 마르며 소변이 노랗게 나오는 증상을 동반하는 사람에게 좋다.

### 주의사항

비위가 허약하고 찬 사람을 주의해야 한다.

### 곽황차

재료 : 곽향 5g, 대황 1g, 녹차 3g

#### 제작 및 음용

위의 재료를 부숴 티백에 담아 찻잔에 넣고 끓는 물 200ml를 붓고 우려내 조금씩 마신다.

#### 효능

열을 내리고 습을 제거하는 효능이 있으며 입안이 지저분하고 냄새가 많이 나며 입 안이나 혀에 궤양이나 상처가 생기는 증상에 도움이 된다.

#### 주의사항

비위가 허약하고 찬 사람이나 건조한 사람, 임신부 등은 주의해야 한다.

### 곽향차

재료 : 곽향 30g

#### 제작 및 음용

보온병에 곽향을 넣고 끓는 물을 부어 15분 정도 우려내 조금씩 마신다.

#### 효능

습을 제거하고 위를 편하게 하며 구토를 멈추게 하고 더위를 이기며 찌꺼기를 제거 하고 냄새를 잡아준다.

#### 주의사항

음허로 혈액이 건조한 사람은 주의해야 한다.

### 사과피차

재료 : 금화차 2g, 사과껍질 50g, 꿀 25g

### 제작 및 음용

사과껍질을 유리주전자에 넣고 5분 정도 끓인 후 걸러서 유리컵에 담고 금화차를 넣고 5분 정도 우려 꿀을 넣어 마신다.

### 효능

갈증을 멈추게 하고 진액을 만들며 비장을 튼튼하게 하고 기운을 돕는 효능이 있어 입이 건조하고 입안에 염증이 있거나 고혈압, 폐기종질환에 도움이 된다.

## 🌱 대황녹차

**재료** : 녹차 2g, 대황 1g

### 제작 및 음용

위의 재료를 다관에 넣고 끓는 물을 부어 5분 정도 우린 후 마신다. 여러 번 반복해서 우려 마신다.

### 효능

화를 내리고 해독작용이 있으며 혈액의 열을 내리고 변을 잘 통하게 하며 뭉친 것을 배출한다.

### 주의사항

비위가 허약하고 찬 사람이나 건조한 사람, 임신부 등은 주의해야 한다.

# Ⅵ 부인과질환

## 1. 갱년기에 좋은 차

### 🌷 감맥대조차

**재료** : 소맥 30g, 대추 10개, 감초 6g, 녹차 6g

**제작 및 음용**

위의 재료를 모두 유리주전자에 넣고 30분 이상 끓여 걸러서 마신다.

**효능**

심장을 튼튼하게 하고 정신을 안정시키는 효능이 있어 부인들의 히스테리증상에 적합한 차로 정신이 불안하고 슬퍼하고 쉽게 울고 주관이 없고 불면증과 도한 등의 증상이 동반되는 사람에게 좋다.

### 🌷 익모홍탕차

**재료** : 익모초 200g, 녹차 2g, 감초 3g, 황설탕 25g

**제작 및 음용**

위의 재료를 모두 유리주전자에 넣고 물 600ml를 부어 5분간 끓인 후 걸러서 하루에 3번 나눠 마신다.

**효능**

한사를 제거하고 혈액순환을 활발하게 하며 부인들의 골반내염에 효과가 있다.

**주의사항**

어혈은 없으며 혈이 정체되거나 음허로 혈이 부족한 사람은 주의해야 한다.

## 🌷 갱년기공혈차

**재료** : 냉이꽃 20g, 당귀 10g

### 제작 및 음용

위의 재료를 잘게 부숴서 보온병에 넣고 끓는 물을 부어 15분 정도 우려내어 조금씩 마신다.

### 효능

비장을 튼튼하게 하고 수액대사를 활발하게 하며 혈액을 조화롭게 하고 지혈작용이 있다. 갱년기기능성자궁출혈이 있는 여성에게 적합하다.

### 주의사항

습이 중초에 많이 쌓여 있거나 설사를 하는 사람은 주의해야 한다.

## 🌷 갱년기강화차

**재료** : 고정차 3g, 연자심 1g, 국화 3g, 구기자 10g

### 제작 및 음용

위의 재료를 모두 다관에 넣고 뜨거운 물을 부어 10분 정도 우린 후 걸러서 찻잔에 따라 마신다.

### 효능

음을 보하고 화를 제거하는 효능이 있으며 음허화왕으로 인한 갱년기종합증에 효과가 있다. 즉 머리가 어지럽고 눈앞이 흐리며 이명현상이 있고 오심번열과 히스테리증상으로 정신이 불안하고 허리와 다리가 시고 힘이 없으며 생리불순이나 폐경 등이 동반되는 증상에 효과가 있다.

### 주의사항

비위가 허약하고 손발이 찬 사람은 주의해야 한다.

## 🌷 용안대추차

**재료** : 용안육 10g, 가시연밥 12g, 산조인 10g

### 제작 및 음용

위의 재료를 절구통에 넣고 빻아서 유리주전자에 넣고 물을 부어 10분 정도 끓인 후 걸러서 마신다.

### 효능

뇌를 튼튼하게 하고 지력을 높이며 비장을 보하고 정신을 안정시킨다. 신경쇠약이 나 갱년기종합증에 효과가 있으며 혈액이 허약하여 꿈이 많고 불면증이 있는 사람에 게 유익하다.

### 주의사항

변비나 내열이 있는 사람은 주의해야 한다.


## 2. 유방질환에 좋은 차

## 🌷 들국화차

**재료** : 들국화 15g

### 제작 및 음용

들국화를 다관이나 보온병에 넣고 끓는 물을 부어 10분 정도 우려 마신다.

### 효능

청열해독작용이 있어 유선염 초기에 적합하다.

### 주의사항

비위가 허약하고 찬 사람이나 임신부는 주의해야 한다.

## 🌱 왕불류행차

**재료** : 왕불류행 15g

### 제작 및 음용

유리주전자에 왕불류행을 넣고 물을 부어 10분 정도 끓인 후 걸러서 마신다.

### 효능

수유기 여성에게 적합하며 혈액순환을 돕고 부기를 가라앉게 하며 모유를 잘 나오게 한다. 유선염 초기에 적합하다.

### 주의사항

임신부는 주의해야 한다.

## 🌱 단치자작루피차

**재료** : 단피 10g, 치자 10g, 시호 10g, 백작약 10g, 과루피 10g, 금화차 1개

### 제작 및 음용

앞의 5가지 재료를 유리주전자에 넣고 물 500ml를 부어 15분간 끓여 걸러서 유리컵에 담고 금화차를 넣어 3분 정도 우려내 찻잔에 따라 마신다.

### 효능

간 기운을 잘 소통시키고 열을 내리며 담을 삭이고 뭉친 것을 풀어주는 효능이 있으며 간기가 소통되지 않아 담이 유방 부위에 뭉쳐 나타나는 질병으로 유방에 종괴가 있는 증상을 완화시킨다. 즉 화가 쉽게 나고 가슴이 답답하고 옆구리 쪽이 욱신거리며 꿈이 많고 불면증이 동반되는 증상에 좋다. 청장년 여성에게 많이 발생한다.

### 주의사항

비위가 허약하고 몸이 찬 사람은 주의해야 한다.

## 🌱 선백귀궁숙지차

**재료** : 삼지구엽초 10g, 백개자 10g, 당귀 10g, 천궁 10g, 숙지황 10g, 국화차 5g

### 제작 및 음용

앞의 5가지 재료를 유리주전자에 넣고 물 500ml를 부어 15분간 끓여 걸러서 유리컵에 담고 국화차를 넣어 3분 정도 우려내 찻잔에 따라 마신다.

### 효능

충맥과 임맥을 조절하고 담을 없애며 뭉친 것을 풀어준다. 충임맥의 실조로 나타나는 유방종괴로 생리 전에 심해지고 생리 후엔 완화되며 허리가 시고 아프며 권태감이 있으며 생리불순이나 생리량이 적고 색이 엷은 증상을 동반하는 사람에게 좋다. 중년 여성에게 많이 발생한다.

### 주의사항

기를 소모시키는 작용이 있어 오랜 기침으로 폐가 허약해진 사람은 주의해야 한다.

## 🌱 선과백현차

**재료** : 삼지구엽초 20g, 과루피 10g, 백개자 10g, 현호 10g, 상기생 10g, 국화차 5g

### 제작 및 음용

앞의 5가지 재료를 유리주전자에 넣고 물 500ml를 부어 15분간 끓여 걸러서 유리컵에 담고 국화차를 넣어 3분 정도 우려내 찻잔에 따라 마신다.

### 효능

신장을 보하고 담을 삭이며 뭉친 것을 풀어준다. 신장의 기허로 유방에 멍울이 생기는 증상을 완화시키며 중노년 여성에게 많이 발생한다.

### 주의사항

기와 음을 상하게 하므로 오랜 기침으로 폐가 허약하거나 음허화왕인 사람은 금해야 한다. 또한 소화기궤양이나 출혈이 있는 사람이나 피부알레르기가 있는 사람도 주의해야 한다.

## 🌱 선유백현기생차

재료 : 삼지구엽초 30g, 산수유 10g, 백개자 10g, 현호 10g, 상기생 10g, 홍차 5g

### 제작 및 음용

앞의 5가지 재료를 유리주전자에 넣고 물 500ml를 부어 15분간 끓여 걸러서 유리컵에 담고 홍차를 넣어 3분 정도 우려내 찻잔에 따라 마신다.

### 효능

신장을 따뜻하게 하고 담을 삭이며 뭉친 것을 풀어준다. 신장의 양허로 유방에 멍울이 생기는 증상을 완화시키며 얼굴색이 하얗고 허리와 다리가 시고 힘이 없으며 권태감이 자주 오고 몸이 찬 여성에게 적합하다.

### 주의사항

기와 음을 상하게 하므로 오랜 기침으로 폐가 허약하거나 음허화왕인 사람은 금해야 한다. 또한 소화기궤양이나 출혈이 있는 사람이나 피부알레르기가 있는 사람도 주의해야 한다.

## 🌱 선작지백루피차

재료 : 삼지구엽초 10g, 백작약 10g, 지모 10g, 황백 10g, 과루피 10g, 녹차 5g

### 제작 및 음용

앞의 5가지 재료를 유리주전자에 넣고 물 500ml를 부어 15분간 끓여 걸러서 유리컵에 담고 녹차를 넣어 3분 정도 우려내 찻잔에 따라 마신다.

### 효능

신장의 음을 보하고 담을 삭이며 뭉친 것을 풀어준다. 신장의 음허로 유방에 멍울이 생기는 증상을 완화시키며 어지럽고 눈앞이 흐리고 오심번열이 있으며 꿈이 많고 잠이 적은 사람에게 적합하다.

### 주의사항

비위가 허약하고 몸이 비대하며 손발이 찬 사람은 주의해야 한다.

### 포공영울금차

**재료** : 삼칠 15g, 울금 15g, 백지 10g, 포공영 10g, 감국화 7g

### 제작 및 음용

위의 재료를 유리주전자에 넣고 물 500ml를 넣고 5분 정도 끓인 후 10분 정도 식혀서 걸러 나눠 마신다. 이 차는 3일에 한 번씩만 마신다.

### 효능

기운을 잘 통하게 하여 붓고 울결된 것을 풀어주고 통증을 가라앉게 하며 유선염을 완화시킨다.

### 주의사항

비위가 허약하고 찬 사람이나 어혈이나 기체증상이 없는 사람, 임신부는 복용하면 안 된다.

## 3. 하혈에 좋은 차

### 이단이지치자차

**재료** : 단피 10g, 단삼 10g, 생지황 10g, 생지위 10g, 초치자 10g, 녹차 5g

### 제작 및 음용

앞의 5가지 재료를 유리주전자에 넣고 물 600ml를 부어 15분간 끓여 걸러서 유리컵에 담고 녹차를 넣어 3분 정도 우려내 찻잔에 따라 마신다.

### 효능

열을 내리고 혈액을 식히며 지혈작용과 생리조절작용이 있다. 혈액에 열이 많아 하혈하는 증상을 개선하며 생리량이 많고 생리 후에도 조금씩 혈이 나오며 색이 자색으로 진하고 끈적이며 소량의 덩어리도 나온다. 얼굴색이 붉고 어지러우며 초조해 하고 화가 잘 나며 입이 마르고 물을 많이 마시며 변비가 있고 소변색이 노란 증상이 나타나는 사람에게 적합하다.

### 주의사항

혈이 허약하고 찬 사람이나 임신부는 주의해야 한다.

### 🌼 삼기지마오적차

**재료** : 만삼 10g, 황기 15g, 숙지황 10g, 승마 5g, 오적골 15g, 홍차 5g

### 제작 및 음용

먼저 오적골을 유리주전자에 넣고 물 550ml를 부은 후 15분 정도 끓인다. 끓인 후 앞의 4가지 재료를 추가한 뒤 15분을 더 끓이고 걸러서 다관에 담은 후 홍차를 넣고 5분 정도 우려내 찻잔에 따라 마신다.

### 효능

기운을 보하고 혈액을 수렴하며 혈을 보하고 생리를 조절한다. 기운의 고섭작용이 허약하여 나타나는 하혈을 치료하며 생리량이 많고 생리 후에도 혈이 조금씩 흘러나오며 피로하고 권태감이 있으며 얼굴색이 누렇고 움직이면 숨이 차고 어지러우며 가슴이 자주 두근거리고 음식이 먹고 싶지 않으며 변이 묽게 나오는 증상이 있는 사람에게 적합하다.

### 🌼 한여이산맥동차

**재료** : 한련초 10g, 여정자 10g, 산수유 10g, 산약 10g, 맥문동 10g, 녹차 5g

### 제작 및 음용

앞의 5가지 재료를 유리주전자에 넣고 물 500ml를 부어 15분간 끓여 걸러서 유리 컵에 담고 녹차를 넣어 3분 정도 우려내 마신다.

### 효능

신음(腎陰)을 보하고 지혈작용이 있으며 생리를 조절한다. 신음부족으로 인한 하혈로 생리 중에 양이 많았다 적었다를 반복하고 색이 선명한 홍색이며 어지럽고 이명현상이 있으며 오심번열이 있고 저녁이 되면 무섭고 불안한 느낌이 드는 사람에게 적합하다.

## 🌸 오부도귀전칠차

**재료** : 오령지 6g, 부황 6g, 도인 10g, 당귀 10g, 삼칠화 6g, 삼칠분 3g

### 제작 및 음용

앞의 5가지 재료를 유리주전자에 넣고 물 500ml를 부어 15분간 끓여 걸러서 유리 컵에 담고 삼칠분을 넣고 잘 저어서 마신다.

### 효능

혈액순환을 활발하게 하고 어혈을 풀어주며 지혈작용과 생리를 조절하는 작용이 있다. 어혈이 자궁에 정체되어 나타나는 하혈로 생리가 멈추지 않고 조금씩 흘러나오다 갑자기 많이 쏟아지기도 하며 색은 검고 덩어리가 많으며 아랫배에 통증이 있고 덩어리가 나오고 나면 통증이 조금 완화되는 증상이 있는 사람에게 적합하다.

### 주의사항

혈허로 어혈이 없는 사람이나 임신부는 주의해야 한다.

## 🌸 선학초차

**재료** : 선학초 60g, 냉이뿌리 60g, 오룡차 6g

### 제작 및 음용

위의 재료를 유리주전자에 넣고 끓여 마신다.

### 효능

지혈작용이 있으며 하혈이 있거나 생리량이 많을 때 적합하다.

### 🌱 지혈포도차

재료 : 홍차 2g, 건포도 30g, 대추 25g

### 제작 및 음용

위의 재료를 유리주전자에 모두 넣고 물 400ml를 부어 3분 정도 끓인 후 조금씩 마신다.

### 효능

어혈을 풀어주고 지혈작용이 있으며 기능성자궁출혈이 있을 때 적합하다.

## 4. 냉, 대하에 좋은 차

### 🌱 삼출형진은행차

재료 : 만삼 10g, 창출 10g, 복령 10g, 진피 6g, 은행 8g, 국화 6g

### 제작 및 음용

위의 재료를 모두 유리주전자에 담고 물 500ml를 부은 후 15분 정도 끓여 걸러서 찻잔에 따라 마신다.

### 효능

비장을 튼튼하게 하고 습을 제거하며 대하를 멈추게 한다. 분비물의 색이 희거나 담황색이고 양이 많으며 냄새는 없고 멈추지 않고 조금씩 나오며 구역질이 나오고 음식을 많이 먹지 못하는 사람에게 적합하다.

### 🌸 지백산맥연자차

**재료** : 지모 10g, 황백 10g, 산수유 10g, 맥문동 10g, 연자 10g, 녹차 10g

#### 제작 및 음용

앞의 5가지 재료를 유리주전자에 담고 물 550ml를 부은 후 15분 정도 끓여 다관에 담고 녹차를 넣어 3분 정도 우려 걸러서 찻잔에 따라 마신다.

#### 효능

신음을 보하고 대하를 수렴하는 효능이 있다. 신음부족으로 냉대하가 나오는 증상을 개선하며 분비물색은 노랗거나 붉고 끈적이며 냄새는 없고 오심번열과 허리가 시고 이명현상이 있으며 어지럽고 가슴이 두근거리는 증상 등이 동반되는 사람에게 적합하다.

#### 주의사항

비장이 허약하여 변이 묽은 사람은 주의해야 한다.

### 🌸 두상창산육계차

**재료** : 두충 10g, 상표소 10g, 창출 10g, 산약 20g, 육계 6g, 홍차 6g

#### 제작 및 음용

앞의 5가지 재료를 유리주전자에 넣고 물 500ml를 부어 15분간 끓여 걸러서 유리컵에 담고 홍차를 넣어 5분 정도 우려내 마신다.

#### 효능

신장을 따뜻하게 하고 수렴작용이 있어 여성의 대하를 멈추게 한다. 신장의 양기가 부족하여 나타나는 대하에 적합하다. 분비물의 양이 많으며 맑고 물 같으며 투명하여 달걀흰자 같고 조금씩 흘러나오며 멈추지 않고 허리가 시고 복부가 차며 맑은 소변을 자주 보는 증상이 있는 사람에게 도움이 된다.

주의사항

음허화왕인 사람은 주의해야 한다.

## 🌱 편두산약차

**재료** : 백편두 20g, 산약 20g, 설탕 적당량

**제작 및 음용**

백편두는 볶아서 잘게 부수고 산약은 편으로 된 것
을 유리주전자에 넣고 20분 정도 끓이다 설탕을 넣어
녹으면 걸러서 잔에 따라 마신다.

효능

열을 내리고 해독작용이 있으며 비장을 튼튼하게 하고 습을 제거하며 대하를 멈추
게 한다.

## 🌱 계관화차

**재료** : 계관화 30g, 보이차 5g

**제작 및 음용**

위의 재료를 유리주전자에 넣고 5분 정도 끓인 후 걸러서 찻잔에 따라 마신다.

효능

수렴작용이 있으며 대하를 멈추게 하고 지혈작용이 있다.

주의사항

어혈로 인해 하혈하는 여성이나 습열이 많은 사람은 주의해야 한다.

## 5. 생리통에 좋은 차

### 🌸 장미화차

**재료** : 장미화 15g

**제작 및 음용**

장미화를 유리컵에 담아 끓는 물을 붓고 우려내어 마신다.

**효능**

기의 흐름을 조절하고 잘 통하게 하며 어혈을 풀어주고 혈액순환을 돕는다. 간 기운이 울결되어 기체로 생리통이 나타나는 사람에게 적합하다.

**주의사항**

내열이 쌓인 사람은 주의해야 한다.

### 🌸 귀궁도현지각차

**재료** : 당귀 10g, 천궁 g, 도인 10g, 현호색 10g, 지각 10g, 장미화 6g

**제작 및 음용**

앞의 5가지 재료를 유리주전자에 넣고 물 500ml를 부어 15분간 끓여 걸러서 유리컵에 담고 장미화차를 넣어 2분 정도 우려내 마신다.

**효능**

기혈을 잘 순행시키며 생리를 조절한다. 어혈로 기가 잘 순행되지 않아 나타나는 생리통에 적합하며 생리 전이나 생리기간에 아랫배를 만지지 못할 정도의 통증이 있고 가슴과 옆구리로 창통이 있으며 생리량은 적고 순조롭게 나오지 못하며 색은 검고 덩어리가 있다. 덩어리가 나오면 통증이 조금 완화되는 증상이 동반되는 생리통에 도움이 된다.

## 주의사항

출혈이 자주 나타나는 사람이나 임신부는 주의해야 한다.

### 🌷 회강령귀현호차

재료 : 소회향 6g, 마른 생강 6g, 복령 10g, 당귀 10g, 현호색 15g, 홍차 5g

#### 제작 및 음용

앞의 5가지 재료를 유리주전자에 넣고 물 500ml를 부어 15분간 끓인 뒤 걸러서 유리컵에 담고 홍차를 넣어 5분 정도 우려내 마신다.

#### 효능

경락을 따뜻하게 하고 습을 제거하며 응결된 것을 풀어준다. 한습(寒濕)으로 응결되어 생리통이 있는 여성에게 적합하며 생리할 때 아랫배에 통증이 있고 따뜻하게 하면 통증이 조금 완화되고 생리의 양이 적고 색은 자색으로 어둡고 덩어리가 나오는 사람에게 효과가 있다. 또한 몸이 춥고 손발이 차며 소변색이 맑고 길게 나오는 사람에게도 도움이 된다.

#### 주의사항

음허화왕(陰虛火旺)인 사람은 주의해야 한다.

### 🌷 삼기귀궁향부차

재료 : 만삼 10g, 황기 15g, 당귀 10g, 천궁 6g, 향부 6g, 장미화차 6g

#### 제작 및 음용

앞의 5가지 재료를 유리주전자에 넣고 물 550ml를 붓고 15분간 끓여 걸러서 유리컵에 담고 장미화차를 넣어 3분 정도 우려내 마신다.

#### 효능

기운을 만들어주고 혈액을 보하며 생리를 조절한다. 기혈이 부족하여 나타난 생리통에 적합하며 생리기간 또는 생리 후에 아랫배가 은근하게 아프고 만지면 완화되며 생리량이 적고 엷으며 어지럽고 숨이 차며 가슴이 자주 두근거리는 증상을 동반하는 사람에게 좋다.

### 주의사항

음허화왕인 사람이나 열이 심하고 어혈 없이 출혈이 심한 사람이나 임신부는 주의해야 한다.

## 🌷 익모현호색차

**재료** : 익모초 20g, 현호색 15g

### 제작 및 음용

위의 재료를 잘게 부숴 티백에 담아 보온병에 넣고 끓는 물을 부어 15분 정도 우린 후 마신다.

### 효능

혈액을 활발하게 하고 생리를 잘 통하게 하며 진통효과가 있다. 생리통이나 출산 후에 어혈 등 찌꺼기들이 나오지 않아 아랫배에 통증이 있을 때 효과가 있다.

### 주의사항

생리 전후로 냉이 노랗고 냄새가 나며 아랫배가 아픈 증상이 있는 사람은 주의해야 한다.

## 🌷 작약강부차

**재료** : 백작약 15g, 향부자 5g, 건강 5g

### 제작 및 음용

위의 재료를 잘게 부숴 티백에 넣어 보온병에 담고 끓는 물을 부어 15분 정도 우려내어 마신다.

### 효능

한사를 제거하고 기운을 조절하며 통증을 가라앉게 한다. 한사로 인한 생리통에 좋으며 생리 전이나 생리 중에 아랫배가 아프고 따뜻하게 해주면 통증이 나아지는 등의 증상에 좋다.

## 활혈차

**재료** : 홍화 5g, 단향 5g, 녹차 1g, 황설탕 적당량

### 제작 및 음용

단향을 잘게 부숴 홍화, 녹차와 함께 유리주전자에 넣고 5분 정도 끓인 후 걸러서 설탕을 넣고 마신다.

### 효능

어혈을 풀어주고 혈액순환을 도우며 기운을 잘 통하게 하고 통증을 완화시키는 효능이 있어 생리통이 있는 사람에게 도움이 된다.

### 주의사항

출혈증상이 있는 사람이나 임신부는 주의해야 한다.

## 녹탕차

**재료** : 녹차 3g, 설탕 100g

### 제작 및 음용

끓는 물 900ml에 녹차와 설탕을 넣고 하룻밤을 두었다가 그 다음날 한번에 다 마신다.

### 효능

기운을 잘 소통시켜 생리를 조절하는 효능이 있으며 생리가 갑자기 멈추면서 허리가 아프고 복부가 창만한 증상이 있을 때 도움이 된다.

## 🌷 월계화차

**재료** : 월계화 6g, 녹차 3g, 황설탕 30g

### 제작 및 음용

위의 재료를 모두 유리주전자에 넣고 300ml의 물을 부어 5분 정도 끓인 후 걸러서 찻잔에 따라 마신다.

### 효능

혈액을 맑게 하고 생리통을 완화시키는 효능이 있어 어혈로 인한 생리통에 적합하다.

### 주의사항

임신부는 주의해야 한다.

## 🌷 천궁조경차

**재료** : 천궁 6g, 홍차 6g

### 제작 및 음용

위의 재료를 보온병에 넣고 뜨거운 물을 부어 15분 정도 우린 후에 마신다.

### 효능

기운을 조절하고 뭉친 것을 풀어주며 혈액순환을 활발하게 하고 통증을 완화시키는 효능이 있어 생리통이 있는 여성에게 적합하다. 생리 전에 복통이 있고 생리가 원활하지 않으며 옆구리와 복부에 창통이 있는 여성이나 산후에 아랫배가 창만하고 피가 조금씩 나오고 산후조리 시에 풍한사가 침범하여 편두통이 있는 산모에게 도움이 된다.

### 주의사항

음허화왕이나 땀을 많이 흘리는 사람, 열이 심하고 어혈 없이 출혈증상이 있는 사람, 임신부는 주의해야 한다.

## 6. 생리불순에 좋은 차

### 🌼 귀기구작산사차

**재료** : 당귀 10g, 황기 15g, 구기자 10g, 백작약 10g, 산사 10g, 장미화 6g

**제작 및 음용**

앞의 5가지 재료를 유리주전자에 넣고 500ml의 물을 부은 후 15분간 끓여 다관에 담고 장미화를 넣어 3분 정도 우려 걸러서 마신다.

**효능**

혈을 보하고 생리를 조절하며 간혈부족으로 인해 생리량이 적은 증상에 적합하다. 생리량이 적거나 조금 나오고 멈추며 색이 담백하고 덩어리는 없으며 머리가 어지럽고 가슴이 두근거리며 무서움증이 들고 얼굴색이 누런 증상이 있는 사람에게 도움이 된다.

### 🌼 도현귀궁차

**재료** : 도인 10g, 현호색 10g, 당귀 10g, 천궁 6g, 장미화 6g

**제작 및 음용**

앞의 4가지 재료를 유리주전자에 넣고 500ml의 물을 부은 후 15분간 끓여 다관에 담고 장미화를 넣어 3분 정도 우려 걸러서 마신다.

**효능**

어혈을 풀어주고 생리를 조절하며 어혈이 자궁에 쌓여 생리가 적게 나오거나 원활하지 않은 여성에게 적합하다. 생리량이 적고 색이 자색이나 검고 덩어리가 있으며 아랫배가 아프고 손을 대면 통증이 더 심해지며 덩어리가 나오고 나면 통증이 완화되는 증상을 동반하는 데 좋다.

## 🌷 삼기귀초강탄차

**재료** : 만삼 10g, 황기 15g, 당귀 6g, 감초 10g, 강탄(생강 태운 것) 6g, 홍차 5g

### 제작 및 음용

앞의 5가지 재료를 유리주전자에 넣고 500ml의 물을 부은 후 15분간 끓여 다관에 담고 홍차를 넣어 5분 정도 우려 걸러서 마신다.

### 효능

기운을 만들고 혈액을 조절하는 효능이 있어 기의 고섭작용이 부족하여 생리량이 많고 색은 담홍색이며 엷고 얼굴색은 창백하며 숨이 차고 목소리가 작으며 아랫배가 아래로 쏠려 내려가는 느낌의 증상이 있는 여성에게 도움이 된다.

## 🌷 흑목이홍조차

**재료** : 흑목이버섯 30g, 대추 20개, 오룡차 10g

### 제작 및 음용

위의 재료를 모두 유리주전자에 넣고 물을 부어 끓여 마신다.

### 효능

보중익기작용과 양혈작용이 있어 생리량이 너무 많은 사람에게 적합하다.

## 🌷 연자양신차

**재료** : 연자 30g, 보이차 5g, 얼음설탕 적당량

### 제작 및 음용

연자는 먼저 따뜻한 물에 불려놓았다가 얼음설탕과 함께 유리주전자에 넣고 물러질 때까지 끓인다. 물러지면 다관에 담고 보이차를 넣고 5분 정도 우려내 걸러서 마신다.

### 효능

비장을 튼튼하게 하고 신장에 유익하며 수렴작용이 있어 생리량이 많은 여성에게 적합하다.

### 주의사항

대변이 건조하면서 뭉쳐서 잘 나오지 않는 사람은 주의해야 한다.

## 🌷 당귀조경차

**재료** : 밀당귀 15g, 홍차 15g

### 제작 및 음용

위의 재료를 유리주전자에 넣고 물 200ml를 부어 5분간 끓인 후 걸러서 마신다.

### 효능

보혈작용과 혈액순환을 활발하게 하고 생리를 조절하는 효능이 있어 생리불순, 생리통, 기능성 자궁출혈에 모두 도움이 된다.

### 주의사항

습이 많은 사람이나 설사하는 사람은 주의해야 한다.

## 🌷 익모초홍탕차

**재료** : 익모초 60g, 황설탕 적당량

### 제작 및 음용

익모초를 먼저 200ml의 물에 끓여 걸러서 황설탕을 넣고 저어서 마신다.

### 효능

혈액순환을 활발하게 하고 생리를 조절하며 열을 내리고 해독작용이 있으며 수액대사를 활발하게 한다. 어혈로 생리량이 적은 사람에게 적합하다.

어혈로 정체된 것이 없는 사람이나 음허로 혈액이 부족한 사람은 주의해야 한다.

## 🌸 귀작계신천궁차

**재료** : 당귀 10g, 백작 6g, 계지 6g, 세신 3g, 천궁 10g, 홍차 5g

### 제작 및 음용

먼저 당귀와 백작을 넣고 500ml의 물에 10분 정도 끓인 후 계지, 세신, 천궁을 넣고 10분을 더 끓인다. 끓인 물을 따라 다관에 담고 홍차를 넣고 5분 정도 우린 후 마신다.

### 효능

한사를 제거하고 혈액순환을 활발하게 하는 효능이 있어 혈액이 차서 응결되어 생리가 늦어지는 여성에게 적합하다. 생리가 늦어지고 생리량이 적으며 색이 어둡고 덩어리가 있으며 아랫배가 차고 아프며 따뜻한 것을 대면 통증이 감소하고 추운 것을 싫어하고 손발이 찬 증상의 여성에게 도움이 된다.

### 주의사항

몸에 열이 많은 사람은 주의해야 한다.

## 🌸 구기당진피차

**재료** : 구기자 10g, 황기 10g, 용안육 10g, 당귀 10g, 진피 5g, 홍차 5g

### 제작 및 음용

앞의 5가지 재료를 유리주전자에 넣고 500ml의 물을 부은 후 15분간 끓여 다관에 담고 홍차를 넣어 5분 정도 우려 걸러서 마신다.

### 효능

혈을 보하고 생리를 조절하며 간혈부족으로 인하여 생리가 늦어지는 증상을 개선한다. 생리량이 적고 색은 연히고 덩어리는 없으며 아랫배가 은근하게 아프고 어지럽고 눈앞이 흐리고 가슴이 두근거리고 얼굴이 창백하며 몸이 가라앉는 느낌이 드는 여성에게 도움이 된다.

### 청호단피차

**재료** : 개똥쑥 6g, 목단피 6g, 녹차 3g, 얼음설탕 15g

**제작 및 음용**

앞의 두 가지 재료를 주전자에 넣고 물 350ml를 부어 10분 정도 끓인 후 걸러서 다관에 담고 녹차와 얼음설탕을 넣어 3분 정도 우린 후 마신다.

**효능**

열을 내리고 혈액을 식히는 효능이 있어 생리가 너무 빨리 오는 여성에게 적합하다. 혈액에 열이 많아 생리가 앞당겨지고 양이 많으며 색이 붉고 점도가 있으며 덩어리도 있고 번열과 입이 마르는 증상이 있으며 소변이 노랗게 나오는 등의 증상을 동반하는 데 좋다.


## 7. 임신부에게 좋은 차

### 백출안태차

**재료** : 백출 10g, 황금 5g, 두충 5g

**제작 및 음용**

위의 재료를 잘게 부숴 티백에 담아 보온병에 담고 끓는 물에 15분 정도 우려내어 마신다.

**효능**

열을 내리고 중초를 편하게 하며 신장을 보하고 태아를 안정시킨다. 임신 초, 중기에 복부가 창만하고 소리가 나며 음식을 먹으면 구역질이 나고 어지러우며 태동불안이 있는 임신부에게 적합하다.

### 주의사항

위에 찬 기운이 있고 곡물이 소화가 안 되고 설사하는 사람은 주의해야 한다.

## 🌸 연자건포도차

**재료** : 연자 90g, 건포도 30g

### 제작 및 음용

위의 재료를 유리주전자에 넣고 물 4컵을 부어 연자가 투명해질 때까지 끓여 마신다.

### 효능

비장을 튼튼하게 하며 신장에 유익하고 태아를 안정시킨다.

### 주의사항

대변이 건조하고 변비가 있는 사람이나 배가 더부룩하면서 창통이 있는 사람은 주의해야 한다.

## 🌸 인삼용안대추차

**재료** : 인삼 5g, 대추 7개, 용안육 7개

### 제작 및 음용

위의 재료를 유리주전자에 넣고 물을 부어 20분 정도 끓여 걸러서 마신다.

### 효능

기혈을 보하는 차로 임신 후 기운이 부족하고 빈혈이 있는 임신부에게 좋다.

### 주의사항

음허화왕이나 담습이 있는 사람은 주의해야 한다.

## 🌱 쑥차

재료 : 쑥 5g, 홍차 3g, 설탕 10g

### 제작 및 음용

위의 재료를 보온병에 넣고 끓는 물을 붓고 우려 설탕을 타서 마신다.

### 효능

경락을 따뜻하게 하여 한사를 제거하고 기운을 조절하여 지혈작용과 태아를 안정시킨다. 따라서 허약하고 몸이 찬 임신부에게 적합하다.

### 주의사항

음이 허약하고 혈액에 열이 있는 임신부는 주의해야 한다.

## 🌱 천문동차

재료 : 천문동 50g, 황설탕 적당량

### 제작 및 음용

천문동을 깨끗이 씻어 유리주전자에 넣고 물 1L를 부어 끓이다 물이 500ml 정도로 줄면 불을 끈다. 황설탕을 넣고 잘 저어 걸러서 마신다.

### 효능

열을 내리고 태아를 안정시키는 효능이 있어 혈액에 열이 있으면서 태동불안이 있는 임신부에게 적합하다.

### 주의사항

몸이 허약하여 식은땀이 나고 몸이 차고 설사하는 사람은 주의해야 한다.

## 🌱 찹쌀황기차

재료 : 찹쌀 30g, 황기 15g, 천궁 5g, 홍차 2g

### 제작 및 음용

위의 재료를 유리주전자에 넣고 1L의 물을 붓고 물이 반으로 줄 때까지 끓여서 삼베주머니에 넣고 꼭 짜서 하루에 두 번 따뜻하게 마신다.

### 효능

기혈을 조절하고 태아를 안정시키는 효능이 있어 태동불안을 느끼는 임신부에 도움이 된다.

## 🌸 당귀황정차

**재료** : 당귀 10g, 황정 10g, 홍차 5g, 설탕 적당량

### 제작 및 음용

위의 재료를 모두 믹서에 거칠게 갈아 다관에 넣고 끓는 물을 부어 10분 정도 우려 걸러서 마신다.

### 효능

혈액과 정수를 보하는 효능이 있어 임신부가 빈혈이 있을 때 효과가 있다.

### 주의사항

비위가 약한 사람은 주의해야 한다.

## 🌸 당귀우절차

**재료** : 당귀 10g, 우절 20g, 설탕 적당량

### 제작 및 음용

앞의 두 가지 재료를 유리주전자에 넣고 물을 붓고 끓여 걸러서 설탕을 타서 마신다.

## 효능

임신부가 빈혈이 있을 때 마시면 좋다.


## 8. 임신구토에 좋은 차

### 🌱 임신구토차

**재료** : 황금 10g, 자소경(깻잎대) 5g

**제작 및 음용**

위의 재료를 보온병에 넣고 끓는 물 300ml를 부어 2시간 이상 우려 마신다.

**효능**

기운을 조절하고 태아를 안정시키며 위를 편하게 하고 구토를 멈추게 한다. 태열이 있어 안정되지 못하고 구역질이나 구토가 나오고 심장에 번열이 있는 임신부나 신물이 넘어오고 배가 고프나 먹지 못하는 임신부에게 적합하다.


### 🌱 삼하강조차

**재료** : 태자삼 20g, 법반하 9g, 생강 · 대추 적당량

**제작 및 음용**

생강 한 쪽을 한지에 싸서 물을 묻힌 후 불에 올려 커피색이 되도록 굽는다. 대추는 씨를 제거하고 위의 모든 재료를 보온병에 넣고 끓는 물을 부어 20분 정도 우려 마신다.

**효능**

속을 편하게 하고 구토를 멈추게 하는 효능이 있어 임신구토에 도움이 된다.


### 🌱 소경진피차

**재료** : 소경(깻잎 줄기 말린 것) 6g, 진피 3g, 생강 2편, 홍차 1g

### 제작 및 음용

앞의 3가지 재료를 잘게 잘라 홍차와 함께 보온병에 넣고 끓는 물을 부어 15분 정도 우리거나 물에 끓여 걸러 마신다.

### 효능

기운을 조절하고 위를 편하게 하며 구역질을 멈추게 하고 태아를 안정시킨다. 임신하여 구역질이나 구토가 나오고 어지러우며 음식을 싫어하며 먹으면 바로 토하는 등의 증상에 도움이 된다.

### 주의사항

체질이 너무 허약하거나 땀을 많이 흘리는 사람은 주의해야 한다.

## 🌷 황연자소엽차

**재료** : 황연 3g, 자소엽 8g

### 제작 및 음용

황연은 잘게 부수고 자소엽은 잘게 썰어 다관에 담고 끓는 물을 부어 10분 정도 우린 후 따라 마신다.

### 효능

화를 내리고 해독작용이 있으며 기운을 조절하고 안태작용이 있다. 위에 열이 많아 나타나는 임신구토에 효과가 있다.

### 주의사항

비위가 허약하거나 신장이 약해 설사하는 사람은 주의해야 한다.

## 🌷 진피죽여차

**재료** : 진피 12g, 죽여 12g

### 제작 및 음용

위의 재료를 잘게 부숴 다관에 넣고 끓는 물을 부어 15분 정도 우린 후 따라 마신다.

### 효능

열을 내리고 기운을 만들며 구토를 멈추게 한다. 위가 허약하여 열이 위로 올라오며 나타나는 구역질이나 아무것도 나오지 않는 구토에 효과가 있다.


## 9. 임신수종에 좋은 차

### 🌷 임신수종차

재료 : 홍차 10g, 황설탕 50g

### 제작 및 음용

위의 재료를 다관에 넣고 끓는 물을 붓고 우려내어 아침저녁으로 나눠서 2주 연속으로 마신다.

### 효능

울결된 기운을 소통시키고 수액대사를 활발하게 하여 수종을 없애는 효능이 있어 임신수종에 도움이 된다.

### 🌷 복령동과자차

재료 : 복령 10g, 동과자 10g

### 제작 및 음용

위의 재료를 잘게 부숴서 티백에 담아 보온병에 넣고 끓는 물을 부어 5분 정도 우려 걸러서 마신다.

### 효능

비장을 튼튼하게 하고 습을 제거하며 이뇨작용이 있어 수종을 없앤다. 임신수종에 도움이 된다.

### 주의사항

복령은 기운이 허약하고 몸이 차며 땀이 많이 나는 사람에게 좋지 않고 동과자는 오랫동안 마시면 몸이 차가워지므로 오래 마시는 것은 좋지 않다.

## 🌼 소종차

**재료** : 동과피 50g, 옥미수 30g, 등심초 5g

### 제작 및 음용

위의 재료를 유리주전자에 넣고 물을 붓고 끓여서 걸러 마신다.

### 효능

심화를 내리고 이뇨작용이 있어 수종을 치료한다. 임신수종이나 소변이 잘 나오지 않는 증상에 도움이 된다.

### 주의사항

비위가 허약하고 찬 사람은 마시면 안 된다.

## 🌼 백출진피차

**재료** : 백출 15g, 진피 10g, 대복피 10g, 복령 10g

### 제작 및 음용

위의 재료를 믹서기에 넣고 거칠게 갈아 다관에 담아 끓는 물을 넣고 30분 정도 우린 후 걸러서 따라 마신다.

### 효능

비장을 튼튼하게 하고 이뇨작용이 있으며 수종을 제거한다. 임신수종에 효과가 좋다.

### 🌸 오피기출차

**재료** : 복령피 15g, 대복피 10g, 오가피 · 상백피 · 생강피 각 6g, 황기 10g, 백출 10g

### 제작 및 음용

위의 재료를 모두 믹서기에 넣고 거칠게 갈아 10개로 나눈다. 한 개를 다관에 넣고 30분 정도 우린 후 따라 마신다.

### 효능

이뇨작용이 강하여 수종을 제거하며 비장을 튼튼하게 하고 기운을 만들어준다. 사지수종이나 전신임신수종에 효과가 좋다.

## 10. 산모에게 좋은 차

### 🌸 삼기귀왕진피차

**재료** : 태자삼 30g, 황기 30g, 당귀 10g, 왕부유행 6g, 진피 6g, 국화차 5g

### 제작 및 음용

앞의 5가지 재료를 유리주전자에 넣고 물 500ml를 부어 20분 정도 끓인 후 걸러서 유리컵에 담고 국화차를 넣어 5분 정도 우려 마신다.

### 효능

기혈을 보하고 모유가 잘 나오게 하는 효능이 있다. 기혈부족으로 모유가 적게 나오고 유즙이 맑고 연하며 유방이 무르고 부풀지 않으며 얼굴색이 누렇고 음식을 많이 먹지 못하고 피로한 산모에게 도움이 된다.

### 🌷 지마촉유차

**재료** : 녹차 1g, 참깨 5g, 황설탕 25g

**제작 및 음용**

깨를 볶아 믹서에 갈아 녹차와 설탕을 넣고 잘 저어서 따뜻하게 하여 세 번으로 나눠 마신다.

**효능**

기혈을 보하고 기혈부족으로 모유가 적게 나오는 산모에게 도움이 된다.

### 🌷 산사지통차

**재료** : 녹차 2g, 산사편 25g

**제작 및 음용**

위의 재료를 유리주전자에 넣고 물 400ml 정도를 부어 5분 정도 끓인 후 걸러서 하루에 세 번으로 나눠 마신다.

**효능**

혈액순환을 활발하게 하고 통증을 완화시킨다. 산후복통에 도움이 된다.

**주의사항**

비위가 허약한 사람이나 위산과다인 사람은 주의해야 한다.

### 🌷 포황차

**재료** : 포황(부들의 꽃가루) 100g, 홍차 6g

**제작 및 음용**

포황을 티백이나 거름종이에 담아 유리주전자에 넣고 물 500ml를 부어 10분 정도 끓인 후 홍차를 넣

고 5분 정도 우려내 걸러서 마신다.

### 효능

혈액순환을 돕고 어혈을 풀어주며 이뇨작용이 있으며 산후 가슴이 답답하고 어혈이 남아 통증이 있을 때 효과가 있고 하혈이나 각종 출혈증에도 도움이 된다.

## 🌱 산사익모초차

재료 : 산사 10g, 익모초 10g, 당귀 6g, 황설탕 적당량

### 제작 및 음용

앞의 3가지 재료를 잘게 부숴서 보온병에 넣고 끓는 물 250ml를 부어 15분 정도 우려낸 후 걸러서 황설탕을 넣어 마신다.

### 효능

혈액순환을 돕고 어혈을 풀어주며 자궁을 편하게 하고 통증을 완화시킨다. 산후복통이나 불순물이 아직 남아 있어 분비물이 멈추지 않고 흘러나오는 산모에게 도움이 된다.

### 주의사항

체질이 허약한 임신부나 출산 후 분비물 색이 뿌옇고 복통이 조금씩 있는 사람은 주의해야 한다.

## 🌱 산사소화차

재료 : 홍차 3g, 초산사 10g, 생강 2편, 황설탕 적당량

### 제작 및 음용

위의 재료에 물 200ml를 넣고 끓여 식전에 마신다.

### 효능

소화를 돕고 중초를 편하게 한다. 출산 후 상한 음식을 잘못 먹어 설사를 하거나 소

화불량이 있을 때 도움이 된다.

## 🌷 산후해열차

**재료** : 녹차 6g, 형개 6g, 소엽 6g, 생강 2g, 얼음설탕 25g

### 제작 및 음용

위의 재료를 유리주전자에 넣고 물 500ml를 부어 5분 정도 끓인다. 천에 걸러서 다관에 담아 얼음설탕을 넣고 하루에 두 번 나눠서 마신다.

### 효능

풍을 소통시키고 한사를 없애며 해표작용이 있다. 출산 후 오한발열이 있고 두통, 몸살이 있으며 땀이 나지 않는 증상과 콧물이 나고 기침을 하는 증상이 동반될 때 도움이 된다.

## 🌷 맥아차

**재료** : 초맥아 60g, 찻잎 5g

### 제작 및 음용

위의 재료를 유리주전자에 물 200ml를 넣고 15분 정도 끓여 걸러서 마신다.

### 효능

모유를 회유시키는 효능이 있어 수유기가 지나 모유를 중단할 때 도움이 된다.

## 🌷 회유비파차

**재료** : 비파엽 5편, 우슬 10g

### 제작 및 음용

비파엽은 잘게 자르고 우슬은 잘게 부순다. 이상의 재료를 보온병에 넣고 끓는 물 400ml를 넣고 15분 정도 우려 조금씩 따라 마신다.

### 효능

기운을 아래로 내리고 위를 편하게 하며 수유기를 지나 모유를 끊을 때 유방이 붓고 욱신거리는 통증이 있는 여성에게 도움이 된다.

### 주의사항

비위가 허약하고 몸이 찬 사람은 주의해야 한다.

## 🌸 작약계초차

**재료** : 백작약 10g, 계지 5g, 감초 5g

### 제작 및 음용

위의 재료를 잘게 부숴서 티백에 담아 보온병에 넣고 끓는 물을 부어 15분 정도 우려내어 마신다.

### 효능

혈액을 조절하고 통증을 완화시키는 효능이 있다. 출산 후 혈액을 다량으로 유실한 산모나 아랫배가 은근하게 아프고 배설물이 적으며 색이 담백하고 기운이 없고 허약한 산모에게 도움이 된다.

### 주의사항

복통이 심하고 배설물에 어혈이 있으며 양이 많고 혀가 붉고 갈증이 나는 산모에게는 좋지 않다.

# Ⅶ 소아과질환

## 1. 어린이 다동증에 좋은 차

### 🌷 검연홍조차

**재료** : 연자 20g, 검실 15g, 대추 12g, 얼음설탕 적당량

**제작 및 음용**

앞의 3가지 재료를 유리주전자에 넣고 물을 부어 20분 정도 끓인 뒤 얼음설탕을 넣어 녹으면 마신다.

**효능**

신장을 보하고 기운을 만들며 정신을 안정시킨다. 잠을 잘 자지 못하고 유뇨증을 동반한 어린이 다동증에 도움이 된다.

### 🌷 영심보혈차

**재료** : 숙지황 10g, 죽엽 6g, 연자 3g

**제작 및 음용**

위의 재료를 유리주전자에 넣고 물을 부어 15분 정도 끓인 후 걸러서 하루에 한 번씩 마신다.

**효능**

심장을 안정시키고 혈액을 보한다. 어린이 다동증이나 심장과 간의 혈액이 부족하여 얼굴색이 창백하고 불면증이 있으며 소변이 적고 붉은색으로 나오는 사람에게도 도움이 된다.

## 주의사항

다른 보혈약과 함께 마시는 것은 좋지 않다.

### 🌷 용작준출진피차

재료 : 용골 10g, 백작약 6g, 산약 20g, 백출 20g, 진피 2g, 국화차 1g

#### 제작 및 음용

용골을 유리주전자에 넣고 물 350ml를 부어 20분 정도 끓이다 재료를 추가로 넣고 15분을 더 끓여 걸러서 마신다.

#### 효능

비장을 튼튼하게 하고 간을 안정시키는 효능이 있으며 비장이 허약하고 왕성한 어린이 다동증에 적합하다. 심신이 안정되지 못하고 불안해 하며 자주 움직이고 생각을 집중하지 못하며 의지가 약한 어린이, 또한 언어가 맞지 않고 흥미를 가졌다가 금방 변하고 시작은 하나 끝이 없으며 몸은 야위고 음식을 질 먹지 않는 어린이에게 도움이 된다.

### 🌷 진주맥차

재료 : 진피 6g, 죽여 6g, 맥문동 10g, 소맥 30g

#### 제작 및 음용

위의 재료를 유리주전자에 넣고 물을 부어 15분 정도 끓인 후 걸러서 하루에 3번 정도 마신다.

#### 효능

열을 내리고 담을 없애며 마음을 안정시킨다. 정신이 산만하고 말이 많고 쉬지 않고 움직이는 어린이나 마음이 답답하면서 조급해지는 사람에게 도움이 된다.

## 🌸 용구작지산조차

**재료** : 용골 10g, 구판 10g, 백작약 6g, 생지황 6g, 산조인 6g, 녹차 1g

### 제작 및 음용

앞의 2가지 재료를 유리주전자에 넣고 물 400ml를 부어 20분 정도 끓이다 뒤에 3가지 재료를 추가로 넣고 15분을 더 끓인다. 걸러서 다관에 담고 녹차를 넣어 우린 후 마신다.

### 효능

신장을 자양하고 간 기운을 안정시키는 효능이 있어 신장이 허약하여 간양을 잡지 못해 항진되어 나타나는 다동증에 적합하다. 동년배에 비하여 분별력이 떨어지고 동작이 정상적이지 못하며 폭력적이고 말을 잘 듣지 않으며 수준이 낮고 가만히 앉아 있지 못하는 어린이에게 도움이 된다.

### 주의사항

습열이 많은 어린이는 주의해야 한다.


## 2. 어린이 유뇨증에 좋은 차

## 🌸 건비지유차

**재료** : 소맥 50g, 감초 12g, 천화분 12g, 구맥(瞿麥) 15g

### 제작 및 음용

보중익기작용이 있으며 비장을 튼튼하게 하고 체온을 낮춘다. 비장이 허약하며 유뇨증에 효과가 있으며 식욕이 없고 기운이 없으며 대변이 묽고 식은땀을 흘리는 등의 어린이에게 도움이 된다.

주의사항

비위가 허약하고 몸이 차고 설사가 잦은 어린이는 주의해야 한다.

## 🌼 상기복파지인차

**재료** : 상표소 5g, 황기 6g, 복분자 5g, 파극천 5g, 익지인 5g, 홍차 1g

### 제작 및 음용

앞의 5가지 재료를 유리주전자에 담고 300ml 물을 부어 20분간 끓인 후 걸러서 다관에 담고 홍차를 넣고 5분 정도 우려내 마신다.

### 효능

신장을 보하고 기운을 만들어주어 유뇨증을 예방한다. 수면 중에 소변이 나오고 소변량이 많으며 색은 맑고 깊이 잠이 들며 잘 일어나지 않는다. 정신이 맑지 않고 몸이 찬 어린이에게 도움이 된다.

### 주의사항

음허로 화가 많고 방광에 열이 있으며 소변을 자주 보는 어린이는 주의해야 한다.

## 🌼 기출승진익지차

**재료** : 황기 10g, 백출 5g, 승마 3g, 진피 3g, 익지인 5g, 홍차 1g

### 제작 및 음용

앞의 5가지 재료를 유리주전자에 넣고 물 300ml를 붓고 15분 정도 끓여 걸러서 다관에 담고 홍차를 넣어 5분 정도 우려 마신다.

### 효능

비장을 튼튼하게 하고 기운을 보해 유뇨증을 예방한다. 비위기허로 유뇨증이 나타날 때 도움이 되며 수면 중에 소변이 나오고 소변을 자주 보고 양이 많으며 얼굴색이 누렇고 기운이 없고 피로하며 식욕이 없고 대변을 묽게 보는 어린이에게 적합하다.

## 🌱 인치시지검실차

**재료** : 인진쑥 8g, 치자 5g, 시호 3g, 생지황 8g, 검실 5g, 녹차 1g

### 제작 및 음용

앞의 5가지 재료를 유리주전자에 넣고 물 300ml를 붓고 15분 정도 끓여 걸러서 다관에 담고 녹차를 넣어 3분 정도 우려 마신다.

### 효능

청열이습(清熱利濕)작용이 있어 간경에 습열이 쌓여 나타나는 유뇨증으로 수면 중소변을 자주 보고 양은 적으며 성정이 급하고 수족심열이 있으며 입술이 붉고 마른 증상이 있는 어린이에게 적합하다.

### 주의사항

비위가 허약하고 손발이 찬 어린이는 주의해야 한다.


## 🌱 상심축뇨차

**재료** : 상심자 5g, 백출 5g, 복령 5g, 백작약 5g, 감초 3g

### 제작 및 음용

위의 재료를 잘게 부숴 티백에 담아 보온병에 넣고 끓는 물을 부어 10분 정도 우려내어 따라 마신다.

### 효능

비장을 튼튼하게 하고 신장을 보하며 소변을 축적하고 유뇨증을 완화시킨다.

### 주의사항

비위가 허약하고 찬 사람은 주의해야 한다.

## 🌱 복분자지뇨차

**재료** : 복분자 5g, 익지인 5g

### 제작 및 음용

위의 재료를 잘게 부숴 티백에 넣어 보온병에 담아 끓는 물을 붓고 10분 정도 우린 후 따라 마신다.

### 효능

신장을 보하고 유뇨증을 완화시킨다. 신장의 기운이 허약하여 나타나는 어린이 유뇨증이나 어른들의 요실금에 효과가 있다.

### 주의사항

신장에 열이 있는 사람은 주의해야 한다.


## 3. 어린이 이하선염에 좋은 차

## 🌱 백은하란차

**재료** : 백강잠 5g, 금은화 6g, 하고초 5g, 반란근 10g, 녹차 1g

### 제작 및 음용

앞의 4가지 재료를 유리주전자에 넣고 물 250ml를 붓고 15분 정도 끓여 걸러서 다관에 담고 녹차를 넣어 3분 정도 우려 마신다.

### 효능

열을 내리고 풍을 잘 소통시키며 뭉친 것을 풀어주는 효능이 있다. 온독(溫毒)이 침범하여 나타나는 이하선염으로 발열은 가볍게 나타나고 이하선이 붓고 누르면 통증이 있으며 탄력이 있는 증상에 도움이 된다.

체질이 허약하고 실화열독(實火熱毒)이 없고 비위가 허약하고 찬 어린이는 주의해야 한다.

## 🌱 은교하청단삼차

**재료** : 금은화 10g, 연교 6g, 하고초 6g, 대청엽 10g, 단삼 5g, 녹차 1g

**제작 및 음용**

앞의 5가지 재료를 유리주전자에 넣고 물 300ml를 붓고 15분 정도 끓여 걸러서 다관에 담고 녹차를 넣어 3분 정도 우려 식혀서 마신다.

**효능**

열을 내리고 해독작용이 있으며 뭉친 것을 풀어주는 효능이 있다. 어린이가 열독에 의해 이하선이 붓는 증상으로 열이 심하고 두통이 있으며 얼굴이 빨갛고 초조하고 통증이 심하고 손을 대면 통증이 더욱 심해지는 이하선염에 도움이 된다.

**주의사항**

비위가 허약하고 찬 어린이는 주의해야 한다.

## 🌱 선우모근차

**재료** : 생연근마디 250g, 생백모근 250g, 생올방개 250g

**제작 및 음용**

솥에 물을 붓고 위의 재료를 넣어 20분 정도 끓인 뒤 즙을 짜서 차 대용으로 마신다.

**효능**

열을 내리고 혈을 식히며 해독작용과 소종작용이 있다. 어린이가 열독으로 인해 이하선이 붓고 통증이 있으며 얼굴이 빨갛고 열이 날 때 도움이 된다. 그 외에 술독을 풀어주고 숙취해소에 효과가 좋다.

## 4. 어린이 홍역에 좋은 차

### 🌷 당근고수차

**재료** : 당근 120g, 고수 100g, 올방개 50g

**제작 및 음용**

솥에 물을 붓고 위의 재료를 넣어 20분 정도 끓인 뒤 즙을 짜서 차 대용으로 마신다.

**효능**

열을 내리고 몸의 건조한 부분을 윤택하게 한다. 어린이가 홍역으로 열독이 있을 때 마시면 도움이 된다.

### 🌷 투진차

**재료** : 사탕수수 · 올방개 · 당근 각 100g, 녹차 3g

**제작 및 음용**

위의 3가지 재료에 물 500ml 정도를 넣고 15분간 끓인 후 즙을 내어 다시 한 번 끓여 녹차를 넣고 3분간 우려낸 후 차처럼 마신다.

**효능**

열을 내리고 음을 자양하며 진액을 만들고 몸을 윤택하게 한다. 어린이가 홍역할 때 마시면 도움이 된다.

## 5. 어린이 백일해에 좋은 차

### 🌷 천패모행인차

**재료** : 첨차 1g, 천패모 5g, 행인 3g, 꿀 15g

### 제작 및 음용

패모와 행인을 유리주전자에 넣고 물 200ml을 부어 10분 정도 끓인 후 다관에 담아 첨차를 넣고 3분 정도 우려내 걸러서 꿀을 타서 마신다.

### 효능

폐기능이 잘 되도록 하고 가래를 삭이며 기침과 천식을 멈추게 한다. 백일해기침 초기에 도움이 된다.

### 🌷 백부상백차

**재료** : 상백피 5g, 백부 5g, 백작약 5g, 녹차 5g, 얼음설탕 적당량

### 제작 및 음용

앞의 3가지 재료를 유리주전자에 넣고 10분 정도 끓인 후 녹차를 넣고 3분 정도 우린다. 녹차가 우러나오면 얼음설탕을 넣고 녹여 걸러서 마신다.

### 효능

열을 내리고 폐를 윤택하게 하며 가래를 없애고 기침을 멈추게 한다. 백일해 기침에 효과가 있으며 기침할 때 얼굴이 붉어지고 손을 꽉 쥐며 충혈되고 콧물과 눈물을 흘리며 밤이면 증상이 더욱 심해지는 어린이에게 적합하다.

### 주의사항

몸이 차면서 복통 설사를 하거나 홍역을 앓고 있을 때는 주의해야 한다.

### 🌷 쌀뜨물패모차

**재료** : 쌀뜨물 500g, 천패모 15g, 얼음설탕 50g

### 제작 및 음용

믹서에 쌀뜨물이나 쌀, 물을 넣고 갈아 만든 국물에 패모를 넣고 20분간 끓여 마지막에 얼음설탕을 넣어 완성한다.

### 효능

폐를 윤택하게 하고 가래를 삭이며 백일해 기침을 멈추게 한다.

## 🌼 삼근차

**재료** : 노근 5g, 백모근 5g, 수세미뿌리 5g

### 제작 및 음용

위의 재료를 잘게 잘라 보온병에 넣고 끓는 물을 부어 10분 정도 우린 후 따라 마신다.

### 효능

폐열을 내리고 지혈작용이 있으며 가래를 삭이고 기침을 멈추게 한다. 백일해기침을 멈추지 않고 계속하고 침과 가래가 많이 나오며 가래에 피가 섞여 나오는 어린이에게 도움이 된다.

### 주의사항

비위가 허약하고 찬 어린이는 주의해야 한다.

## 6. 어린이 소화불량에 좋은 차

## 🌼 금불이산맥아차

**재료** : 계내금 5g, 불수편 3g, 산사 5g, 산약 10g, 맥아 5g, 국화차 1g

### 제작 및 음용

위의 모든 재료를 유리주전자에 넣고 물 250ml를 부어 15분간 끓여 걸러서 마신다.

### 효능

소화를 돕고 적체를 풀어주며 비장의 기운을 조절하는 효능이 있어 어린이의 감증(疳症) 초기에 적합하다. (감증은 신체가 약간 마르고 얼굴색이 누렇게 떠보이고 식욕이 없으며 대변이 건조하고 묽으며 순조롭지 못하고 정신도 맑지 않으며 화를 잘 낸다.)

## 🌷 삼출령사복피차

**재료** : 만삼 10g, 백출 10g, 복령 6g, 산사 5g, 대복피 5g, 국화차 1g

### 제작 및 음용

위의 모든 재료를 유리주전자에 넣고 물 300ml를 부어 20분간 끓여 걸러서 마신다.

### 효능

기운을 만들고 비장을 튼튼하게 하여 적체를 풀어준다. 어린이의 감적(疳積)에 효과가 있으며 감증 중기에 적합하다. 신체가 많이 마르고 복부가 더부룩하며 심하면 정맥이 선명하게 보이고 얼굴색이 약간 검으면서 누렇고 머리카락이 가늘고 쉽게 빠지며 번조(煩燥)하고 식욕이 감퇴하는 증상에 도움이 된다.

## 🌷 삼기귀산진피탕

**재료** : 태자삼 15g, 황기 15g, 당귀 6g, 산약 15g, 진피 3g, 국화차 1g

### 제작 및 음용

위의 모든 재료를 유리주전자에 넣고 물 250ml를 부어 15분간 끓여 걸러서 마신다.

### 효능

기운을 보하고 혈을 자양하며 비장을 튼튼하게 하여 감증의 말기증상에 적합하다. 신체가 극도로 마르고 뼈만 남아 노인 용모와 비슷하며 피부가 마르고 주름이 많으며 울음소리도 힘이 없는 증상에 도움이 된다.

## 🌷 태신산진차

**재료** : 태자삼 10g, 신곡 5g, 산사 5g, 진피 3g, 국화차 1g

### 제작 및 음용

위의 모든 재료를 유리주전자에 넣고 물 250ml를 붓고 15분간 끓여 걸러서 마신다.

### 효능

비위를 조화롭게 하는 효능이 있어 비위가 조화를 이루지 못해 음식을 싫어하는 증상에 효과가 있다. 얼굴색에 윤기가 없으며 정신이 맑지 못하고 대변이 건조한 증상 외에는 특별한 증상 없이 식욕이 없는 어린이에게 도움이 된다.

## 🌼 삼령산출목향차

**재료** : 만삼 8g, 복령 5g, 산약 10g, 백출 5g, 목향 2g, 홍차 1g

### 제작 및 음용

앞의 4가지 재료를 유리주전자에 넣고 물 250ml를 부어 10분간 끓인 후 목향을 넣고 5분을 더 끓여 걸러서 다관에 담고 홍차를 넣어 3분 정도 우린 후 걸러서 마신다.

### 효능

비장을 튼튼하게 하고 기운을 보하는 효능이 있어 비위기허로 인해 음식을 싫어하는 증상에 적합하다. 얼굴색이 누렇고 정신이 없으며 살이 무르고 대변이 묽게 나오는 어린이에게 도움이 된다.

## 🌼 곡맥이산황연차

**재료** : 석곡 8g, 맥문동 8g, 산약 10g, 산사 5g, 녹차 1g

### 제작 및 음용

앞의 4가지 재료를 유리주전자에 넣고 물 250ml를 부어 15분간 끓인 후 걸러서 다관에 담고 녹차를 넣어 3분 정도 우린 후 걸러서 마신다.

### 효능

자음작용이 있으며 위를 자양하여 위음(胃陰)부족으로 인해 음식을 싫어하는 어린이에게 적합하다. 신체가 마르고 얼굴색이 누렇게 보이며 입이 마르고 식욕이 없으며 심하면 번열(煩熱)이 있고 불안해 하며 변이 건조하고 소변이 노랗게 나오는 어린이에게 도움이 된다.

## 🌷 화적차

**재료** : 산사 15g, 맥아 10g, 나복자 8g, 대황 2g, 녹차 2g

### 제작 및 음용

위의 재료를 잘게 부숴서 보온병에 넣고 끓는 물을 부어 10분 정도 우린 후 조금씩 따라 마신다.

### 효능

소화를 돕고 적체되어 있는 것을 풀어준다. 어린이의 식적(食積)이나 소화불량에 도움이 된다.

## 🌷 계내금맥아차

**재료** : 계내금 30g, 대맥아 30g

### 제작 및 음용

계내금과 대맥아를 씻어 팬에 노랗게 볶아 가루로 만들어 유리병에 저장하여 1세 미만의 어린이에게는 한번에 2~3g를 하루에 세 번 먹인다. 좀 더 큰 어린이는 용량을 조금 늘려 먹인다.

### 효능

비장을 튼튼하게 하고 소화를 도우며 적체를 풀어준다. 어린이의 소화불량이나 음식을 싫어하는 증상이 있을 때 도움이 된다.

## 7. 어린이가 더위 먹었을 때 좋은 차

### 🌱 삼맥지하수박껍질차

재료 : 태자삼 15g, 맥문동 6g, 지모 6g, 연줄기(荷梗) 5g, 수박껍질 5g, 녹차 1g

제작 및 음용

앞의 5가지를 유리주전자에 넣고 물 300ml를 부어 15분간 끓인 후 걸러서 다관에 담아 녹차를 넣고 3분 정도 우려 마신다.

효능

폐를 윤택하게 하고 위를 보하며 더위를 이기게 한다. 더위가 폐와 위를 상하게 하여 나타나는 증상으로 열이 나고 입이 마르며 소변을 많이 보고 땀은 없거나 적게 나고 번조불안(煩燥不安)하며 입술이 마르고 붉은 증상이 나타나는 어린이에게 도움이 된다.

### 🌱 오엽차

재료 : 생하엽 · 여주엽 · 수세미엽 각 10g, 녹차 5g

제작 및 음용

위의 재료를 유리주전자에 넣고 끓여 걸러서 차 대용으로 마신다.

효능

열을 내리고 더위를 이기게 한다. 어린이가 더위 먹었을 때 도움이 된다.

### 🌱 금은화향유차

재료 : 금은화 6g, 향유 3g, 행인 3g, 담죽엽 3g, 녹차 1g

제작 및 음용

향유와 행인은 가루로 만들어 나머지 3가지 재료와 같이 보온병에 넣고 15분간 우려 조금씩 따라 마신다.

### 효능

더위를 이기게 하고 해독작용이 있으며 심장의 열을 내리고 번열을 없애준다. 어린이가 여름에 더위 먹었을 때 효과가 있다. 장기간 열이 나며 입이 마르고 번열이 있으며 물을 많이 마시고 소변을 많이 보며 땀은 적거나 없는 증상에 도움이 된다.

### 주의사항

비장과 신장이 허약하여 기와 음이 부족한 어린이는 주의해야 한다.

## 8. 어린이 설사에 좋은 차

### 🌷 맥아차

**재료** : 대맥아 30g, 보이차 8g

### 제작 및 음용

대맥아를 볶아 잘게 부숴 보이차와 함께 보온병에 넣고 끓는 물을 부어 10분 정도 우린 후 조금씩 따라 마신다.

### 효능

소화를 돕고 설사를 멈추게 한다. 어린이가 상한 음식을 먹고 설사하는 증상에 적합하다. 변이 묽고 찌꺼기와 우유 덩어리가 나오며 냄새가 많이 날 때 도움이 된다.

### 🌷 오배자녹차

**재료** : 오배자 5g, 녹차 3g

### 제작 및 음용

오배자를 잘게 부숴 녹차와 함께 보온병에 넣고 뜨거운 물을 부어 10분 정도 우린 후 따라 마신다.

### 효능

폐를 수렴하고 화를 내리며 장을 수렴하여 설사를 멈추게 한다. 녹차와 함께 하면 장을 수렴하는 효능이 좋아지며 어린이 복통 설사나 오래 멈추지 않는 설사에 좋다.

### 주의사항

풍한감기에 걸렸거나 폐에 실열이 있어 기침하는 경우에는 주의해야 한다.

## 🌿 건비차

**재료** : 연자 10g, 산사 10g, 가자(가리륵 열매) 10g, 오매 5g, 대추 10개

### 제작 및 음용

위의 재료를 모두 믹서에 거칠게 갈아 티백에 담아 보온병에 넣고 10분 정도 우려 마신다.

### 효능

비장을 튼튼하게 하고 설사를 멈추게 한다. 소화기가 좋지 않으며 밥을 잘 먹지 않고 체력이 허약하며 복통 설사가 잦은 어린이에게 적합하다.

### 주의사항

감기, 위산과다, 기침, 발열, 기관지염 등의 병을 앓는 경우 주의해야 한다.

## 🌿 차전자율무차

**재료** : 차전자 5g, 율무 5g, 홍차 3g

### 제작 및 음용

앞의 2가지 재료를 볶아 잘게 빻아서 홍차와 함께 보온병에 넣고 뜨거운 물을 부어 10분 정도 우린 후 따라 마신다.

### 효능

습을 제거하고 비장을 튼튼하게 하며 설사를 멈추게 한다. 어린이 복통 설사에 도움
이 된다.

### 주의사항

신장이 허약하여 몸이 찬 어린이는 주의해야 한다.

## 🌷 차전자미홍차

**재료** : 차전자 9g, 쌀 9g, 홍차 1g, 설탕 적당량

### 제작 및 음용

차전자와 쌀은 노랗게 볶아 홍차와 함께 물 한 컵을 넣고 끓여 반으로 줄면 거름망에
걸러 설탕을 넣고 잘 저어서 먹인다. 하루에 2번 먹이고 3세 이하 어린이에게 적합하다.

### 효능

비장을 튼튼하게 하고 습을 제거하여 설사를 멈추게 한다. 어린이가 설사를 물처럼
할 때 도움이 된다.

## 🌷 소아식초차

**재료** : 녹차 1잔(200ml), 식초 10ml

### 제작 및 음용

녹차 1잔에 식초를 섞어 1회 20ml를 하루에 3회 먹인다.

### 효능

위를 편하게 하고 설사를 멈추게 하며 비장을 튼튼하게 하고 수렴작용과 해독작용이
있으며 습을 잘 통하게 하여 어린이 복통 설사에 도움이 된다.

# VIII 신경 및 내분비계통 질환

## 1. 두통에 좋은 차

### 🌷 궁방강활차

**재료** : 천궁 5g, 방풍 5g, 강활 5g, 홍차 5g

**제작 및 음용**

앞의 3가지 재료를 유리주전자에 넣고 물 250ml를 부어 10분 정도 끓인 후 다관에 담고 홍차를 넣어 5분 정도 우려내어 걸러서 하루에 2번으로 나눠 마신다.

**효능**

풍한을 제거하고 통증을 완화시키는 효능이 있어 풍한사에 의한 두통을 치료한다. 두통이 때때로 발작하며 통증이 어깨와 등으로 연결되고 찬바람을 싫어하며 바람을 맞으면 통증이 심해지고 머리를 감싸고 다니는 것이 좋으며 갈증은 없는 증상이 있을 때 도움이 된다.

**주의사항**

음혈이 부족한 사람이나 풍열로 인한 두통에는 주의해야 한다.

### 🌷 석궁지국차

**재료** : 생석고 30g, 천궁 6g, 백지 6g, 국화 10g, 녹차 10g

**제작 및 음용**

생석고를 부숴서 티백에 담아 물 550ml에 넣고 20분간 끓이다 다음 3가지 재료를 넣고 10분간 더 끓여준다. 걸러서 다관에 담고 녹차를 넣어 3분 정도 우려내 마신다.

열을 내리고 풍을 잘 소통되게 하는 효능이 있어 풍열두통에 효과가 있다. 두통이 창통으로 나타나고 열이 나며 바람이 싫고 입이 마르는 증상이 있을 때 도움이 된다.

### 주의사항

비위가 허약하고 찬 사람이나 음허로 내열이 있는 사람은 주의해야 한다.

## 🌱 강활창진차

**재료** : 강활 6g, 창출 5g, 진피 5g, 홍차 5g

### 제작 및 음용

앞의 3가지 재료를 유리주전자에 넣고 물 450ml를 부어 15분간 끓인 후 다관에 담아 홍차를 넣고 5분 정도 우려내 걸러서 마신다.

### 효능

풍을 잘 소통되게 하고 습을 제거하는 효능이 있어 풍습으로 인한 두통에 효과가 있다. 두통이 있으며 머리가 묵직하고 사지가 피곤하고 무거우며 음식을 싫어하고 가슴이 답답한 증상이 동반되는 사람에게 도움이 된다.

## 🌱 천구여하결명차

**재료** : 천마 10g, 조구등 10g, 여정자 10g, 하고초 10g, 결명자 10g, 녹차 8g

### 제작 및 음용

앞의 5가지 재료를 유리주전자에 넣고 물 500ml를 부어 15분간 끓인 후 다관에 담아 녹차를 넣고 3분 정도 우려내 걸러서 마신다.

### 효능

간 기운을 안정시키고 양기를 가라앉게 하는 효능이 있어 간양두통에 효과가 있다. 두통이 있으며 통증이 창만하거나 흔들거리고 통증이 있을 때 열이 심하게 나며 얼굴이 붉어지고 이명현상이나 가슴이 답답하고 입이 마르는 증상이 있는 사람에게 도움이 된다.

### 주의사항

비위가 허약한 사람은 주의해야 한다.

## 🌱 천마궁국차

**재료** : 천마 10g, 천궁 6g, 국화 10g, 녹차 6g

### 제작 및 음용

앞의 3가지 재료를 유리주전자에 넣고 물 450ml를 부어 15분간 끓인 후 다관에 담아 녹차를 넣고 3분 정도 우려내 걸러서 마신다.

### 효능

간 기운을 안정시키고 풍을 제거하는 효능이 있어 간양으로 인한 편두통을 치료한다. 즉 두통이 심하고 좌측 또는 우측으로 오며 눈과 치아까지 연결되어 통증이 멈추면 정상이 되는 증상에 좋다.

## 🌱 하지천진피차

**재료** : 강반하 10g, 백지 6g, 천마 10g, 진피 6g, 홍차 6g

### 제작 및 음용

앞의 4가지 재료를 유리주전자에 넣고 물 450ml를 부어 15분간 끓인 후 다관에 담아 홍차를 넣고 5분 정도 우려내 걸러서 마신다.

### 효능

담을 삭이고 풍을 잠재우는 효능이 있어 담탁으로 인한 두통에 효과가 있다. 즉 머리가 무겁고 창통이 있으며 눈앞이 흐리고 가슴이 답답하며 복부가 더부룩하고 음식을 많이 먹지 못하고 가래가 많이 나오며 점도가 있고 색은 백색인 증상에 좋다.

음허로 마른기침을 하는 사람이나 열담(熱痰), 조담(燥痰)이 있는 사람은 주의해야 한다.

## 🌺 도홍귀궁차

**재료** : 도인 10g, 홍화 8g, 당귀 10g, 천궁 8g, 녹차 8g

**제작 및 음용**

앞의 4가지 재료를 유리주전자에 넣고 물 500ml를 부어 15분간 끓인 후 다관에 담아 녹차를 넣고 3분 정도 우려내 걸러서 마신다.

**효능**

혈액순환을 활발하게 하고 구규(九竅)를 잘 통하게 하여 어혈로 인한 두통에 효과가 있다. 즉 두통이 반복되고 오래되어도 나아지지 않으며 통증이 있는 부위가 고정되어 있으며 바늘로 찌르는 것 같은 통증이 있는 증상에 좋다.

**주의사항**

출혈증상이 있는 사람이나 임신부는 주의해야 한다.

## 🌺 구국당황기차

**재료** : 구기자 10g, 국화 10g, 당귀 10g, 구황기 15g, 녹차 5g

**제작 및 음용**

앞의 4가지 재료를 유리주전자에 넣고 물 500ml를 부어 15분간 끓인 후 다관에 담아 녹차를 넣고 3분 정도 우려내 걸러서 마신다.

**효능**

기혈을 보하는 효능이 있어 기혈부족으로 인한 두통에 효과가 있다. 즉 은근한 두통이 있고 눈이 부시며 오후가 되면 심하고 피로하고 얼굴색이 창백하고 가슴이 두근거리며 몸이 가라앉는 느낌이 드는 증상에 좋다.

### 🌱 구국현여차

**재료** : 구기자 10g, 국화 10g, 현삼 10g, 여정자 10g, 녹차 5g

**제작 및 음용**

앞의 4가지 재료를 유리주전자에 넣고 물 500ml를 부어 15분간 끓인 후 다관에 담아 녹차를 넣고 3분 정도 우려내 걸러서 마신다.

**효능**

간과 신장을 자양하는 효능이 있어 간신음허 두통에 효과가 있다. 즉 두통과 어지럼증이 있고 때로는 심해지고 때로는 가벼워지며 눈이 침침하여 사물이 이중으로 보이고 오심번열이 있으며 입이 마르고 허리와 다리가 시고 무력한 증상에 좋다.

### 🌱 쌍용갈국차

**재료** : 지용 10g, 용담초 5g, 갈근 10g, 국화 10g, 녹차 6g

**제작 및 음용**

앞의 4가지 재료를 유리주전자에 넣고 물 500ml를 부어 15분간 끓인 후 다관에 담아 녹차를 넣고 3분 정도 우려내 걸러서 마신다.

**효능**

풍을 제거하고 열을 내리며 간 기운을 안정시키는 효능이 있어 편두통이나 열이 나고 입이 마르고 쓴 증상에 도움이 된다.

**주의사항**

비위가 허약하고 찬 사람은 주의해야 한다.

## 🌺 국화차

재료 : 국화 10g, 녹차 1g, 꿀 25g

### 제작 및 음용

국화를 먼저 유리주전자에 넣고 5분 정도 끓인 후 다관에 담아 녹차를 넣고 3분 정도 우려내어 꿀을 타서 걸러서 마신다.

### 효능

열을 내리고 해표작용이 있어 가벼운 풍열두통에 효과가 있다.

### 주의사항

풍한두통인 사람은 주의해야 한다.

## 🌿 총백백지차

재료 : 파뿌리 3대, 백지 10g, 녹차 10g

### 제작 및 음용

위의 재료를 모두 유리주전자에 넣고 물 300ml 정도를 부어 15분 정도 끓인 후 걸러서 마신다.

### 효능

한사를 제거하고 통증을 완화시키는 효능이 있어 풍한두통에 효과가 있다.

### 주의사항

풍열두통이 있는 사람은 주의해야 한다.

## 🌺 강활창진차

재료 : 강활 6g, 창출 5g, 진피 5g, 홍차 5g

### 제작 및 음용

앞의 3가지 재료를 유리주전자에 넣고 물 450ml를 부어 15분간 끓인 후 다관에 담아 홍차를 넣고 5분 정도 우려내 걸러서 마신다.

### 효능

풍을 없애고 습을 제거하는 효능이 있어 풍습두통에 효과가 있다. 즉 머리가 묵직하며 두통이 오고 사지가 무거우며 식욕이 없거나 가슴이 답답한 증상에 좋다.

## 🌱 금화결명차

**재료** : 금화차 6g, 결명자 20g

### 제작 및 음용

결명자를 유리주전자에 넣고 물 250ml를 붓고 15분 정도 끓여 걸러서 유리컵에 담아 금화차를 넣어 5분 정도 우려내어 마신다.

### 효능

화를 내리고 통증을 완화시키는 효능이 있어 고혈압 두통에 효과가 있다.

### 주의사항

기허로 변이 묽게 나오는 사람은 주의해야 한다.

## 🌱 결명녹차

**재료** : 결명자 20g, 녹차 6g

### 제작 및 음용

결명자를 유리주전자에 넣고 물 250ml를 붓고 15분 정도 끓여 걸러서 유리컵에 담아 금화차를 넣고 5분 정도 우려내어 마신다.

### 효능

화를 내리고 통증을 완화시키는 효능이 있어 고혈압 두통에 효과가 있다.

### 주의사항

기허로 변이 묽게 나오는 사람은 주의해야 한다.

### 🌿 강탕차

**재료** : 생강 100g, 보이차 20g, 황설탕 적당량

### 제작 및 음용

생강을 잘게 잘라 유리주전자에 넣고 30분을 끓인 후 보이차를 넣고 5분 정도 더 끓여 걸러서 황설탕을 넣어 마신다.

### 효능

풍을 제거하고 한사를 없애는 효능이 있어 풍한두통에 효과가 있으며 중초가 차서 소화가 잘 안 되는 사람에게도 좋다.

### 주의사항

중초에 열이 많은 사람은 주의해야 한다.

## 2. 자한, 도한에 좋은 차

### 🌿 기맥방풍차

**재료** : 황기 12g, 부소맥 20g, 방풍 6g, 홍차 6g

### 제작 및 음용

앞의 3가지 재료를 유리주전자에 넣고 물 500ml를 부어 15분간 끓인 후 다관에 담아 홍차를 넣고 5분 정도 우려내 걸러서 마신다.

### 효능

기운을 보하고 위기(衛氣)를 튼튼하게 하여 땀을 막아주는 효능이 있어 위기가 약하여 나는 식은땀을 흘리는 증상에 효과가 있다. 머리나 목, 가슴 부위에서 땀이 저절로 나오며 활동을 하면 더욱 심해지고 바람을 싫어하고 쉽게 감기에 걸리며 권태감이 있는 증상에 도움이 된다.

### 🌺 계작강조차

**재료** : 계지 10g, 백작약 10g, 생강 6g, 대추 6개, 홍차 5g

### 제작 및 음용

앞의 4가지 재료를 유리주전자에 넣고 물 450ml를 부어 15분간 끓인 후 다관에 담아 홍차를 넣고 5분 정도 우려내 걸러서 마신다.

### 효능

영기(營氣)와 위기(衛氣)가 조화를 이루지 못해 식은땀을 흘리는 증상에 효과가 있다. 즉 식은땀이 많이 나고 풍한을 싫어하며 손발이 시큰거리고 때로는 미열이 있고 반쪽만 땀이 나기도 하고 얼굴부분만 땀이 나기도 하는 증상에 좋다.

### 주의사항

외감열병(外感熱病)이나 음허내열(陰虛內熱)이 있는 사람, 혈열망행(血熱妄行) 등이 있는 사람은 주의해야 한다.

### 🌺 지백맥지산사차

**재료** : 지모 10g, 황백 10g, 맥문동 10g, 생지황 10g, 산사 10g, 녹차 6g

### 제작 및 음용

앞의 5가지 재료를 유리주전자에 넣고 물 500ml를 부어 15분간 끓인 후 다관에 담아 녹차를 넣고 3분 정도 우려내 걸러서 마신다.

### 효능

자음작용이 있으며 화를 내리고 땀을 멈추게 하는 효능이 있으며 음허화왕으로 인한 도한에 효과가 있다. 즉 수면 중에 머리, 목, 가슴 부위에 땀이 나거나 전신에 땀이 나고 땀을 흘리고 나서 잠에서 깨어나면 땀이 나지 않으며 가슴이 답답하고 몸에 열이 있으며 입이 마르고 인후가 건조한 증상이 있다. 때로는 입술이 붉고 눈 밑부분만 빨갛게 달아오르고 오후조열이 나타나기도 하는 증상에 좋다.

### 주의사항

비위가 허약하고 변이 묽게 나오는 사람은 주의해야 한다.

### 🌷 삼맥오미벼근차

**재료** : 만삼 15g, 맥문동 10g, 오미자 10g, 찰벼뿌리 10g, 녹차 5g

### 제작 및 음용

앞의 4가지 재료를 유리주전자에 넣고 물 500ml를 부어 15분간 끓인 후 다관에 담아 녹차를 넣고 3분 정도 우려내 걸러서 마신다.

### 효능

기운을 보하고 음을 자양하는 효능이 있으며 기음양허(氣陰兩虛)로 인한 식은땀이나 도한을 멈추게 한다. 즉 찬 것을 싫어하고 피곤하면 심해지며 권태감이 있고 갈증이 나고 인후가 건조한 증상에 좋다.

## 3. 우울증에 좋은 차

### 🌷 지백금작맥문차

**재료** : 지모 10g, 황백 10g, 울금 10g, 백작약 10g, 맥문동 10g, 녹차 5g

### 제작 및 음용

앞의 5가지 재료를 유리주전자에 넣고 물 500ml를 부어 15분간 끓인 후 다관에 담아 녹차를 넣고 3분 정도 우려내 걸러서 마신다.

### 효능

음을 자양하고 화를 내리는 효능이 있으며 음허화왕으로 인한 우울증에 효과가 있다. 즉 오래 병상에 있어 가슴이 답답하고 잠을 잘 자지 못하며 번열이 있고 화가 자주 나며 어지럽고 가슴이 두근거리며 볼이 빨갛게 달아오르고 수족심열이 있으며 입이 마르고 인후가 건조하다. 또는 도한이 나타나기도 하는 증상에 좋다.

### 주의사항

비위가 허약하고 변이 묽게 나오는 사람은 주의해야 한다.

## 🌱 감맥대조합환차

**재료** : 감초 10g, 소맥 10g, 대추 10개, 합환화 10g, 장미화 5g

### 제작 및 음용

앞의 3가지 재료를 유리주전자에 넣고 물 500ml를 부어 15분간 끓인 후 유리컵에 담아 장미화를 넣고 3분 정도 우려내 걸러서 마신다.

### 효능

심장을 튼튼하게 하고 정신을 안정시키는 효능이 있어 번잡한 생각이 많아 신(神)이 올바르지 못해 나타나는 우울증에 효과가 있다. 즉 정신이 흐리고 불안하며 가슴이 답답하고 열이 나며 꿈이 많고 쉽게 깨어나고 울고 웃으며 슬퍼하는 등의 정서(情緒)가 불안한 증상에 좋다.

## 🌱 단치금수국화차

**재료** : 단피 10g, 치자 10g, 울금 10g, 생하수오 10g, 국화차 5g

### 제작 및 음용

앞의 4가지 재료를 유리주전자에 넣고 물 500ml를 부어 15분간 끓인 후 유리컵에 담아 국화를 넣고 3분 정도 우려내 걸러서 마신다.

### 효능

간기능을 좋게 하고 화를 내리는 효능이 있어 기가 뭉쳐서 화가 생성되어 나타나는 우울증에 효과가 있다. 즉 성질이 급하고 초조하며 화를 잘 내고 가슴이 답답하고 옆구리에 창통이 있으며 머리가 어지럽고 눈이 충혈되어 있으며 입이 쓰고 대변은 딱딱하고 소변은 노란색으로 나오는 증상에 좋다.

### 주의사항

생리량이 많은 여성 그리고 임신부는 주의해야 한다.

## 🌼 시지궁작차

**재료** : 시호 10g, 지각 10g, 천궁 6g, 백작약 10g, 장미화 6g

### 제작 및 음용

앞의 4가지 재료를 유리주전자에 넣고 물 500ml를 부어 15분간 끓인 후 유리컵에 담아 장미화를 넣고 3분 정도 우려내 걸러서 마신다.

### 효능

간 기운을 잘 통하게 하고 기운의 흐름을 조절하는 효능이 있어 간기울결로 인한 우울증에 적합하다. 즉 정신이 우울하고 가슴과 옆구리에 창통이 있고 한숨을 자주 쉬며 탄식을 잘한다. 또한 여성은 생리불순이 나타나는 증상에 좋다.

## 4. 빈혈에 좋은 차

### 🌼 천구석국화차

**재료** : 천마 10g, 조구등 10g, 석결명 30g, 항국화 10g, 녹차 5g

**제작 및 음용**

먼저 석결명을 잘게 부숴 거즈에 싸서 유리주전자에 넣고 물 600ml를 부어 15분간 끓인 후 천마를 넣고 10분을 더 끓이고 조구등과 항국화를 넣고 10분을 또 끓인다. 석결명은 건져 버리고 다관에 담아 녹차를 넣고 3분 정도 우린 후 걸러서 마신다.

**효능**

간 기운을 안정시키고 풍을 잠재우는 효능이 있어 풍양이 위로 올라가 어지럽히는 어지럼증에 효과가 있다. 즉 어지럽고 귀에서 소리가 나며 두통이 있고 눈이 욱신거리며 꿈이 많고 잠을 잘 자지 못하는 증상에 좋다.

**주의사항**

비위가 허약하고 식욕부진이 있고 변이 묽게 나오는 사람은 주의해야 한다.

### 🌼 천하진령차

**재료** : 천마 10g, 강반하 10g, 진피 10g, 복령 10g, 홍차 8g

**제작 및 음용**

앞의 4가지 재료를 유리주전자에 넣고 물 450ml를 부어 10분간 끓인 후 다관에 담아 홍차를 넣고 5분 정도 우려내 걸러서 마신다.

**효능**

습을 제거하고 담을 없애는 효능이 있으며 담탁이 위로 올라가 쌓여 나타나는 어지럼증을 치료한다. 즉 어지럽고 머리에 두건을 쓰고 있는 것 같으며 눈이 빙빙 도는 것 같고 가슴이 답답하며 구토하면 가래와 침이 나오는 증상에 좋다.

### 주의사항

음허로 마른기침을 하는 사람이나 열담(熱痰), 조담(燥痰)이 있는 사람은 주의해야 한다.

## 🌷 귀기승마차

**재료** : 당귀 10g, 황기 15g, 승마 3g, 홍차 5g

### 제작 및 음용

앞의 3가지 재료를 유리주전자에 넣고 물 450ml를 부어 10분간 끓인 후 다관에 담아 홍차를 넣고 5분 정도 우려내 걸러서 마신다.

### 효능

기혈을 보하고 자양하는 효능이 있어 기혈부족으로 나타나는 어지럼증에 효과가 있다. 즉 어지럽고 눈이 침침하며 얼굴색이 창백하고 기운이 없으며 권태감이 있고 가슴이 두근거리고 몸이 가라앉는 증상에 좋다.

## 🌷 상여한작차

**재료** : 상심자 10g, 여정자 10g, 한연초 10g, 백작약 10g, 녹차 5g

### 제작 및 음용

앞의 4가지 재료를 유리주전자에 넣고 물 500ml를 부어 20분간 끓인 후 다관에 담아 홍차를 넣고 5분 정도 우려내 걸러서 마신다.

### 효능

음을 보하고 신장을 자양하는 효능이 있어 간신음허(肝腎陰虛)형 어지럼증에 효과가 있다. 즉 어지럼이 오래가고 잘 멈추지 않으며 시력이 감퇴되고 몸이 가라앉은 느낌이 들면서 건망증이 있고 가슴이 답답하고 입이 마르며 이명현상과 허리다리가 시고 무력한 증상에 좋다.

## 🌱 지백구맥동차

**재료** : 지모 10g, 황백 10g, 구기자 10g, 맥문동 10g, 녹차 5g

### 제작 및 음용

앞의 4가지 재료를 유리주전자에 넣고 물 450ml를 부어 15분간 끓인 후 다관에 담아 녹차를 넣고 3분 정도 우려내 걸러서 마신다.

### 효능

음을 보하고 화를 내리는 효능이 있어 간신음허(肝腎陰虛)형 어지럼증과 겸해서 도한이 나타나는 증상이 있을 때 도움이 된다.

### 주의사항

비위가 허약하고 변이 묽게 나오는 사람은 주의해야 한다.

## 🌱 국화오룡차

**재료** : 항국화 10g, 오룡차 3g

### 제작 및 음용

위의 재료를 다관에 담아 뜨거운 물을 부어 5분 정도 우려서 찻잔에 따라 마신다.

### 효능

간열을 내리고 눈을 밝게 하는 효능이 있으며 간양상항으로 인한 어지럼증에 효과가 있다. 즉 어지럽고 이명현상이 나타나며 두통이 창통으로 나타나고 급하고 초조하며 얼굴에 조홍(潮紅)이 나타나고 꿈이 많고 불면증이 있으며 입이 쓰고 마른 증상에 좋다.

## 5. 당뇨에 좋은 차

### 🌷 이삼천금차

**재료** : 사삼 10g, 현삼 10g, 천화분 10g, 황금 10g, 녹차 6g

#### 제작 및 음용

앞의 4가지 재료를 유리주전자에 넣고 물 450ml를 부어 15분간 끓인 후 다관에 담아 녹차를 넣고 3분 정도 우려내 걸러서 마신다.

#### 효능

열을 내리고 폐를 윤택하게 한다. 조열(燥熱)이 폐를 상하게 하여 나타나는 소갈병에 효과가 있다. 즉 갈증이 나고 물을 많이 마시며 입이 마르고 인후가 건조하며 음식을 많이 먹어도 배가 고프고 소변량이 많으며 대변이 건조한 증상에 좋다.

#### 주의사항

비위가 허약하고 찬 사람이나 음허내열이 있는 사람은 주의해야 한다.

### 🌷 석지연지수오차

**재료** : 석고 30g, 지모 10g, 황연 5g, 생지황 10g, 생수오 10g, 녹차 6g

#### 제작 및 음용

먼저 석고를 잘게 부숴 티백에 넣고 유리주전자에 담아 물 600ml를 부어 20분간 끓이다 다음 4가지 재료를 넣어 15분을 더 끓여 다관에 담는다. 녹차를 넣고 3분을 우린 후 걸러 마신다.

#### 효능

위열을 내리고 음을 자양하는 효능이 있으며 위가 건조하여 진액이 상해서 나타나는 소갈병에 효과가 있다. 즉 소화가 잘 되고 배가 자주 고프며 변비나 대변이 뭉치고 입이 건조하고 음료를 많이 마시며 체격은 마른 사람에게 좋다.

## 주의사항

비위가 허약하고 차며 음허내열이 있는 사람은 주의해야 한다.

## 🌿 지백이산맥동차

**재료** : 지모 10g, 황백 10g, 산약 20g, 산수유 10g, 맥문동 10g, 녹차 6g

### 제작 및 음용

앞의 5가지 재료를 유리주전자에 넣고 물 600ml를 부어 15분간 끓인 후 다관에 담아 녹차를 넣고 3분 정도 우려내 걸러서 마신다.

### 효능

자음작용이 있고 신장을 보하는 효능이 있으며 신음부족으로 나타난 소갈증에 효과가 있다. 즉 소변을 자주 보고 양이 많으며 소변색이 탁하고 어지러우며 눈이 침침하고 이명현상이나 사물이 흐려 보이고 입과 입술이 마르고 불면증이 있으며 가슴이 답답한 증상에 좋다.

### 주의사항

비위가 허약하고 변이 묽게 나오는 사람은 주의해야 한다.

## 🌿 사과노차

**재료** : 수세미 250g, 노수차엽 10g, 식염 5g

### 제작 및 음용

수세미를 잘게 편으로 잘라 유리주전자에 넣고 물 600ml를 부어 식염을 넣고 20분 정도 끓여 걸러서 다관에 담아 노수찻잎을 넣고 5분 정도 우려 찻잔에 따라 마신다.

### 효능

허약한 체질을 개선하고 자음작용이 있으며 신음부족으로 나타나는 가벼운 소갈증에 도움이 된다.

## 🌱 석곡옥죽차

**재료** : 석곡 9g, 옥죽 9g, 녹차 3g, 얼음설탕 적당량

### 제작 및 음용

앞의 2가지 재료를 유리주전자에 넣고 물 300ml를 넣고 20분 정도 끓여 걸러서 다관에 담아 녹차와 얼음설탕을 넣고 3분 정도 우려 조금씩 따라 마신다.

### 효능

위장을 편하게 하고 폐를 윤택하게 하며 열을 내리고 자음작용이 있고 진액을 만들어 갈증을 해소하는 작용이 있다. 열병으로 진액이 상하고 폐와 위장의 음과 진액이 부족하며 허화(虛火)가 위로 올라가 일으키는 여러 가지 질병과 당뇨병에 효과가 있다.

## 🌱 사삼맥동차

**재료** : 사삼 15g, 맥문동 15g, 생지황 15g, 옥죽 15g

### 제작 및 음용

위의 재료를 모두 유리주전자에 넣고 물 350ml를 부어 20분 정도 끓인 후 걸러서 찻잔에 따라 마신다.

### 효능

위장을 튼튼하게 하고 진액을 만들어주는 효능이 있어 당뇨병환자에게 도움이 된다.

## 🌱 옥미수녹차

**재료** : 옥미수 100g, 녹차 3g

### 제작 및 음용

옥미수를 유리주전자에 넣고 물 300ml를 부어 10분간 끓여 걸러서 다관에 담아 녹차를 넣고 3분간 우려 조금씩 마신다.

### 효능

열을 내리고 당을 낮추는 작용이 있어 소변이 탁한 당뇨환자에게 도움이 된다.

## 🌼 강당차

**재료** : 구기자 10g, 산약 9g, 천화분 9g

### 제작 및 음용

산약과 천화분을 잘게 부숴 구기자와 함께 유리주전자에 넣고 물 300ml를 부어 10분 정도 끓여 걸러서 마신다.

### 효능

기운을 보하고 간과 신장을 튼튼하게 하며 진액을 만들며 혈당을 낮추고 간세포생성을 촉진시키는 효능이 있다. 간과 신장의 기능이 좋아져 만성당뇨환자에게 도움이 된다.

## 🌼 사삼이동차

**재료** : 사삼 15g, 천문동 15g, 맥문동 15g, 생지황 30g, 생석고 30g, 천화분 30g, 황금 12g, 지모 12g, 현삼 12g, 갈근 9g, 오미자 9g, 석곡 9g, 보이차 30g

### 제작 및 음용

위의 재료를 모두 걸음주머니에 담아 유리주전자에 넣고 물 1L를 부어 15분 정도 끓인 뒤 즙을 짜서 다른 그릇에 담아놓는다. 다시 재료주머니를 주전자에 넣고 물 600ml를 부어 10분 정도 끓인 뒤 즙을 짜서 앞에 짜놓은 물과 함께 유리주전자에 넣고 다시 한 번 끓여 걸러서 조금씩 마신다.

### 효능

음을 보하고 폐를 윤택하게 하고 열을 내리고 진액을 만들어주는 효능이 있어 상소(上消)형 즉 폐에 열이 많아 진액을 상하게 하여 나타나는 소갈병에 효과가 있다.

## 🌱 석곡생지차

재료 : 석곡 9g, 생지황 9g, 숙지황 9g, 천문동 9g, 맥문동 9g, 사삼 9g, 여정자 9g,
인진쑥 9g, 비파엽 9g, 초황금 4g, 초지실 4g, 수박즙 100ml

### 제작 및 음용

위의 재료를 모두 삼베보자기에 넣고 유리주전자에 넣어 물 800ml를 붓고 20분간
끓여 즙을 짜서 다른 그릇에 담아놓고 다시 한 번 물을 넣고 끓여 두 번에 나온 즙을 합
한다. 약즙과 수박즙을 합해 잘 저어서 냉장고에 보관하고 한번에 100ml씩 하루에 두
번 마신다.

### 효능

위(胃)의 열을 내리고 음을 자양하며 갈증을 멈추게 하고 변을 잘 나오게 한다. 중소
(中消)형 당뇨병에 효과가 있다. 즉 밥을 먹어도 배가 고프며 신체가 마르고 물을 많이
마시며 입이 자주 마르고 기운이 없으며 요통, 빈뇨, 변비 등의 증상에 좋다.

## 🌱 과피화분차

재료 : 동과피 9g, 수박피 9g, 천화분 6g

### 제작 및 음용

동과피와 수박피를 잘게 잘라 천화분과 함께 유리 주전자에 넣고 물 250ml를 넣고
10분 정도 끓여 걸러서 마신다.

### 효능

진액을 만들고 갈증을 멈추게 하는 효능이 있어 당뇨병환자가 목이 마를 때 마시면
좋다.

# Ⅸ 외과 및 피부과 질환

## 1. 요통, 관절염에 좋은 차

### 🌷 솔잎녹차

재료 : 마른 솔잎 5g, 녹차 1g

**제작 및 음용**

유리주전자에 말린 솔잎과 녹차를 넣고 물을 부어 15분 정도 끓인 뒤 걸러서 마신다.

**효능**

솔잎은 풍을 제거하고 습을 말리며 살충, 가려움증을 없애주며 녹차는 풍을 소통시키고 경락을 잘 통하게 한다. 만성 관절염에 효과가 있다.

**주의사항**

위가 찬 사람이나 임신부는 주의해야 한다.

### 🌷 인출위세궁차

재료 : 율무 20g, 창출 10g, 위령선 10g, 세신 3g, 천궁 10g, 장미화 5g

**제작 및 음용**

앞의 3가지 재료를 유리주전자에 넣고 550ml의 물을 부어 10분간 끓이다 세신과 천궁을 넣고 다시 10분을 더 끓여 걸러서 다관에 담고 장미화를 넣어 3분간 우려서 마신다.

### 효능

습을 제거하고 혈액순환을 도우며 경락을 잘 통하게 하는 효능이 있으며 습비(濕痹)에 도움이 된다. 즉 관절이 무겁고 산통(酸痛)이 있으며 통증부위가 고정되어 옮겨 다니지 않고 하체에 많이 발병하며 붓기도 하고 마비가 오기도 하며 비오는 날 증상이 심해지는 습비에 좋다.

### 주의사항

음허화왕(陰虛火旺)이나 상성하허(上盛下虛)인 사람은 주의해야 하며 간양상항으로 두통이 있는 사람도 주의해야 한다.

## 🌿 오약초궁세신차

**재료** : 제천오(制川烏) 6g, 백작약 10g, 감초 5g, 세신 3g, 홍차 5g

### 제작 및 음용

먼저 제천오를 유리주전자에 넣고 물 600ml를 부어 20분 정도 끓이다 다음 3가지 재료를 추가하여 10분을 더 끓여 걸러서 다관에 담아 홍차를 넣고 5분 정도 우려 마신다.

### 효능

한기(寒氣)를 제거하고 혈액순환을 활발하게 하며 경락을 잘 통하게 하는 효능이 있어 한사가 침범하는 관절통인 통비(痛痹)에 도움이 된다. 즉 통증이 심하고 옮겨 다니지 않으며 찬 성질이 닿으면 통증이 더 심해지고 따뜻하게 하면 통증이 완화되며 구부리기가 힘들고 피부색은 붉지 않으며 관절이 붓지도 않는 증상에 좋다.

### 주의사항

몸에 열이 많은 사람은 주의해야 한다.

## 🌿 석지진은단삼차

**재료** : 석고 15g, 지모 10g, 진교 10g, 금은화 줄기 10g, 단삼 10g, 녹차 6g

### 제작 및 음용

먼저 석고를 부숴 티백에 담아 주전자에 넣고 물 600ml를 부어 15분 정도 끓이다 다음 4가지 재료를 넣고 15분을 더 끓여 걸러서 다관에 담고 녹차를 넣어 3분 정도 우려 마신다.

### 효능

열을 내리고 혈액순환을 도우며 경락을 잘 통하게 하는 효능이 있어 열비(熱痺)에 도움이 된다. 즉 관절에 통증이 심하고 통증부위가 붉고 부으며 열나고 아프다. 또한 차게 하면 조금 나아지고 낮에는 덜하고 저녁이 되면 심해지며 열나고 갈증이 나며 가슴이 답답하고 찬 것을 좋아하고 더운 것을 싫어하는 증상이 동반되는 열비에 좋다.

### 주의사항

비위가 허약하고 몸이 찬 사람은 주의해야 한다.

## 🌸 귀기상속두충차

**재료** : 당귀 10g, 황기 15g, 상기생 10g, 속단 10g, 두충 10g, 홍차 5g

### 제작 및 음용

앞의 5가지 재료를 유리주전자에 넣고 물 500ml를 부어 15분간 끓인 후 다관에 담아 홍차를 넣고 5분 정도 우려내 걸러서 마신다.

### 효능

기운을 보하고 혈액순환을 도우며 경락을 잘 통하게 하는 효능이 있으며 기혈부족으로 인한 비증(痺症)에 도움이 된다. 즉 병이 오래가고 사지가 무력하며 관절이 시고 아래로 처지며 은근한 통증이 있고 마비감이 있다. 때로는 땀을 흘리고 찬 기운을 싫어하며 가끔 가슴이 두근거리고 형체가 허약해 보이는 비증에 좋다.

## 🌷 목과차

**재료** : 모과 20g, 오가피 12g, 구감초 6g

### 제작 및 음용

위의 모든 재료를 유리주전자에 넣고 물 500ml를
부어 15분간 끓여 걸러서 조금씩 마신다.

### 효능

근육을 부드럽게 하고 경락을 잘 통하게 하며 위를 편하게 하고 습을 제거하는 효
능이 있어 습사가 일으키는 관절통에 효과가 있으며 사지경련이나 각기부종에도 도움
이 된다.

## 🌷 목차차

**재료** : 모과 5g, 차전초 3g, 국화 3g

### 제작 및 음용

위의 약재를 보온병에 넣고 끓는 물을 부어 15분 정도 우린 후 조금씩 따라 마신다.

### 효능

습을 제거하고 수액대사를 활발하게 하며 풍습사가 몸에 들어와 관절이 편하지 않고
소변이 잘 나오지 않는 증상에 도움이 된다.

## 🌷 금은화국화차

**재료** : 금은화 5g, 국화 6g, 녹차 5g

### 제작 및 음용

위의 재료를 다관에 담고 끓는 물을 부어 10분 정도 우린 후 걸러서 마신다.

### 효능

열을 내리고 통증을 완화시켜 주는 효능이 있어 열이 나고 빨갛게 부어오르는 관절 통증에 도움이 된다.

### 주의사항

비위가 허약하고 몸이 찬 사람은 주의해야 한다.

## 🌷 현삼맥동차

**재료** : 현삼 8g, 맥문동 8g, 홍차 5g

### 제작 및 음용

앞의 두 재료를 유리주전자에 넣고 물 250ml를 부어 10분 정도 끓여 다관에 담고 홍차를 넣어 5분간 우려 따라 마신다.

### 효능

습을 제거하고 수액대사를 활발하게 하는 효능이 있으며 입이 마르고 가삼에 번열이 있으며 노인성풍습성관절염환자에게 도움이 된다.

### 주의사항

비위가 허약하고 몸이 찬 사람은 주의해야 한다.

## 🌷 골쇄보차

**재료** : 골쇄보 50g, 계지 15g

### 제작 및 음용

위의 재료를 유리주전자에 넣고 물 500ml를 부어 30분간 끓여 보온병에 담아놓고 재탕을 끓여 합쳐서 하루에 여러 번 나눠 마신다.

## 효능

경락을 따뜻하게 하고 잘 통하게 하며 혈액순환을 돕고 통증을 완화시킨다. 엉덩방아를 찧어 허리를 다친 노인에게 도움이 된다. 통증이 칼로 자르는 것 같고 통증이 다리로 전달되는 증상에 적합하다. 또한 만성이나 간헐적으로 허리가 시고 아프며 일을 많이 하면 심해지고 쉬면 좋아지는 증상에도 도움이 된다.

## 🌱 율무방풍차

**재료** : 율무 20g, 방풍 10g

## 제작 및 음용

위의 재료를 유리주전자에 넣고 물을 부어 30분 정도 끓인 후 걸러서 마신다.

## 효능

풍을 제거하고 통증을 완화하며 열을 내리고 습을 제거한다. 풍열습사가 관절을 침입하여 관절에 통증이 있고 가벼운 열이 나고 통증부위가 약간 부은 사람에게 효과가 있다.

## 주의사항

임신부는 주의해야 한다.

## 🌱 우슬계혈등차

**재료** : 우슬 10g, 계혈등 10g

## 제작 및 음용

위의 재료를 잘게 썰어 보온병에 담고 끓는 물을 부어 20분 정도 우린 후 마신다.

## 효능

열은 내리고 습을 제거하며 혈액순환을 활발하게 하고 근육을 풀어주는 효능이 있다. 풍, 한, 습이 침입하여 발생하는 관절통증이나 넘어져 다친 후유증에 도움이 된다.

주의사항

임신부는 주의해야 한다.

## 2. 넘어져 다친 데 좋은 차

### 🌸 월계홍탕차

**재료** : 월계화 6g, 홍차 3g, 황설탕 30g

**제작 및 음용**

위의 재료를 유리주전자에 모두 넣고 물 300ml를 부은 후 5분 정도 끓여 걸러서 하루 3번으로 나눠 마신다.

**효능**

부기를 가라앉게 하고 통증을 완화시키는 효능이 있어 넘어져 다쳐서 멍이 들었거나 혈어(血瘀)로 붓고 통증이 있는 증상에 도움을 준다.

**주의사항**

기가 허약하거나 혈액에 열이 있는 사람은 주의해야 한다.

### 🌸 민들레차

**재료** : 민들레 30g, 녹차 25g, 감초 10g, 꿀 30g

**제작 및 음용**

민들레와 감초를 유리주전자에 넣고 물 400ml를 부어 15분 정도 끓여 걸러서 다관에 담고 녹차와 꿀을 넣고 3분 정도 우려내 하루에 3번으로 나눠 마신다.

**효능**

부기를 가라앉게 하고 통증을 완화시키는 효능이 있어 각종 상처로 인한 종통(腫痛)

에 도움이 된다.

### 🌸 사계화차

**재료** : 월계화 1g, 장미화 1g, 계화 1g, 능소화 1g, 황설탕 적당량

### 제작 및 음용

위의 재료를 유리잔에 담고 뜨거운 물을 부어 5분 정도 우린 후 마신다.

### 효능

혈액순환을 활발하게 하고 부기를 가라앉게 한다. 넘어져 다친 데 효과가 있다.

### 주의사항

음허화왕(陰虛火旺)인 사람이나 임신부는 주의해야 한다.

제 8 장

차선(茶膳)

차의 모든 것

# 차선(茶膳)

"음식으로 보하는 것이 약으로 보하는 것보다 좋다."라고 한다. 음식의 발달로 인해 여러 가지 재료로 향이 좋고 맛있는 음식이 넘쳐나지만 입에만 좋은 음식으로 현대성 인병 등 새로운 질병이 출현하여 옛날 음식으로 돌아가려는 복고열풍 또한 일어나고 있다.

차선의 역사는 아주 오래전부터 시작되었음을 문헌을 통해 알 수 있다. 인류는 차를 음식에 이용해 오면서 차의 특유한 향미를 즐기고 불쾌한 냄새와 느끼한 맛을 제거하였으며 풍부한 영양성분과 약효를 제공받아 왔다. 포차법으로 차를 마시면 수용성영양성분밖에 섭취할 수 없지만 차선은 지용성에 속하는 영양성분과 섬유소까지 모두 섭취할 수 있는 장점이 있다.

차선은 말차로 마시는 방법과 차선을 만들어 먹는 방법의 두 가지로 분류할 수 있다.

현재 말차를 이용하여 녹차라테, 녹차국수, 녹차케이크, 녹차떡 외에 다양한 음식이 개발되어 상품으로 나오고 있다. 또한 건강을 위하여 찻잎으로 밥을 짓고 나물을 만들고 각종 음식에 넣어 차선을 만들어 먹는 가정도 있다.

일반적으로 차선은 찻잎을 그대로 사용하거나 말차나 차탕을 만들어 음식을 조리할 때 조리과정에 첨가한다. 이 과정에서 음식의 특성에 알맞은 차를 선택하는 것이 차선을 즐길 수 있는 좋은 방법이다. 예를 들면 말차는 각종 가공식품을 제조할 때나 국수, 떡, 케이크 등 가루로 만들어 조리하는 음식 또는 음료나 아이스크림 등의 요리를 할 때 적합하다. 녹차는 오래 끓이면 색이 변하기 때문에 찬 음식이나 조리 마지막과정에서 첨가하는 것이 좋고 오룡차는 그 향미가 농후하므로 비린내를 제거할 때 즉 생선요리나 육류에 사용하는 것이 좋으며 백차는 맛이 담백하여 탕에 주로 사용하고 홍차는 색이 진하여 탕색이 진한 요리에 사용하는 것이 좋다.

## 1. 녹차밥

**재료** : 녹차 5g, 쌀 300g

**만드는 법**

녹차를 뜨거운 물에 우려내어 밥물로 사용하여 밥을 짓는다.

**효능**

소화를 돕고 차향이 우러나와 입안을 깨끗하게 하고 차 속에 들어 있는 각종 식물성 영양성분을 흡수하여 건강에 도움이 된다.

## 2. 녹차죽

**재료** : 녹차 10g 또는 말차 1큰술, 쌀 150g

**만드는 법**

먼저 녹찻잎을 물에 넣고 끓여 녹차를 만든 뒤 쌀과 함께 넣고 죽을 끓인다.

**효능**

위를 편하게 하고 정신을 맑게 하며 담즙분비를 원활하게 하여 간담의 기능을 좋게 한다. 소화를 돕고 신진대사를 활발하게 한다.

### 주의사항

여성의 생리기간이나 임신부, 포유기의 여성에게는 카페인이 있고 유산이 유즙분비를 억제할 수 있으므로 주의해야 하며 위가 찬 사람도 배에 가스가 찰 수 있으므로 주의해야 한다.

## 3. 강차죽

**재료** : 쌀 30g, 생강 3g, 홍차 5g

### 만드는 법

홍차를 뜨거운 물에 우려 준비하고 생강과 쌀을 깨끗이 씻어 함께 넣고 죽을 끓인다.

### 효능

청열해독작용과 건비이뇨작용이 있어 만성장염이나 오랫동안 설사하는 사람에게 효과가 있고 여드름이 많이 나는 사람에게 도움이 된다.

### 주의사항

음허로 내열이 있는 사람은 주의해야 하며 생강은 신선한 것으로 사용하는 것이 좋다.

## 4. 타차연자죽

**재료** : 찹쌀 80g, 연자 10개, 보이소타차 1개, 잣 1작은술

### 만드는 법

타차는 끓는 물에 우려내고 연자와 찹쌀을 물에 불려 준비한다. 찹쌀과 연자를 물에 넣고 먼저 물러지도록 끓인 후 보이차 우린 물을 붓고 한 번 더 끓여 잣을 올려 완성한다.

### 효능

음을 보하고 몸을 윤택하게 하며 정신을 안정시키고 가슴이 답답한 증상을 개선하며 불면증이 있는 사람에게도 도움이 된다.

### 주의사항

변이 묽거나 가래가 많은 기침을 하고 복통 설사가 있는 사람은 잣을 넣으면 안 되고 대변이 건조한 사람은 연자를 넣으면 안 되며 특히 연자는 우유와 함께 먹으면 변비를 더욱 심하게 한다.

## 5. 녹차달걀꿀탕

**재료** : 녹차 1g, 달걀 2개, 꿀 25g

### 만드는 법

녹차와 달걀, 꿀을 끓는 물에 넣고 잘 저으며 끓여 달걀이 익으면 불을 끄고 그릇에 담아 조식 후 먹는다. 하루에 한 번씩 45일 동안 먹는다.

### 효능

허약한 몸을 보하고 윤택하게 하며 산모 보양식으로 적합하다.

## 6. 염차단

**재료** : 홍차 8g, 식염 3g, 달걀 2개

### 만드는 법

먼저 달걀과 홍차를 솥에 넣고 물을 부어 8분 정도 끓이다 달걀껍질을 벗기고 소금을 넣어 10분을 더 끓여 먹는다.

효능
〰〰〰

기운을 만들고 유뇨증을 예방한다. 어린이들이 밤에 자면서 소변을 보는 유뇨증에 효과가 있다.

## 7. 백차목인삼구기탕

재료 : 인삼 1개, 백목이버섯 100g, 구기자 15g, 백차 3g, 얼음설탕 적당량

만드는 법
〰〰〰〰〰〰〰

백목이버섯은 물에 불려놓고 인삼은 잘게 잘라 솥에 백차 우린 물을 넣고 20분 정도 끓이다 백목이버섯과 구기자를 넣고 5분 정도 더 끓인 후 얼음설탕을 넣어 완성한다.

효능
〰〰〰

심장과 폐를 튼튼하게 하여 정신을 안정시키고 신체를 윤택하게 하며 기혈을 보하여 심신이 편안하도록 한다.

## 8. 복령원지음

재료 : 백복령 10g, 구원지 6g, 연자 10g, 대추 5개, 건은이버섯 15g, 녹차 3g, 설탕
        적당량

만드는 법
〰〰〰〰〰〰〰

① 대추는 씨를 빼고 은이버섯은 물에 불리고 녹차는 뜨거운 물에 우려놓는다.

② 백복령, 구원지는 티백에 넣고 연자, 대추와 함께 녹차물에 30분 정도 끓이다 은
   이버섯을 넣고 5분 정도 더 끓인다.

③ 설탕을 넣고 티백은 건져내고 잘 섞어 먹는다.

### 효능

정신을 안정시키고 보혈작용이 있어 놀라거나 건망증이 있는 사람이나 꿈이 많고 불면증이 있는 사람에게 효과가 있다.

## 9. 남과녹두음

**재료** : 남과 200g, 녹두 50g, 녹차 2g

### 만드는 법

남과를 잘게 썰어 물을 붓고 불린 녹두와 함께 30분 정도 끓인 후 잘게 부순다.

### 효능

혈지방과 혈압은 낮추고 이뇨작용이 있어 비만, 고혈압, 수종환자에게 적합하다.

### 주의사항

비위가 허약하고 몸이 찬 사람은 주의해야 한다.

## 10. 녹차바지락탕

**재료** : 바지락 250g, 녹차 5g, 마늘 · 생강 · 실파 · 요리술 적당량

### 만드는 법

바지락을 해감하여 깨끗이 씻고 녹차는 뜨거운 물에 우려내어 준비한다. 바지락을 달군 팬에 넣고 살짝 볶다 요리술을 넣고 녹차 우린 물을 붓고 다른 양념을 넣어 탕을 끓인다.

### 효능

고단백 저열량식으로 중, 노년들의 만성병에 이상적인 식품이다. 간에서 콜레스테롤의 합성을 높고 배설을 돕는 작용이 있어 성인병 예방에 좋고 간담기능을 활발하게 하

며 숙취해소와 여러 가지 독소를 배출하는 효과가 있다.

### 주의사항

비위가 차고 복통 설사를 하는 사람이나 생리 중인 여성이나 임신부는 주의해야 한다.


## 11. 보이족발

재료 : 족발 · 보이차 · 황기 · 당귀 · 감초 · 차유 · 간장 · 팔각 · 회향 · 계피 · 황설
　　　탕 · 마늘 · 소금 · 대파 · 요리술 · 생강 · 마른 고추 · 물엿 적당량

### 만드는 법

위의 재료를 적당하게 분량을 조절하여 솥에 넣고 삶아낸다.

### 효능

자윤작용이 강하여 피부노화를 예방하고 윤택하게 하며 사지가 무력하고 다리관절이
좋지 않으며 소화기출혈이 있는 사람에게 도움이 되며 질병을 예방하는 효과도 있다.

### 주의사항

포화지방이 많아 생활습관병이 있는 사람은 주의해야 하며 야식으로 먹는 것도 좋
지 않다.


## 12. 녹차붕어탕

재료 : 붕어 1마리, 녹차 5g, 간장, 소금, 생강, 요리술 적당량

### 만드는 법

붕어를 깨끗이 손질하여 물에 넣고 삶다가 마지막에 녹차물과 양념을 넣어 완성한다.

### 효능

붕어는 고단백식품으로 소화흡수가 잘 되고 간과 신장의 질병에 유익하며 심뇌혈관

질환자에게 우수한 단백질을 공급한다. 또한 면역력을 강화시키고 피부의 탄력을 좋게 하여 주름을 개선시키는 데 도움이 된다. 그리고 비위가 허약하고 수종이 있는 사람에게 효과가 있으며 병후 체력이 약해진 사람이나 출산 후에 산모가 먹으면 좋다.

### 주의사항

감기 발열기에 있는 사람에게는 좋지 않다.

## 13. 보이차등갈비구이

**재료** : 등갈비 500g, 보이차 5g, 식용유 30ml, 생강 5편, 마늘 5개, 대파 · 간장 · 설탕 · 소금 · 요리술 · 물엿 적당량

### 만드는 법

보이차를 끓는 물에 우려내어 양념장과 섞어 등갈비를 재워두었다가 굽는다.

### 효능

자음작용이 있으며 양기를 보하고 정혈을 돕는다. 차가 들어가 차향이 나며 느끼한 맛을 깨끗하게 하고 육질을 부드럽게 한다. 허약한 체질에 적합하다.

### 주의사항

습열이 몸에 쌓인 사람이나 비만, 혈지방이 높은 사람은 많이 먹지 않는 것이 좋다.

## 14. 녹차두부

**재료** : 녹차 3g, 두부 1/2모, 당근 약간, 간장 1큰술, 설탕 1큰술, 물전분, 소금 적당량

### 만드는 법

① 녹차는 뜨거운 물에 우려내고 두부는 먹기 좋은 크기로 잘라놓고 표고와 당근은 길이로 잘게 썰어 준비한다.

② 두부를 끓는 물에 데쳐내고 팬에 간장을 넣고 버섯과 당근을 넣고 볶다가 두부를 넣고 조린다.

③ 설탕과 소금으로 간을 맞추고 전분물을 넣어 농도를 맞추어 낸다.

### 효능

두부는 소화가 잘 되고 영양가치가 높으며 식욕을 증진시킨다. 어린이 성장발육과 성인병 예방에 효과가 있으며 녹차를 넣어 건강에 더욱 좋은 차선이 된다.

### 주의사항

통풍이 있는 사람이나 비위가 차서 복통 설사가 잦는 사람은 주의해야 한다.

## 15. 녹차완두빵

**재료** : 중력분밀가루 600g, 효모 6g, 삶은 완두콩 100g, 녹차가루 1큰술, 설탕 50g

### 만드는 법

① 먼저 36℃ 정도로 따뜻한 물에 효모를 넣고 잘 저어준다.

② 효모가 물에 잘 녹으면 밀가루 등 모든 재료를 넣고 반죽을 한다.

③ 20분 정도 발효시킨 후 먹기 좋은 크기로 분할하여 좋아하는 모양으로 만든다.

④ 다시 30분간 발효시킨 후 찜통에 넣고 찐다.

### 효능

밀가루는 탄수화물 위주로 소화흡수가 잘 되고 우리 몸의 열량을 만들어주며 녹차가 합해져 영양소가 더욱 풍부해지고 효모는 간에 유익하다.

## 16. 녹차바지락칼국수

재료 : 바지락 1봉지, 애호박 1개, 양파 1/2개, 당근 1/3개, 고추 3개, 대파 1개, 마늘 · 국간장 · 소금 · 요리술 적당량

　　　 – 면반죽 : 밀가루 600g, 녹차가루 1큰술, 달걀 3개, 소금 · 물 · 식용유 적당량

　　　 – 육수재료 : 무 · 멸치 · 다시마 적당량

### 만드는 법

① 냄비에 물과 육수재료를 넣고 육수를 끓인다.

② 면 반죽재료로 반죽하여 방망이로 밀어 칼국수를 만든다.

③ 바지락은 해감하고 애호박, 양파, 당근은 채썰고 대파와 고추는 어슷썰기를 한다.

④ 면을 끓는 물에 3~5분 정도 삶아 건져낸다.

⑤ 냄비에 대파와 마늘을 살짝 볶다 채소를 넣어 더 볶아주고 바지락을 넣고 입을 벌리면 요리술을 넣고 육수를 넣어 끓인다.

⑥ 물이 끓어오르면 삶은 국수와 고추를 넣고 양념하여 완성한다.

### 효능

비위를 편하게 하고 숙취해소에 좋으며 간담기능을 좋게 하고 독소를 배출하며 소화를 돕는다. 또한 열을 내리고 더위를 이기는 데 도움이 되고 각종 성인병 예방에 효과가 있다.

### 주의사항

비위가 차고 복통 설사를 하는 사람은 주의해야 한다.

## 17. 차향멸치볶음

재료 : 멸치 150g, 꽈리고추 100g, 녹차 10g

　　　 – 양념재료 : 진간장 4큰술, 매실액 2큰술, 다진 마늘 1큰술, 올리고당 1큰술, 설탕 1큰술, 참깨 적당량

### 만드는 법

① 팬에 멸치와 녹찻잎을 넣고 볶는다.

② 비린내가 가시고 볶은 향이 올라오면 기름을 두르고 다시 볶는다.

③ 불을 중불로 하고 꼬리고추를 손질해서 넣고 3분 정도 볶는다.

④ 간장과 매실청, 마늘을 넣고 3분 정도 더 볶아준다.

⑤ 올리고당을 넣고 잘 섞일 때까지 볶다가 불을 끄고 설탕을 넣는다.

⑥ 설탕을 잘 섞어주고 참깨를 뿌려 완성한다.

### 효능

단백질과 글루타민이 풍부하고 비타민, 불포화지방산, 칼슘과 인 등의 무기질이 많이 들어 있으며 베타카로틴 등 식물성 영양소도 많이 들어 있어 어린이들의 성장발육에 도움이 되고 어르신들의 뼈질환을 예방하는 효능이 있으며 두뇌발달이나 성인병 예방에 효과가 있다.

### 주의사항

결석이 있는 사람은 주의해야 한다.


## 18. 삼두백차죽

**재료** : 적두 50g, 녹두 50g, 흑두 50g, 백차 10g, 설탕 적당량

### 만드는 법

백차를 뜨거운 물에 우려내어 위의 재료를 찻물에 넣고 무르도록 삶아 먹는다.

### 효능

더위를 이기고 습을 제거하며 진액을 만들어주며 폐를 윤택하게 한다. 또한 보중익기작용이 있다. 따라서 더운 여름철에 적합하며 몸에 열이 많이 나는 사람이나 수종이 자주 나타나는 사람에게 효과가 있다.

비위가 허약하고 몸이 찬 사람이나 복통 설사를 하는 사람은 주의해야 한다.


## 19. 산사호두음료

**재료** : 호두 150g, 산사 50g, 녹차 10g, 설탕 150g

**만드는 법**

① 호두는 물에 40분 정도 불려 믹서에 갈아서 준비한다.

② 산사와 녹차는 물 1L에 넣고 끓인 후 거름망에 걸러 준비한다.

③ 위의 두 가지를 잘 혼합하여 설탕을 넣고 잘 저어 한소끔 끓인 후 차 대용으로 마신다.

**효능**

신장을 튼튼하게 하고 변을 잘 나오게 하며 소화를 돕고 식체를 풀어주는 효능이 있어 소화가 잘 안 되는 사람이나 노년변비가 있는 사람에게 효과가 있다. 또한 어혈을 풀어주는 효능이 있어 관상동맥경화환자나 고혈압, 고지혈증 등의 성인병에도 유익하다.


## 20. 백합녹차녹두죽

**재료** : 백합 20g, 녹두 50g, 쌀 50g, 녹차 10g, 얼음설탕 적당량

**만드는 법**

① 녹차는 뜨거운 물에 우려 걸러내어 녹차물을 만들어놓는다.

② 녹두는 물에 불린 후 약간 무를 때까지 삶아 준비한다.

③ 쌀을 불려 녹차물과 녹두, 백합을 넣고 죽을 만든다.

### 효능

열을 내리고 폐를 윤택하게 하는 효능이 있어 열이 나면서 마른기침을 하는 사람에게 적합하고 양음생진작용이 있어 만성인후염, 인후종통에 효과가 있으며 열병을 앓고 난 후 회복식으로 좋다.

### 주의사항

비위가 찬 사람은 주의해야 한다.


## 21. 녹차가물치즙

**재료** : 가물치 500g, 백모근 500g, 동과피 500g, 녹차 200g, 생강 50g, 대추 300g, 얼음설탕 250g, 총백 100g

### 만드는 법

위의 재료를 솥에 넣고 가물치가 물러질 정도로 푹 고아 걸러서 즙을 만들어 마신다.

### 효능

기력을 증강시키고 수액대사를 활발하게 하며 신장을 보하고 비장에 유익하다. 따라서 몸이 허약하고 수종이 자주 나타나는 사람에게 적합하다. 따라서 신장염으로 인한 수종이나 임신수종을 치료하는 효능이 있으며 허약한 체질을 개선하는 효과가 있다.

저자소개

## | (사)한국약선요리협회

○ **양 승**

(사)한국약선요리협회 이사장/한국국제음식양
생연구회 회장/중의학 박사

○ **문광철**

(사)한국약선요리협회 사무총장/전주대학교 문
화산업대학원 객원교수

○ **김소영**

한국국제음식양생연구회 사무국장/중의학(부인
과) 박사

○ **김미정**

다옴직업전문학교 원장/스타훈련교사협의회 회장

○ **김인애**

인애듀(Inaedu) 대표/(사)식생활교육대전네트
워크 사무국장

○ **나근영**

오운자연약선 대표

○ **문원식**

조선호텔 셰프/조리기능장/조리학 박사

○ **변미자**

대구 용지봉 대표/한식대첩시즌4 최종우승

○ **유수림**

한국국제음식양생연구회  연구원/재활필라테스
강사

○ **유자연**

유자연약선음식연구소 대표

○ **이성자**

대한민국 조리기능장/대한민국 우수숙련기술자

○ **장영숙**

사찰요리연구가/공인농원 대표

○ **정명희**

(사)한국관광킹다승{구. (사)한국관광서포터즈}
이사장

○ **최명자**

광주꽃차문화연구원 대표/광주보건대학교 겸
임교수/병리학 박사

저자와의
합의하에
인지첩부
생략

## 차의 모든 것

2020년 1월  5일 초판 1쇄 인쇄
2020년 1월 10일 초판 1쇄 발행

**지은이** (사)한국약선요리협회
**펴낸이** 진욱상
**펴낸곳** (주)백산출판사
**교  정** 성인숙
**본문디자인** 신화정
**표지디자인** 오정은

**등  록** 2017년 5월 29일 제406-2017-000058호
**주  소** 경기도 파주시 회동길 370(백산빌딩 3층)
**전  화** 02-914-1621(代)
**팩  스** 031-955-9911
**이메일** edit@ibaeksan.kr
**홈페이지** www.ibaeksan.kr

ISBN 979-11-90323-46-8  13590
값 48,000원